LES FILMS-CLÉS
DU CINÉMA

LES **FILMS-CLÉS** **DU CINÉMA**

Claude
BEYLIE
avec le concours de
Jacques
PINTURAULT

LAROUSSE

Pour la présente édition

Direction éditoriale
Dominique Wahiche

Édition
Nathalie Jovanovic-Floricourt

Avec le concours de
Françoise Maitre
Didier Pemerle

Recherche iconographique
Laure Bacchetta

Maquette
Vincent Lecocq, soyou**see**.com

Fabrication
Nicolas Perrier
Anne Raynaud

Photogravure
Prodima, Bilbao (Espagne)

Pour les éditions précédentes

Direction éditoriale
Olivier Julliard

Édition
Gilbert Labrune

Imprimé par Grafica Editoriale, Bologne (Italie)
Dépôt légal : septembre 2002
ISBN 2-03-505223-8

Avant-propos

Le cinéma est omniprésent dans nos vies. L'homme d'aujourd'hui consomme sans modération des images en mouvement, d'où qu'elles viennent ; il est devenu l'esclave de la technologie audiovisuelle. C'est la faute aux frères Lumière. En réalisant en 1895 la première projection publique de films sur un écran, ils entrouvraient une moderne et fabuleuse boîte de Pandore, d'où ont surgi peu à peu une nouvelle dimension du spectacle, un nouveau type de représentation du monde, une nouvelle écriture, un nouvel art, une nouvelle industrie, un nouveau champ — immense — offert à l'imagination humaine. Même si la technique a évolué depuis lors, même si les diffuseurs de cette étonnante «machine à refaire la vie» se sont radicalement transformés au cours des années (vidéotransmission, chaînes de télévision publique et privée, magnétoscope, réseaux câblés, Internet…), même si le spectateur d'à présent a tendance à préférer le «cinéma chez soi» aux grands rassemblements en salle de naguère, il n'en reste pas moins que l'image animée continue d'exercer un pouvoir d'attraction considérable ; les histoires stockées sur pellicule ou sur tout autre support, de séduire un large public ; les vedettes de l'écran — grand ou petit —, de connaître une fantastique popularité. Le cinéma reste, par excellence, le divertissement de notre temps, au rayonnement et au pouvoir de persuasion inégalés.

Mais il est en même temps un art, une culture et un langage. Bien regarder un film, en apprécier les beautés ou en déceler les insuffisances, en analyser les tenants et les aboutissants en vue d'une estimation plus juste, qui n'altérera en rien le plaisir de la vision, mais ne fera que le renforcer, cela suppose quelque initiation préalable, et de solides instruments de mesure. Ce n'est pas tâche aisée que de les réunir, car outre ses multiples connexions (esthétiques, économiques, politiques…), qu'un seul regard ne saurait embrasser, le cinéma — enfant de l'illusion et de la magie des hommes — draine encore avec lui nombre d'apparences trompeuses, de mythologies vulgaires, de basses contingences commerciales, qui en dénaturent trop souvent la simple réalité. Des points de repère manquent pour explorer en profondeur ce domaine mouvant, aux frontières incertaines, formé de nombreuses strates. Le cinéma est devenu un art (et un spectacle) *total*, qui rassemble et harmonise les acquisitions de la peinture, de l'architecture, de la littérature, de la musique, du théâtre et de la danse. «Septième art», disait Canudo, qui le plaçait tout en haut de la pyramide.

Des œuvres vivantes

Ce livre n'a d'autre ambition que de fournir au lecteur intéressé par cette évolution, qu'il soit étudiant, critique, cinéphile, téléphile, animateur de ciné-club ou simplement curieux d'un phénomène culturel propre à notre temps, un outil de travail commode, lui permettant de situer immédiatement un film, un réalisateur, un genre, une école nationale, dans la jungle de l'histoire du cinéma, où tant de pistes restent encore à tracer, tant de mauvaises herbes à couper et, par bonheur, tant de sites méconnus à découvrir ou à redécouvrir.

Ce n'est pas, tant s'en faut, un catalogue exhaustif (la recension de cent mille films n'y suffirait point), ni un guide infaillible (on aura beau jeu de nous reprocher telle omission, telle surestimation) ; la passion s'en mêle, comme à tout ce qui touche au cinéma ; la subjectivité des auteurs, même s'ils ont fait en sorte de la réduire au minimum, vient inévitablement à la traverse. De même que dans le musée imaginaire prôné par André Malraux, il entre ici une part d'incertitude, surtout pour ce qui concerne les vingt dernières années, vis-à-vis desquelles l'historien manque de l'indispensable recul. Loin de se présenter comme un herbier de nostalgies fanées, elle se veut un florilège d'œuvres vivantes, qu'il fera bon aller cueillir.

La sélection s'est faite en fonction de critères variés mais convergents : films-étapes ayant marqué un tournant dans l'histoire de l'art ou de la technique cinématographiques ; productions plébiscitées par un vaste consensus, et qui témoignent de l'état d'esprit d'une époque, d'un fait de civilisation ; expression originale, voire subversive, de la pensée d'un homme, à l'impact moins immédiat mais que le temps a confirmée ; ou enfin échecs momentanés qui ont gagné leur cause «en appel».

Une première tranche se rattache à ce qu'il est convenu d'appeler «l'art muet» (1895-1930) ; puis vient «l'âge d'or» du cinéma parlant (1927-1945) ; l'après-guerre et ses «images d'un monde en mutation» (1945-1958) ; les «nouvelles vagues» (1959-1975) ; enfin, les tendances contemporaines de l'art du film (1976-2001). Cette subdivision a l'avantage de couvrir en gros cinq générations du paysage audiovisuel international.

Un film, un cinéaste

La question s'est posée du nombre de films à retenir pour un cinéaste donné. Il eût été absurde de privilégier abusivement les grands au détriment des petits, en choisissant par exemple dix Renoir, dix Fritz Lang, dix Buñuel (on les aurait trouvés sans peine), et pourquoi pas, toute l'œuvre de Murnau, de Bresson, de Tarkovski. Le lecteur se fût senti, à bon droit, trompé dans son attente. D'où la limitation, parfois draconienne, d'un film par cinéaste, deux rarement. Il est vrai qu'un seul Dreyer, un seul Mizoguchi, un seul Resnais, cela paraîtra inconcevable à certains. Qu'ils s'essaient donc à ce petit jeu…

Pour autant, nous n'avons pas souhaité ouvrir trop grand l'éventail. S'il avait fallu inclure tel film bulgare ou coréen, aux qualités par ailleurs indéniables, telle révélation de la toute dernière vague, tel «nanar» des années 1930 exhumé à la faveur d'une rétrospective, nous encourrions le reproche inverse, d'éparpillement et de laxisme critique. Quelques films, en revanche, ont droit à une analyse plus longue. Il s'agit d'incontestables chefs-d'œuvre qui ont marqué, comme on dit, une date : on ne fait plus de cinéma après *Intolérance*, après *La règle du jeu*, après *Citizen Kane* comme on en faisait avant. Et nous pensons qu'il y a dans *Metropolis*, dans *L'Atalante*, dans *Lola Montès* tout un pan de l'art cinématographique concentré dans la perfection d'une forme, ce qui mérite bien un traitement de faveur.

Chaque film a sa fiche signalétique qui fournit quelques renseignements puisés à bonne source. On y trouvera un résumé du scénario, une analyse succincte, un générique, des notes, des synthèses intercalaires sur des thèmes, des genres ou des écoles qui ont jalonné l'histoire du septième art.

Une orientation bibliographique, limitée à l'édition de langue française, complète l'ouvrage. Il nous reste à souhaiter que les cinéphiles éprouvent autant de plaisir à visiter ce panthéon que nous en avons pris à l'édifier.

Les auteurs tiennent à remercier Claude Guiguet, François Laffort et Jean-Claude Romer qui les ont aidés dans leurs recherches.

Abréviations utilisées dans l'ouvrage

Adapt. : Adaptation	**Interpr.** : Interprétation	**Coprod.** : Coproduction
Mont. : Montage	**Cost.** : Costumes	**Mus.** : Musique
Déc. : Décors	**N. et B.** : Noir et Blanc	**Prod.** : Production
Réal. : Réalisation	**Dial.** : Dialogues	**Scén.** : Scénario
Distr. : Distribution	**Superv.** : Supervision	**Im.** : Images (chef-opérateur)

Les noms de firmes ou maisons de production sont parfois désignés par leurs initiales usuelles ou en abrégé, ex. : **MGM** = Metro Goldwyn Mayer, **Fox** = 20th Century Fox, **RKO** = Radio Keith Orpheum.

Sommaire

L'après-guerre 128

Nouvelles vagues 178

L'art muet

L'arrivée d'un train en gare de la Ciotat (1895) de Louis Lumière.

1895

L'arrivée d'un train en gare de La Ciotat

Louis Lumière

Autres titres : *Entrée de train en gare*
ou *Arrivée d'un train en gare.*
Prod. et réal. : Louis Lumière. **Durée** : 50 secondes.
Interpr. : famille Lumière et anonymes.

« Louis Lumière, via les impressionnistes, était le descendant de Flaubert, et aussi de Stendhal, dont il promena le miroir le long des chemins » (Jean-Luc Godard).

Description de la vue

Une voie ferrée, en perspective diagonale. Sur le quai, des voyageurs endimanchés qui attendent. Un bagagiste s'avance vers la caméra. Du fond du champ, une locomotive surgit et vient s'immobiliser sur la gauche de l'écran. Des gens descendent d'un compartiment, dont une dame en pèlerine ; d'autres s'apprêtent à monter : parmi eux, un homme avec un baluchon. On ne verra pas le train repartir.

La mise en train d'un art nouveau

La «première» du Cinématographe eut lieu, on le sait, le 28 décembre 1895, dans le sous-sol d'un café, boulevard des Capucines, à Paris. Elle comprenait dix «vues animées» de moins d'une minute chacune, représentant entre autres une sortie d'usine, une baignade en mer, le déjeuner d'un bébé, une farce d'enfant espiègle dans un jardin. Cette séance — publique et payante, 1 F la place — avait été précédée d'une *preview* à l'intention d'un congrès de photographes, le 10 juin de la même année, à Lyon — patrie des inventeurs. Ce n'était pas la première fois qu'on voyait des images bouger sur un écran ; mais jamais encore la notion de *film,* complet, structuré, contant parfois une histoire (celle de l'arroseur arrosé, par exemple), ne s'était imposée avec cette fulgurante évidence.

La première grande émotion devant un écran, ce fut à coup sûr *L'arrivée d'un train,* projeté en janvier 1896, qui la provoqua. La vue avait été prise en gare de La Ciotat, sur un trajet du *P.L.M.* L'opérateur avait placé sa caméra de manière à englober la totalité de l'«action». L'effet sur le public fut saisissant : les spectateurs se couchèrent sous leur siège, persuadés que le bolide allait les écraser ! Par la magie du mouvement, ce banal documentaire prenait une dimension fantasmagorique. Il conjugue, comme le note l'historien Vincent Pinel, le réalisme du champ en profondeur, la puissance dramatique du «plan-séquence» et les hasards du «direct».

Les autres «vues» réalisées par Louis Lumière (1864-1948), parfois aidé de son frère aîné Auguste — soit une quarantaine au total —, entre mars 1895 et début 1896, sont d'alertes scènes de genre, exploitant avec bonheur toutes les possibilités du cinéma, y compris l'effet burlesque (*Charcuterie mécanique*), les truquages (le mur démoli qui se reforme) et le spot publicitaire (*La sortie des usines Lumière*).

La préhistoire du cinéma

L'acte de naissance officiel du *Cinématographe* porte la date du 28 décembre 1895. C'est ce jour-là, dans le sous-sol du *Grand Café*, boulevard des Capucines à Paris, qu'eut lieu la première démonstration publique et payante de ce qu'une jeune spectatrice appela la «moulinette à images». L'organisateur du spectacle était un industriel lyonnais, Antoine Lumière ; ses fils Auguste et Louis avaient mis au point un appareil destiné — comme le précisait leur brevet déposé quelques mois plus tôt — «à l'obtention et à la vision d'épreuves chronophotographiques». Leur réussite couronnait les efforts d'une foule de chercheurs, français et étrangers, qui, depuis près d'un siècle, œuvraient à la réalisation de ce vieux rêve : reproduire le mouvement des êtres vivants sous forme d'images, peintes ou photographiées.

Ce pouvoir — un peu diabolique — de fixer l'élan vital sur un support stable, et surtout d'en restituer l'illusion, par un moyen technique adapté, avait toujours obsédé peintres, thaumaturges ou savants. On pourrait ainsi remonter au disque de Newton, à la *camera oscura* de Léonard de Vinci, aux travaux de Ptolémée, voire au mythe de la caverne de Platon !

Dès la fin du xviiie siècle, les amateurs de lanternes magiques se pressaient aux représentations du *Fantascope* du Wallon Robertson. À la veille de la Révolution française, triomphèrent le «théâtre d'ombres» de Séraphin et le «microscope solaire» de Jean-Paul Marat. Puis il y eut le *Phénakistiscope* (1832) du Belge Joseph Plateau, dont s'inspira le Français Émile Reynaud (1844-1918), en créant des «pantomimes lumineuses» d'une grande beauté, qui eurent les honneurs du musée Grévin. Reynaud dessinait lui-même les motifs successifs d'une action sur une bande de gélatine souple, qu'il animait ensuite en les projetant sur un écran à l'aide d'un appareil de son invention, le *Praxinoscope*.

Vint la révolution de la photographie. Niepce, Daguerre, Talbot et d'autres allaient modifier peu à peu le paysage de la recherche et de la création dans des domaines très variés. Mettant à profit cette technique prodigieuse de saisie instantanée du réel, des hommes de science, doublés de bricoleurs, parvinrent *presque* à réaliser l'analyse et la synthèse du mouvement : ce fut le cas de l'Américain Muybridge, qui, à la suite d'un pari, réussit à décomposer le galop du cheval (remettant en question, du même coup, toute une tradition de l'art animalier) ; et surtout du physiologiste français Étienne-Jules Marey (1830-1904), inventeur de la *chronophotographie,* qui est la base même du cinéma. Ses études sur la marche de l'homme ou le vol des oiseaux eurent une influence décisive sur les travaux des frères Lumière. C'était là en quelque sorte du cinéma de laboratoire, qu'il suffisait de produire au grand jour.

Des industriels avisés entrèrent aussi dans la ronde du précinéma. Le plus célèbre d'entre eux fut sans conteste l'Américain Thomas Edison (1847-1931), dont le flair commercial allait de pair avec une grande faculté d'invention, dans le domaine du son autant que de l'image. Son *Kinetoscope,* associé au phonographe, aurait pu donner naissance, dès 1892, à l'implantation mondiale du film... parlant ! Il ne s'en fallut que d'un système de projection adéquat. L'appareil d'Edison ne permettait en effet la vision du film que par *un seul* spectateur. Sa commercialisation restait donc nécessairement limitée.

Les frères Lumière associèrent la sensibilité poétique de Reynaud, la rigueur scientifique de Marey et l'habileté commerciale d'Edison. Le cinématographe existait avant eux *in vitro*. Il restait à le faire fonctionner *in vivo*. Ce fut spécialement le rôle de Louis qui, le premier, réalisa des films où éclate un authentique tempérament de cinéaste. À la fois savant, industriel et artiste, il sut se doter de l'équipement technique et des moyens financiers appropriés, simplifier les découvertes de ses devanciers en vue d'une exploitation commode, mettre en chantier des «travaux pratiques» pleins de fraîcheur et d'impact spectaculaire, passer enfin de l'utopie à la réalité.

1901

L'histoire d'un crime

Ferdinand Zecca

Scén., déc., im. (N. et B.) et **réal.** : Ferdinand Zecca. **Prod.** : Pathé.
Longueur : 110 mètres (six tableaux). **Interpr.** : anonymes.

Le cinéma primitif prend son bien partout où il le trouve : féeries du Châtelet, actualités truquées, passions religieuses ou profanes, tableaux du musée Grévin. De ce «melting-pot», Ferdinand Zecca fut l'artisan qualifié — et peut-être le poète.

Une cellule de condamné à mort. Le coupable, couché sur sa paillasse, revoit en songe les épisodes de sa vie, qui l'ont conduit où il est : jeunesse aventureuse, mauvaises fréquentations, pente fatale de l'alcoolisme, assassinat d'un garçon de banque... Au dernier «tableau», il se voit montant à l'échafaud — et se réveille brusquement. À ce moment entre le bourreau, suivi de l'appareil judiciaire. L'homme sera exécuté.

Sur la piste sanglante

Ferdinand Zecca (1864-1947) était l'homme lige de Charles Pathé, qui appréciait son savoir-faire. Ayant débuté à l'«Ambigu», il avait un sens inné du spectacle. Moins artiste que Méliès, il était cependant meilleur commerçant. Il aborda tous les genres (comique, féerie, actualités reconstituées, scènes historiques, religieuses, etc.), mais sa spécialité est le genre «réaliste», dans l'esprit de Zola et des mélodrames populaires à sensation, dont le public d'alors raffolait. C'est dans cette série qu'il faut ranger *Les victimes de l'alcoolisme, La grève, Les Apaches de Paris* et son chef-d'œuvre, *L'histoire d'un crime,* «pièce cinématographique» inspirée d'une mise en scène (macabre) du musée Grévin. Les trouvailles abondent dans ses productions : dans *Le muet mélomane* (1899), Zecca invente le premier gag... sonore ; dans *L'histoire d'un crime,* il crée le premier flashback de l'histoire du cinéma, même si la technique en est encore sommaire (c'est dans une lucarne pratiquée sur le mur de sa cellule, comme sur une scène tournante de théâtre, que le condamné voit défiler les images de son passé) ; ailleurs, il entremêle habilement vues documentaires et scènes de studio. Cet homme à tout faire était un poète qui s'ignore.

Zecca a formé une équipe solide, qui a donné ses lettres de noblesse au cinéma primitif : Lucien Nonguet, auteur d'une première version du *Cuirassé Potemkine* (1905) ; Gaston Velle, spécialiste des films à trucs ; André Heuzé (1890-1942), créateur des mémorables «courses poursuites» qui firent la gloire de Pathé. À partir de 1906, Zecca se cantonna dans le rôle de producteur.

1902

Le voyage dans la Lune

Georges Méliès

Scén. et réal. : Georges Méliès. **Im.** : Michaut (N. et B.). **Cost.** : Mme Georges Méliès.
Prod. Star Film (Georges Méliès). **Longueur** : 280 mètres (30 tableaux,
dont 28 conservés). **Interpr.** : Georges Méliès *(Barbenfouillis)*, Victor André,
Depierre, Farjaux, Kelm, danseurs et acrobates des Folies-Bergère.

«Jules Marey, les frères Lumière avaient, tour à tour, donné le mouvement. Méliès, le premier, délivra les fées» (Paul Gilson).

Le Club des astronomes, présidé par le professeur Barbenfouillis, décide d'organiser une expédition interplanétaire. On construit un canon géant qui permettra d'envoyer une fusée-obus vers la Lune. À son bord prennent place une équipe d'intrépides voyageurs.

Ils piquent en plein dans l'œil de l'astre des nuits et y découvrent monts et merveilles : des danseuses… étoiles, des champignons à croissance accélérée, des sélénites à tête de crevettes… L'endroit s'avérant, à la longue, inhospitalier, ils redescendent sur Terre, où ils sont accueillis en triomphateurs.

Premiers effets spéciaux

C'est là sans aucun doute l'œuvre la plus célèbre de Georges Méliès (1861-1938), un modèle du genre «féerique» et le premier en date des films de science-fiction. Quand Méliès le réalisa, dans son atelier de Montreuil-sous-Bois, il était à l'apogée de sa carrière. Contemporain des frères Lumière, et l'un de leurs premiers et enthousiastes spectateurs, cet homme aux dons multiples, héritier de Robert Houdin, dont il avait racheté le théâtre, expert en illusion, pyrotechnie et magie en tous genres, entrevit aussitôt les possibilités fantastiques (au sens plein du mot) de la nouvelle invention. Négligeant les vues documentaires, il opte pour le gag burlesque, le récit fantasmago-rique, l'hallucination contrôlée. Son thème favori, qu'il développera avec passion, est le voyage imaginaire : sur terre, sous les mers, dans les airs et, pour finir, «à travers l'im-possible». Il le truffe de tous les truquages possibles, certains déjà rodés à la scène, d'autres conçus spécialement pour l'écran : surimpressions, fondus, arrêts sur l'image, etc. Son génie réside dans un mélange rigoureux de précision mécanique et de fabu-lation, d'ingéniosité et de funambulisme. Si Lumière est le Gutenberg du cinéma, Méliès en est le Faust ou le Cagliostro. Les deux tiers de son œuvre sont malheureusement perdus. Créateur incontesté du spectacle cinématographique, il connut de cuisants revers. Vaincu par les magnats de l'industrie du film, il se retrouva, en 1925, vendeur de jouets à la gare Montparnasse…

Le voyage dans la Lune est inspiré à la fois de Jules Verne et de H. G. Wells, peut-être aussi d'une opérette d'Offenbach portant le même titre.

1903

Le vol du rapide

Edwin S. Porter

The Great Train Robbery. **Scén.** : Billy Martinetti.
Im. : N. et B. **Réal.** : Edwin S. Porter.
Prod. : The Thomas Edison Co. **Longueur** : 240 mètres.
Interpr. : George Barnes *(le chef des bandits),*
Max Anderson, A. C. Abadie, Marie Murray.

Le gros plan d'un bandit moustachu mettant en joue le public médusé : il n'en fallut pas davantage pour créer un genre — le film d'aventures en plein air.

Des bandits complotent le pillage d'un train. Une première équipe ayant contraint le télégraphiste de la gare à demander l'arrêt du convoi en rase campagne, le reste de la bande envahit le train, tue le gardien du fourgon postal et détrousse les voyageurs. L'un d'eux, qui tentait de fuir, est abattu. Tandis que les bandits rejoignent leurs chevaux cachés dans la montagne, l'employé de la station parvient à donner l'alarme. Les villageois se mobilisent et, après un combat mouvementé, mettent les criminels hors d'état de nuire.

Naissance du western

Ayant composé de nombreuses vues pour le Kinetoscope Edison, Edwin Stratton Porter (1869-1941) eut l'idée de raconter en images une histoire simple et captivante, en s'inspirant des représentations théâtrales qui faisaient la joie du public populaire américain, avide d'émotions fortes. La chronique de l'Ouest lui fournissait une ample matière : il l'adapta à la technique, encore très rudimentaire, de l'écran. Sa grande idée fut de clore l'action par un plan rapproché du méchant (George Barnes) mettant en joue les spectateurs. Ce fut, sinon le premier gros plan de l'histoire du cinéma, du moins celui qui possédait une valeur narrative spécifique. Les exploitants étaient avisés qu'ils pouvaient passer ce «clou» soit au début, soit à la fin du film ! Le *suspense* était né, et aussi une forme de dramatisation propre au cinéma. Un genre aussi venait de naître : le *western,* avec sa lutte implacable entre *outlaws* et honnêtes gens. (Les Indiens viendront plus tard, avec Thomas Ince.)

Les innovations de Porter ne s'arrêtèrent pas là. Il utilisa avec beaucoup d'intelligence le décor naturel du New Jersey, corsa son film de notations réalistes (la fête villageoise interrompue par l'annonce du drame) et imprima un rythme soutenu aux scènes d'action. Déjà signataire d'un excellent film sur la vie d'un pompier américain, il tournera ensuite ce que l'on peut considérer comme le premier film de gangsters, *The Capture of the Yegg Bank Burglars* (1904).

Nickelodeons

En 1905 s'ouvre à Pittsburgh, en Pennsylvanie, le premier Nickelodeon, salle où l'on projette sans interruption de petits films pour la modique somme de cinq *cents*. Le succès fut prodigieux. Ce n'est pourtant qu'à partir de 1911, année de l'édification d'Hollywood, que le film américain assurera définitivement sa suprématie.

Naissance de l'industrie du film

Le cinématographe des frères Lumière cumulait la réussite d'une curiosité scientifique (projection d'images animées, recréant le mouvement de la vie), d'un art (apparenté à la photographie), d'un spectacle (bien fait pour attirer un large public) enfin, et peut-être surtout, d'une *industrie*. Antoine Lumière, le père, avait pourtant déclaré : « Cette invention n'a pas d'avenir commercial. » Voire ! Deux hommes d'affaires avisés pressentent au contraire qu'il y a là un négoce lucratif. Déjà sensibilisés aux recherches de l'Américain Edison, tant dans le domaine du son (phonographe) que de l'image (kinétoscope), ils vont s'employer, dès la fin du siècle, à monopoliser le marché du cinéma. Ces deux hommes, deux Français, sont Charles Pathé et Léon Gaumont.

« Je n'ai pas inventé le cinéma, je l'ai industrialisé », aimait à dire Charles Pathé (1863-1957). Dès 1894, il s'était lancé dans l'exploitation de la phonographie, sillonnant foires et marchés, un équipement de fortune sous le bras. En juin 1895, avec l'aide d'un jeune inventeur, Henri Joly, il met au point un appareil dérivé du kinétoscope Edison : le photozootrope. Il l'alimente au moyen de courtes bandes qu'il réalise lui-même, et qui sont contemporaines des premiers films Lumière. En 1896, avec ses frères Émile, Jacques et Théophile, il fonde la Société Pathé-Frères, qui deviendra en 1898 la « Compagnie générale des phonographes, cinématographes et appareils de précision ». Puis c'est la rencontre avec Ferdinand Zecca, qui tournera pour lui de nombreuses bandes à succès, à caractère comique, féerique ou réaliste. Pathé s'est choisi pour emblème un coq gaulois, fièrement dressé sur ses ergots. Il a son studio (à Vincennes), son usine de tirage (à Joinville), ses succursales dans le monde entier et sa devise « Le cinéma sera le théâtre, le journal et l'école de demain ».

L'argent afflue, son équipe s'étoffe (Max Linder en sera l'un des fleurons), mais le nombre de copies ne peut satisfaire à la demande. Pathé a alors l'idée de substituer à la *vente* des films leur *location*. C'est le point de départ de ce qu'il appelle « l'industrie intégrale » appliquée au cinématographe. Toutes ses initiatives sont couronnées de succès : création d'une revue d'actualités, *Pathé-Journal* ; production de films de vulgarisation scientifique ; mainmise sur la fabrication européenne de pellicule vierge ; lancement de formats réduits ; conquête des circuits ruraux. La concurrence américaine finira pourtant par triompher de ce pionnier, et après la crise de 1929 il devra mettre en gérance sa société entre les mains d'un aventurier, Bernard Natan, qui va transformer le coq Pathé en vulgaire poule aux œufs d'or. Il faudra attendre 1950 pour que la Société redore son blason.

Face à l'industrieux Pathé, formé « sur le tas », Léon Gaumont (1864-1946) fait figure de grand bourgeois, de professionnel du spectacle. D'abord commerçant en matériels d'optique, il se lance, en 1895, dans la fabrication et l'exploitation d'appareils de prises de vues animées. En collaboration avec un Hongrois, Georges Deméry, il conçoit un appareil combinant la projection d'images et l'enregistrement du son (sur cylindre). En 1903, il présente sa propre « image parlante » à la Société française de photographie, ainsi que quelques « phonoscènes » adroitement synchronisées. Il s'intéresse aussi à la couleur, à la stéréoscopie, au matériel pour rayons X… Mais c'est à l'industrie naissante du cinéma qu'il réserve tous ses soins. En 1905, il fait construire aux Buttes-Chaumont un studio remarquablement équipé, surclassant ceux de ses rivaux Méliès et Pathé. Adoptant le système de location mis au point par ce dernier, il développe un important secteur « distribution ». En 1906, il rachète l'Hippodrome, vaste salle de spectacle de la place Clichy, qu'il transforme en un immense temple voué au culte de l'art nouveau : le Gaumont Palace. Puis ce sera l'édification des studios de la Victorine à Nice, le journal filmé *Gaumont-Actualités*, la multiplication de salles à Paris et en province. Côté production, Gaumont a engagé des collaborateurs de premier ordre : Alice Guy, Jean Durand, Victorin Jasset, Louis Feuillade… Il ne souffrira pas des mêmes revers que Pathé, même si l'arrivée du parlant faillit lui être fatale.

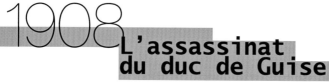

1908
L'assassinat du duc de Guise

Charles Le Bargy et André Calmettes

Scén. : Henri Lavedan. **Réal.** : Charles Le Bargy
(direction des comédiens) et André Calmettes (mise en scène).
Im. : N. et B. **Déc.** : Émile Bertin. **Mus.** : Camille Saint-Saëns.
Prod. : Film d'art. **Durée** : 15 minutes (300 mètres).
Interpr. : Albert Lambert *(le duc de Guise)*,
Le Bargy *(Henri III)*, Gabrielle Robinne *(la marquise)*.

*Jusqu'alors vulgaire divertissement forain, le cinéma s'ouvre aux arts «nobles» :
il s'attache les services de la Comédie et de l'Académie françaises.*

La France en 1588. Le roi Henri III a décidé de se débarrasser de son encombrant rival Henri de Lorraine, duc de Guise. Il le convoque dans son château de Blois. Malgré les mises en garde de sa maîtresse, la marquise de Noirmoutiers, avertie qu'un drame se prépare, le duc s'y rend, sûr de son autorité. À l'heure dite, dans le Cabinet-Vieux, il sera poignardé par les gardes du roi. Celui-ci, qui a assisté au crime, caché derrière une tenture, fait brûler le corps, «encore plus grand mort que vivant», tandis que la marquise laisse éclater sa douleur.

Vers une légitimation culturelle du cinéma

En 1908, les écrans français sont envahis de farces grossières et de mélodrames à l'eau de rose — qui font la joie du public populaire. L'élite boude ce «divertissement d'ilotes». Soucieux de «relever le niveau du cinématographe», et d'étendre son audience, des éditeurs industrieux, les frères Lafitte, créent la Société du Film d'art. Ils font appel à des artistes de théâtre et à de «grands sujets». D'autres firmes les imiteront, notamment la Société cinématographique des auteurs et gens de lettres (S.C.A.G.L.), de Pierre Decourcelle.

Film-manifeste, *L'assassinat du duc de Guise* réunit à son générique les noms d'un académicien (Henri Lavedan), de comédiens du «Français» et d'un musicien en renom (Camille Saint-Saëns), chargé de composer — ce qui ne s'était encore jamais vu — une musique originale. Sur le plan technique, le film n'est pas sans qualités. Son influence fut surtout sensible à l'étranger : Griffith, Dreyer, entre autres, y virent les prémices d'une dramaturgie nouvelle.

Le Film d'art poursuivra son activité jusqu'en 1920, sous l'impulsion de Louis Nalpas. Sarah Bernhardt y tournera *La dame aux camélias* (1912), Abel Gance y débutera. Louis Delluc a rendu hommage en ces termes à ses promoteurs : «S'être aperçu avant n'importe qui en France que le cinéma était ou serait un art, c'est un fier titre de gloire.» «*L'assassinat du duc de Guise* marque la fin de la période foraine du cinéma; il consomme le divorce entre les pionniers et les maîtres de l'industrie» (Henri Langlois).

Le Service des archives du film a restauré en 1980 la version originale teintée du film, en y adjoignant la musique de Saint-Saëns. Présenté au Palais des Arts à Paris, en présence de Gabrielle Robinne, le film remporta un triomphe !

Cabiria

Giovanni Pastrone

GABRIELE D'ANNUNZIO
CABIRIA
ITALA FILM - TORINO

Scén. et réal. : Giovanni Pastrone. **Intertitres** : Gabriele D'Annunzio.
Im. : Segundo de Chomon (N. et B.). **Mus. originale** *(Symphonie du feu)* :
Ildebrande Pizzetti. **Prod.** : Italia (Turin). **Durée** : 180 minutes.
Interpr. : Lydia Quaranta *(Cabiria)*, Umberto Mozzato *(Fulvio Axilla)*,
Bartolomeo Pagano *(Maciste)*, Italia Almirante Manzini *(Sophonisbe)*.

Bien avant l'Amérique, l'Italie a payé son tribut à la fresque historique à grand spectacle. Cabiria *est le film-phare de ces monuments en stuc, dominés par les bains de foule, la marche des légions et le frémissement des «péplums».*

L'Italie à l'époque de la deuxième guerre punique. Fuyant avec sa nourrice une éruption volcanique, une petite fille de basse extraction, Cabiria («née du feu»), est enlevée par des pirates carthaginois et vendue comme esclave. Sur le point d'être immolée au dieu Moloch, elle est sauvée par un patricien romain, Fulvio Axilla, et son serviteur, le bon géant Maciste. Au même moment, Hannibal franchit les Alpes et marche sur Rome… Devenue la suivante de Sophonisbe, fille du général Hasdrubal, Cabiria connaîtra encore beaucoup d'épreuves avant de trouver le bonheur.

Un ancêtre de Schwarzenegger

Cabiria est l'archétype du film pseudo-historique à grande mise en scène, non exempt d'anachronismes et de boursouflures, où dès 1908 les Italiens étaient passés maîtres (cf. *Les derniers jours de Pompéi, Quo Vadis ?, La chute de Troie,* etc.). Le réalisateur, Giovanni Pastrone (1883-1959), *alias* Piero Fosco, n'en était pas lui-même à son coup d'essai. Entreprise ambitieuse (coût estimé à 1 250 000 lires), qui mobilisa des milliers de figurants et s'honora de la collaboration, pour les intertitres, du poète et dramaturge Gabriele D'Annunzio, le film s'inscrivait en outre dans une politique d'interventionnisme de l'État italien, stimulée par les conquêtes coloniales. Mais il se signale surtout par une grande maîtrise technique : intégration habile des vastes décors à l'action, beaux mouvements de foule, emploi original du travelling *(carello)*. Aux côtés de la célèbre *diva* Italia Almirante Manzini, un débardeur génois, Bartolomeo Pagano, imposa le personnage du géant Maciste, créant un véritable mythe qui se perpétuera jusqu'aux années 50. Il y a la même filiation — inconsciente — de Maciste à Mussolini que de Caligari à Hitler…

Aux États-Unis, le «péplum» triomphera un peu plus tard avec *Les dix commandements, Ben Hur, Cléopâtre, Quo Vadis ?, Spartacus, Gladiator,* etc.

1915

Forfaiture

Cecil B. DeMille

The Cheat. **Scén.** : Hector Turnbull. **Réal.** : Cecil B. DeMille.
Im. : Alvin Wyckoff (N. et B.). **Prod.** : Paramount (Jesse L. Lasky).
Durée : 80 minutes. **Interpr.** : Fanny Ward *(Edith Hardy)*,
Jack Dean *(son mari)*, Sessue Hayakawa *(Hishuro Tori)*,
Utake Abe *(le domestique)*.

Dès sa naissance le cinéma a trouvé sa voie dans le mélodrame. Mais il sut le dépouiller de ses oripeaux, l'humaniser. Il n'eut pour cela qu'à faire appel aux miracles de la photogénie.

Une femme de la grande bourgeoisie, ne pouvant acquitter une dette de jeu, emprunte une grosse somme d'argent à un riche collectionneur japonais qui est amoureux d'elle. Il exige qu'en retour elle se donne à lui. Elle accepte, mais, regagnant au jeu la somme avancée, se rétracte. Furieux, il la marque à l'épaule avec le cachet qui lui sert à poinçonner ses statuettes. Le mari bafoué venge son honneur en blessant grièvement l'Asiatique. Il est emprisonné. Lors du procès qui s'ensuit, la femme dénude son épaule meurtrie, témoignage du forfait, provoquant l'acquittement du mari et son pardon.

Un mélo envoûtant

Ce qui aurait pu n'être qu'un banal mélodrame mondain, pimenté d'un zeste d'érotisme, devait connaître un succès inattendu, en France principalement, où les jeunes cinéphiles virent l'ébauche d'un nouveau langage filmique, dégagé des ornières du théâtre. Il est vrai que l'auteur avait élagué son intrigue au maximum, réduisant l'affrontement psychologique à un jeu d'ombres mouvantes et noyant ses ambiances dans un vaporeux clair-obscur. C'était du Bernstein, mais éclairé à la Rembrandt! Le masque impassible du Japonais Sessue Hayakawa, contrastant avec l'emphase habituelle des acteurs du muet, frappa aussi le public cultivé. «Pour tous les Français, écrivit Ève Francis, ce fut une révélation. On admira ce drame exotique envoûtant, mené dans un esprit nouveau, un mouvement accéléré, un dynamisme jamais senti.»

Le réalisateur, Cecil Blount DeMille (1881-1959), se spécialisa par la suite dans les grosses machines bibliques *(Le roi des rois, Les dix commandements)* sans jamais abdiquer une certaine préciosité formelle. Mais n'oublions pas qu'il fut d'abord un des maîtres de l'art muet, l'égal d'un Griffith ou d'un Chaplin, à l'écriture élégante, aux conceptions raffinées. Ce manieur de foules était aussi un esthète, expert en intimisme sophistiqué, comme en témoignent, après *Forfaiture,* des films tels que *The Affairs of Anatol* ou *Les damnés du cœur.*

Il y eut plusieurs *remakes* de *Forfaiture,* aux États-Unis (1923, avec Pola Negri; 1931, avec Tallulah Bankhead) et en France (Marcel L'Herbier, 1937, avec Victor Francen, Louis Jouvet et Sessue Hayakawa, qui reprenait exactement le rôle qu'il avait tenu vingt ans auparavant). Une adaptation théâtrale d'André de Lorde fut jouée à Paris en 1944.

La naissance d'une nation
David Wark Griffith

The Birth of a Nation. **Scén.** : D. W. Griffith, Frank Woods, Thomas Dixon Jr,
d'après les romans du Révérend Thomas Dixon *The Clansman* et *The Leopard's
Sports*. **Réal.** : D. W. Griffith. **Im.** : « Billy » Bitzer, Karl Brown (N. et B.).
Prod. : Epoc Producing Corp. (D. W. Griffith et Harry E. Aitken).
Durée : 170 minutes. **Interpr.** : Henry B. Walthall *(Ben Cameron, « le petit colonel »)*,
Miriam Cooper *(sa sœur, Margaret)*, Mae Marsh *(Flora)*, Ralph Lewis
(Austin Stoneman), Lillian Gish *(sa fille, Elsie)*, Elmer Clifton *(Phil)*, George Siegman
(Sylas Lynch), Joseph Henabery *(Abraham Lincoln)*.

*Le succès public de ce film — une évocation grandiose de la guerre de
Sécession — fut considérable. Il n'aura d'équivalent, au parlant, que celui
d'*Autant en emporte le vent*.*

L'Amérique en 1860. La guerre civile déchire le pays. Deux familles sont durement touchées : les Stoneman (qui se battent pour l'Union) et les Cameron (sudistes). La paix revenue ne calme pas les esprits. Le Président Lincoln est assassiné par un extrémiste, des
troubles violents sont fomentés par des politiciens véreux, les Noirs livrés à eux-mêmes
sèment l'anarchie. Le Ku Klux Klan rétablira l'ordre. Mais l'unité de la nation sera longue
à forger.

L'Amérique en quête de ses racines

Cette fresque historique — la plus importante jamais entreprise aux États-Unis —
affiche une sympathie évidente pour la dissidence sudiste et l'action du Ku Klux Klan.
Pour cette raison, le film déchaîna les passions lors de sa présentation en 1915 ; il fut
boycotté dans plusieurs États. Selon Eisenstein, qui s'en est beaucoup inspiré, il fait ouvertement l'apologie du racisme. L'auteur s'en défendit, affirmant qu'il n'avait fait que traduire la réalité historique et que sa sympathie pour les Noirs restait entière. Pour faire
la preuve de ses convictions humanitaires, il entreprit l'année suivante une grande
fresque pacifiste : *Intolérance.*

Par-delà son aspect partisan, toujours très controversé, *La naissance d'une nation* apparaît surtout comme une grande épopée cinématographique, regorgeant d'audaces de mise en scène (agilité de la caméra, amples panoramiques, effets de montage alterné), qui en font un des tout premiers chefs-d'œuvre techniques du cinéma. Le morceau de bravoure final (la chevauchée des hommes du Klan, allant délivrer la famille assiégée) est traité, dit Jean Mitry, selon un «rythme quasi musical fondé sur les rapports temporels des éléments constitutifs».

On trouve au générique du film plusieurs noms fameux : parmi les assistants du metteur en scène, Erich von Stroheim, Woody S. Van Dyke, Jack Conway et Raoul Walsh. Ce dernier est également interprète : il joue le rôle de l'assassin du président Lincoln. Il a déclaré : «Jusqu'en 1915, le public n'avait connu que des films de second ordre, d'une ou deux bobines. Il fallut *La naissance d'une nation* pour convaincre le monde qu'Hollywood était arrivé à maturité. Ce long métrage fut un tournant dans l'histoire du cinéma.»

Les vampires
Louis Feuillade

Scén., réal. : Louis Feuillade. **Im.** : N. et B. **Déc.** : R. J. Garnier. **Prod.** : Gaumont. Dix épisodes de 800 à 1 300 mètres chacun.**Interpr.** : Édouard Mathé *(Guérande)*, Marcel Levesque *(Mazamette)*, Jean Ayme *(le grand vampire)*, Musidora *(Irma Vep)*, Fernand Hermann *(Moreno)*.

«Des nuits sans lune ils sont les rois, les ténèbres sont leur empire… » : ainsi fut annoncée la sortie d'une série française à épisodes. Cette pègre nocturne avait nom Les vampires, et Musidora était leur reine en collant noir…

On ne saurait résumer en quelques lignes les dix épisodes, plus délirants les uns que les autres, des *Vampires*. Dans *La tête coupée* (1), un journaliste, Philippe Guérande, est mis sur la piste de criminels mystérieux, qui défient la police. Une danseuse célèbre est victime d'une de leurs infernales machinations, *La bague qui tue* (2). Grâce au *Cryptogramme rouge* (3), Guérande parvient à confondre l'égérie de la bande, la belle Irma Vep (anagramme de vampire). Elle s'échappe. Au cours d'une réception mondaine, tous les invités sont asphyxiés, puis dépouillés (*L'évasion du mort* [5]). Le maître des vampires est capturé, mais la relève est assurée par le cruel *Satanas* (7), auquel succède bientôt l'immonde Vénénos. Traqué, l'un des forbans n'hésite pas à envoyer des obus de sa chambre d'hôtel (*Le maître de la foudre* [8]). Tout s'achèvera à l'issue de grandioses *Noces sanglantes* (10).

L'aventure est au coin de la nuit

Ce grand ciné-roman populaire avait été conçu par Louis Feuillade (1873-1925), directeur artistique des Établissements Gaumont, pour répliquer aux *Mystères de New York*, que Pathé s'apprêtait à lancer sur le marché français. Il fit si vite et si bien que la sortie des deux premiers épisodes des *Vampires* devança de trois semaines celle de leur rival américain. S'embarrassant moins encore de cohérence narrative que dans la série des *Fantômas*, son précédent succès, Feuillade improvisa quasiment au jour le jour une intrigue abracadabrante, faite de morts subites, de disparitions inexplicables et de poursuites acharnées (celles-ci tournées en plein Paris ou dans la proche banlieue, ce qui leur confère un charme incomparable), le Mal renaissant sans cesse sous les coups dérisoires de la Vertu. Les Vampires n'étaient pas des buveurs de sang, seulement de rusés filous se moquant ouvertement de la Justice — au point que la Préfecture de police s'en émut. Cette allégorie frénétique faisait oublier au public les atrocités bien réelles de la guerre, et on y applaudissait sans malice. Les surréalistes s'enthousiasmèrent pour ce défi à la mode et au bon goût.

Après ce « chef-d'œuvre né du hasard et de l'instinct » (Francis Lacassin), Feuillade, pour calmer les esprits, tourna la série des *Judex*, où le Bien cette fois triomphe. Il renouera avec l'esprit des *Vampires* dans *Tih-Minh* (1918), sans en retrouver le lyrisme subversif.

Le serial

Quoique le *serial* soit né en France, avec la série des *Nick Carter* (1908-1909), de Victorin Jasset, c'est à coup sûr *Les mystères de New York* (1915) de Louis Gasnier qui demeure l'archétype. Équivalent cinématographique du feuilleton à épisodes, le serial accumule les péripéties extravagantes autour d'un héros — ou d'une héroïne — qui triomphe toujours de ses ennemis, le *suspense* étant habilement entretenu à la fin de chaque épisode pour inciter le public à ne pas manquer la suite. Ce « cinéma du pauvre » a élaboré une mythologie grossière, mais efficace — dont sont issus *Judex, Tarzan, Zorro, Superman, Batman*, etc.

Intolérance

David Wark Griffith

Intolerance. Sous-titre : *Love's Struggle Throughout the Ages* « Le combat de l'amour à travers les âges »). **Scén., prod., réal.** et **mont.** : D. W. Griffith. **Im.** : « Billy » Bitzer, Karl Brown (N. et B.). **Déc.** : Franz Wortman. **Durée** : 210 minutes.
Interpr. : Lillian Gish *(la femme au berceau)* et 1) à Babylone : Constance Talmadge *(la fille de la montagne)*, Elmer Clifton *(le rhapsode)*, George Siegman *(Cyrus)* ; 2) en Judée : Howard Gaye *(le Nazaréen)*, Lilian Langdon *(Marie)*, Olga Grey *(Marie-Madeleine)*, Bessie Love et George Walsh *(les fiancés de Cana)* ; 3) au Moyen Âge : Margey Wilson *(la fille huguenote)*, Eugène Pallette *(son fiancé)*, Josephine Cromwell *(Catherine de Médicis)* ; 4) de nos jours : Mae Marsh et Robert Harron *(les fiancés)*, Fred Turner *(le père)*. Et Alma Rubens, Eleanor Washington, Douglas Fairbanks, W. S. Van Dyke, Erich von Stroheim, etc.

*« Un film pour la postérité, pour la vérité, pour la beauté » : tel fut le vœu de Griffith en composant le quatuor monumental d'*Intolérance, *cathédrale flamboyante de l'art muet.*

Le scénario se développe sur quatre volets, introduits par l'image leitmotiv d'une nourrice berçant un nouveau-né :

• *L'Amérique en 1914.* Tout en se donnant bonne conscience en subventionnant des œuvres de charité, un riche minotier provoque des troubles sociaux en licenciant une partie de son personnel. Un gréviste, injustement accusé d'un crime, est condamné à la pendaison. Sa fiancée tente de le sauver…

• *La Judée au temps de Jésus.* Lors d'une noce à Cana, un miracle se produit. Il est l'œuvre d'un Nazaréen, aimé du peuple mais traqué par le pouvoir en place. Il est condamné à mourir, crucifié.

• *La France au temps de Charles IX.* Un catholique est amoureux d'une fille de protestants. L'extermination de ces derniers est décidée par Catherine de Médicis, qui ne tolère pas la dissidence religieuse. Le 24 août 1572, jour de la Saint-Barthélemy, a lieu un terrible massacre…

• *La Chaldée au temps de Balthazar.* Babylone est la capitale d'un luxe effréné ; dans ses palais se donnent de grandioses festins. Mais Cyrus assiège la ville ; une fille de la montagne est blessée à mort…

Les amoureux de la Saint-Barthélemy seront victimes de l'intolérance religieuse, comme la Chaldéenne de la guerre qui ensanglante son pays et le Nazaréen de la conjuration des pharisiens et des clercs. Seul le gréviste américain sera sauvé de l'échafaud, grâce à l'entremise de sa bien-aimée.

Une fresque hugolienne

On a vu combien *La naissance d'une nation* avait provoqué de remous aux États-Unis. Son succès reposait sur un malentendu : D. W. Griffith (1875-1948), en patriote doublé d'un grand cinéaste, avait voulu donner à l'Amérique sa *Chanson de Roland* ; on lui fit grief d'avoir réveillé les vieux démons du racisme. Pour faire taire ses détracteurs, il entreprit un film de plus grande envergure encore, mais dont la portée humaniste serait sans équivoque. Il s'inspira d'un épisode réel de la chronique judiciaire contemporaine : le procès d'un gréviste accusé à tort du meurtre de son employeur. Le film s'intitule alors *Mother and the Law (La mère et la loi)*. Il entend fustiger l'intolérance sous toutes ses formes, l'intolérance qui a «martyrisé Jeanne d'Arc... détruit la première presse... inventé les sorcières de Salem...», etc.

Dans une impulsion de fièvre créatrice, le cinéaste décida d'élargir ce simple fait divers aux dimensions d'une vaste fresque sociale, incluant des exemples fameux d'intolérance à travers les siècles. Autour du noyau moderne et «réaliste» vont se greffer, comme autant d'amples métaphores, les spectres des guerres de Religion (le génocide huguenot au XVIe siècle), de l'effondrement de Babylone et de ce qui reste l'injustice suprême : la crucifixion de Jésus. Trois plaies au flanc de l'histoire des sociétés, qu'il importe de conjurer à tout jamais, surtout dans le contexte d'une nation moderne où elles ont tendance à se rouvrir. D'un cas banal d'erreur judiciaire, il passe au «drame solaire de tous les âges de l'humanité».

D'immenses décors furent édifiés (dont un d'une hauteur de cent mètres pour l'épisode babylonien), des milliers de figurants recrutés ; le budget total atteignit deux millions de dollars, engloutissant les bénéfices de *La naissance d'une nation* et menant la firme productrice, la Triangle, où Griffith était majoritaire, au bord de la ruine. Les audaces du réalisateur ne se limitèrent pas à cette luxuriance décorative, dont Hollywood sera, par la suite, familier. Développant les principes du montage alterné élaborés dans *La naissance d'une nation,* il conçoit son film comme une sorte de symphonie en quatre mouvements, entrecroisant les épisodes, sautant d'une époque et d'un lieu à un autre, multipliant les télescopages et les liaisons symboliques : au massacre des protestants répond la répression des grévistes de 1914, aux roues des chars de Cyrus celles d'une automobile vrombissante...

Il en résulte une «grêle d'images», au rythme haletant, quasi hugolien, culminant dans un admirable crescendo final, où le familier se mêle au grandiose, le quotidien au sublime. Certains n'ont voulu voir là que «tohu-bohu inexplicable» (Delluc) et «lyrisme emphatique» (Sadoul), alors que l'on y approche des «ténébreuses échappées ruisselantes» d'un Walt Whitman — auquel le leitmotiv du berceau se balançant sans fin est explicitement emprunté.

Présenté en septembre 1916, à la veille de l'entrée en guerre des États-Unis, *Intolérance* eut un succès médiocre. Comme le note Jean Mitry, «le moment était mal venu de prêcher la fraternité universelle, et l'œuvre fut retirée de la circulation». Son influence n'en fut pas moins énorme à l'étranger, sur des auteurs tels que Carl Dreyer, Abel Gance ou Serguëi M. Eisenstein.

Griffith se cantonna à partir de 1918 dans le mélodrame intimiste *(Le lys brisé, Le pauvre amour)*, la comédie fantastique *(La rue des rêves, La nuit mystérieuse)* et le document historique *(Pour l'indépendance, Abraham Lincoln)*, manifestant toujours le même prodigieux sens dramaturgique et plastique. Son dernier film, parlant, *The Struggle,* date de 1931. Sa mort en 1948 passa inaperçue.

L'expressionnisme allemand

La grande époque du cinéma allemand commence en 1919, avec le fameux *Cabinet du docteur Caligari*. On décèle quelques signes annonciateurs dans les premières versions de *L'étudiant de Prague* (1913) et du *Golem* (1914), mais ce ne sont là que deux îlots épars dans une production sans grand relief.

Caligari nous précipite dans un monde de pur cauchemar — qui s'accorde à l'instabilité politique du moment : murs zébrés de graffiti, immeubles de guingois, toiles de fond blafardes d'où se détachent des masses géométriques abruptes et des personnages hallucinés... À la différence des rassurantes fantasmagories de Méliès, tout se place ici sous le signe d'une angoisse proprement métaphysique. Or, ce qui aurait pu rester une expérience isolée inspirée par l'ange du bizarre allait être à la source d'un immense courant qui irrigua toute l'histoire du cinéma. La preuve était faite que le cinéma pouvait être autre chose qu'une plate illustration de la réalité, se dégager de l'ornière de la littérature et du théâtre : un processus de *recréation*, maladroit certes mais irréversible, était engagé. Le cinéma se rapprochait de l'art abstrait ; et ce n'est pas un hasard si trois des collaborateurs du metteur en scène, les décorateurs Hermann Warm, Walter Reimann et Walter Röhrig, avaient fait leurs classes au Blaue Reiter, dans les allées du mouvement dit «expressionniste».

Peinture, littérature, théâtre et poésie avaient été successivement gagnés par cette disposition naturelle de l'esprit allemand consistant à accorder une priorité systématique aux idées et aux sentiments les plus singuliers sur les impressions banales reçues par les sens. Tel est le postulat de l'expressionnisme : il s'agit de se détacher à tout prix de la nature, de s'immerger dans les délices du fantasme idéographique, d'isoler enfin — selon un mot de Lotte Eisner — «l'expression la plus expressive» du monde extérieur, à travers un filtre adultérateur (ou correcteur) : activité créatrice par excellence. D'où une série de déformations, de biseautages, le recours à une symbolique visuelle plus ou moins déchiffrable, un plongeon dans l'obscur et l'indéterminé, l'écrasement des personnages par leur environnement ou la fatalité, le tout brassé dans l'espèce de liturgie silencieuse propre à la rythmique du «muet» : tel est le climat caractéristique d'une école où s'illustreront, avec des fortunes diverses, des auteurs tels qu'Arthur Robison, Karl Grüne, Paul Leni, mais surtout les deux maîtres incontestés que sont Friedrich Wilhelm Murnau et Fritz Lang.

Murnau a été le poète de l'expressionnisme, Lang son architecte. Aux tréfonds vertigineux et aux brouillards romantiques du premier répondent le béton armé et la rigueur glaciale du second : monde vacillant et ténébreux chez l'un, clos et voué à l'asphyxie chez l'autre. Tous deux exporteront leur génie à l'étranger avec une égale part de réussite.

En retrait de l'expressionnisme, mais encore très influencé par lui, on situera le *Kammerspielfilm*, «cinéma de chambre» à caractère psychologique et intimiste : Lupu Pick et Ewald André Dupont s'y sont distingués. Plus tard, des réalisateurs chercheront leur voie dans ce qu'ils appellent la «nouvelle objectivité» : c'est le cas de G.W. Pabst, qui aux dérives faustiennes a toujours préféré l'exploration des bas-fonds de la réalité.

À l'aube des années 30, l'expressionnisme allemand est virtuellement mort. Ses derniers sursauts — glorieux — sont *M le maudit* et *L'ange bleu*. La venue de Hitler au pouvoir tarit une inspiration jugée par trop décadente. Mais la relève est déjà assurée ; en U.R.S.S. par l'excentrisme, en France par le réalisme poétique, aux États-Unis par le fantastique et le film noir. Francis Courtade en suit la trace jusque chez Orson Welles et Federico Fellini. En Allemagne même, il y aura une timide résurgence après la guerre dans des films tels qu'*Un homme perdu* (Peter Lorre, 1951) ou *La route parallèle* (Ferdinand Khittl, 1961), en attendant la grande relève consécutive au manifeste d'Oberhausen, en 1962.

1919

Le cabinet du Dr Caligari

Robert Wiene

Das Kabinett des Doktor Caligari. **Scén.** : Carl Mayer, Hans Janowitz, d'après une idée de Fritz Lang. **Réal.** : Robert Wiene. **Im.** : Willy Hameister (N. et B.). **Déc.** : Hermann Warm, Walter Reimann, Walter Röhrig. **Prod.** Decla (Erich Pommer). **Durée** : 78 minutes. **Interpr.** : Werner Krauss *(Dr Caligari)*, Conrad Veidt *(Cesare)*, Lil Dagover *(Jane)*, Friedrich Feher *(Franz)*, Hans Heinz von Twardowski.

L'expressionnisme marqua un tournant dans l'histoire du cinéma, comme il l'avait fait en peinture (Munch, Kirchner, Kokoschka), en littérature (Edschmid) et au théâtre (Wedekind). À la transparence narrative il substitue un chaos fondamental.

Un jeune homme raconte à un auditeur intrigué son incroyable histoire : cela a commencé sur un champ de foire. Parmi les attractions, un étrange docteur exhibant dans sa roulotte un somnambule. Des disparitions mystérieuses sont signalées dans la ville. Jane, la fiancée du narrateur, est enlevée en pleine nuit. Le docteur et son acolyte, à figure de cadavre ambulant, semblent être les coupables. S'agit-il de fous criminels ? Mais le jeune homme a perdu la raison, ainsi que sa fiancée. Toute cette histoire n'est peut-être que le fruit d'une imagination en délire…

L'Allemagne de Weimar en proie à ses démons

Ce pourrait être là un conte fantastique inspiré d'Hoffmann ou d'Achim d'Arnim. Les stéréotypes germaniques y sont habilement insérés dans un climat d'angoisse lié à la situation du pays après la défaite de 1918. Les auteurs entendaient stigmatiser, sous une forme allégorique, l'autoritarisme prussien, toujours prêt à déclarer anormal ce qui lui résiste. Selon l'essayiste Siegfried Kracauer, Caligari — comme le Mabuse de Fritz Lang — serait une prémonition de Hitler, dont il annonce la soif de pouvoir et la folie meurtrière. Le personnage du docteur fou est une constante de la littérature populaire ; à partir de *Caligari*, il deviendra un cliché du cinéma.

Mais c'est surtout par l'étrangeté de ses décors (toiles peintes agressives, rues en zig-zag, perspectives déformées), le maquillage violemment stylisé des acteurs, sa construction éclatée, que *Caligari* frappa durablement les spectateurs. À partir de ce film, l'ange noir du bizarre allait étendre son aile sur le cinéma allemand jusqu'à la veille du parlant, aussi bien chez les maîtres (Murnau, Fritz Lang) que dans la production courante (*Le montreur d'ombres*, *Les mains d'Orlac*, *Le Golem*, *Le cabinet des figures de cire*, etc.). L'avènement de Hitler mettra fin à cette expression de l'«art dégénéré».

1922
Nanouk l'Esquimau
Robert Flaherty

Nanook of the North. **Scén., mont., réal.** : Robert Flaherty.
Im. : N. et B. **Prod.** : Revillon. **Distr.** : Pathé. **Durée** : 50 minutes
(1 500 mètres). **Interpr.** : non-professionnels.

Documentariste exemplaire, Robert Flaherty est ce «pionnier qui n'avait jamais été à l'école, sauf à celle des bûcherons du Grand Nord, et qui, aveuglé par la lumière de la baie d'Hudson, a inventé le cinéma dans les yeux émerveillés de Nanouk» (Jean Rouch).

La vie quotidienne de Nanouk l'Esquimau, de sa femme Nyla, de leurs deux enfants et du chien Comock, sur les côtes de la mer d'Hopewell, à l'est de la baie d'Hudson. On assiste à une vente de peaux de renards, à la construction d'un igloo, à une pêche au phoque, à une tempête de neige, à la découverte par Nanouk du gramophone, etc.

La caméra au plus près de l'homme

Petit-fils d'émigrés irlandais, fils d'un mineur du Michigan, Robert J. Flaherty (1884-1951) avait une vocation de prospecteur. Dès 1913, il filme avec une caméra amateur la vie des Esquimaux, dans le cadre de recherches minéralogiques pour le compte d'un magnat canadien. La copie ayant été détruite dans un incendie, il entreprend à partir de 1920, sur le même sujet, un film professionnel, grâce à une subvention de la firme française de fourrures Revillon. Ce sera *Nanouk,* dont le tournage s'étalera sur quinze mois et nécessitera plus de 25 000 mètres de pellicule (le triple d'un film normal). Il y alterne les vues en direct (mais beaucoup s'avérèrent inutilisables) et les séquences reconstituées. Nanouk et les siens, parfaitement «apprivoisés», jouent le jeu avec bonne humeur, oubliant qu'ils sont filmés. L'impression générale est celle d'une saisie à vif d'un milieu ingrat, d'une communauté méconnue, d'une lutte quotidienne pour la survie. Un modèle d'ethnologie appliquée.

Présenté à New York en 1922, en complément imprévu d'un burlesque de Harold Lloyd (!), *Nanouk* connut un énorme succès, qui popularisa le nom de sa vedette. On en fit une marque d'«esquimaux» vendus aux entractes. Le vrai Nanouk, cependant, mourut de faim et de froid deux ans après la fin du tournage.

«Chaque fois, dit Flaherty, que j'entreprendrai un film dans un pays que nous connaissons mal, j'aurai pour ses peuplades la même sympathie, le même désir d'en rapporter un peinture exacte et favorable.» Il mit ce précepte en pratique dans ses autres films : *Moana* (1925) et *Tabou* (1931), tournés dans les mers du Sud, le second en collaboration avec F. W. Murnau ; *Industrial Britain* (1931) ; *L'homme d'Aran* (1934), dans une île au large des côtes d'Islande ; et *Louisiana story.*

1922

Nosferatu le vampire

Friedrich Wilhelm Murnau

Nosferatu, eine Symphonie des Grauens. **Scén.** : Henrik Galeen.
Réal. : F. W. Murnau. **Im.** : Fritz Arno Wagner (N. et B.).
Déc. : Albin Grau. **Prod.** : Prana-Film GmbH.
Durée : 110 minutes. **Interpr.** : Max Schreck *(comte Orlock,*
alias *Nosferatu,* alias *Dracula),* Gustav van Wangenheim *(Harker),*
Greta Schroeder-Matray *(Nina),* Alexander Granach *(Renfield).*

Nosferatu *est le fleuron, la perle noire, de l'expressionnisme allemand. Mais on ne trouve ici aucun artifice scénique ou décoratif.*

Une épidémie de peste ravagea Brême en 1838 : quelle en fut la cause ? Tout commence par un voyage effectué par un employé d'agence immobilière, Jonathan Harker, auprès d'un étrange châtelain des Carpates. Malgré la répugnance des guides, le jeune homme parvient à destination : son hôte s'avère être un vampire, qui va l'attirer dans ses griffes. Nosferatu, c'est son nom, est un mort-vivant, qui boit le sang des jeunes gens, nécessaire à sa survie. Il part semer la désolation et la mort dans les contrées avoisinantes. La fiancée de Jonathan se sacrifiera pour conjurer le mal : en retenant le vampire dans sa chambre jusqu'à l'aube, elle le fera disparaître à tout jamais.

Quand les fantômes viennent à notre rencontre...

C'est du tuf même du monde extérieur (le film a été tourné en grande partie dans des paysages naturels, à Lübeck, Lauenburg, Brême et ses environs) que surgit l'angoisse. Aux antipodes d'une terreur de pacotille, que le thème semblait impliquer, Murnau (1888-1931) nous offre un film quasi réaliste, qui plonge ses racines dans les nappes les plus profondes de l'inconscient germanique. Son vampire est une parfaite incarnation de l'instinct de mort tapi au cœur de l'homme civilisé ; selon Jean Domarchi, le film symbolise le « pacte des ténèbres » que toute société est tentée de nouer, par romantisme pervers, avec la Mort et le Néant. *Caligari* avait une dimension sociologique,

Nosferatu se hausse au plan métaphysique. Ces perspectives se vérifieront dans les films suivants de Murnau, grand maître de l'art muet allemand : *Phantom, Le dernier des hommes, Faust*.

Techniquement, le film se signale par une succession de séquences impressionnantes : voyage de Harker au pays des fantômes ; franchissement du pont qui en est la terrible frontière ; entrée du vaisseau maudit dans le port ; descente des croque-morts dans la ruelle déserte ; évanouissement du vampire au chant du coq… Un documentaire scientifique sur les plantes carnivores et un curieux intermède comique s'intègrent parfaitement à cette «symphonie de l'horreur».

Murnau et son scénariste s'étaient inspirés (sans en avoir acquitté les droits d'adaptation) du fameux roman de Bram Stoker, *Dracula*. Ce classique de la littérature fantastique sera porté maintes fois à l'écran, notamment par Tod Browning (1931), Terence Fisher (1958), Paul Morissey (1973), Werner Herzog (1978), Francis Ford Coppola (1992).

1924
La légende de Gösta Berling
Mauritz Stiller

Gösta Berlings saga. **Scén.** : Mauritz Stiller, Ragnar Hyltèn-Cavallius, d'après le roman de Selma Lagerlöf. **Réal.** : Mauritz Stiller. **Im.** : Julius Jaenzon (N. et B.). **Prod.** Svenskfilmindustri. **Longueur** : 4 534 mètres (réduite à 2 775 mètres dans la version sonore). **Interpr.** : Lars Hanson *(Gösta Berling)*, Gerda Lundeqvist *(Margareta)*, Hilda Forslund *(sa mère)*, Greta Garbo *(Élisabeth)*, Jenny Hasselqvist *(Marianne)*, Ellen Cederström *(la comtesse Märtha)*.

Terre de légendes et de vieille culture, la Suède sut se doter, dès les années 10, d'une esthétique cinématographique originale. Sjöström et Stiller en furent les maîtres d'œuvre.

Dans le Värmland, au début du siècle dernier, chassé de son office pour cause de vie dissolue, un jeune pasteur, Gösta Berling, est devenu précepteur dans la riche famille des Dohna, à Borg. Sa beauté y faisant des ravages, il s'enfuit et trouve refuge au château d'Ekeby, chez les Samzelius. Là encore, son charme opère… L'épouse du maître de céans, la volage Margareta, s'éprend de lui. Pour conjurer le souvenir d'une ancienne liaison, elle mettra le feu à sa demeure ; on l'emprisonne. Elle s'effacera finalement devant la fille des Dohna, elle-même mariée à un rustre, Élisabeth, qui, sans se l'avouer, a toujours aimé Gösta Berling.

Châteaux en Suède et légendes d'hiver

Le célèbre roman de Selma Lagerlöf, que le film adapte librement, se présentait comme un foisonnant florilège de vieilles légendes du folklore scandinave : amours coupables d'un pasteur, folles randonnées nocturnes en traîneau, évocation picaresque de la saga des «Chevaliers d'Ekeby». Le cinéaste, sans exclure tout à fait la composante épique, axe son film sur la satire sociale, les scènes d'intimisme amoureux et le contraste avec la splendeur sauvage de la nature — vastes horizons, lacs glacés, meute de loups pourchassant le couple exténué… Comme dans ses précédentes œuvres, qui avaient fait le renom du cinéma suédois *(Dans les remous, Le trésor d'Arne, Erotikon, Le vieux manoir)*, Stiller (1883-1928) entremêle avec aisance le grandiose et le familier, l'effusion romantique et les intermèdes de comédie.

Le résultat est une parfaite synthèse du style suédois muet, dont on regrettera qu'aucune version intégrale n'ait pu être conservée. En effet, à la mort de Stiller, survenue

à l'âge de quarante-cinq ans, après un désastreux séjour aux États-Unis, son collaborateur Ragnar Hylten-Cavallius sonorisa le film et le réduisit de moitié afin de mettre en valeur Mlle Gustafsson, *alias* Greta Garbo, dont c'était le premier grand rôle à l'écran. Elle débutera en 1926 à Hollywood où elle sera bientôt surnommée «la divine». *La chair et le diable* (Clarence Brown, 1927), *La reine Christine* (Rouben Mamoulian, 1933), *Le roman de Marguerite Gautier* (George Cukor, 1936) et *Ninotschka* (Ernst Lubitsch, 1939) furent les grandes étapes de sa carrière de star.

1924
Les rapaces
Erich von Stroheim

Greed. **Scén., réal.** : Erich von Stroheim, d'après le roman de Frank Norris, *McTeague.* **Im.** : Ben Reynolds, William Daniels, W. Bader (N. et B.). **Mont.** : J. W. Farnham. **Prod.** : Goldwyn Company. **Durée de la version actuelle** : 120 minutes. **Interpr.** : Gibson Gowland *(McTeague)*, Zasu Pitts *(Trina)*, Jean Hersholt *(Marcus Schooler)*, Chester Conklin *(Papa Sieppe)*, Cesare Gravina *(Zerkov*, rôle coupé au montage).

Acteur au masque inoubliable, Erich von Stroheim est absent de son meilleur film, Les rapaces, *où il bat en brèche toutes les conventions hollywoodiennes.*

La Californie au début du XXe siècle. Un fils d'émigrés, McTeague, vit chichement de son travail dans une mine. Las de cette existence médiocre, il s'installe à San Francisco comme dentiste, sans en avoir la qualification. Il tombe amoureux de Trina, la cousine de son ami Marcus Schooler, et l'épouse. Mais leur union bat bientôt de l'aile : le conseil de l'Ordre interdit au praticien sans diplôme d'exercer sa profession, sa femme devient d'une avarice sordide, il se met à boire… Un soir d'ivresse, McTeague tue la tendre épouse devenue une horrible mégère et s'enfuit. Marcus, qui a été l'artisan de sa déchéance, le poursuit dans le désert de la Mort. Tous deux mourront de haine et d'épuisement.

Affreux, sales et méchants

On a longtemps cru — et l'intéressé entretint lui-même cette légende — qu'Erich «von» Stroheim (1885-1957) avait été un brillant officier de l'armée impériale d'Autriche. Il n'était en réalité qu'un roturier, fils de bourgeois aisés, venu comme tant d'autres tenter sa chance en Amérique. Son masque volontaire de Teuton, sa morgue hautaine, son ironie cinglante firent merveille dans les studios, où on lui confia des tâches de conseiller militaire, et bientôt les rênes de productions prestigieuses. «L'homme que vous aimeriez haïr» (comme le baptisa la publicité) gaspilla une fortune dans l'édification d'un somptueux décor d'hôtel monégasque, pour une comédie érotico-macabre, *Folies de femmes* (1921).

Mais son chef-d'œuvre dans le genre fut *Les rapaces* : une fresque naturaliste à la Zola, où ne manquent ni les détails scabreux, ni le foisonnement des personnages — tous médiocres, tarés ou ridicules. Le cabinet dentaire où McTeague embrasse à pleine bouche sa patiente anesthésiée, la cérémonie nuptiale, qui nous présente le couple hébété et la belle-famille ricanante, avec en arrière-plan un convoi mortuaire, les scènes finales à Death Valley (tournées effectivement sous un soleil écrasant par une équipe exaspérée par les foucades du cinéaste), tout ici respire la pourriture, la décrépitude et la mort. Dans sa mégalomanie, Stroheim avait conçu un film de 36 bobines, soit plus de 8 heures de projection ! Le producteur, Irving Thalberg, exigea des coupes. Le film fut progressivement réduit des trois quarts, à la grande fureur de l'auteur.

Ses films suivants eurent des démêlés analogues avec l'industrie hollywoodienne, au point qu'à partir de 1929 Stroheim dut abandonner la réalisation et se tenir au rôle d'acteur, où d'ailleurs il excella jusqu'à sa mort.

Le voleur de Bagdad

Raoul Walsh

The Thief of Bagdad. **Scén.** : Lotte Woods, Elton Thomas (pseudonyme de Douglas Fairbanks), d'après *Les mille et une nuits.* **Réal.** : Raoul Walsh. **Im.** : Arthur Edeson (N. et B.). **Déc.** : William Cameron Menzies. **Prod.** : Douglas Fairbanks Pictures. **Durée** : environ 133 minutes. **Interpr.** : Douglas Fairbanks *(Ahmed, le voleur de Bagdad)*, Julanne Johnston *(la princesse)*, Sojin Kamiyama *(le prince mongol)*, Anna May Wong *(la suivante)*, Snitz Edwards *(le complice)*.

Walsh et Fairbanks, c'est la rencontre idéale de deux tempéraments parmi les plus exubérants de Hollywood : l'intelligence créatrice alliée à la fougue corporelle.

Ahmed, le voleur de Bagdad, est célèbre dans tout l'Orient pour son agilité et son inso-lence. Il s'éprend de la fille du Calife, dont le mariage doit être prochainement célé-bré. Les prétendants se bousculent ; parmi eux, un barbare mongol qui guigne surtout le trône. Se faisant passer pour un prince imaginaire, le voleur réussit à s'introduire au palais. Démasqué par une servante, il s'enfuit. Après avoir affronté des dangers redou-tables, dont un dragon crachant le feu, il sauvera la ville de la perfidie mongole et gagnera le cœur de sa bien-aimée.

Sur les ailes de la féerie

Assistant de Griffith, acteur dans *La naissance d'une nation,* compagnon de route de Pancho Villa, dont il raconta les exploits dans un de ses premiers films, *Life of Villa* (1915), «bourlingueur» à l'existence mouvementée (qui a fait l'objet d'une autobiographie savoureuse, *Un demi-siècle à Hollywood*), Raoul Walsh (1887-1980) fut l'un des plus prolifiques et des plus doués parmi les cinéastes américains, excellant aussi bien dans le western que dans la comédie, le policier ou le film de guerre. Sa carrière couvre presque toute l'histoire d'Hollywood, de 1913 à 1964. Il a réalisé 130 films pour la plupart des grandes compagnies américaines.

Le voleur de Bagdad est son film muet le plus célèbre. C'est une farce exotique, conçue par et pour Douglas Fairbanks (1883-1940), que Walsh dirige avec une souplesse sans égale. Décors et costumes firent l'objet de soins particuliers, donnant lieu à une stylisation qui préserve l'œuvre de l'orientalisme de bazar où tant de produits du même genre s'enliseront. Aucune des moutures ultérieures, parlantes et en couleurs, de ce conte féerique, la plus connue étant celle tournée en 1940 par Michael Powell, Ludwig Berger et Tim Whelan, avec Sabu et Conrad Veidt, ne retrouvera le charme limpide de celle-ci. Elle doit beaucoup à son interprète, qui en est en même temps le producteur et le scénariste, Douglas Fairbanks. Co-fondateur des Artistes Associés, ayant incarné avec le même panache d'autres héros de légende (Robin des Bois, D'Artagnan, Zorro), il fut l'un des rois d'Hollywood dans les années 20.

1925 Le cuirassé Potemkine

Sergueï Mikhaïlovitch Eisenstein

Bronenosez Potemkine. **Scén.** : S. M. Eisenstein, Nina Agadjanova.
Réal. : S. M. Eisenstein. **Im.** : Édouard Tissé (N. et B.). **Mont.** : S. M. Eisenstein,
Gregori Alexandrov. **Prod.** : Goskino. **Durée** : 70 minutes.
Interpr. : Alexandre Antonov *(Vakoulintchouk)*, acteurs de la troupe
du *Proletkult* et non-professionnels *(marins et habitants d'Odessa)*.

« C'est le désespoir stylisé, exprimé graphiquement avec des mouvements d'une simplicité… énorme ! C'est magnifique ! » (Douglas Fairbanks, 1926).

Épisode historique de la mutinerie du cuirassé *Prince Potemkine* en 1905, qui déclencha une répression sanglante du pouvoir tsariste contre les habitants d'Odessa qui s'étaient solidarisés avec les marins en lutte. On peut diviser le film en cinq actes : 1) des hommes et des vers (la révolte gronde à bord) ; 2) le drame du gaillard d'arrière (exaspérés, les matelots jettent les officiers par-dessus bord ; mais la mutinerie est jugulée) ; 3) le sang crie vengeance (meeting sur le port d'Odessa, autour de la dépouille d'un marin tué) ; 4) la fusillade sur le grand escalier (la foule est mitraillée par la botte tsariste) ; 5) le passage de l'escadre (fraternité des mutins et des soldats).

Les marches de la révolution

Le cuirassé Potemkine (on prononce Patiomkine) a été sacré, à deux reprises au moins (1952 et 1958), «meilleur film du monde» par un aréopage international de cinéastes et de critiques. Les théories d'Eisenstein (1898-1948) ont été maintes fois commentées et disséquées. Son système, mis au point dès *La grève* (1924) et qui sera strictement codifié dans *Octobre* (1927), est très influencé par le théâtre (Meyerhold, le kabuki japonais), l'opéra et la peinture «constructiviste». Autant qu'un film, *Potemkine* est une grandiose pantomime. Bien entendu, le cinéma — grâce au «montage d'attractions», base de la dramaturgie filmique, selon S.M.E. — y ajoute des effets impensables à la scène (par exemple : les trois lions de pierre filmés successivement, que l'on croit voir se dresser comme s'ils étaient vivants). Cette «théâtralité» sera encore plus sen-

sible dans les derniers films, *Alexandre Nevski* et *Ivan le Terrible*. Elle vaudra à Eisenstein, de la part des instances dirigeantes, le reproche de «formalisme».

S.M.E. ne lésine pas sur l'effet de choc (récusant le «ciné-œil» de son compatriote Dziga Vertov, il prêche pour un «ciné-poing») : toute la séquence — sans fondement historique — de l'escalier d'Odessa est d'abord un prodigieux exercice de style, une chorégraphie faite d'éclats, de ruptures et de leitmotive visuels, avec le point d'orgue du cri de la mère qui «déchire» l'écran.

Le coup de génie de S.M.E. est d'avoir donné la vedette de son film, non à un «héros», fût-il socialiste, mais à une foule anonyme. D'où une poésie de masse, violente, spontanée, qui fait oublier l'aspect un peu mécanique de ses théories esthétiques.

Les misérables
Henri Fescourt

Scén. : Henri Fescourt, d'après l'œuvre de Victor Hugo.
Réal. : Henri Fescourt. **Im.** : Mérobian, Lafont (N. et B.).
Prod. : Films de France (Société des Cinéromans).
Longueur : 12 000 mètres (32 bobines). **Interpr.** : Gabriel Gabrio
(Jean Valjean), Jean Toulout *(Javert)*, Sandra Milovanoff
(Fantine et *Cosette)*, Rozet *(Marius)*, Paul Jorge *(Mgr Myriel)*,
G. Saillard et Renée Carl *(les Thénardier)*.

Les misérables demeure l'une des grandes réussites françaises de la fin du muet, un modèle de classicisme, face aux excès un peu intempestifs de «l'avant-garde».

Divisé en quatre «époques», le film suit fidèlement la trame du roman de Hugo. 1) *Octobre 1815*. Un ancien forçat, Jean Valjean, rencontre à Digne Mgr Myriel : le misérable mis au ban de la société trouve son chemin de Damas. 2) *1817*. Une jeune femme pauvre, Fantine, travaille à l'usine du bon M. Madeleine, à Montreuil-sur-Mer. Un policier habile, Javert, démasque ce dernier, qui n'est autre que Jean Valjean. 3) Un étudiant, Marius, tombe amoureux de Cosette, la fille de Fantine, recueillie après la mort de sa mère par M. Leblanc — encore un masque de Jean Valjean, toujours traqué par l'implacable Javert. 4) *1832*. «L'épopée de la rue Saint-Denis» : la révolution libérale est en marche, des barricades se dressent dans Paris, à l'impulsion d'un jeune réformateur, Enjolras. Dans la tourmente populaire, Jean Valjean se sacrifiera pour le bonheur de Cosette et de Marius.

Prestige du ciné-roman à la française

Chef-d'œuvre de la littérature, *Les misérables* deviendra un classique de l'adaptation filmée. Dès 1912, le Français Albert Capellani en fait un film de près de cinq heures : ce sera l'une des productions les plus ambitieuses du muet. Le rôle d'Éponine est tenu par Mistinguett. Au parlant, on retiendra les films de Raymond Bernard (1933, avec Harry Baur), Richard Boleslavski (États-Unis, 1935, avec Fredric March), Riccardo Freda (Italie, 1946), Jean-Paul Le Chanois (1957, avec Jean Gabin), Robert Hossein (1982), etc. La version de Fescourt est, de toutes, la plus satisfaisante. Elle respecte la structure épique du roman, procède par vastes tableaux où la vision d'ensemble n'étouffe jamais la précision du détail, mêle la simplicité à la grandeur.

Disciple de Feuillade, Henri Fescourt (1880-1966) en a hérité l'art de la narration fluide, élégante, le sens du paysage, l'habileté dans la création des atmosphères. Ces qualités étaient déjà sensibles dans ses «ciné-romans», *Mathias Sandorf* (1920), *Rouletabille chez les bohémiens* (1922), *Mandrin* (1923), et se retrouveront dans *Monte-Cristo* (1929).

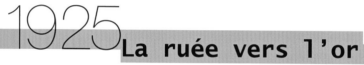

1925 La ruée vers l'or
Charles Chaplin

The Gold Rush. **Scén., réal.** : Charles Chaplin. **Im.** : Rollie Totheroh (N. et B.). **Prod.** : United Artists (Charles Chaplin). **Mus. et commentaire de la version sonorisée** (1952) : Charles Chaplin. **Durée** : 72 minutes. **Interpr.** : Charles Chaplin *(Charlot, le petit homme des neiges)*, Georgia Hale *(Georgia)*, Mack Swain *(«Big» Jim McKay)*, Tom Murray *(Black Larsen)*.

Il n'est sans doute pas de cinéaste de par le monde plus célèbre que Chaplin, ni de film de lui plus fameux que La ruée vers l'or. *Son art y trouve son expression quasi emblématique.*

Le Klondyke (nord-ouest du Canada) en 1898. La file des chercheurs d'or s'étire au creux des montagnes enneigées. Charlot, prospecteur solitaire, trouve refuge dans une cabane isolée, où il est bientôt rejoint par Gros Jim. La faim les tenaille : qui sera mangé ? Un ours à la chair fraîche vient mettre fin à l'horrible dilemme.

À la ville, Charlot est séduit par Georgia, la «girl du saloon». Elle feint de répondre à ses avances et accepte une invitation à dîner. Mais elle lui fait faux bond, et le pauvre petit homme se retrouve seul, faisant danser ses petits pains…

Gros Jim, qui a des trous de mémoire, se souvient brusquement de l'emplacement d'un filon riche en minerai. Il y entraîne Charlot. Devenu milliardaire, celui-ci joue les paumés sur le paquebot du retour. Georgia, prise de remords, se précipite vers lui… et trouve la fortune.

Un David en haillons

«Je suis devenu riche en jouant un pauvre», a déclaré Charles Chaplin (1890-1977), que son irrésistible ascension dans la jungle du cinéma a toujours fait jubiler, au point qu'il n'est guère question que de cela dans son autobiographie, *Histoire de ma vie* (éd. Robert Laffont, 1964). Dès 1915, sa gloire est assurée, et le personnage qu'il a créé — une sorte de David en haillons faisant la nique à tous les Goliath repus de la société des nantis — dessiné pour l'éternité, d'un trait sûr. Son talent prodigieux de mime, rodé sur les scènes londoniennes, y ajoute une dimension de bouffon shakespearien. Poète et vagabond, pèlerin du siècle, en butte à toutes les avanies, dont il se tire chaque fois par une pirouette, Charlot — avant de se colleter aux engrenages absurdes des «temps modernes» — se devait de remonter le temps et de partager la dure vie des pionniers du Klondyke. De ce qu'un critique italien appelle «le chapitre romantique, l'étape bohème de l'épopée capitaliste», le *gold rush,* il propose une allégorie définitive, où le comique cache mal l'âpre combat quotidien, contre la faim, le froid, la solitude.

Le succès de cette «cavalcade des neiges» fut mondial. Chaplin avait créé «une nouvelle forme de rire, un rire qui oppresse comme une souffrance» (Pierre Leprohon). *La ruée vers l'or* est un admirable tableau des mœurs cannibales qui ont prélude à notre civilisation policée ; les hommes s'y changent en poulets et les pains en danseuses de cancan. C'est l'Odyssée bouffonne de notre temps, dont l'Ulysse est un va-nu-pieds.

Lances d'arrosage et tartes à la crème

Dernier né des arts du divertissement, le cinéma est l'héritier présomptif des jeux du cirque, du mélodrame, de la pantomime, de Guignol et autres revues de music-hall. Au frisson d'épouvante provoqué par l'irruption sur la toile blanche du train de La Ciotat, allait succéder une franche hilarité en face du jet d'eau détourné de sa fonction par un gamin espiègle. Cette douche joyeuse devait connaître de riches prolongements. Très vite, le comique filmé a trouvé sa dynamique propre. Comme l'écrit Jacques Chevalier, « le cinéma n'a pas inventé le rire, mais il en a systématisé la fabrication ; il a exploité tous les effets basés sur la surprise, l'accumulation, le contraste, le grotesque ». Fidèles à l'esprit de Rabelais et de Tabarin, les cinéastes français s'en donnèrent à cœur joie. Le comique occupa une place privilégiée dans leur production, des origines à la Première Guerre mondiale. Toutes les firmes — Pathé, Gaumont, Éclair, Éclipse, Lux — se lancèrent dans la poursuite échevelée et les culbutes apocalyptiques. Une extraordinaire ménagerie envahit les écrans, rassemblant en un furieux tohu-bohu pipelets, colleurs d'affiches, tourlourous, sergents de ville, apaches, loustics en folie et mémères haletantes… Parmi les figures de proue de ce carnaval, on trouve Boireau, Bout-de-zan, Calino, Gribouillette, Little Moritz, Onésime, Rigadin, Rosalie, Zigoto et vingt autres. Émerge du lot un gandin tiré à quatre épingles, parfaite synthèse du dandy Belle Époque : Gabriel-Maximilien Leuvielle, *alias* Max Linder (1883-1925). C'est Charles Pathé qui eut l'idée de lui faire jouer de courtes saynètes aux effets vaudevillesques éprouvés : *Max et l'inauguration de la statue*, *Max et le téléphone*, *Max et sa belle-mère*, *Max victime du quinquina*, etc. L'acteur en assura lui-même par la suite la « direction artistique ». Chaplin rendit hommage (et vola même quelques gags) à ce précurseur, louant son sens de l'improvisation, la finesse de son humour, l'élégance de son jeu, qui contrastaient avec le déchaînement incontrôlé de ses confrères. Max Linder sera le seul comique européen de sa génération à tourner des longs métrages, en France et aux États-Unis *(Sept ans de malheur, L'étroit mousquetaire)*. Vouée aux sarcasmes des élites, qui ne virent là que de vulgaires calembredaines, cette « école » comique française fait aujourd'hui l'objet de révisions enthousiastes. Mieux que dans les prétentieux « Films d'art » à l'esthétique figée, on peut déceler avec André Ehrler, dans ces « hilarantes poursuites, où les culs-de-jatte en délire galopent derrière des citrouilles déboulantes, les premiers linéaments d'un *style* proprement cinématographique ».

Dès le début des années 10, les Américains ont exploité à leur tour ce filon prodigieux, à fort impact populaire. Le grand rassembleur de talents comiques d'outre-Atlantique, qui donna au genre ses lettres de noblesse, fut Mack Sennett (1884-1960). Médiocre comédien, il avait le génie du « gag », fulgurant, parodique, destructeur ; il sut en confier l'exploitation à une troupe homogène, qui devint vite la plus drôle, la plus exubérante, la plus inventive du moment. Poursuites folles, avalanches de catastrophes, nettoyage par le vide, entrée en lice d'un bataillon de flics moustachus (les célèbres *Keystone Cops*) et de jolies filles dénudées (les *bathing beauties*, ancêtres des pin-up), cascades en tous genres : c'est le triomphe du *slapstick* (paroxysme de la bastonnade), de la tarte à la crème, du « rire qui tue ». Sennett a formé les grands ténors du rire hollywoodien : Al Saint-John (« Picratt »), Mabel Normand, Ben Turpin, Roscoe Arbuckle (« Fatty ») et bien entendu Charles Chaplin. Plus tard, associé à Pathé, il lancera Harry Langdon. Son principal concurrent dans le genre fut Hal Roach, découvreur d'Harold Lloyd, de Charlie Chase et du tandem Laurel et Hardy.

Le parlant mettra un frein brutal à ce déferlement burlesque, lui substituant les sophistications de la comédie de mœurs (Capra, Lubitsch, Hawks, McCarey) et, en France, du vaudeville filmé (René Clair). Seuls les Marx Brothers, W. C. Fields, les frères Prévert, plus récemment Jacques Tati, Jerry Lewis et Pierre Étaix tentèrent de ranimer la flamme de cette *vis comica*, dont l'un des derniers sursauts fut, en 1941, le fameux et un peu surfait *Hellzapoppin*.

1925 Variétés

Ewald André Dupont

Variétés. **Scén.** : Leo Birinski, E. A. Dupont, d'après un roman de Félix Holländer. **Réal.** : E. A. Dupont. **Im.** : Karl Freund (N. et B.). **Prod.** U.F.A. (Erich Pommer). **Longueur** : 2 844 mètres. **Interpr.** : Emil Jannings *(Huller)*, Lya de Putti *(la fille)*, Warwick Ward *(Artinelli)*, doublés dans les séquences acrobatiques par les Trois Codonas.

Au lieu d'enregistrer une situation dramatique préexistante, la caméra intervient ici dans l'action, la commente et la dynamise.

Un prisonnier sur le point d'être libéré sur parole raconte la tragédie qui a motivé sa condamnation. Trapéziste dans un cirque ambulant, il est tombé amoureux de sa partenaire, une jeune Hongroise, au point de tout abandonner pour elle. Ils s'associent avec un acrobate célèbre pour un numéro qui remporte un grand succès. Mais la jeune femme trompe ouvertement son compagnon avec le nouveau venu. Apprenant son infortune, l'homme accomplit une dernière prouesse au cirque, avant de tuer son rival et de se livrer à la police.

Un pas en avant dans l'expression filmique

D'une banale variation sur le thème de l'éternel triangle, une heureuse conjonction de talents a fait un des films-phares du «Kammerspiel», ce second souffle de l'expressionnisme allemand. Ces talents sont ceux de l'avisé producteur Erich Pommer, grand patron de la U.F.A., soucieux de donner au public des histoires simples, de facture classique ; d'un opérateur, Karl Freund, spécialiste des images d'ambiance, où l'angoisse semble sourdre naturellement du quotidien (il fera par la suite une brillante carrière aux États-Unis) ; d'un acteur, Emil Jannings, au masque puissant, au jeu fortement intériorisé (souvent filmé de dos, il n'en est que plus pathétique) ; à un moindre degré, enfin, du réalisateur E. A. Dupont (1891-1956), bon artisan qui ne retrouvera jamais pareille chance. Sa caméra, «déchaînée» plus encore que celle du *Dernier des hommes* (de F. W. Murnau, 1924), se glisse partout, traque les personnages, met à nu leurs émotions les plus secrètes. «L'objectif, en continuel déplacement, saisit la scène, le détail, l'expression sous leur angle le meilleur, c'est-à-dire le plus susceptible de leur donner le rendement maximum» (Léon Moussinac).

Variétés apparaît — c'est le cas de le dire — comme un exercice de haute voltige filmique, «une sorte de chef-d'œuvre total, selon Bardèche et Brasillach, l'un des plus complets assurément qu'ait produits l'écran». Alfred Hitchcock admirait beaucoup *Variétés* : il estimait qu'Emil Jannings dans ce film était l'un des rares acteurs qui aient apporté quelque chose d'original au jeu cinématographique.

Kammerspielfilm

Cinéma à caractère intimiste, contrastant avec les outrances décoratives de l'expressionnisme, dont il conserve cependant la tendance au symbolisme visuel, le *Kammerspielfilm* s'attache aux drames domestiques, respecte généralement l'unité de lieu et de temps. Quelques films typiques du genre : *Le rail* (1921) et *La nuit de la Saint-Sylvestre* (1923), de Lupu Pick, *Le dernier des hommes* (1924), de Murnau, et *Variétés*, de Dupont.

1926
La mère
Vsevolod Poudovkine

Mat'. **Scén.** : Natan Zarkhi, d'après le roman de Maxime Gorki.
Réal. : Vsevolod Poudovkine. **Im.** : Anatoly Golovnia (N. et B.).
Prod. : Mezrabpom. **Longueur** : 1 745 mètres.
Interpr. : Vera Baranovskaïa *(Pelageia Vlassova)*, A.P. Tchistiakov
(Mikhaïl Vlassov), Nikolaï Batalov *(Pavel)*, Vsevolod Poudovkine
(l'officier de police).

« Le cinéma est l'art qui exprime le mieux la poussée profonde de l'âme collective russe », écrivait en 1930 Léon-Pierre Quint. Cette prise de conscience trouve dans La mère, *archétype du film de propagande, un terrain de choix où s'exercer.*

Sormovo, cité ouvrière. Vlassov est un forgeron inculte et ivrogne, qui pactise avec les suppôts du patronat. Briseur de grève, il est tué accidentellement par un militant, ami de son fils Pavel. Croyant bien faire, sa veuve aide les enquêteurs. Mais Pavel étant arrêté et condamné, elle réalise son erreur. Elle adhère au mouvement révolutionnaire et se forge peu à peu une conscience de classe. Avec son fils qui s'est évadé, elle prend la tête d'une grande manifestation de solidarité prolétarienne : ils seront abattus l'un après l'autre. Mais leur sacrifice n'aura pas été vain, et le drapeau rouge flottera un jour sur le Kremlin.

L'art du montage

Ayant fait de solides études scientifiques, et fréquenté l'atelier de Lev Koulechov (il fut très frappé par la fameuse « expérience » visant à démontrer qu'une image ne vaut que par la continuité dynamique dans laquelle elle s'insère), Vsevolod Poudovkine (1893-1953) fut un des théoriciens les plus écoutés de l'école soviétique du muet : dans ses écrits, il affirme la toute-puissance du montage, seul capable de donner un sens aux images et de faire passer auprès d'un public encore inculte un « message », conforme à l'idéologie socialiste. Il souligne notamment le rôle du gros plan, véritable ponctuation visuelle portant à son paroxysme la « participation émotionnelle » du spectateur. Ces théories seront appliquées non sans lourdeur dans ses films, *La mère, La fin de Saint-Pétersbourg, Tempête sur l'Asie*. Eisenstein au moins frappait fort, Poudovkine s'époumone. Dans *La mère*, adaptation par ailleurs scrupuleuse du roman de Gorki, il souligne à gros traits le lyrisme révolutionnaire du récit. Une scène fameuse fait alterner la débâcle des glaces sur la Néva et la marée humaine des prolétaires « coulant comme un fleuve vers sa libération ».

En 1954, Marc Donskoï tournera un *remake* en couleurs de *La mère*, plus émouvant, plus chaleureux que la version muette. Une troisième version, signée en 1990 par Gleb Panfilov, reçut au festival de Cannes le Prix de la meilleure contribution artistique. Le film, d'une grande beauté visuelle, se refusait à tout prosélytisme politique, fidèle en cela à l'esprit du roman de Gorki écrit avant la Révolution de 1917.

1927 L'aurore
Friedrich Wilhelm Murnau

Sunrise. **Scén.** : Carl Mayer, d'après la nouvelle
d'Hermann Sudermann *Le Voyage à Tilsitt*. **Réal.** : F.W. Murnau
Im. : Charles Rosher, Karl Struss (N. et B.). **Déc.** : Rochus Gliese.
Prod. : Fox. **Durée** : 117 minutes. **Interpr.** : George O'Brien *(l'homme)*,
Janet Gaynor *(la femme)*, Margaret Livingstone *(la vamp)*, Bodil Rosing.

Après Nosferatu le vampire, Le dernier des hommes, Faust, *Murnau porte avec* L'aurore — *comme l'a dit Charles Chaplin* — *«le cinéma muet à son point de perfection absolue»*.

Un fermier de Californie, séduit par une étrangère venue de la ville, est sur le point de tuer son épouse. Il se ressaisit à la dernière minute et tente de ressouder son bonheur menacé. Mais le sort s'acharne sur lui : sa femme est emportée par un ouragan. Il la retrouve saine et sauve, à l'aurore.

Pour Murnau, «ce chant de l'Homme et de la Femme est de nulle part et de partout, il pourrait se situer n'importe où et à n'importe quelle époque. Partout où se lève et se couche le soleil, dans le tourbillon des villes ou le plein air d'une ferme, la vie est toujours la même, tantôt amère, tantôt douce, avec ses rires et ses larmes, ses fautes et ses pardons».

Le quotidien transfiguré

Aucun récit, si poétisé soit-il, ne saurait rendre compte de l'envoûtement que dégage ce film proprement *magique,* et qui doit tout à un style de virtuose ou, mieux, de démiurge. Friedrich Wilhelm Murnau, qui avait détourné l'expressionnisme allemand au profit d'une métaphysique de l'horreur, dans *Nosferatu le vampire,* prouve ici sa maîtrise absolue dans le traitement de l'espace filmique, l'organisation de la scénographie, la profondeur de champ, la souplesse des mouvements de caméra, la dramatisation du quotidien. Engagé par les Américains, qui admirent son génie de la mise en scène, il se paie le luxe de diriger une équipe à 80 % allemande, de tourner un film de lumières, d'ombres, de sortilèges, où les personnages semblent mus par des forces obscures, des pulsions élémentaires, le tout dans un contexte familier, chaleureux, à échelle humaine.

Le secret de cette alchimie échappe à l'exégèse. «Ce qui frappe le plus le spectateur, écrit Jean Domarchi, c'est la perfection avec laquelle Murnau s'accommode de scènes prosaïques et sait en exprimer le sublime.» Alexandre Astruc parle (en 1952) de «la plus formidable volonté d'*expression* qui se soit jamais vue à l'écran». En 1958, l'équipe des *Cahiers du Cinéma* désigne *L'aurore* comme le meilleur film du monde. Le consensus est total. Des scènes comme la rencontre du fermier et de la vamp dans les marais, la promenade en tramway, la tempête, retrouvent la grandeur de la tragédie antique. *L'aurore* fut pourtant un échec commercial. Murnau tourna encore trois films en Amérique (dont l'admirable *Tabou*), avant de mourir dans un accident de voiture, à l'âge de quarante-trois ans.

1927

Le mécano de la General
Buster Keaton et Clyde Bruckman

The General. **Scén., réal.** : Buster Keaton, Clyde Bruckman.
Im. : Dev Jennings, Bert Haines (N. et B.). **Prod.** : United Artists
(Buster Keaton). **Longueur** : 2 287 mètres. **Interpr.** : Buster Keaton
(Johnny Gray), Marion Mack *(Annabelle Lee)*, Glen Cavender,
Jim Farley, Frederick Vroom, Joe Keaton *(généraux)*.

Le gag keatonien est aussi bien l'œuvre d'un cascadeur que d'un architecte, d'un cadreur et d'un chorégraphe : perfection inégalée de l'art burlesque.

La Géorgie en 1861. Johnny, petit mécanicien de province, a deux amours : sa locomotive et sa fiancée, Annabelle. La guerre survient. Tous les hommes sont recrutés — sauf Johnny, que sa profession retient à l'arrière. Mais lui rêve d'en découdre. L'occasion lui en est donnée quand une section nordiste vole un train pour aller semer la perturbation dans les rangs confédérés. C'est la «General» de Johnny qui fait les frais de l'opération. À son bord, Annabelle, qui allait rendre visite à son père blessé. Toutes affaires cessantes, Johnny s'en va-t-en guerre. Commence alors une odyssée ferroviaire faite de sabotages, déraillements et poursuites en tous genres. À lui seul ou presque, l'héroïque mécano gagnera la guerre ; et la demoiselle, éperdue d'admiration, tombera dans ses bras.

La voie royale du burlesque

Le point de départ de ce western burlesque, mené tambour battant par un des plus subtils mécaniciens du rire, est historique. En avril 1862, un groupe d'espions de l'Union s'est effectivement emparé d'une locomotive, à la gare de Big Shanty. Maniaque de l'authenticité, Keaton fit construire des machines rigoureusement semblables, équipées de chaudières à bois, qu'il lança à travers plaines et bois de l'Oregon, le temps du film. Rares sont les plans de studio ; les plus incroyables acrobaties ferroviaires ont été accomplies sans truquage, avec Keaton seul aux commandes.

Or, c'est précisément dans cette scrupuleuse recherche du détail, cette harmonie de gestes, cet équilibre sans cesse menacé et reconquis de haute lutte, que réside le secret de l'art de Francis « Buster » Keaton (1895-1966), acteur mais surtout auteur comique, qui s'égale ici aux plus grands : non seulement Chaplin, mais Griffith et John Ford. Si son visage, comme on l'a souvent dit, reste d'une immobilité souveraine au sein des plus invraisemblables péripéties (on l'a baptisé « l'homme qui ne rit jamais »), c'est qu'« il est le lieu d'une énergie et d'une richesse expressive concentrées jusqu'à la raréfaction » (J.-P. Lebel).

Buster Keaton n'eut, hélas !, que peu de temps l'occasion de manifester ses dons d'« homme à la caméra » : dans une vingtaine de courts métrages (1920-1923) et dix longs (1923-1928), des *Lois de l'hospitalité* au *Cameraman*. La venue du parlant lui fut fatale, comme à la plupart des grands comiques du muet, Chaplin excepté.

Metropolis

Fritz Lang

Metropolis. **Scén.** : Thea von Harbou, Fritz Lang. **Réal.** : Fritz Lang.
Im. : Karl Freund, Günther Rittau (N. et B.). **Déc.** : Otto Hunte,
Erich Kettelhut, Karl Vollbrecht. **Effets spéciaux** : Eugen Schüfftan.
Version sonore (1984) : Giorgio Moroder. **Prod.** : U.F.A.
Durée : 120 minutes. **Interpr.** : Alfred Abel *(Joh Fredersen)*,
Gustav Fröhlich *(Freder)*, Brigitte Helm *(Maria)*,
Rudolf Klein-Rogge *(Rotwang)*, Heinrich George *(le chef d'équipe)*,
Theodor Loos *(Josaphat)*, Fritz Rasp, Olaf Storm.

Création d'un esprit visionnaire, nourri d'ouvrages d'anticipation et de généreuse utopie, Metropolis *annonce et dénonce à la fois les structures et les contradictions de l'univers concentrationnaire.*

Metropolis est la cité modèle de l'avenir : aux leviers de commande, une caste privilégiée, coulant des jours heureux dans de somptueux jardins fleuris, au sommet d'immenses gratte-ciel, pendant qu'une masse d'esclaves robotisés, parquée dans des souterrains insalubres, travaille à des cadences infernales, rivée aux machines qui les broient tel le dieu Moloch. Freder, le fils du maître de la cité, ignore tout de ce bagne : il le découvrira avec indignation, en suivant une belle jeune femme, Maria, qui prêche la résignation aux prolétaires harassés. Pour contrer son influence qu'il juge néfaste, le maître de Metropolis fait fabriquer par un savant occultiste, Rotwang, un robot femelle à la ressemblance de Maria, qui manipulera les foules à sa guise. Mais Rotwang est un fou qui rêve d'engloutir la cité : l'androïde qu'il construit va entraîner le peuple à la révolte et plonger des innocents dans le chaos. Un vent de folie souffle sur Metropolis. La situation sera sauvée par Freder et Maria : sur le parvis de la cathédrale où les citoyens pris de panique se sont rassemblés, le bras (du Travail) et le cerveau (du Capital) vont se réconcilier sous les auspices de l'Amour.

Un univers concentrationnaire

1925 marque l'apogée du cinéma expressionniste allemand. Dans un pays en proie aux crises politiques, à l'inflation et au chômage, la création artistique est reine. *Caligari, Le Golem, Nosferatu,* le cycle des *Nibelungen* ont épuisé le filon des monstres de cauchemar et des héros de légende. C'est dans la vie contemporaine, au cœur même du système social, qu'il importe à présent de chercher l'écho des fantasmes d'un peuple en désarroi. Ce sera l'audace — et le génie — de Fritz Lang (1890-1976) d'avoir su donner, de *Metropolis* à *M le maudit,* le spectacle hallucinant de ce mal moderne et son antidote, contre-balançant le vertige de Babel par l'inspection des bas-fonds.

Sa formation d'architecte le prédisposait à cette vision futuriste et apocalyptique. La découverte des gratte-ciel et du taylorisme américains, combinée avec le goût d'une esthétique «constructiviste» et la conscience d'un alourdissement du climat social, lui fournira l'impulsion décisive. Sa compagne Thea von Harbou écrira le scénario de *Metropolis* en s'inspirant de récits d'anticipation de H. G. Wells, Jules Verne et Villiers de l'Isle-Adam; Lang mettra tout en œuvre (construction d'immenses décors, utilisation habile de maquettes, énorme figuration, près d'un an de tournage) pour donner corps à cette utopie grandiose, à ce «rêve de pierre» que l'on peut considérer, au choix, comme un hymne ou un défi à l'idéologie totalitaire. Il y a là sans nul doute un double mouvement de fascination et de répulsion, que l'ambiguïté du message final, tentant de concilier l'arbitraire du pouvoir et les exigences de la justice sociale, ne parvient pas à lever.

Lang en était tout à fait conscient : «La conclusion est fausse, je ne l'acceptais déjà plus quand je réalisais le film», déclare-t-il en 1959 aux *Cahiers du Cinéma.* Il nuance cette opinion en 1971 : «Thea von Harbou avait imaginé que le médiateur entre le cerveau dirigeant et la main exécutrice pouvait être le cœur. Cela me semblait alors puéril, utopique. Mais je m'aperçois que la jeunesse des universités tend vers cette solution.» *Metropolis,* film nazi ou progressiste? On n'a pas fini d'en débattre. Toujours est-il que Hitler et Goebbels en avaient fait leur film de chevet, et y ont peut-être puisé l'idée de l'édification de camps de concentration et de la «solution finale» (on remarquera l'étoile jaune peinte sur la porte de la demeure de Rotwang). Georges Sadoul rapporte qu'un

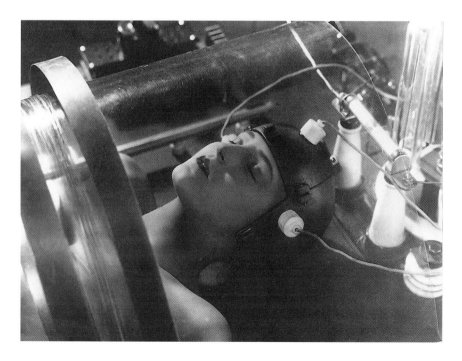

prisonnier de Mauthausen demanda en 1943 à un de ses compagnons de captivité, travaillant à la construction d'un immense escalier ne menant nulle part : « Te souviens-tu de *Metropolis* ? »

Reste l'admirable réussite plastique du film : la marche lente des hommes dans la ville souterraine, l'impeccable géométrie des mouvements de foule, contrastant avec le branle-bas final, lui-même parfaitement organisé, tout ce grouillement et cette maîtrise des formes, avec au faîte de l'édifice le beau visage de Brigitte Helm, font de *Metropolis* une des cimes de l'art muet, à situer tout près d'*Intolérance* de Griffith, et sans doute plus haut qu'Eisenstein. Le succès du film ne s'est pas démenti avec les ans. En 1984, un musicien américain, Giorgio Moroder, connu pour ses partitions de *Midnight Express* et *American Gigolo,* a commercialisé une nouvelle version du film, teintée et sonorisée : on y entend des chansons interprétées par Jon Anderson, Pat Benatar, Bonnie Tyler, etc. Ce rajeunissement d'un chef-d'œuvre a dérouté les puristes.

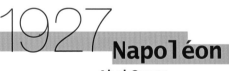

Napoléon
Abel Gance

Scén., réal., prod. : Abel Gance. Im. : Jules Kruger (assisté d'une quinzaine d'opérateurs) (N. et B). Mus. (perdue) : Arthur Honegger.
Longueur : 12 800 mètres, réduite à 5 600 puis à 3 500 mètres.
Interpr. : Albert Dieudonné *(Napoléon)*, Gina Manès *(Joséphine)*, Philippe Hériat *(Salicetti)*, Abel Gance *(Saint-Just)*, Antonin Artaud *(Marat)*, Edmond Van Daële *(Robespierre)*, Koubitzky *(Danton)*.

Gance voyait grand, trop grand. Son Napoléon *ressemble à une fusée explosive à têtes multiples, dérivant dans le ciel du cinéma depuis un demi-siècle… et qui fait long feu.*

Ces six chapitres, eux-mêmes subdivisés en tableaux, ne constituent en tout qu'un infime fragment du grand rêve gancien : 1) Jeunesse de Bonaparte à Brienne ; naissance de *la Marseillaise* ; prise des Tuileries. 2) Bonaparte en Corse ; tempête sur la

Convention. 3) Le siège de Toulon. 4) Bonaparte et la Terreur ; assassinat de Charlotte Corday ; Thermidor ; Vendémiaire. 5) Mariage avec Joséphine de Beauharnais ; les adieux à la Révolution. 6) Départ pour la campagne d'Italie : l'Aigle et les «mendiants de la gloire».

La caméra en folie

Sublime pionnier, artiste novateur, prophète génial, démiurge… les qualificatifs hyperboliques n'ont pas manqué pour parler d'Abel Gance (1889-1981), lui-même se définissant volontiers comme un «surréaliste épique». Contrastant avec le primarisme ou la grandiloquence de ses scénarios, leur débordement narratif et plastique, l'échec — prévisible — de ses projets les plus chers, surtout la méfiance, compréhensible, des producteurs à son endroit, remettent à sa juste place ce colosse aux pieds d'argile, qui ne fut jamais peut-être meilleur que dans les «petits» sujets, où sa démesure caparaçonnée d'humour fait mouche (*La folie du docteur Tube, Au secours !, Paradis perdu, La Vénus aveugle*).

Prévu au départ comme une interminable fresque devant couvrir l'ensemble de la vie de l'Empereur, de Brienne à Sainte-Hélène, interrompu, repris, monté vaille que vaille, sonorisé en 1934, raboché au fil des ans à partir d'éléments épars, *Napoléon* est révélateur des outrances de son créateur, de ses lacunes, de son brio technique aussi : Gance, vrai «cinglé de la caméra», porte celle-ci à bout de bras, l'attache à des balançoires, la jette en l'air dans des ballons captifs… À l'étroit sur un seul écran, il multiplie celui-ci par trois, transformant ainsi certaines séquences (le départ pour la campagne d'Italie) en juxtaposition délirante de bas-reliefs animés… On ne saurait chercher là la moindre cohérence interne (comme dans *Intolérance,* de Griffith) ; rien qu'un tohu-bohu visuel, d'ailleurs non dépourvu de panache, et servi par de bons acteurs, copies conformes de leurs modèles : Dieudonné, Van Daële, Artaud ou Gance lui-même, qui campe un étonnant Saint-Just.

Une année charnière : 1928

1928 fut, pour l'histoire du cinéma, une année clé. C'est le grand tournant du «parlant», en Amérique et bientôt en Europe. De nouvelles firmes naissent (la RKO, la Tobis), qui vont tirer parti des procédés nouveaux d'enregistrement du son sur pellicule. Pour les tenants de «l'art muet» (Griffith, Stroheim, L'Herbier, Epstein), c'est le chant du cygne. En France, l'avant-garde se mobilise : le Studio 28, les Ursulines connaissent des débats mémorables. Les magazines spécialisés (il en fleurit beaucoup : *Pour vous, Cinémonde*…) prennent parti pour ou contre la nouvelle technique. Un inventeur, le professeur Chrétien, met au point un procédé d'écran large, l'*Hypergonar,* dont l'importance n'apparaîtra que bien des années plus tard. En Allemagne, l'expressionnisme est détrôné au profit d'une «nouvelle objectivité». Aux États-Unis, le succès des premiers *talkies,* joint à la grande peur de l'inflation, secoue les colonnes du temple. En U.R.S.S., où Staline prend le pouvoir, sort *Tempête sur l'Asie* de Poudovkine. Au Japon, devenu l'un des grands producteurs mondiaux (800 longs métrages tournés chaque année), on présente *Rêves de jeunesse,* du jeune Yasujiro Ozu. Le moment semble venu de l'«énorme chambardement» que préconise, dans une revue corporative française, le turbulent Jean Renoir.

1928, année d'hésitations, de contradictions… Ainsi Jean Renoir, précisément, passe-t-il sans transition de *La petite marchande d'allumettes,* film expérimental tourné dans les coulisses du théâtre du Vieux-Colombier, à *Tire au flanc,* un comique troupier à l'impact résolument populaire. Ainsi Marcel L'Herbier, après l'ambitieuse chronique sociale de *L'argent,* glisse-t-il vers le mélodrame d'aventures, avec *Nuit de princes.* Ainsi Abel Gance, après les fastes — coûteux — de *Napoléon,* enchaîne-t-il sur un petit film scientifique, *Marines et cristaux,* avant de s'atteler à une laborieuse *Fin du monde.* 1928 marque bien, en effet, la fin d'un monde : celui des Années folles et de leur prodigieux bouillonnement culturel. On est entré, sans en avoir conscience, dans une époque aux dangers bien réels, dans un autre avant-guerre.

Un film surclasse tous les autres : *La passion de Jeanne d'Arc,* tourné à Paris par un Danois, Carl Th. Dreyer, avec une actrice de théâtre qu'on ne reverra plus à l'écran, Renée Falconetti. La «photogénie», orgueil des stars du muet, devient un concept archaïque, face aux exigences du micro roi.

1928, c'est encore, dans le creuset hollywoodien, la réussite des cinéastes émigrés, de fraîche ou longue date : Josef von Sternberg, Paul Fejos, Paul Leni, Ernst Lubitsch et surtout Victor Sjöström, rebaptisé par les Américains Seastrom (un chef-d'œuvre : *Le vent*). C'est aussi le choc de *La foule,* de King Vidor, un film «néo-réaliste» avant la lettre, la sortie du *Cirque,* de Chaplin, le triomphe du *team* Laurel et Hardy (dix courts métrages à la M.G.M.); et c'est la naissance d'une petite souris nommée Mickey Mouse, au trottinement spectaculaire.

1928, pour les cinéphiles des deux continents, c'est aussi la fixation de «mythes» féminins troublants entre tous : Louise Brooks dans *Loulou,* Mary Duncan dans *La femme au corbeau,* Greta Garbo dans *La chair et le diable,* trois visages complémentaires de l'érotisme à l'écran. Seul le dernier franchira — glorieusement — le cap du parlant.

Pour le court métrage européen, enfin, 1928 sera une année faste : *L'étoile de mer, La zone, Paris-Cinéma, La p'tite Lili, Le pont,* etc. Les acteurs eux-mêmes s'y mettent : Gaston Modot *(La torture par l'espérance),* Albert Préjean *(Aventure à Luna Park)*… Mais la surprise vient surtout d'*Un chien andalou,* pavé jeté dans la mare du conformisme par deux Espagnols du groupe surréaliste, Luis Buñuel et Salvador Dalí. Il est temps, décidément, que les «ombres blanches» de l'écran muet cèdent la place aux «fous chantants» (encore deux titres de films à succès). Comme l'écrit dans *Le Crapouillot* le dramaturge Steve Passeur : «Enfin le cinéma parle, tantôt bien, tantôt faux, — mais il parle, et aucune puissance au monde ne le fera taire.»

1928

La chute de la maison Usher

Jean Epstein

Scén., prod., réal. : Jean Epstein, d'après des nouvelles d'Edgar Poe.
Im. : Georges et Jean Lucas (N. et B.). **Déc.** : Pierre Kéfer. **Assistant réal.** :
Luis Buñuel. **Longueur** : 1 500 mètres. **Interpr.** : Jean Debucourt *(Roderick Usher)*,
Sylvie Gance *(Lady Madeline)*, Charles Lamy *(Allan)*, Fournez-Goffard *(le médecin)*.

La chute de la maison Usher, comme La passion de Jeanne d'Arc, fut un film incompris en son temps, mais qui ne saurait vieillir, tant il foisonne de recherches et de métaphores visuelles.

Appelé par Lord Roderick Usher, inquiet de la santé de sa femme, avec laquelle il vit dans une maison perdue au milieu des étangs, un de ses amis se rend dans ce lieu chargé d'angoisse et d'énigmes. Il trouve le maître de céans en train de peindre avec acharnement le portrait de sa femme ; celle-ci s'étiole dans cette atmosphère lugubre, transmettant le peu de vie qui lui reste au portrait. Un jour, elle s'effondre. On l'enterre dans la crypte du parc. Mais Roderick est persuadé qu'elle n'est qu'endormie. Il la rejoindra par une nuit d'orage, tandis que la foudre tombe sur la maison Usher.

Le feu d'artifice de l'avant-garde

Jean Epstein (1897-1953) était théoricien avant d'être cinéaste. Dans ses ouvrages d'esthétique *(L'intelligence d'une machine, Le cinéma du diable)*, il affirme que le cinéma, trop souvent cantonné dans un rôle platement illustratif, peut traduire l'expression intime des sentiments ; aussi faut-il tendre à une « photogénie de l'impondérable ». L'image cinématographique « est un calligramme où le sens est attaché à la forme », déclare-t-il. Il délaissera lui-même volontiers la narration pour la création d'ambiances, utilisant pour cela toutes les ressources de la technique filmique : montage rapide pour la séquence de la fête foraine de *Cœur fidèle* (1923), construction morcelée de *La glace à trois faces* (1927), effets de ralenti sonore du *Tempestaire* (1947).
Dans *La chute de la maison Usher*, il fait un usage systématique du ralenti : les personnages semblent flotter, les rideaux sont agités d'imperceptibles frémissements, le temps est comme suspendu… Plus que dans le fantastique, nous sommes dans l'univers du songe. Le public sera dérouté par cette chorégraphie insolite, rendue doublement caduque par la venue du parlant ; l'avant-garde « impressionniste » jetait là ses derniers feux… Toutefois, des cinéastes comme Jean Vigo ou Carl Dreyer se diront très influencés par le climat authentiquement poétique de ce film. En 1953, Henri Langlois en louera « la richesse technique extraordinaire ».

La femme au corbeau

Frank Borzage

The River. **Scén.** : Philip Klein, Dwight Cummins, John Hunter,
d'après une nouvelle de Tristan Tupper. **Réal.** : Frank Borzage.
Im. : Ernest Palmer (N. et B.). **Prod.** : Fox. **Durée** : 96 minutes.
Interpr. : Mary Duncan *(Rosalee)*, Charles Farrell *(Allen John Pender)*,
Alfred Sabato *(Marsdon)*, Ivan Linow *(le sourd-muet)*.

Sensibilité, délicatesse, exaltation du sentiment mais aussi bien du désir physique : autant de traits qu'on ne s'attendrait guère à voir affirmés dans la production hollywoodienne courante.

Quelque part en Alaska… Une cabane au bord d'un fleuve abrite Marsdon, un trappeur aux mœurs rudes, et Rosalee, une beauté farouche, qui suscite la convoitise des hommes. L'un de ceux-ci, trop empressé, est tué par l'amant jaloux, qui est arrêté et incarcéré. La femme reste seule, en compagnie d'un corbeau apprivoisé. L'hiver arrive, amenant de la montagne un bûcheron beau comme un Viking, Allen John, qui va tomber amoureux fou de la femme au corbeau : saisi d'une sorte de transe érotique, il va abattre des arbres, torse nu, dans la nuit et le froid. Elle le ranime, le soigne, l'aime. Rien ne pourra endiguer cette passion déferlante : au printemps, les deux jeunes gens descendront vers la mer…

Pastorale de l'amour triomphant

Dès sa présentation — surtout en France —, *La femme au corbeau* obtint un vif succès. *La Revue du Cinéma* y voit «un des rares films où le visage de l'amour nous émeuve dans sa vérité». Dans son livre *Le surréalisme au cinéma* (1953), Ado Kyrou parle d'«unique équilibre érotique». Avec *L'heure suprême* (1927), ce film couronnait l'œuvre muette d'un des grands cinéastes hollywoodiens, Frank Borzage (1893-1961) ; il tournera encore au parlant quelques beaux films, frappés au sceau du même romantisme frémissant : *Ceux de la zone* (1933), *Désir* (1936), *Trois camarades* (1939). C'est la grande tradition du «cinéma du cœur» — inaugurée par Griffith et DeMille, et que continueront un John Stahl, un Douglas Sirk — que Borzage illustre, avec une espèce de fraîcheur naïve dont le secret semble perdu.

Toutes les copies de *La femme au corbeau* ayant disparu, on n'en connaissait guère que des relations fantaisistes. C'est ainsi qu'on écrit toujours que la femme se couche nue sur le corps de son amant pour le ranimer ; en réalité, c'est ce dernier qui est nu, la femme ne faisant qu'entrouvrir son peignoir avant de s'étendre sur lui. L'exhumation récente d'une copie (malheureusement incomplète) a permis en tout cas de vérifier qu'il s'agit bien d'un chef-d'œuvre.

La foule

King Vidor

The Crowd. **Scén.** : King Vidor, John V. A. Weaver, Harry Behn.
Réal. : King Vidor. **Im.** : Henry Sharp (N. et B.).
Prod. : M.G.M. (Irving Thalberg). **Durée** : 95 minutes.
Interpr. : James Murray *(John Sims)*,
Eleanor Bordman *(Mary)*, Bert Roach *(Bert)*.

King Vidor, après Stroheim, choisit de s'immerger dans la grisaille de la vie urbaine. Mais, au sarcasme, il préfère un regard lucide et sensible.

Le petit John est né dans une famille pauvre de Detroit. Orphelin à douze ans, il est bien décidé à faire son chemin dans un monde hostile. Il trouve à New York une place modeste d'employé de bureau. Les années passent… Un dimanche, à Coney Island, il fait la connaissance de Mary. C'est le coup de foudre. Ils se marient et passent leur lune de miel — comme de bons Américains — aux chutes du Niagara. Ils ont deux enfants. Mais la situation se dégrade peu à peu : mauvaises fréquentations de John, perte de son travail, mort accidentelle de sa petite fille… Après une tentative de suicide, John s'efforce de remonter la pente. Le couple reprend confiance et se perd en riant dans la foule…

Néoréalisme à l'américaine

L'Amérique avait connu dans les années 20 un spectaculaire redressement économique — qui prendra fin brutalement avec le krach de Wall Street en 1929. L'heure est encore à l'optimisme, même si la dureté des temps se fait sentir. De cette prospérité menacée, quelques films se firent l'écho : *Les mendiants de la vie* (William A. Wellman), *À l'ombre de Brooklyn* (Allan Dwan), *Le coup de foudre* (Clarence Badger), *Solitude* (Paul Fejos), et surtout *La foule*. Son auteur, King Vidor (1900-1959), venait de signer un vigoureux réquisitoire contre la guerre, *La grande parade,* qui fut un des grands succès de la M.G.M. Il obtint de cette firme de réaliser un film selon des méthodes inhabituelles : tournage en décors naturels, caméra dissimulée aux regards des badauds ; acteurs non professionnels ; sujet puisé dans la vie quotidienne, avec un minimum de dramatisation. Soit les méthodes mêmes qu'appliquera, vingt-cinq ans plus tard, le néoréalisme italien. La M.G.M. exigea seulement une fin heureuse, qui fait nettement surajoutée. L'acteur principal était un inconnu : la venue du parlant le replongea dans l'anonymat, et il se suicida quelques années plus tard. La fiction anticipait amèrement sur la réalité…

La foule — qui bénéficiait en outre d'une technique très fluide, héritée du cinéma allemand *(Le dernier des hommes, Variétés)* — eut une presse élogieuse et un succès commercial inespéré, compte tenu de son non-conformisme.

La passion de Jeanne d'Arc

Carl Theodor Dreyer

Scén. : Carl Th. Dreyer, d'après Joseph Delteil.
Réal. : Carl Th. Dreyer. **Im.** : Rudolf Maté (N. et B.).
Déc. : Hermann Warm, Jean Hugo. **Cost.** : Valentine Hugo.
Prod. : Société générale de films. **Durée originale** : 110 minutes.
Interpr. : Renée Falconetti *(Jeanne)*, Eugène Silvain
(l'évêque Cauchon), André Berley *(Jean d'Estivet)*, Maurice Schutz
(Nicolas Loyseleur), Antonin Artaud *(Massieu)*,
Raymond Narlay *(Warwick)*, Louis Ravet *(Jean Beaupère)*,
Michel Simon, Jean Ayme, Jean d'Yd, Jacques Arnna,
Fournez-Goffard, Mihalesco.

D'une abstraction soutenue et admirable, ce film, conçu comme une pure «liturgie silencieuse» par un des grands maîtres de l'art muet, appelle, presque pathétiquement, la parole.

La France en 1431. Jeanne de Domrémy, une simple fille du peuple qui refuse l'occupation de son pays, est entre les mains des Bourguignons. Le roi Charles VII l'a abandonnée à son sort. Les soldats de Warwick, gouverneur anglais du château de Rouen, la traînent sans ménagement devant un tribunal ecclésiastique. Elle fait front contre les outrages avec une humilité désarmante. Pour tenter de la confondre, on lui tend une lettre apocryphe du roi. Elle est amenée involontairement à blasphémer. L'évêque Cauchon ordonne qu'on la soumette à la torture. Si la politique ne peut en venir à bout, la religion s'en chargera. Terrifiée, Jeanne signe son abjuration ; puis se rétracte. Jugée relapse, elle est conduite sur la place du marché de Rouen où elle sera brûlée vive. Persuadé qu'on a immolé une sainte, le peuple crie sa révolte. Mais la manifestation est aussitôt dispersée par la troupe.

Les ultrasons de l'âme

Le destin tragique de Jeanne la Lorraine a fasciné de tout temps écrivains et cinéastes. Du *Mystère du siège d'Orléans*, pièce ébauchée dès 1453, jusqu'aux œuvres contemporaines de Péguy et Claudel, les textes à la gloire de la Pucelle, devenue une héroïne nationale, sont innombrables. L'un des premiers films de la production Pathé, en 1898, la prend pour modèle. Elle a inspiré des cinéastes aussi divers que le Français Georges Méliès, le Danois Carl Th. Dreyer, les Américains Cecil B. DeMille, Victor Fleming et Otto Preminger, l'Allemand Gustav Uciky, l'Italien Roberto Rossellini. Les dernières versions en date sont celles de Robert Bresson (*Procès de Jeanne d'Arc*, 1962), de Jacques Rivette (*Jeanne la pucelle*, 1994) et de Luc Besson (1999). Dans les dernières années du muet, deux films lui furent consacrés : *La merveilleuse vie de Jeanne d'Arc, fille de Lorraine*, de Marco de Gastyne, livre d'images assez académique, non dépourvu de charme «sulpicien», et *La passion de Jeanne d'Arc*, de Carl Theodor Dreyer.

Né en 1889 au Danemark, ce dernier s'était fait connaître dans son pays par *Le président* (1920) et *Le maître du logis* (1925), mais avait tourné également en Suède et en Allemagne. Dérivé du «Kammerspiel», son art est austère et dépouillé, marqué par une certaine rigueur luthérienne ; il entend refuser, ici plus que jamais, les débordements spectaculaires que le thème semblait impliquer. Pas de «grande mise en scène» à l'américaine ; ni vain panache, ni maquillage ; un décor simple et nu, celui du palais de justice de Rouen, stylisé à l'extrême ; un pont-levis, un gibet, la roue de la torture ; un style hiératique, fondé sur une alternance obsédante de gros plans fixes de Jeanne et de ses juges. Dreyer a gommé toutes les fioritures du scénario de Joseph Delteil ; il a concentré en une seule journée le procès et la mort de Jeanne, imposant à ses techniciens un tournage d'enfer. Il a obligé son interprète, Renée Falconetti, de la Comédie-

Française (qui était apparue fugitivement dans deux petits films), à se faire entièrement raser les cheveux et à porter des chaînes meurtrissant sa chair. La caméra scrute l'épiderme des visages, leurs rides, leurs callosités, à l'affût du moindre frémissement. Le résultat est d'une force plastique saisissante ; les intertitres eux-mêmes, rares mais judicieusement choisis, participent à l'envoûtement ; un film comme «traversé par les ultrasons de l'âme», dira André Bazin, qui réussit la gageure d'être à la fois un monument de l'art muet et une prémonition géniale des grandes œuvres du parlant.

Dreyer a parfaitement réussi son projet : «Mon intention en tournant *Jeanne d'Arc*, écrit-il, était, à travers les dorures de la légende, de découvrir la tragédie humaine, derrière l'auréole glorieuse de découvrir la fille qui s'appelait Jeanne. Je voulais montrer que les héros de l'Histoire sont aussi des humains.»

Très admiré lors de sa sortie par une poignée d'intellectuels (Jean Cocteau, Paul Morand…), le film eut malheureusement à souffrir des ciseaux de la censure, et surtout d'un accident qui en détruisit le négatif original. Une version affligée d'un commentaire musical incongru fut distribuée en 1952 par les soins de Lo Duca. On a réussi en 1985 à restaurer l'œuvre dans sa splendeur originelle. Entre-temps, Dreyer avait confirmé ses dons de visionnaire de l'écran avec quelques films peu nombreux, mais d'une égale ferveur intérieure, sublimant, selon son exégète Maurice Drouzy, la fêlure d'une enfance malheureuse : *Vampyr* (1931), *Dies Irae* (1943), *Ordet* (1954) et son chant du cygne, *Gertrud* (1964). Il mourut en 1968.

1928 Solitude

Paul Fejos

Lonesome. **Scén.** : Edward T. Lowe Jr, d'après un roman
de Mann Page. **Réal.** : Paul Fejos. **Im.** : Gilbert Warrenton (N. et B.).
Prod. : Jewel / Universal (Carl Laemmle).
Durée : 90 minutes. **Interpr.** : Barbara Kent *(Mary)*,
Glenn Tyron *(Jim)*, Gustav Partos, Fay Holderness.

Chez l'émigré Paul Fejos, les influences européennes se conjuguent harmonieusement — le temps d'un film — avec les rythmes américains. D'où cette chronique au charme inégalé.

New York, un 3 juillet. Jim est employé dans une usine, Mary est standardiste. Ils mènent, sans se connaître, des existences parallèles, accomplissent les mêmes gestes quotidiens, pointent aux mêmes heures. Mais aujourd'hui, c'est veille de fête. Ils se rencontrent par hasard à Coney Island, flirtent sur la plage, dansent au rythme d'une chanson sentimentale… La vie les emporte, chacun de leur côté. Ce serait trop triste si, grâce à un ami commun, ils ne s'apercevaient qu'ils habitent le même quartier. Adieu, la solitude !

Mélodie d'une grande ville

Les dernières années du muet ont vu l'émergence d'un courant unanimiste, s'efforçant de décrire, aussi objectivement que possible, la vie quotidienne, tournant parfois à l'agitation stérile, dans les grandes villes des deux continents — New York, Berlin, Paris, Odessa, etc. Sans se concerter, des cinéastes comme King Vidor *(La foule)*, Walter Ruttmann *(Symphonie d'une grande ville)*, Marcel Carné *(Nogent, Eldorado du dimanche)*, Dziga Vertov *(L'homme à la caméra)*, ou l'équipe des *Hommes le dimanche* (Robert Siodmak, Edgar G. Ulmer, Fred Zinnemann), se sont attachés à capter les joies simples, et les drames latents, des cités modernes.

De ces chroniques urbaines, le cinéaste hongrois, émigré aux États-Unis, Paul Fejos (1898-1963), a donné avec *Solitude* la version la plus aimable, mais non la moins poétique. Ses amoureux du dimanche sont d'une vérité stupéfiante, le décor où ils se meuvent est saisi avec justesse et sensibilité. Pas la moindre mièvrerie dans cette chronique d'une idylle à Coney Island, mais un humour et une complicité discrète, qui rappellent l'art du conteur américain O. Henry. Fejos alla jusqu'à risquer des effets de coloriage (une lune dorée se découpant sur un ciel bleu turquoise !) et une sonorisation hâtive de trois séquences, mais ces bavures n'entachent point la douceur exquise de son film. Il en retrouvera un peu le charme diffus, intemporel, dans deux productions — parlantes — tournées en Hongrie et en Autriche : *Marie, légende hongroise* (1932, avec Annabella) et *Gardez le sourire* (1933). Le reste de son œuvre est mal connu ou négligeable.

René Clair s'enthousiasma pour *Solitude,* qui démontrait que l'Amérique pouvait, à côté de «plâtras ruineux» comme *Ben Hur*, «s'intéresser à des œuvres originales, encourager l'effort d'un esprit curieux et chercher le succès ailleurs que dans la fabrication en série».

1928
Le vent
Victor Sjöström

The Wind. **Scén.** : Frances Marion, d'après le roman de Dorothy Scarborough.
Réal. : Victor Seastrom (Sjöström). **Im.** : John Arnold (N. et B.).
Déc. : Cedric Gibbons. **Prod.** : M.G.M. (Irving Thalberg). **Durée** : 73 minutes.
Interpr. : Lillian Gish *(Letty Mason)*, Lars Hanson *(Lige Hightower)*,
Montagu Love, Dorothy Cummings.

Le vent, c'est la poésie de L'aurore *dans l'âpre décor des* Rapaces. *Toute l'esthétique propre au «muet» s'y trouve cristallisée.*

Une jeune femme de Virginie, Letty Mason, vient vivre avec ses cousins à Sweet Water, dans un coin perdu du désert de Mojave. Le lieu est aride, désolé, battu par un vent obsédant. La jalousie des femmes, le désir brutal des hommes ajoutent à son désarroi. Elle se résout à épouser un simple cow-boy, Lige Hightower, mais le mariage ne sera pas consommé. Une nuit, un homme frappe à la porte et veut violer Letty : elle le tue et tente en vain d'enterrer le cadavre dans le sable du désert. Mais ce n'est peut-être là qu'un affreux cauchemar, dont Lige saura la délivrer…

Le chant du cygne de l'art muet

Cette «histoire d'une femme qui vint vivre dans le domaine des vents» (comme le précise le deuxième carton du film) se présente comme une tragédie en vase clos, avec pour protagoniste une paysanne luttant, à mains nues, contre les assauts conjugués de la nature et des hommes. Le vent, ennemi invisible et implacable, est le véritable héros du film. C'est une sorte de souffle hugolien qui anime ce combat de la douceur et de la violence aveugle. Ce que d'autres cinéastes avaient cherché en vain — un contrepoint entre les sentiments des personnages et le cadre naturel — est obtenu ici avec une économie de moyens stupéfiante. La suggestion *sonore* à laquelle parvient le réalisateur, dans ces plans de volets qui battent et de sable qui virevolte, a quelque chose de poignant, qu'on n'avait jamais vu ni *entendu* sur un écran.

Le vent couronnait l'œuvre d'un des plus grands auteurs de films muets, le Suédois Victor Sjöström (1879-1960), rebaptisé par les Américains qui l'avaient accueilli : Seastrom. Dans son pays d'origine, il avait déjà manifesté son sens aigu du paysage et de la majesté des rythmes naturels : notamment dans *Terje Vigen* (1916), *Les proscrits* (1917) et *La voix des ancêtres* (1918) ; une certaine lourdeur symboliste gâchait *La charrette fantôme* (1920), son plus grand succès. Rien de tel ici. Dans *Le vent,* comme dans la plupart de ses autres films tournés aux États-Unis, Sjöström sut parfaitement s'acclimater à un style de production nouveau pour lui. Il dirigea Lillian Gish comme seul Griffith avait su le faire. La venue du parlant mit un frein brutal à ses ambitions et, peu après l'échec commercial du *Vent,* il revint en Europe où il ne tourna plus rien qui vaille.

1929 L'argent

Marcel L'Herbier

Scén., réal. : Marcel L'Herbier, d'après le roman d'Émile Zola.
Im. : Jules Kruger (N. et B.). **Déc.** Lazare Meerson, André Barsacq.
Prod. : Cinémondial / Cinéromans. **Durée** : 195 minutes (5 344 mètres).
Interpr. : Pierre Alcover *(Nicolas Saccard)*, Alfred Abel *(Gunderman)*,
Brigitte Helm *(Baronne Sandorf)*, Antonin Artaud, Marie Glory, Yvette Guilbert.

La tentation fut grande, dans les dernières années du muet, de libérer la caméra des lois de la pesanteur. L'argent *en est le meilleur exemple.*

Deux hommes se disputent le contrôle du marché financier international : Saccard, un spéculateur sans scrupules, et Gunderman, honnête capitaliste. Acculé à la banqueroute, Saccard joue son va-tout sur un jeune aviateur trop crédule qui s'apprête à accomplir un raid particulièrement périlleux et possède des actions pétrolifères en Guyane. Les actions de Saccard remontent... Mais sa cupidité va le perdre. Convaincu de tripotages, il sera emprisonné. L'argent, cependant, n'a pas dit son dernier mot...

Une mosaïque de cadres et de mouvements

L'argent est l'avant-dernier film muet de Marcel L'Herbier (1888-1980), « cinégraphiste » ayant marqué de sa brillante personnalité les recherches de la première avant-garde et réalisé des films s'inscrivant dans le courant des « Arts déco » : *Eldorado* (1921), *Don Juan et Faust* (1922) et surtout *L'inhumaine* (1924). Parfois guetté par des préciosités d'esthète, il fait montre ici d'une grande audace, tant thématique que syntaxique : il transpose adroitement le roman d'Émile Zola du Second Empire dans le contexte des scandales boursiers des « Années folles », stigmatisant ainsi à la fois le danger permanent et le pouvoir moderne de ce cancer social qu'est l'argent. Utilisant pour sa mise en scène des caméras très mobiles, qui balaient d'immenses décors ou «plongent» sur la corbeille grouillante de spéculateurs, morcelant les plans selon une dynamique complexe, jouant sur un étirement hardi de la durée, il réalise un des films les plus aboutis techniquement de l'art muet en France — qui en sonne aussi le glas, le parlant étant déjà là quand le film fut projeté, sans succès, dans les salles. Le cinéaste avait bien tenté *in extremis* une sonorisation de quelques séquences, mais qui s'avéra à peu près inexploitable.

Le tournage de *L'argent* fut suivi par un jeune assistant, Jean Dréville, qui en rapporta un précieux documentaire d'«indiscrétions cinématographiques», l'un des premiers du genre, *Autour de L'argent* (sonorisé en 1971).

Désorienté par la venue du parlant, L'Herbier ne tourna plus ensuite que des films commerciaux, non dénués de qualités mais où son goût des recherches formelles aura du mal à s'insérer : *Le parfum de la dame en noir* (1931), *La comédie du bonheur* (1940), *La nuit fantastique* (1942).

1929 L'homme à la caméra

Dziga Vertov

Chelovek a Kinoapparatom. **Scén., réal., mont.** : Dziga Vertov.
Im. : Mikhaïl Kaufman (N. et B.). **Durée** : 65 minutes.
Interpr. : Mikhaïl Kaufman (*l'homme à la caméra*)
et anonymes *(habitants d'Odessa).*

Le cinéma serait-il une idéale «toupie virevoltante» (ainsi peut se traduire le pseudonyme «Dziga Vertov»)? Ce film-manifeste, à la fois hétéroclite et fermement structuré, reflète la complexité du vivant et tente de lui donner un sens.

S'il est un film rebelle à tout schéma narratif, c'est bien celui-ci. Il n'y a pas d'«histoire», mais une simple addition de vues documentaires, articulées selon un montage complexe. Le prétexte est la vie quotidienne d'une grande cité (Odessa), un jour comme les autres. Au matin, la ville s'éveille, les prolétaires se hâtent vers leur travail, les machines se mettent en marche, les rues s'animent, l'agitation urbaine devient de plus en plus fébrile… Puis c'est la pause de midi, suivie de la sieste et, pour quelques privilégiés, des joies de la plage. Le soir tombe… Mais voici que la caméra s'emballe, les images se télescopent, l'opérateur s'affole, l'écran semble se scinder en deux… La puissance de cet œil mécanique est décidément sans limites!

L'œil de Moscou

Paraphrasant le titre d'un film similaire de Walter Ruttmann sur Berlin, on pourrait dire qu'il s'agit là de la «Cacophonie d'une grande ville». Il semble que l'auteur ait voulu démontrer que le réalisme cinématographique est une illusion, à laquelle le spectateur doit s'arracher par un effort d'analyse «dialectique»; que le cinéma, trop longtemps à la remorque de la littérature et du théâtre, a tout intérêt à forger son propre langage, fût-ce au prix d'un certain narcissisme; qu'il est du devoir de «l'homme à la caméra» de briser le processus d'aliénation du récit, et d'«emboîter le pas à la vie». D'une observation lucide, et volontiers narquoise, de la réalité surgiront peut-être les prémices d'un homme et d'un art nouveaux. À cette fin, il multiplie recherches formelles et effets de montage sophistiqués, passant par exemple d'un clignement de paupières à un plan de stores qui s'élèvent, ou associant la toilette d'une jeune femme au nettoyage

de la ville. De là à prétendre que, par de tels rapprochements, qui se veulent «signifiants», le cinéma — que Dziga Vertov, *alias* Denis Arkadiévitch Kaufman (1895-1954), appelle *kinoglaz*, «ciné-œil» — est en mesure de «déchiffrer le monde visible», et partant à le transformer, il y a une marge…

On apprécierait davantage les séduisantes théories de Dziga Vertov si elles ne renvoyaient, en fin de compte, à une idéologie totalitaire, comme le prouvent abondamment ses autres films. En hommage à ce pionnier du cinéma militant, adepte d'une esthétique de la «déconstruction», Jean-Luc Godard a créé, en 1968, le Groupe Dziga-Vertov.

Loulou
Georg Wilhelm Pabst

Die Büchse der Pandora. **Scén.** : Ladislaus Vajda, d'après le diptyque de Frank Wedekind, *Erdgeist* et *Die Büchse der Pandora*. **Réal.** : G. W. Pabst. **Im.** : Günter Krampf (N. et B.). **Déc.** : Andrei Andreiev. **Prod.** : Nero Film (Seymour Nebenzahl). **Durée** : 120 minutes. **Interpr.** : Louise Brooks *(Loulou)*, Fritz Körtner *(Dr Schön)*, Franz Lederer *(Alwa)*, Carl Goetz *(«Papa» Schigolch)*, Gustav Diessl *(Jack l'Éventreur)*.

« Le cinéma, disait Jean George Auriol, est l'art de faire faire de jolies choses à de jolies femmes. » Loulou répond à cette définition : une créature de rêve y rit, danse, pleure, jouit et meurt sans un cri.

Loulou est une jeune fille insouciante et perverse qui mène les hommes selon son caprice. Elle n'a de véritable affection que pour son «papa», le vieux renard Schigolch. Elle est sur le point d'épouser le riche docteur Schön, tout en flirtant ouvertement avec le fils de ce dernier, Alwa, qui est éperdument amoureux d'elle. Écœuré de son inconduite, Schön la met en demeure de se suicider : c'est lui qui reçoit le coup de feu. Acquittée, Loulou quitte l'Allemagne avec Alwa et quelques fidèles. Ils vivent d'expédients et sombrent peu à peu dans la déchéance. Un soir de Noël, dans la brume de l'East End londonien, Loulou racolera son dernier amant : Jack l'Éventreur…

Une icône érotique

Loulou est l'héroïne de deux pièces du dramaturge allemand Frank Wedekind, *L'esprit de la terre* et *La boîte de Pandore*. La société bourgeoise y est durement étrillée, la revendication pour la liberté sexuelle affirmée avec force. Alban Berg en tirera son célèbre opéra, *Lulu*. G. W. Pabst (1885-1967) s'inscrit lui-même dans ce courant de réalisme «libertaire» : après avoir sacrifié un temps aux labyrinthes expressionnistes, il a choisi la voie de la «nouvelle objectivité», sociale et psychologique, notamment dans *La rue sans joie* (1925).

Loulou porte ces diverses composantes à un haut degré de poétisation. Il faut dire que Pabst eut la chance de trouver l'actrice idéale, à l'aura non dépassée : Louise Brooks, «l'anti-star» (1906-1985). Cette comédienne américaine, formée par Howard Hawks et William Wellman, irradie littéralement de sensualité, passant par tous les stades, de la servitude à la libération amoureuse. La mise en scène, «subordonnée aux nécessités d'épanouissement de l'interprète, témoigne d'une extraordinaire maîtrise dans l'art de jouer sur l'allusion, de passer du réalisme descriptif à la poésie incantatoire» (Freddy Buache). Grâce à elle — et à un sens aigu de la *Stimmung,* notamment dans les scènes finales — *Loulou* devient un pur joyau de l'érotisme cinématographique.

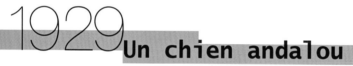

1929 Un chien andalou
Luis Buñuel

Scén. : Luis Buñuel, Salvador Dalí. **Réal.** : Luis Buñuel.
Im. : Albert Duverger (N. et B.). **Mus.** (de la version sonorisée, 1960) : Wagner et tango argentin.
Prod. : Luis Buñuel. **Durée** : 17 minutes (430 mètres).
Interpr. : Simone Mareuil *(la femme)*, Pierre Batcheff *(l'homme)*, Luis Buñuel *(l'homme au rasoir)*.

Pour le surréalisme, le cinéma est un véhicule idéal de poésie et de subversion. Buñuel en fait la démonstration éclatante dès son premier film.

Il était une fois… un homme qui, dans une chambre, sectionna avec un rasoir l'œil de sa compagne. *Huit ans après* : dans une autre chambre, un jeune homme, excité par le spectacle de la rue, désire une femme ; mais il charrie derrière lui trop de vestiges du passé… *Vers trois heures du matin,* on sonne à la porte : le jeune homme est mis en pénitence par son double. *Seize ans avant,* il était un écolier avec ses livres. Mais les livres peuvent tuer. Il tire sur l'intrus, qui meurt dans un jardin. Le désir resurgit… Insatisfaite, la femme part rejoindre un autre amant, qui l'attend sur une plage. *Au printemps,* ils seront dévorés par des insectes…

La logique aux abois

La lecture de ce résumé, très approximatif (qui respecte toutefois les points de repère temporels prévus dans le scénario), montre bien que Luis Buñuel (1900-1983) et son coscénariste, le peintre Salvador Dalí, n'ont cherché aucune cohérence, bousculant à plaisir la logique et se laissant porter par leurs fantasmes. «Totalement inhabituel, provocateur, n'ayant sa place dans aucun système de production», comme le reconnut loyalement Buñuel, ce film, tous les exégètes l'ont souligné, est l'équivalent cinématographique de l'écriture automatique chère au surréalisme, dont les auteurs étaient membres actifs. Il remporta un franc succès de curiosité. On se divertit à le décrypter, à la lumière récente de la psychanalyse. Le titre lui-même se veut énigmatique : il n'y a aucune référence à l'Andalousie dans le film, et le chien est invisible («prenez garde pourtant, il mord!», dira Jean Vigo).

Les *private jokes* et les gags visuels abondent : le tintement d'une sonnette est remplacé par des bras de barman agitant un shaker, des «fourmis dans la main» signalent que le héros est agité d'un désir irrépressible, etc. La scène fameuse de l'attelage baroque avec son chargement d'ânes pourris et de frères maristes pourrait suggérer le poids de l'éducation bourgeoise, qui entrave la libération des instincts. Quant à l'œil crevé du début, outre son symbolisme sexuel évident, il sous-entend que nous devons désormais regarder le cinéma d'un autre œil, refuser tout conformisme.

Buñuel aura l'occasion d'aiguiser son fil dans *L'âge d'or* (1930). Pour l'heure, il se contente d'invectiver «la foule imbécile [qui] a trouvé beau ou poétique ce qui, au fond, n'est qu'un désespéré appel au meurtre».

1930 La terre

Alexandre Dovjenko

Zemlia. **Scén., réal.** : Alexandre Petrovitch Dovjenko.
Im. : D. Demoutzkii (N. et B.). **Prod.** : V.U.F.K.U., Kiev.
Longueur : 1 704 mètres. **Interpr.** : S. Chkourat *(Opanas)*,
S. Svachenko *(son fils, Vassili)*, Youlia Solntseva *(sa fille)*,
P. Massokha *(Khoma, le fils du koulak)*.

À l'intellectualisme rigide d'Eisenstein, à l'algèbre guindée de Dziga Vertov, Dovjenko oppose une verve rustique, un dynamisme dédaigneux des mots d'ordre, «les travaux et les jours» de l'ère kolkhozienne.

Un vieux paysan meurt à la tâche, comme un fruit desséché. Son petit-fils, Vassili, est le nouveau responsable du kolkhoze. Il expérimente un tracteur qui vient d'être livré, labourant avec ardeur chaque parcelle de terre, bousculant les barrières, y compris celles d'un ombrageux koulak. Furieux, le fils de ce dernier tue l'impudent. On l'enterre selon le rite ancestral, à grand renfort de chants et de prières. L'assassin, pris de remords, fait amende honorable devant la communauté. La pluie tombe sur la terre pacifiée. La vie continue...

La poésie du kolkhoze

Ce film est un des plus beaux poèmes lyriques de l'écran, mais débarrassé de toute évanescence, de toute trace d'esthétisme, solidement incrusté dans une réalité sociale, humaine, cosmique, celle de la Russie ancrée dans ses traditions, et ouverte à la fois au renouveau économique. C'est, comme le précise un sous-titre, un «cinépoème», d'inspiration matérialiste, l'un des plus purs qu'ait produits l'U.R.S.S., très supérieur à *La ligne générale* d'Eisenstein, tourné l'année précédente, et qui s'égarait dans le didactisme et la caricature. Le folklore champêtre, dans *La terre,* se hausse au niveau des grandes odes d'un Virgile ou d'un Hésiode ; une caméra inspirée confère à certaines séquences (le cortège des funérailles, le désespoir de Khoma recroquevillé sur ses terres) la dimension d'un hymne géorgique. L'image mère du film, que l'on retrouvera dans d'autres films du même auteur, est celle du tournesol, symbole de vie.

L'accueil du film fut pourtant réservé en Union soviétique. On taxa le réalisateur d'idéaliste rétrograde, sourd aux exigences de «l'art socialiste». C'est bien possible, et cela ne confère que plus de prix à une œuvre conçue hors de tout esprit de propagande, dans un pur élan d'inspiration dionysiaque. Cette liberté, cette fraîcheur créatrice se retrouveront dans d'autres œuvres d'Alexandre Dovjenko (1894-1956) ; *Aerograd* (1935), *Chtchors* (1939), *Le poème de la mer* (1958, terminé par sa femme, Youlia Solntseva).

Avant-garde ou « cinéma pur »

On emploie communément le mot «avant-garde», dans le vocabulaire militaire, pour désigner les organes de reconnaissance et de protection détachés en avant des troupes. Par extension, le terme s'applique aux créateurs qui, dans les domaines littéraire ou artistique, sont en avance sur leur temps et s'opposent aux normes en vigueur. «L'avant-garde, dit Mario Verdone, cherche, précède, stimule ; elle oppose au vieux le neuf, au passé l'avenir, à la légalité la transgression. » Son idéal serait l'instauration d'une «contre-culture».

De façon moins extensive, ce vocable fait référence à une activité marginale, de type expérimental, qui s'est développée, tout au long de l'histoire du cinéma, indépendamment des grands circuits de production ou contre eux. Cela a commencé en France, au lendemain de la Première Guerre mondiale. En rupture déclarée avec un certain type de cinéma «populaire» (tel que le concevait, par exemple, Louis Feuillade), un mouvement se dessine en vue de la promotion d'un «septième art» autonome, qui refuse les conventions du scénario, des intertitres, de la dramaturgie, etc. L'Italien Ricciotto Canudo fut l'apôtre de cette réaction, à laquelle se rallièrent Louis Delluc, Jean Epstein, Germaine Dulac et quelques autres.

On se mit à parler de «photogénie» et de «cinéplastique». Cette première avant-garde n'eut qu'une audience restreinte. Elle donna naissance cependant à quelques œuvres ambitieuses, comme *L'homme du large*, *Cœur fidèle*, *La femme de nulle part*, *Eldorado* ou *L'inhumaine*.

Une seconde tendance s'épanouit entre 1925 et la fin du muet. Elle sera plus tumultueuse, plus empirique, très influencée par le dadaïsme et le surréalisme, et s'étendra à une petite partie de l'Europe. C'est l'époque du développement des ciné-clubs et des salles parisiennes spécialisées (Ursulines, Studio 28) ; une critique indépendante s'affirme, avec notamment *La Revue du Cinéma*, de Jean George Auriol ; des écrivains, des peintres sont commandités par des mécènes pour tourner des films. On parle alors de «cinéma pur», de «film intégral».

Parti de quelques cénacles, le mouvement va irriguer en profondeur l'art de l'écran. On retiendra les essais de Fernand Léger (*Le ballet mécanique*), de Man Ray (*L'étoile de mer*), d'Antonin Artaud, assisté de Germaine Dulac *(La coquille et le clergyman)*, d'Alberto Cavalcanti, de Dimitri Kirsanoff. Le film phare de cette seconde avant-garde fut l'explosif *Un chien andalou* (1929), de Luis Buñuel et Salvador Dalí, application au cinéma de l'écriture automatique chère aux surréalistes. Buñuel récidiva avec *L'âge d'or* (1930), véritable machine de guerre dirigée contre la société bourgeoise, que la censure interdit. Quoique assez éloigné de ces trublions, Jean Cocteau s'inscrivit dans leur sillage avec *Le sang d'un poète* (1930), qui combinait les idéaux de l'avant-garde avec ses fantasmes personnels.

En Allemagne, en Belgique, aux Pays-Bas, le mouvement est suivi par Walter Ruttman, Hans Richter, Henri Storck et même Eisenstein, qui supervise en France un court-métrage d'inspiration «avant-gardiste», *Romance sentimentale*.

L'influence se fait sentir dans le documentaire (*Nogent, Eldorado du dimanche, À propos de Nice*), le film scientifique (Jean Painlevé) et militant (Joris Ivens). L'animation s'en mêle, avec Oscar Fischinger, Berthold Bartosh, Len Lye.

Le parlant va mettre un frein brutal à ces recherches.

L'âge d'or
du parlant

Marlène Dietrich
dans *L'ange bleu*
(1930)
de Josef von Sternberg

1927

Le chanteur de jazz

Alan Crosland

The Jazz Singer. **Scén.** : Al Cohn, d'après une pièce de Samson Raphelson.
Réal. : Alan Crosland. **Im.** : Hal Mohr (N. et B.). **Chansons** : Sigmund Romberg
et chants hébraïques. **Prod.** : Warner Bros. **Durée** : 102 minutes.
Interpr. : Al Jolson *(Jakie Rabinowitz / Jack Robin)*, May McAvoy *(Mary Dale)*,
Warner Oland *(le vieux cantor)*.

*Voici les premiers balbutiements d'une technique, et bientôt d'un art,
nouveaux. La voix est encore éraillée, le son criard, la démarche sans grâce.
Mais l'enfant-cinéma sort du monde du silence. Il ne se taira plus jamais.*

Rabinowitz, chantre juif à la synagogue, espère bien voir son fils Jakie lui succéder au
poste de *cantor*. Mais le garçon préfère courir les pubs à la mode, où une nouvelle
musique — le jazz — fait fureur. Chassé du toit paternel, il entame une fructueuse carrière de chanteur profane ; maquillé en nègre, il devient, sous le nom de Jack Robin, une
vedette du music-hall. Le père tombe malade, le fils accourt pour obtenir son pardon.
Jazz noir et folklore yiddish sont réconciliés…

L'arrivée d'un quatrain en gare de Hollywood

Ce n'est pas à son scénario (variation sur le thème du retour de l'enfant prodigue), ni
à sa réalisation, due à un honnête artisan, Alan Crosland, que *Le chanteur de jazz* doit
son importance dans l'histoire du cinéma, mais au fait qu'il s'agit du premier film

«sonore, parlant et chantant», ayant entraîné la révolution technique, économique et artistique, que l'on sait. Certes, le cinéma parlant était, si l'on ose dire, dans l'air, et depuis longtemps : dès 1896, divers systèmes de synchronisation du son et de l'image, sur disque ou sur cylindre, avaient été expérimentés. En 1926, le même Alan Crosland avait réalisé un film *(Don Juan)* comportant de nombreuses parties chantées. C'est la Warner Bros., firme au bord de la faillite, qui avait décidé de jouer son va-tout sur l'avenir du film sonore. Les quelques mots de dialogue prononcés par le héros firent sur les spectateurs l'effet d'une bombe, comparable à l'entrée du train en gare de La Ciotat. Le parlant était né. Par la suite, on s'apercevra qu'il est plus rentable de graver le son directement sur la pellicule (procédé Movietone), au prix de menus ajustements techniques. Peu à peu, tout le monde se convertit aux *talkies.*

Il faudra pourtant attendre une autre production Warner, *Les lumières de New York* (1928), pour voir et entendre un film «cent pour cent parlé», et une œuvre telle qu'*Hallelujah* pour mesurer l'ampleur esthétique de cette révolution. Quant à l'Europe, elle n'y viendra qu'à partir de 1929.

Le chanteur de jazz, avec ses mélodies sirupeuses et ses rythmes nègres-blancs, n'en avait pas moins ouvert la voie. Comme l'observa très justement Alan Crosland, «l'adjonction de la parole a fait sortir le cinéma du domaine limité de la pantomime pour le faire entrer dans le royaume de la comédie».

1929 Hallelujah

King Vidor

Hallelujah. **Scén.** : Wanda Tuchock, Richard Schayer, d'après une histoire de King Vidor. **Réal.** : King Vidor. **Im.** : Gordon Avil (N. et B.). **Mus.** : Irving Berlin. **Prod.** : M.G.M. (King Vidor, Irving Thalberg). **Durée** : 109 minutes. **Interpr.** : Daniel L. Haynes *(Zeke),* Nina Mae McKinney *(Chick),* William E. Fountaine *(Hot Shot),* Victoria Spivey *(Missy Rose).*

Fresque barbare, chargée jusqu'à la gueule de spiritualité et d'érotisme bruts, Hallelujah est l'évohé du cinéma parlant : ses clameurs primitives auront un durable écho.

Une petite plantation de coton tenue par des Noirs, dans le Mississippi. La récolte cette année a été bonne, Zeke et son frère Spunk vont la vendre à la ville. Mais Zeke est séduit par une danseuse de cabaret, Chick, et pour l'éblouir dilapide tout son argent aux dés. Cela se termine par une rixe, au cours de laquelle Spunk est tué. Pour expier sa faute, Zeke devient pasteur. Il tient désormais les foules sous le charme de ses prêches. Mais Chick reparaît, et Zeke succombe à nouveau à ses charmes. Elle le trompe odieusement, il abat son maquereau. Condamné, il s'en ira purger sa peine et rentrera au bercail où sa fidèle fiancée, Missy Rose, l'attend.

Le blues de la plantation

King Vidor avait passé son enfance au Texas, parmi les gens de couleur. Il souhaitait réaliser un film entièrement interprété par des Noirs : «La sincérité et la ferveur de leur expression religieuse, dit-il, m'intriguaient comme leurs aventures sexuelles.» Auréolé de ses succès muets *(La grande parade, La foule),* il parvint à convaincre ses producteurs, d'abord sceptiques, en cofinançant le film. L'histoire n'était qu'un prétexte à décrire la communauté noire, ses coutumes, son folklore et surtout sa musique.

D'où un véritable festival de cantiques, blues et negro-spirituals (*Waiting at the End of the Road, Old Time Religion,* etc.), interprétés — en play-back — par des formations chorales de talent, tels les Dixie Jubilee Singers. Certaines scènes de célébration liturgique tournent d'ailleurs à la psychose collective, réelle ou simulée, ce qui a fait taxer le film de racisme sournois. Parlons plutôt de fabuleux happening, enregistré par une caméra lucide ou complice, comme on voudra. Rien à voir avec le paternalisme de *Verts pâturages* (1936).

L'art du cinéaste éclate aussi bien dans les parties non chantées (la bagarre au beuglant, la poursuite dans les marais), contribuant à faire d'*Hallelujah* non seulement un superbe drame musical, mais un monument du cinéma *sonore*.

1930 L'ange bleu
Josef von Sternberg

Der Blaue Engel. **Scén.** : Robert Liebmann, d'après le roman de Heinrich Mann, *Professor Unrat.* **Adapt.** : Carl Zuckmayer, Karl Vollmoeller.
Réal. : Josef von Sternberg. **Im.** : Günther Rittau, Hans Schneeberger (N. et B.).
Mus. : Friedrich Holländer. **Prod.** : U.F.A. (Erich Pommer). **Durée** : 109 minutes.
Interpr. : Emil Jannings *(Professeur Immanuel Rath)*, Marlene Dietrich *(Lola-Lola)*, Kurt Gerron *(Kipert)*, Rosa Valetti *(Guste)*, Hans Albers.

L'ange bleu *marque, avec* L'opéra de quat'sous, *la fin d'une époque : à la fois romantique et cynique, perverse et désabusée.*

Une ville portuaire d'Allemagne vers 1925. Le digne professeur Rath, célibataire, surnommé par ses élèves Unrat («ordure»), est intransigeant sur le chapitre de la moralité. Quand il découvre que sa classe fréquente «L'ange bleu», un des cabarets les plus malfamés du port, où se produit une chanteuse fort dévêtue du nom de Lola-Lola, il décide d'y mettre bon ordre. Mais il tombe sous le charme de la fille, l'épouse et, jetant sa défroque d'enseignant aux orties, part avec elle en tournée. Habillé en clown, il devient son faire-valoir et son souffre-douleur. De retour dans sa ville, il fait front contre l'humiliation et, dans une crise de folie, tente d'étrangler la corruptrice, avant de retourner à son collège et de s'effondrer sur sa chaire, comme sonne minuit.

La fleur du mal et le démon de midi

Originaire de Vienne, féru d'expressionnisme, ayant manifesté dès ses premiers films muets *(Les nuits de Chicago, Les damnés de l'océan)* un tempérament d'esthète raffiné, un sens des atmosphères troubles, envoûtantes, ainsi qu'une rare maîtrise de la dramaturgie, l'Américain Josef von Sternberg (1894-1969) allait frapper un grand coup en portant à l'écran — et en modifiant selon sa propre vision du monde, d'un symbolisme exaspéré — le roman de l'écrivain naturaliste Heinrich Mann, *Professor Unrat,* qui contait la double vie d'un professeur de collège saisi par la débauche. Peu soucieux de satire sociale, Sternberg en fait une version moderne de *Faust,* rendant ainsi indirectement hommage à Murnau : le bourgeois atteint du démon de midi vend son âme à une créature à la sexualité rayonnante, qui trône sur la scène d'un beuglant. Ce Méphisto femelle a les traits — et la voix ensorcelante — de Marlene Dietrich, hissée d'un coup au rang des stars. Suivant le parcours de son héros, Sternberg s'entichera d'elle, ce qui nous vaudra un bouquet de chefs-d'œuvre, dont *L'impératrice rouge* (1934).

L'ange bleu nous plonge dans un «maelström de formes et significations subconscientes, d'intentions décuplées, de mythes tenaces qui débordent son créateur comme son héroïne» (Robert Benayoun). S'il est un film baudelairien, c'est bien celui-là.

Le sang d'un poète

Jean Cocteau

Spectacle, montage et **commentaire** : Jean Cocteau. **Superv.** : Michel Arnaud.
Im. : Georges Périnal (N. et B.). **Déc.** : Jean d'Eaubonne. **Mus.** : George Auric.
Prod. : Vicomte de Noailles. **Durée** : 49 minutes. **Interpr.** : Enrique Rivero *(le poète)*,
Lee Miller *(la statue)*, Féral Benga *(l'ange noir)*, Pauline Carton, Jean Desbordes.

Touche-à-tout de génie, Jean Cocteau se devait de rencontrer le cinémato-graphe, ce «rêve dormi debout». Son premier film, à l'aube du parlant, restera un modèle pour les amateurs de fantasmes sur pellicule.

Il est difficile de résumer la trame d'un film que son auteur a voulu «aussi libre qu'un dessin animé». On peut y distinguer trois parties : 1) *Un atelier d'artiste.* À l'injonction d'une statue brusquement dotée de vie, un sculpteur plonge dans le miroir de sa chambre et fait un étrange voyage dans une dimension inconnue… 2) *Cité Monthiers,* des enfants jouent dans la neige. Une boule meurtrière va frapper en plein cœur un jeune garçon : son agonie égaiera une soirée de spectateurs blasés. 3) *Tableau vivant* : la femme-statue, une lyre, une tête de taureau, une mappemonde… C'est l'«envoi» à Éleusis et à ses mystères, dont le rituel a toujours fasciné le poète.

La traversée expérimentale du miroir

Film résolument d'avant-garde, *Le sang d'un poète* a bénéficié d'une subvention de la famille de Noailles — comme *L'âge d'or,* de Buñuel, et *Le mystère du château du dé,* de Man Ray. Il charrie diverses obsessions que l'on retrouve dans d'autres œuvres, roma-nesques ou théâtrales, de Cocteau, par exemple *Les enfants terribles* (1929) ou *Le jeune homme et la mort* (ballet, 1946). C'est une illustration un peu schématique, mais bien filmée, des thèmes chers au poète : narcissisme, homosexualité, quête tâton-nante de l'identité. Jean Cocteau (1889-1963) mêle à plaisir le vrai et l'artifice, selon un dosage subtil ; à l'occasion il intervient en personne dans l'«action» et enregistre les battements de son cœur. Le résultat peut agacer ; il n'en constitue pas moins une direction de recherches fructueuses pour le cinéma « expérimental », que les Américains en particulier ne se privèrent pas d'exploiter.

Vingt ans plus tard, Cocteau, qui entre-temps s'était exprimé de façon plus classique dans le domaine du merveilleux filmé (*La belle et la bête*, 1946), développera les *private jokes* du *Sang d'un poète* dans un film plus maîtrisé, « entre chien et loup », *Orphée*, avec Jean Marais et Maria Casarès. Il clôturera ce cycle de la « traversée du miroir » dans *Le testament d'Orphée* (1960).

1931

Marius

Marcel Pagnol et Alexander Korda

Scén., dial. : Marcel Pagnol, d'après sa pièce.
Réal. : Alexander Korda. **Im.** : Ted Pahle (N. et B.).
Mus. : Francis Gromon. **Prod.** : Paramount (Robert T. Kane).
Durée : 130 minutes. **Interpr.** : Raimu *(César)*,
Pierre Fresnay *(Marius)*, Orane Demazis *(Fanny)*,
Charpin *(Panisse)*, Alida Rouffe *(Honorine)*,
Robert Vattier (M. Brun).

Les mêmes interprètes se retrouveront dans *Fanny*,
réalisé en 1932 par Marc Allégret avec une équipe différente,
et *César*, mis en scène en 1936 par Pagnol lui-même,
directement pour l'écran.

Peu soucieux de photogénie — encombrant héritage du muet — Pagnol, ce conteur-né, affirme d'emblée la prééminence du texte. Son folklore a une saveur inimitable.

Le « Bar de la Marine », sur le Vieux-Port de Marseille, est un rendez-vous d'habitués, qui y disputent d'âpres parties de manille. Le patron, César, est un veuf au franc-parler et au cœur d'or. Son fils Marius ne rêve que de grand large. Il s'en ira un matin, laissant enceinte Fanny, la vendeuse de coquillages…

Cette saga familiale aura une suite : *Fanny* (1932). Pressée par son entourage, la fille-mère épouse un voisin plus âgé qu'elle, le maître-voilier Panisse. L'honneur est sauf, mais Fanny est malheureuse, cependant que Marius, dépassé par les événements, est contraint après une brève escale de reprendre la mer…

Les malentendus se dissiperont dans *César* (1936). Panisse meurt ; Fanny devenue veuve apprend à son fils Césariot la vérité sur ses origines. Le garçon court chercher son vrai père, qui tient un garage à Toulon. Tout finira bien, sous le regard ému de César.

Pastis sentimental

Premier volet de la célèbre trilogie marseillaise de Marcel Pagnol (1895-1974) déjà rodé à la scène (comme le sera le deuxième, *Fanny* ; seul *César* sera conçu directement pour l'écran), *Marius* apporta au cinéma français, alors en pleine mue en raison de l'arrivée du parlant, une verve et une truculence qui lui faisaient cruellement défaut. Loin de se borner à mettre son « théâtre en conserve », Pagnol sut se plier aux exigences d'un nouveau mode d'expression, dont il ignorait tout, s'entourer de techniciens éprouvés et donner à ses acteurs une « caisse de résonance » idéale ; au point que *Marius*-film est devenu le point de référence de toutes les lectures ultérieures de l'ouvrage. Nous baignons certes « en plein pastis sentimental » ; mais le dosage en est si inventif, et la substance si riche, qu'on aurait tort de faire la fine bouche.

Le deuxième volet *(Fanny)* a moins de corps, la préparation incombant cette fois à un tâcheron, Marc Allégret ; mais le dernier *(César)* est capiteux à souhait : Pagnol ici est

seul en piste ; il s'est fait la main entre-temps avec des films parfumés aux senteurs de Provence, et a définitivement circonscrit son terroir.

Marius et sa suite firent le tour du monde, dans leur version originale. Des traductions allemande, suédoise et italienne, qui furent tournées parallèlement, sont aujourd'hui bien oubliées. La saveur régionale de l'œuvre, qui lui confère son universalité, ne supporte pas le déracinement.

Le million

René Clair

Scén. et **réal.** : René Clair, d'après la pièce de G. Berr et M. Guillemaud. **Im.** : Georges Périnal (N. et B.).
Déc. : Lazare Meerson. **Mus.** : Armand Bernard, Philippe Pares.
Prod. : Tobis. **Durée** : 80 minutes.
Interpr. : René Lefèvre *(Michel)*, Annabella *(Béatrice)*, Paul Olivier *(le père La Tulipe)*, Louis Allibert, Vanda Gréville.

Les années 1930 verront le triomphe de l'opérette filmée. René Clair y sacrifiera comme les autres, dans Sous les toits de Paris *et* Le million.

Sous les toits de Paris, une joyeuse farandole… Le boute-en-train en est un vieux radoteur, le père La Tulipe, qui va nous raconter — sur un air de musette — comment cela a commencé : Michel est un jeune rapin criblé de dettes, qui gagne un trésor à la loterie. Malheureusement, son billet est resté dans un veston qui a échoué dans la boutique d'un fripier, qui lui-même l'a revendu à un ténor d'opéra-comique, lequel ne veut pas s'en séparer. L'objet vole de main en main, jusqu'à ce que son propriétaire enfin le récupère. Et tout finira par des chansons…

Chansonnette et course au trésor

René Clair (1898-1981) s'était taillé un joli succès au temps du muet en traitant en comédie-ballet une pièce de Labiche, *Un chapeau de paille d'Italie*. Le parlant, bien qu'il y fût hostile par principe, lui permettait d'y adjoindre chansons et musique, comme dans l'opérette. Il se conformait en cela à la mode du temps. Une pièce de boulevard, située dans le milieu archiconventionnel du «petit peuple de Paris», lui fournit un aimable prétexte. *Le million* sera la réplique française à *Parade d'amour,* de Lubitsch, un vague réalisme satirique se substituant au faste viennois. Le tournage se fait en studio, dans de superbes décors stylisés de Lazare Meerson, le dialogue est gentiment ironique, un chœur de petits métiers (boucher, épicier, chauffeur de taxi…) commente l'action, menée par René Lefèvre, qui joue les Jean de la Lune. La course-poursuite finale, où le veston devient l'objet d'une mêlée de rugby, est d'une cocasserie bien venue (l'effet sera repris, et appuyé, dans *À nous la liberté,* 1932).

Il semble que le style de René Clair — son toucher, plutôt — ait été abusivement monté en épingle par les historiens. Ses marionnettes sautillantes ne pèsent pas lourd auprès des créations de Renoir ou de Pagnol. On est tenté de leur dire : rien ne sert de courir… Ces chassés-croisés de carte postale ont beaucoup vieilli, malgré l'excellence de leurs équipes techniques, le point faible étant la direction d'acteurs. Aussi bien la carrière parlante de René Clair sera-t-elle décevante ; on n'en retiendra que *Le silence est d'or* (1947), au titre amèrement symbolique.

1931

M le maudit

Fritz Lang

M. **Scén.** : Thea von Harbou, Fritz Lang, d'après un article de Egon Jacobson. **Réal.** : Fritz Lang. **Im.** : Fritz Arno Wagner (N. et B.). **Leitmotiv sifflé** : Edward Grieg *(Peer Gynt).* **Prod.** : Nero Film (Fritz Lang). **Durée** : 99 minutes. **Interpr.** : Peter Lorre *(Frantz Becker),* Otto Wernicke *(commissaire Lohmann),* Gustav Gründgens *(le chef de la pègre),* Ellen Widmann.

Aucun film, mieux que M le maudit, *n'a su mettre en évidence le poids du destin qui accable l'individu, destin incarné par la pieuvre sociale dans toute son arrogance.*

La petite Elsie Beckmann se fait aborder à la sortie de l'école par un inconnu, qui lui achète un jouet tout en sifflotant un air de musique classique. Elle sera la nouvelle victime du tueur sadique, qui terrorise la ville. La police multiplie en vain rafles et perquisitions : elle ne réussit qu'à désorganiser la pègre et à semer le trouble dans la population. Les truands décident de prendre eux-mêmes l'affaire en main : un réseau d'indicateurs habilement réparti leur permet de coincer le meurtrier, sur le dos duquel un de ses poursuivants a pu inscrire à la craie la lettre M. S'érigeant en tribunal, la pègre condamne l'homme à mort, après une parodie de procès. La police s'interpose à temps pour le traduire devant une juridiction légale.

Autopsie du corps social

Voulant se démarquer des allégories expressionnistes qui avaient fait sa gloire, au temps du muet, Fritz Lang (1890-1976), préoccupé par les crises que traversait l'Allemagne à l'aube des années 1930, choisit pour son premier film parlant de traiter un cas clinique — inspiré de l'affaire du «vampire de Düsseldorf», en le greffant sur une analyse impitoyable d'un pays malade, mûr pour la dictature. Le titre qu'il propose est significatif : «Les assassins sont parmi nous». Les nazis se sentirent visés et firent pression sur Lang pour qu'il le modifie. *M le maudit* est une dénonciation sans équivoque des structures sociales — officielles ou souterraines — qui n'ont d'autre objet que de détruire l'individu, de chercher des victimes expiatoires, alors que le mal est en chacun de nous.

Vigoureuse revendication pour l'inviolabilité de la liberté humaine, si monstrueux qu'en soit le dépositaire, *M le maudit* est aussi un magistral exercice de style, un modèle absolu de mise en scène, considérée comme une mise en équation de tous les éléments constitutifs du film. Le moindre détail est chargé de sens, les plans s'imbriquent selon un ordre infaillible, comme les lignes de force d'un champ magnétique. Le meurtre de la fillette, l'enquête policière, la traque du coupable, ses aveux pitoyables, tout est scruté, disséqué comme au scalpel. Peter Lorre fit dans le rôle du meurtrier une composition inoubliable, qui lui colla à la peau jusqu'à la fin de ses jours. Joseph Losey réalisa en 1951 aux États-Unis un *remake* du film.

1931

L'opéra de quat'sous

Georg Wilhelm Pabst

Die Dreigroschenoper. **Scén.** : Leo Lania, Lazlo Vajda, Béla Balász,
d'après la pièce homonyme de Bertolt Brecht. **Réal.** : G. W. Pabst.
Im. : Fritz Arno Wagner (N. et B.). **Déc.** : André Andreiev. **Mus.** : Kurt Weill.
Coprod. : Warner Bros., Tobis, Nero Film (Seymour Nebenzahl).
Durée : 111 minutes. **Interpr.** : Rudolf Forster (version allemande)
Albert Préjean (version française) *(Mackie)*, Carola Neher / Florelle *(Polly)*,
Fritz Rasp / Gaston Modot *(Peachum)*, Valeska Gert / Lucy de Matha
(Mme Peachum), Lotte Lenja / Margo Lion *(Jenny)*, Ernst Busch /
Bill Bocketts (le bonimenteur).

Mélange de vaudeville, de mélodrame policier, de satire sociale et de poésie populaire, L'opéra de quat' sous *est une «fête noire», parfaitement adaptée aux crises qui secouaient alors l'Europe.*

Londres, à une époque indéterminée. Un chanteur de rues conte aux badauds les exploits de Mackie, le galant surineur, qui règne sur Soho. Délaissant sa maîtresse, Jenny la catin, il a séduit Polly Peachum, la fille du roi des mendiants, et l'a épousée au milieu de la nuit, dans un dock désaffecté des bords de la Tamise. Furieux, Peachum réclame son incarcération et lâche dans les rues ses troupes en guenilles, le jour même du couronnement de la reine. Mackie s'en tire à bon compte, grâce à la complicité d'une police corrompue. Tout finira bien, et les coquins pourront à nouveau faire la loi.

Une parabole sur un air d'orgue de Barbarie

Ce film, qui fut tourné en deux versions, allemande et française (avec la même équipe technique, mais une interprétation différente), intègre avec brio l'humour anglais à l'expressionnisme allemand. On lui a prêté plusieurs parrainages : Villon, Hogarth, Eugène Sue, Mac Orlan… Paul Gilson y retrouve «l'atmosphère de gueuserie qui fait la beauté du roman de Victor Hugo *Notre-Dame de Paris*». À l'origine, il y a une pièce de Bertolt Brecht, elle-même tirée d'une comédie anglaise du XVIIIe siècle, *The Beggar's Opera,* où l'on sent l'influence de Swift. Peter Brook en a tiré sous ce titre en 1952 un film en couleurs, et le Sud-Américain Ruy Guerra en 1986 une comédie musicale, *Opera do Malandro.*

Brecht s'estima trahi ; il est vrai que le film tire le pamphlet du côté de la féerie, mais est-ce un mal ? On se souvient de l'œuvre muette de Pabst (1885-1967), nourrie d'emprunt au naturalisme et à la psychanalyse : *La rue sans joie, Les mystères d'une âme, Loulou.* Il est fidèle à lui-même dans cette arlequinade grinçante, ce «tissu de folie et de sagesse, de cauchemar et de réalisme» (Alexandre Arnoux). Il doit beaucoup à son équipe : décors et photographie composant une «atmosphère d'aquarium» envoûtante, la musique de Kurt Weill commentant narquoisement l'action. Aucun de ses films ultérieurs, en tout cas, n'atteindra à cette poésie.

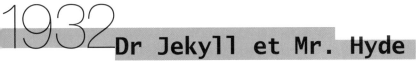

1932
Dr Jekyll et Mr. Hyde
Rouben Mamoulian

Dr Jekyll and Mr. Hyde. **Scén.** : Samuel Hoffenstein, Percy Heath,
d'après la nouvelle de Robert Louis Stevenson *L'étrange cas du docteur Jekyll.*
Réal. : Rouben Mamoulian. **Im.** : Karl Struss (N. et B.). **Déc.** : Hans Dreier.
Prod. : Paramount. **Durée** : 98 minutes. **Interpr.** : Fredric March
(Dr. Jekyll / Mr. Hyde), Myriam Hopkins *(Ivy Parsons)*, Rose Hobart
(Muriel Carew), Holmes Herbert *(Dr. Lanyon).*

*1932 est l'âge d'or du cinéma fantastique aux États-Unis. En quelques mois,
Hollywood va produire les prototypes que sont* Frankenstein, Dracula, Freaks
et Dr. Jekyll et Mr. Hyde.

Londres à la fin du siècle dernier. Le docteur Jekyll est un gentleman respectable. Il se
livre dans son laboratoire à de redoutables expériences scientifiques, qui doivent lui permettre de séparer chez l'être humain le Bien du Mal. Se servant de lui-même comme
cobaye, il se transforme la nuit en Mr Hyde, une créature simiesque aux instincts de brute.
Sous cette forme, il terrorise une prostituée, Ivy Parsons. Un jour, il ne pourra plus redevenir le digne Jekyll et mettra en danger son entourage, qui devra l'abattre.

Les miroirs de l'épouvante

L'impact spectaculaire de l'apologue fantastique imaginé par R. L. Stevenson est si
évident qu'il inspira une version théâtrale peu de temps après sa publication. Le cinéma
prit le relais dès 1908, et depuis lors les adaptations se sont multipliées (on en a dénom-
bré une cinquantaine !). La plus somptueuse est celle signée Victor Fleming (États-Unis,

1941), la plus cocasse *Dr. Jerry et Mr. Love,* de Jerry Lewis (1961), où les rôles sont inversés, la plus personnelle *Le testament du Dr. Cordelier* de Jean Renoir (France, 1959). On peut néanmoins tenir le film américain de 1932 pour la version de référence. Son auteur, Rouben Mamoulian (1898-1987), était l'une des personnalités les plus fortes de Hollywood. Il s'imposa aussi bien dans le *thriller (Les carrefours de la ville)* que dans la comédie musicale *(Applause),* et on lui doit le premier grand film en couleurs : *Becky Sharp* (1935). C'est un esthète. Sa conception du mythe Jekyll / Hyde est des plus curieuses : «Ce qui m'intéressait, dit-il, c'était de montrer les rapports entre la Nature et la Civilisation, sans porter de jugement moral.» Son Jekyll est un puritain refoulé, Hyde un primate jouisseur. Mamoulian reconstitue avec minutie le climat de l'Angleterre victorienne, peaufine le maquillage de son interprète, Fredric March, multiplie les effets de caméra subjective et les truquages sonores. Une scène est restée fameuse : le lent déshabillage d'Ivy devant Hyde fasciné. La caméra s'attarde sur la jambe gainée de soie de la fille qui oscille lentement. C'est un modèle de suggestion érotique.

1932

Freaks ou la monstrueuse parade

Tod Browning

Freaks. **Scén. :** Willis Goldbeck, Leon Gordon, d'après la nouvelle de C. A. «Tod» Robbins, *Spurs.* **Réal. :** Tod Browning. **Im. :** M. B. Gerstad (N. et B.). **Prod. :** M.G.M. (Irving Thalberg). **Durée** (réduite) : 64 minutes. **Interpr. :** Harry Earles *(Hans),* Daisy Earles *(Frieda),* Wallace Ford *(Phroso),* Olga Baclanova *(Cléopâtre),* Rose Dione *(Mme Tetrallini)* et, dans leurs propres rôles, les sœurs Hilton, Johnny Eck, Peter Robinson, Prince Randian, Schlitze, Olga Roderick, etc.

Nosferatu, King Kong, Mr Hyde sont des monstres issus de l'imagination humaine. Mais les «freaks» sont de purs produits de la nature, sur lesquels nous n'avons aucune prise.

Un cirque genre Barnum. L'aboyeur nous prévient : «Vous allez voir de vrais monstres, qui vivent et respirent comme nous…» On nous les présente d'abord gambadant joyeusement dans un parc : il y a là l'homme-tronc, la femme-oiseau, le torse vivant, l'homme-squelette… L'un d'eux, le nain Hans, délaissant sa fiancée, la mignonne Frieda, est épris de Cléopâtre, la belle et grande écuyère, qui se moque ouvertement de lui. Apprenant qu'il a fait un coquet héritage, elle complote, avec Hercule l'athlète, de berner son soupirant. Feignant de répondre à ses avances, elle l'épouse, bien résolue à l'empoisonner. Mais son projet criminel est découvert par les *freaks.* Leur vengeance sera terrible : par une nuit d'orage, ils liquideront Hercule et défigureront affreusement Cléopâtre…

Qui sont les monstres ?

Freaks est un film mythique. Incompris, lors de sa sortie, mutilé, édulcoré, interdit dans certains pays, compromettant gravement la carrière de son réalisateur, l'étrange Tod Browning (1882-1962), un ex-enfant de la balle qui avait dirigé au muet Lon Chaney dans de bons films policiers, avant de lancer la vogue du film d'épouvante avec *Dracula* (1931 ; il est aujourd'hui l'objet d'un véritable culte. Il fallut un concours de circonstances peu banal — et le soutien actif d'Irving Thalberg, le producteur — pour que la respectable M.G.M. acceptât l'étalage sur un écran de vrais phénomènes de cirque, dont la difformité fût non seulement l'ornement, mais le sujet même de l'œuvre. Nulle complaisance exhibitionniste ici, comme il en va souvent avec les films présentant des êtres disgraciés ; mais une sorte de documentaire, mâtiné d'humour noir (l'accouchement de la femme à barbe), une plongée «dans les abîmes du moi malade» qui nous enseigne que la plus terrible inhumanité que nous puissions connaître est nous-même. Le *side show* en folie devient un fascinant spectroscope de notre propre monstruosité.

Liebelei

Max Ophuls

Liebelei. **Scén.** : Curt Alexander, Hans Wilhelm, Max Ophuls, d'après la pièce homonyme d'Arthur Schnitzler. **Réal.** : Max Ophuls. **Im.** : Franz Planer (N. et B.). **Mus.** : Théo Mackeben (et extraits de Mozart, Brahms, Beethoven). **Prod.** : Elite Tonfilm G.F.F.A. **Durée** : 90 minutes. **Interpr.** : Magda Schneider *(Christine),* Wolfgang Liebeneiner *(Fritz),* Luise Ullrich *(Mizzie),* Willy Eichberger *(Théo),* Olga Tschekowa *(la baronne),* Gustav Gründgens *(le baron).*

Un cinéaste de trente ans — ayant, il est vrai, une grande expérience du théâtre — nous conte, à l'aube du parlant, une «histoire d'amour» d'une fraîcheur exquise, à la Griffith.

Vienne 1900. Christine Weiring, fille d'un modeste violoniste de l'Opéra, accepte une invitation à souper, en compagnie de son amie Mizzie Schlager, avec deux lieutenants de la garde impériale. Tandis que la volage Mizzie flirte avec Théo, Christine est chaperonnée par Fritz, tout ému de sa gentillesse. Les deux jeunes gens ne tardent pas à tomber amoureux l'un de l'autre. Mais Fritz doit faire face à une ancienne liaison : un mari jaloux le provoque en duel. L'honneur commande. L'amourette finit tragiquement : Fritz est tué, et Christine, de désespoir, se jette par la fenêtre.

Ballade d'amour et de mort

Ce film adapte, avec beaucoup de délicatesse, un des succès de la scène autrichienne, joué un peu partout en Europe. L'auteur de la pièce, Arthur Schnitzler (1862-1931), y opposait l'insouciance de la jeunesse à la rigidité des codes d'honneur militaire. Le cinéaste émousse ces pointes de critique sociale, au profit de l'effusion romantique, en introduisant une dimension de nostalgie qui lui est propre. Le cheminement sentimental de Christine et de Fritz est épousé par une caméra d'une fluidité aérienne, et la séquence de la promenade en traîneau dans le bois enneigé, reprise en point d'orgue final après la mort des amants, se charge d'une émotion rare.

Sarrois d'origine, allemand de culture et de tempérament, viennois de cœur, bientôt français d'adoption, Max Ophuls (1902-1957) faisait là ses gammes — après un fringant galop d'essai, *La fiancée vendue,* adaptation de l'opéra-comique de Smetana. Le cinéma allemand aurait pu s'enorgueillir d'une recrue de choix. Malheureusement, comme bien d'autres, Ophuls dut s'expatrier en 1933, entamant une carrière internationale qui le conduira successivement en France, en Italie, en Hollande, aux États-Unis et à nouveau en France, où nous le retrouverons à l'occasion de son chant du cygne, *Lola Montès* (1955).

«*Liebelei,* écrit Henri Agel, détient tous les secrets d'Ophuls. Par son thème, par sa tristesse schubertienne, cette histoire restera l'écharde enfoncée dans la chair du cinéaste jusqu'à sa mort.»

1932

Scarface

Howard Hawks

Scarface, Shame of a Nation. **Scén.** : Ben Hecht, d'après le roman de Armitage Trail.
Adapt. : Seton I. Miller, John Lee Mahin, W. R. Burnett, Fred Pasley. **Réal.** : Howard Hawks.
Im. : Lee Garmes (N. et B.). **Prod.** : Howard Hughes. **Durée** : 99 minutes.
Interpr. : Paul Muni *(Tony Camonte)*, Ann Dvorak *(Cesca)*, Karen Morley *(Poppy)*,
Osgood Perkins *(Lovo)*, George Raft *(Rinaldo)*, Boris Karloff *(Gaffney)*.

Les cités modernes couvent en leurs flancs le cancer de la violence et de l'insé-curité quotidiennes. De ce fléau, Scarface *dresse une radiographie impitoyable.*

Chicago est la proie du gangstérisme. Les truands font la loi, les règlements de comptes entre bandes rivales se multiplient, la police est impuissante à enrayer la vague de cri-minalité. Dans le gang de Johnny Lovo, un caïd fait son chemin, à coup de mitraillette : Tony Camonte. Hâbleur, d'une morgue tapageuse, c'est un as de la gâchette. Il a un bras droit : le beau Guido Rinaldo, et une tendresse secrète : sa sœur Cesca, qu'il tient à l'abri de la corruption ambiante. La liquidation de Lovo lui donne les coudées franches. Mais pas pour longtemps. Au retour d'un séjour en Floride, il découvre la liaison de sa sœur avec Rinaldo : il tue ce dernier sans pitié. Traqué par la police dans son repaire, il sera abattu comme un chien.

Les gangs aux rayons X

Le monde du crime a exercé de tout temps un attrait morbide sur les cinéastes — et les spectateurs. Sans remonter jusqu'à Ferdinand Zecca et Louis Feuillade, on notera, à la fin du muet, le succès du film de Josef von Sternberg, *Les nuits de Chicago,* qui mon-trait déjà un gangster (George Bancroft) cerné par la police dans sa tanière, et mourant sous les balles. Le parlant va donner naissance à un genre spécifique, le *thriller* (que l'on peut traduire par «spectacle qui fait frémir»). Le contexte social s'y prêtait : l'Amérique était en pleine dépression, les syndicats du crime avaient pignon sur rue, les magnats de la pègre narguaient ouvertement Edgar Hoover et ses «incorruptibles». Al Capone, dit «l'ennemi public numéro un», avait édifié un véritable empire. C'est lui qui servira de modèle à «Scarface», le balafré.

Mais Howard Hawks (1896-1977) ne s'est pas limité à un procès du gangstérisme. «Je voulais, dit-il, décrire la famille des Capone comme s'il s'agissait des Borgia venus s'ins-taller à Chicago.» L'intention est claire : au-delà du constat social, il s'agit de brosser le tableau d'un monde en proie aux démons éternels de la violence, de l'arrivisme et de la frustration. Scarface devient un avatar d'Œdipe roi. Une mise en scène d'une rigueur glaciale décrit les soubresauts de cette moderne descente aux enfers.

Si j'avais un million

Ernst Lubitsch et six autres réalisateurs

If I Had a Million. **Scén.** : Claude Binyon, Sidney Buchman,
Ernst Lubitsch, Joseph L. Mankiewicz, etc., d'après une nouvelle
de R. D. Andrews. **Réal.** : James Cruze, Bruce Humberstone,
Norman Z. McLeod, Stephen Roberts, William A. Seiter,
Norman Taurog et, assurant la supervision, Ernst Lubitsch.
Im. : N. et B. **Prod.** : Paramount. **Durée** : 88 minutes.
Interpr. : Charlie Ruggles *(Peabody)*, Wyne Gibson *(Violet Smith)*,
W. C. Fields *(Rollo)*, Gene Raymond *(Wallace)*, Charles Laughton
(Phineas Lambert), Gary Cooper *(le soldat)*, George Raft, Jack Oakie.

La comédie américaine, brillante, sophistiquée, fut un des genres-rois de l'avant-guerre. Les ténors en sont Capra, Cukor, McCarey, mais aussi une foule d'excellents artisans.

Un milliardaire déçu par sa famille lègue sa fortune à des inconnus, choisis au hasard dans l'annuaire. Les heureux bénéficiaires sont :

• un timide vendeur de porcelaine qui, brusquement délivré de la hantise de heurter son matériel, met à sac son magasin ;

• une fille aux mœurs légères, qui peut enfin coucher toute seule ;

• un faussaire, persuadé qu'on lui a refilé un chèque sans provision ;

• un couple de vieux cabots, dont la voiture vient d'être emboutie par un chauffard : ils prendront leur revanche au centuple ;

• un condamné à mort, qui reçoit son legs un peu tard ;

• un employé de banque brimé par ses employeurs : il range posément son bureau, se lève, monte jusqu'au troisième étage, frappe à la porte du grand patron et lui tire la langue ;

• un militaire en goguette ;

• une pensionnaire d'une maison de retraite, persécutée par son entourage ; elle séduira le milliardaire, qui reprendra goût à la vie.

La comédie américaine hachée menu

C'est à Ernst Lubitsch (1892-1947), Berlinois émigré à Hollywood en 1923, et qui y avait brillamment fait son trou, imposant sa « touche » célèbre dans des comédies satiriques issues en droite ligne du Boulevard français, que l'on doit l'idée de cette suite de gags, chacun étant réalisé par un metteur en scène différent, lui-même s'octroyant les deux meilleures histoires : celles de l'employé de banque facétieux et de la fille qui peut enfin se déshabiller seule, l'une et l'autre typiques d'un certain humour juif (« du plus fort signifié dans le plus court signifiant », comme dit Jean Mitry). Le film à sketches était né, calqué sur les vieilles ficelles du théâtre, et aura une longue postérité, en France, en Grande-Bretagne et en Italie.

Puis Lubitsch seul en piste se déchaînera dans ces farces à la fois caustiques et raffinées, riches en « coups de théâtre » habilement adaptés au langage de l'écran, que sont *Haute pègre, Sérénade à trois, Ninotchka* et *To be or not to be.*

1933 King Kong

Ernest B. Schoedsack et Merian C. Cooper

King Kong. **Scén.** : James A. Greelman, Ruth Rose,
d'après une idée d'Edgar Wallace.
Réal. : Ernest B. Schoedsack et Merian C. Cooper.
Im. : Eddie Linden, Vernon Walker, J. O. Taylor (N. et B.).
Effets spéciaux : Willis O'Brien. **Mus.** : Max Steiner.
Prod. : R.K.O. **Durée** : 99 minutes.
Interpr. : Fay Wray *(Ann Darrow)*, Robert Armstrong
(Carl Denham), Bruce Cabot *(Driscoll).*

Chef-d'œuvre de truquage, digne de Méliès, King Kong *effraie — et fascine — comme l'ogre de la fable, tout en plongeant profondément ses racines dans l'inconscient collectif américain.*

Une équipe de cinéastes se rend en Malaisie pour y effectuer un reportage sur les croyances locales : on parle d'un singe géant adoré à l'égal d'un dieu par les indigènes et surnommé « King » Kong. Une actrice au chômage, Ann Darrow, a été engagée pour les besoins du film : son effroi est photo-génique. L'île s'avère un repaire d'animaux préhistoriques, et ses habitants des sauvages, qui vont s'empresser d'enlever la blonde starlette, pour la « fiancer » à Kong, sans souci de la différence de taille. Celui-ci paraît s'en accommoder, et emporte dans sa tanière la fille terrorisée. Ses compagnons auront du mal à l'arracher aux griffes de son bestial ravisseur. Ils ramèneront celui-ci, enchaîné, à New York pour l'exhiber sur scène. Mais l'animal, brisant ses fers, sème la panique dans la ville. Il faudra faire appel à une escadrille de chasse pour l'abattre.

La belle et la bête

King Kong est un avatar, amplifié, de Tarzan l'homme-singe, croisé du mythe de la Belle et la Bête. On peut y voir aussi un écho, en forme d'exorcisme, des cauchemars tarau-dant une société en pleine croissance : à l'île aux monstres répond la jungle des villes, aux pitons rocheux les gratte-ciel. La pauvre bête, d'ailleurs s'y trompe. Ajoutons les réfé-rences explicites au show-business, et notamment au cinéma : il y a, comme diraient les structuralistes, une « mise en abyme », le conte de fées tourne à la réflexion sur le spectacle.

C'est aussi une prouesse technique, qui nécessita plus d'un an de tournage, un bud-get aussi colossal que son héros (750 000 dollars) et un système complexe de pantins articulés, de taille extensible — car il n'y a évidemment pas un acteur ou un animal sous la défroque du singe, tout est affaire de maquettes, exécutées par un maître modéliste : Willis O'Brien. Le succès fut tel qu'il engendra une série de sous-produits, presque tous médiocres, jusqu'à un *remake* produit en 1976 par Dino de Laurentiis. Quant à l'une des chevilles ouvrières de l'entreprise, l'industrieux Ernest Beaumont Schoedsack (1893-1979), il réalisa un beau doublé en tournant la même année un autre classique du fantastique, *La chasse du comte Zaroff*.

Okraïna

Boris Barnet

Okraïna. **Scén.** : Boris Barnet et Konstantin Finn d'après sa nouvelle.
Réal. : Boris Barnet. **Im.** : M. Kirillov, A. Spiridonov (N. et B.). **Mus.** : Sergej Vasilenko.
Prod. : Mezrabpom. **Durée** : 98 minutes. **Interpr.** : Sergej Komarov *(Gresin)*,
Elena Kuz'mina *(Man'ka)*, Nicolaj Bogoljubov *(Nicolaj)*, Nicolaj Krjuckov *(Son'ka)*.

Dans une production qui commence à se scléroser sous la pression stalinienne, une oasis de fraîcheur et de liberté : l'œuvre, en marge des ukases, de Boris Barnet.

1914. Un bourg provincial de Russie, près de la frontière. La guerre est déclarée ; les hommes partent pour le front dans l'enthousiasme. L'un des patriotes les plus ardents est un fabricant de bottes, fournisseur attitré de l'armée. L'horreur des tranchées fait bientôt déchanter les combattants ; ils commencent à comprendre qu'on les a bernés. À l'arrière, la vie reprend son rythme normal. La jolie fille du bottier, Man'ka, tombe amoureuse d'un prisonnier allemand qui travaille dans l'atelier de son père, au grand scandale du vieil homme. Cependant, la révolution bolchevique fait son chemin, les prolétaires fraternisent, la garde rouge défile dans les rues : dans ses rangs, un vieux paysan russe dont le fils a été tué au front, et le prisonnier allemand, au coude à coude.

Les jeux de l'amour et de la guerre

Pas de grandes envolées épiques à la Eisenstein, pas d'homélies à la Poudovkine dans cette comédie douce-amère, mais un charme, une liberté de ton et même quelques clins d'œil au spectateur (celui du dragueur impénitent enfin parvenu à ses fins). Son auteur, Boris Barnet (1902-1965), est une des personnalités les plus attachantes et les plus mal connues de l'école soviétique : ancien boxeur, acteur chez Koulechov, ses films sont des coups de tête, ou des coups de cœur, bien plus que des coups de semonce politiques. Citons : *La jeune fille au carton à chapeau* (1927), satire aiguë de la petite bourgeoisie ; *Au bord de la mer bleue* (1936), poème féministe ; *Le clown et le lutteur* (1958), qui enchanta Jean-Luc Godard ; et *Okraïna,* dont Béla Balázs disait qu'il était « simple comme une bonne chanson ». On pense à Tchekhov, dont Barnet retrouve spontanément la « douloureuse mélancolie ». Cette romance pointilliste, où la comédie côtoie le drame en permanence, appréhende les horreurs de la guerre et les élans de l'amour avec le même regard, à la fois ironique et chaleureux.

Soupe au canard

Leo McCarey

Duck Soup. **Scén., mus., lyrics** : Bert Kalmar, Harry Ruby. **Réal.** : Leo McCarey.
Im. : Henry Sharp (N. et B.). **Prod.** : Paramount. **Durée** : 68 minutes. **Interpr.** : Groucho Marx
(Firefly), Harpo Marx *(Pinky)*, Chico Marx *(Chicolini)*, Zeppo Marx *(Bob)*, Margaret Dumont
(Mrs Teasdale), Louis Calhern *(Trentino)*, Edgar Kennedy *(le limonadier)*.

L'humour ravageur des Marx Brothers substitue aux hécatombes visuelles du burlesque muet une logorrhée — explicite ou sémaphorique — qui ne leur cède en rien en agressivité. Le bon sens n'y résiste pas.

Nous sommes en Freedonie, principauté que mène rondement son président du conseil, l'excentrique Rufus T. Firefly, placé là par son amie, la richissime Mrs Teasdale. Un louche ambassadeur complote l'invasion du pays par les troupes de Sylvanie, un État

voisin sur le pied de guerre. Il a deux traîtres à sa solde, prêts à tous les doubles jeux : Pinky et Chicolini. Firefly, qui lui-même rêve d'en découdre, utilise toutes les ressources de la déraison d'État pour hâter le déclenchement des hostilités. On mobilise dans l'allégresse. Il y aura des pertes sévères dans les deux camps, Firefly donnant l'exemple en faisant tirer sur ses propres troupes… Au final, les foudres de guerre réunis se déchaînent contre leur bienfaitrice, trop pressée d'entonner l'hymne de la victoire.

Le délire organisé de la révolution marxienne

De même que leurs scénarios sont inénarrables, au propre comme au figuré, et leur dialogue intraduisible, le style comique des Marx Brothers, leur stratégie de subversion, leur *delirium* organisé, échappent à l'analyse. Les trois mousquetaires du burlesque, Chico (1891-1961), Harpo (1893-1964) et Groucho (1895-1977), flanqués d'un quatrième larron, Zeppo, sont ici à l'apogée de leur carrière, commencée sur les planches dix ans auparavant. Le non-sens cultivé jusqu'à l'absurde, l'art de mettre le monde à l'envers, un sens inné de la parade, une exploitation rationnelle des potentialités du cinéma sonore (paroles et musique) sont leurs règles d'or.

Dans cette *Soupe au canard* (où il n'y a bien évidemment ni soupe ni canard, mais un hachis de bipèdes en folie), les démêlés de Harpo avec un brave limonadier, l'appel aux armes qui rameute toute une ménagerie, et surtout le gag — muet — du miroir brisé, composent une vraie « kinesthésie du désastre » (Robert Benayoun), brillamment orchestrée par un des maîtres de la comédie américaine, Leo McCarey (voir *Cette sacrée vérité,* les deux versions de *Elle et lui* et l'admirable *Place aux jeunes,* 1937). Aucun des films suivants des Marx, en dépit de clous mémorables (la cabine surpeuplée de *Une nuit à l'Opéra*), n'atteindra cette plénitude.

1934 L'Atalante

Jean Vigo

Scén., dial. : Jean Vigo, Albert Riéra, d'après un scénario original de Jean Guinée. **Réal.** : Jean Vigo. **Im.** : Boris Kaufman (N. et B.). **Mus.** : Maurice Jaubert (lyrics Charles Goldblatt). **Prod.** : J. L. Nounez. **Distr.** : G.F.F.A. **Durée** : 89 minutes. **Interpr.** : Jean Dasté *(Jean)*, Dita Parlo *(Juliette)*, Michel Simon *(le père Jules)*, Gilles Margaritis *(le camelot)*, Louis Lefebvre *(le mousse)*, Fanny Clar, Raphaël Diligent *(les parents)*, Maurice Gilles, Charles Goldblatt, René Blech, Gen-Paul.

Par son mélange d'esthétisme et de réalisme, son lyrisme ancré dans le quotidien, son pouvoir de subversion, Jean Vigo s'est affirmé, très jeune, comme un des grands poètes du septième art : le Rimbaud de l'écran.

Une noce dans un petit village de l'Oise. Juliette, fille de paysans, épouse Jean, un marinier. Sitôt la cérémonie terminée, le couple embarque à bord de *L'Atalante,* un chaland à moteur dont l'itinéraire est fixé par la Compagnie de navigation. L'équipage se compose d'un mousse et d'un vieux loup de mer, le père Jules, qui vit dans sa cabine au milieu de ses chats, de sa musique et d'un invraisemblable capharnaüm d'objets ramenés des quatre coins du monde. Juliette a l'âme romanesque ; elle rêve de Paris et de belles toilettes ; elle se laisse griser par les sornettes du père Jules et son imagerie de bazar. On arrive enfin en vue de Paris. Jean emmène sa femme dans une guinguette. Elle se fait draguer par un camelot, provoquant l'irritation de Jean, qui décide d'abréger l'escale. Mais Juliette veut vivre sa vie. Elle s'enfuit…

C'est l'hiver, et la jeune femme désemparée se retrouve bientôt parmi les chômeurs et les crève-la-faim. Un voleur tente de lui arracher son sac à main. À bord du chaland, c'est la consternation. Jean ne dort plus, la Compagnie menace de lui retirer sa licence. Le père Jules se résout à partir chercher «la patronne». Il la trouve dans un magasin de disques, écoutant le chant des mariniers. Il la charge sur ses épaules et la ramène à Jean, qui l'attend. Le couple réuni, *L'Atalante* repart, vers de nouveaux rivages…

Le bateau ivre

«Si l'on examine le cinéma français du début du parlant, on s'aperçoit qu'entre 1930 et 1940 Jean Vigo s'est trouvé pratiquement seul aux côtés de Jean Renoir l'humaniste et d'Abel Gance le visionnaire», a écrit François Truffaut.

L'existence brève et douloureuse (1905-1934) de ce créateur hors du commun est à l'image d'une œuvre pure et sans concession. Fils du militant anarchiste Miguel Almereyda, formé à l'école de l'avant-garde, de santé fragile (il fit plusieurs séjours en sanatorium), Vigo n'a pu réaliser que quatre films, dont un seul long-métrage, tous marqués au sceau d'une forte sensibilité et d'un lyrisme d'écorché vif. *À propos de Nice* (1929) est un «point de vue documenté» sur la ville des milliardaires d'une verve salubre, influencé par la théorie soviétique du «montage des attractions» ; *Taris ou la natation* (1931) une délicate marine ; *Zéro de conduite* (1933) un libelle contestataire à l'humour ravageur. Aidé à l'image de Boris Kaufman (qui fut l'opérateur de Dziga Vertov) et, pour le dernier, de Maurice Jaubert à la musique, Vigo y manifeste un anticonformisme, une liberté de ton, une spontanéité et surtout «un contact constant avec la vie, avec les choses présentes» (Jean Dasté), uniques dans le cinéma français. La critique n'en perçut pas tout de suite la nouveauté et la censure ne lui ménagea pas ses coups (*Zéro de conduite* fut interdit jusqu'en 1945).

Avec *L'Atalante*, tourné en plein hiver, par un homme tenaillé par la maladie (il mourut d'une tuberculose pulmonaire, le film à peine terminé), et distribué dans les pires conditions (avec de nombreuses coupures, et l'adjonction imposée d'une rengaine à la mode, *Le chaland qui passe*), Vigo a donné au septième art son *Bateau ivre.*

Commencée en farce paysanne à la Dubout, l'œuvre s'achève en merveilleux poème d'amour, après un détour par la chanson populaire à la Bruant (la séquence de la guinguette), la féerie surréaliste et le documentaire social (les chômeurs piétinant devant l'usine). Michel Simon, maquillé de façon incroyable, semble droit sorti d'un roman de Céline ou de Mac Orlan ; le couple Jean Dasté / Dita Parlo a une présence charnelle rare ; le décor, le rythme, la musique donnent à l'aventure des allures de rêve éveillé. Le miracle est que l'addition de toutes ces composantes produit un résultat d'une eau très pure. Nul n'en a mieux parlé qu'Élie Faure, dans un texte paru en 1934 : « Cet équilibre de tous les éléments du drame visuel dans l'accueil tendre d'une acceptation totale (...), ce cadre si net, si dépourvu d'empâtement et de boursouflures, classique en somme, [c'est] l'esprit même de l'œuvre de Jean Vigo, tourmenté, fiévreux, regorgeant d'idées et de fantaisie truculente, d'un romantisme virulent ou même démoniaque, bien que constamment humain. »

1934

L'impératrice rouge

Josef von Sternberg

The Scarlett Empress. **Scén.** : Manuel Komroff, d'après les *Carnets*
de Catherine de Russie. **Réal.** : Josef von Sternberg. **Im.** : Bert Glennon (N. et B.).
Déc. : Hans Dreier, Peter Ballbusch. **Mus.** : J. M. Leipold,
W. Frank Harling, sur des thèmes de Tchaïkovski et Mendelssohn.
Prod. : Paramount (Adolph Zukor). **Durée** : 110 minutes.
Interpr. : Marlene Dietrich *(Sophie-Frédérique / Catherine II)*,
Sam Jaffe *(le grand-duc Pierre)*, John Lodge *(comte Alexei)*,
Louise Dresser *(l'impératrice Elizabeth)*, Maria Sieber *(Sophie enfant)*.

Josef von Sternberg, avec la bénédiction de la Paramount, édifie ici un autel d'un baroque échevelé à la gloire de sa muse, Marlene Dietrich.

La jeune princesse Sophie-Frédérique est promise à un destin glorieux : elle doit épouser le grand-duc Pierre, héritier du trône de Russie. Dépêchée à la cour en grand équipage, sous la conduite du séduisant comte Alexei, elle rêve de son futur bonheur à Saint-Pétersbourg. Elle va déchanter lorsqu'on lui présentera son fiancé : celui-ci est un nabot dégénéré, qui ne connaît que ses vices d'enfant gâté. Le mariage a lieu, dans la pompe et l'encens. Devenue la troublante Catherine, la jeune femme va se chercher des compensations dans la compagnie des galants militaires. Tandis que son mari joue avec ses soldats de plomb, elle fait des ravages dans les casernements. À la mort de la reine mère, elle se sert de l'armée pour fomenter un coup d'État. Elle sera proclamée impératrice de toutes les Russies.

Un écran pour Marlene

Apogée de l'association Sternberg-Marlene Dietrich, modèle d'incantation qui balaie les écueils de la vraisemblance historique, joyau du baroque cinématographique, *L'impératrice rouge* fait partie de ces films qui suscitent, chez leurs zélateurs, une adulation sans réserve. De Henri Langlois à Jean Mitry, les mots se bousculent pour célébrer ces «fastes flamboyants», ce «monde d'icônes extatiques» et cet «absolu des formes». Il est vrai que Sternberg (1894-1969) — qui n'a cessé, depuis *L'ange bleu,* de lâcher la bride à ses fantasmes — est parvenu là au paroxysme de son imaginaire ; le plus infime élément du décor ou des accessoires, dont il a assuré en personne la finition, la répartition des zones d'ombre et de lumière, le modelé des visages, le drapé des étoffes, tout s'intègre à une architecture grandiose, à une trame sans défaut. Que chacun ici s'exprime en un anglais impeccable, que les débauches de la Russie des tsars soient traitées avec une fougue dionysiaque, qu'un érotisme vénéneux commande la cavalcade finale des cosaques gravissant les marches du Palais impérial, et hissant au pinacle leur souveraine extasiée, rien ne saurait atténuer l'impact de cette tornade radieuse.

La séquence du couronnement, avec le leitmotiv de la flamme de la bougie qui vacille au souffle haletant de la jeune épousée sous ses voiles, est un des grands moments du cinéma universel.

Marlene Dietrich restera marquée par ce rôle de Galatée triomphante, et Sternberg, son Pygmalion, en traînera longtemps la nostalgie, de *Shanghaï Gesture* (1941) à *Fièvre sur Anatahan,* son dernier film (1953).

New York - Miami

Frank Capra

It Happened One Night. **Scén.** : Robert Riskin, d'après la nouvelle
de Samuel Hopkins Adams, *Night Bus*. **Réal.** : Frank Capra.
Im. : Joseph Walker (N. et B.). **Mus.** : Louis Silvers. **Prod.** : Columbia
(Harry Cohn). **Durée** : 105 minutes. **Interpr.** : Clark Gable *(Peter Warne)*,
Claudette Colbert *(Ellie Andrews)*, Walter Connolly *(Alexander Andrews)*,
Ward Bond *(le conducteur du car)*.

Frank Capra est le prince de la screwball comedy *(comédie loufoque), genre à succès qui intègre les conventions du marivaudage français aux rythmes trépidants de l'Amérique contemporaine.*

Ellie Andrews, jeune et richissime héritière, fuyant son père et ses milliards, prend l'autocar pour New York. Pendant le trajet, elle fait la connaissance d'un journaliste cabochard, Peter Warne, que son patron a mis à la porte. Entre ces deux têtes folles vont se tisser des liens d'amitié, entrecoupés de prises de bec. Mais l'amour sera le plus fort.

La route joyeuse du rêve américain

Frank Capra (1897-1991) tâtonna quelque temps avant de trouver sa voie. Il fut tour à tour fournisseur de gags (extra-fins) pour Harry Langdon, chroniqueur intimiste de la communauté juive new-yorkaise, pourfendeur caustique du capitalisme et ciseleur d'élégants mélodrames, avant de se fixer à la satire bien tempérée de l'*American Way of Life*. Avec celui qui allait devenir son scénariste attitré, l'incisif Robert Riskin (1897-1955), il va composer une série de fabliaux pleins de sensibilité et de verve, qui donneront ses titres de noblesse à la «comédie américaine».

New York - Miami donne le *la* de ce genre fait de mondanités frivoles, de coups de griffe à l'*establishment* et de quiproquos en chaîne, pimentés d'un zeste d'érotisme. Le Boulevard français revu par le *New Deal*. Selon Jean George Auriol : «Quelque chose de vif, d'actif, de palpitant ; un produit excitant comme le champagne, le café, ou le thé ; un des rares cadeaux, enfin, que notre civilisation puisse encore nous faire.»

Dans ce film à petit budget, réalisé presque à contre-courant, avec un *casting* bricolé à la hâte, auquel personne ne croyait, et qui devait connaître un succès inespéré, on voit une «petite» milliardaire amoureuse d'un prolétaire, qui fait de l'auto-stop canaille en rajustant ses jarretelles et protège sa virginité en tendant une couverture entre deux lits jumeaux. Le tout mené sur un rythme bon enfant, en sautant les transitions.

Capra et Riskin reprendront la formule, en l'enrichissant de considérations humanitaires, dans *L'extravagant Mr. Deeds* (1936) et *Mr. Smith au Sénat* (1939). Seul en piste, Capra donnera en 1946 son ultime chef-d'œuvre, *La vie est belle*.

Tchapaïev

Gueorgui et Sergueï Vassiliev

Tchapaïev. **Scén., réal.** : Gueorgui et SergueïVassiliev,
d'après les récits de Dimitri Fourmanov.
Im. : A. Sigayev et A. Ksenofontov (N. et B.).
Mus. : Gavril Popov. **Prod.** : Lenfilm. **Durée** : 85 minutes.
Interpr. : Boris Babotchine *(Tchapaïev)*, Boris Blinov
(Fourmanov), Leonti Kmitt *(Petka)*,Varvara Miasnikova.

Élaboré par Andrei Jdanov, avec la caution de Gorki et de Staline, le «réalisme socialiste» a plongé le cinéma soviétique dans une longue nuit. Il peut cependant revendiquer quelques œuvres de valeur, tel le robuste et efficace Tchapaïev.

L'Oural en 1919. La guerre civile oppose l'armée «blanche» de Kolchak et les partisans commandés par un paysan inculte mais intrépide, Tchapaïev. Celui-ci exhorte ses troupes décimées et, fonçant sur les lignes ennemies en auto-mitrailleuse, reconquiert le terrain perdu de haute lutte. Moscou délègue auprès de lui un haut commissaire politique, Fourmanov, qui a fait ses classes dans le Parti. Tchapaïev reçoit froidement cet intellectuel, mais, peu à peu, l'entente se fait entre les deux combattants — le baroudeur et le guide éclairé. Une leçon de stratégie à base de pommes de terre, simple mais concluante, emporte les dernières réticences du brave Tchapaïev. Il sera abattu alors qu'il traverse l'Oural pour tenter de rejoindre l'Armée rouge. Mais sa conduite héroïque et son sens des responsabilités resteront un exemple.

Le culte du héros positif

Ce film est le prototype, élémentaire mais convaincant, d'un cinéma éducatif et militant, célébrant les exploits des héros officiels du socialisme, que le régime stalinien va promouvoir à partir de 1935 à l'exclusion de toute recherche «formaliste». L'objectif est clair : il s'agit de «faire naître chez le spectateur des sentiments constructifs et élevés», et, pour ce faire, d'adopter une rhétorique simple, sans nuances, fermement persuasive. C'est la négation de l'art, et bien peu de créateurs y résisteront. Quelques-uns, comme Marc Donskoï, s'en tireront par le lyrisme révolutionnaire. Les Vassiliev, pour leur part, emploient l'artillerie lourde de l'exaltation patriotique, épaulée par une «transparence» narrative en béton.

Le résultat, ce fut donc *Tchapaïev*, un film au demeurant «facile à aimer» tant son protagoniste dégage de parfaite candeur, se sacrifiant à la cause sans rien perdre de sa dignité. La technique est d'un primarisme adéquat au personnage, elle frappe fort et juste. C'est le *Potemkine* du pauvre, assuré d'un énorme succès. «Tout le pays regarde *Tchapaïev*», peut titrer la *Pravda*.

Les auteurs de ce film, qu'on a appelés les «frères» Vassiliev (bien qu'ils n'aient aucun lien de parenté), ne rééditèrent jamais pareil exploit. La mode, toutefois, était lancée des hagiographies claironnantes, faisant bon marché de la réalité historique : ainsi seront illustrés les destins glorieux de Maxime, de Lénine, des marins du *Cronstadt*, de Pierre le Grand, de Souvarov, etc. Eisenstein lui-même s'associera à ce courant avec *Alexandre Nevski* (1938).

La kermesse héroïque

Jacques Feyder

Scén., adapt. : Charles Spaak, Jacques Feyder.
Dial. Bernard Zimmer. **Réal.** : Jacques Feyder.
Im. : Harry Stradling (N. et B.). **Déc.** : Lazare Meerson
Mus. : Louis Beydts. **Prod.** :Tobis. **Durée** : 115 minutes.
Interpr. : Françoise Rosay *(Cornelia)*, Jean Murat
(le duc), Alerme *(le bourgmestre)*, Louis Jouvet
(le chapelain), Bernard Lancret *(Breughel)*,
Micheline Cheirel *(Siska)*.

Le cinéma a toujours cherché sa pâture dans les arts limitrophes : littérature, peinture, théâtre. Ici, le souvenir de Bruegel, de Rubens et de Franz Hals embellit un truculent vaudeville.

Une petite ville de Flandre orientale au temps de la colonisation espagnole. La cité se prépare pour sa kermesse annuelle, quand un reître vient annoncer l'arrivée de l'ambassadeur d'Espagne et de sa suite armée, se rendant aux Pays-Bas. C'est la panique chez les notables et les boutiquiers, qui ont encore en mémoire les orgies de la soldatesque ; le bourgmestre choisit, à la lettre, de faire le mort. Sa femme, révoltée par sa couardise, décide, en compagnie des bourgeoises de la ville, de jouer les hôtesses de charme. Le duc d'Olivarès se révèle d'ailleurs plein d'égards et de déférence, et son escorte ne songe qu'à festoyer. De galants quiproquos émailleront leur passage, et le départ de l'envahisseur au petit matin laissera bien des regrets.

Une tapisserie au point de Flandres

Ce film, tourné en deux versions, française et allemande, connut un énorme succès avant-guerre. En Belgique, il provoqua des remous, le patriotisme local s'estimant offensé par cet encouragement à la «collaboration» (avant la lettre). La farce n'était pourtant pas bien méchante. Le réalisateur, Jacques Feyder (1885-1948), était d'ailleurs d'origine belge, de même que son scénariste, Charles Spaak. Son œuvre n'en est pas moins essentiellement française, de *L'Atlantide* (1921) à *La loi du Nord* (1939), avec un intermède hollywoodien. Il pratique un art un peu compassé, sans chaleur mais non sans élégance. Son épouse, Françoise Rosay, fut son interprète de prédilection : elle campe ici la digne épouse du bourgmestre, bien près de succomber aux avances du conquérant espagnol.

La kermesse héroïque nous plonge dans l'atmosphère d'une ville flamande du passé, avec ses remparts, ses maisons aux vieilles boiseries lustrées, son canal, ses échevins en fraise et ses tables bien garnies. Le principal artisan de cette somptueuse reconstitution est le décorateur Lazare Meerson (1900-1938), qui avait déjà fait ses preuves avec René Clair. Il s'est livré, en compagnie de ses assistants Alexandre Trauner et Georges Wakhévitch, à une performance éblouissante, dans la voie de la stylisation poétique d'une époque. Il convient d'associer dans l'éloge le chef-opérateur Harry Stradling, qui a ciselé pour le film des images dignes des maîtres flamands. Plus que l'œuvre d'un homme, cette *Kermesse* est donc la réussite d'une équipe.

Les révoltés du Bounty

Frank Lloyd

Mutiny on the Bounty. **Scén.** : Thalbot Jennings, Jules Furthman, Carrey Wilson, d'après le roman de Charles Nordhoff et James Norman Hall. **Réal.** : Frank Lloyd. **Im.** : Arthur Edeson (N. et B.). **Mus.** : Herbert Stothart. **Prod.** : M.G.M. (Irving Thalberg). **Durée** : 125 minutes. **Interpr.** : Charles Laughton *(capitaine Bligh)*, Clark Gable *(Fletcher Christian)*, Franchot Tone *(Roger Byam)*, Herbert Mundin, Donald Crisp.

L'aventure maritime a toujours tenté le cinéma : Raoul Walsh notamment y a sacrifié avec panache. Mais le modèle non dépassé du genre reste la première version des Révoltés du Bounty.

L'Angleterre en 1787. Un trois-mâts de la marine royale, le *Bounty,* quitte Portsmouth pour Tahiti, avec mission d'en ramener des plants de jacquiers et d'arbres à pain. L'équipage est mené d'une main de fer par le commandant du navire, l'ombrageux capitaine Bligh. Sa brutalité finit par excéder les hommes, qui déclenchent une mutinerie. L'officier en second, Fletcher Christian, se range à leurs côtés. Bligh est déposé dans une chaloupe, en pleine mer. Le *Bounty* continue sa route, tandis que Bligh réussit à gagner l'Angleterre, bien décidé à se venger. La Cour martiale lui donne raison, puis, devant la révélation des injustices commises, révise son jugement. Fletcher, pendant ce temps, a trouvé refuge, avec les rescapés de la mutinerie, dans une île de Polynésie. Il n'en repartira plus.

Moustache interdite

Cette histoire, qui paraît rocambolesque, a un fondement réel : elle est consignée dans les annales de la marine britannique, et le film en propose une version assez fidèle, quoique romancée. Le personnage de Bligh fascina son interprète, Charles Laughton, au point qu'il fit des recherches poussées sur ses habitudes, son habillement, etc. La reconstitution historique fut effectuée avec soin : chaque hunier, chaque cordage est authentique. Clark Gable fut contraint de raser sa célèbre moustache, un tel ornement étant proscrit dans la marine de l'époque !

Le réalisateur, Frank Lloyd (1887-1960), s'était distingué dans le film d'aventures maritimes : on lui doit un *Aigle des mers* (1924), une vie de Jean Laffitte, et il tournera encore, au parlant, *Les maîtres de la mer* (1939). Il a signé une centaine d'autres films, dont l'étrange *Berkeley Square* (1934). Sa technique est sobre et sans fioritures ; Jean Mitry parle d'« épopée tranquille ». *Les révoltés du Bounty* vaut par son interprétation : Laughton et Gable forment un duo impressionnant. Deux *remakes,* en couleurs, seront tournés : l'un en 1961, l'autre en 1984. Ils n'arrivent pas à la cheville de l'original.

1935 Les trente-neuf marches

Alfred Hitchcock

The Thirty Nine Steps. **Scén.** : Charles Bennett, Alma Reville, d'après le roman de John Buchan. **Réal.** : Alfred Hitchcock. **Im.** : Bernard Knowles (N. et B.). **Mus.** : Louis Levy. **Prod.** : Gaumont British. **Durée** : 81 minutes. **Interpr.** : Robert Donat *(Richard Hannay)*, Madeleine Carroll *(Pamela)*, Godfrey Tearle *(Jordan)*, Wylie Watson *(Mr Memory)*, Lucie Mannheim.

Maîtres du roman à énigme, les Britanniques cherchaient depuis longtemps son équivalent filmé, capable de faire naître chez le spectateur le frisson du suspense. Enfin Hitchcock vint.

Richard Hannay, Canadien résidant à Londres, se fait aborder, à la sortie du théâtre, par une inconnue, qui se dit menacée par une mystérieuse organisation, les «39 marches». Il s'offre à la protéger, mais elle est assassinée sous ses yeux. Pourchassé par Scotland Yard, qui le croit coupable, il se lance sur la piste des criminels et se retrouve en Écosse, chez l'inquiétant professeur Jordan. Une jeune fille, Pamela, se trouve mêlée à l'aventure par suite d'un malencontreux passage de menottes. Cette compagne d'infortune va se révéler d'un grand secours. Le réseau des «39 marches» sera démantelé : son contact londonien était un artiste de music-hall, auquel sa mémoire prodigieuse permettait d'emmagasiner des secrets d'État. Il sera tué en crachant le morceau.

Un policier subtilement «british»

Né à Londres en 1899, Alfred Hitchcock est dans les studios britanniques depuis 1922. Il s'est spécialisé dans le mélodrame criminel et le film d'espionnage, saupoudrés d'humour noir. La recette est simple, si la préparation exige une grande dextérité : le héros est presque toujours un être «jeune et innocent», pris dans un engrenage diabolique dont il ne pourra sortir que grâce à l'intervention d'une âme charitable qui lui fait confiance. Habileté suprême : loin de surenchérir dans l'angoisse, comme dans les bons vieux feuilletons d'autrefois, le metteur en scène pose là-dessus un regard détaché, presque sarcastique. Il s'agit d'aboutir à une «présentation sur un ton léger d'événements très dramatiques» *(understatement)*. Une virtuosité technique confondante,

et très économe d'effets, ajoute au désarroi du héros — et du spectateur. Les deux films anglais d'Hitchcock les plus parfaits de ce point de vue sont *Une femme disparaît* (1938) et *Les trente-neuf marches*. Celui-ci est le type même de la «ténébreuse affaire», où le protagoniste est vraiment un jouet entre les mains de la fatalité. «Tout est signe de danger, tout est menace», note François Truffaut, dans ce fascinant jeu du chat et de la souris, où les balles de revolver ricochent sur une Bible glissée dans un veston !

Le triomphe de la volonté

Leni Riefenstahl

Triumph des Willens. **Concept., réal., mont.** : Leni Riefenstahl.
Im. : Sepp Allgeier (N. et B.). **Prod.** : N.S.A.P.
Durée : 120 minutes. **Interpr.** : chefs et militants du parti nazi
et habitants de Nuremberg.

En septembre 1934 se tint à Nuremberg le congrès national-socialiste, qui regroupa un demi-million de membres du parti. Ce film en retrace les fastes et la pompe «triomphale»…

Des nuées célestes un avion bimoteur descend et se pose sur l'aérodrome de Nuremberg : Adolf Hitler en descend, souriant. Ovationné par la foule, il se dirige vers l'immense stade où a lieu le congrès du parti. Ce ne sont que parades, défilés, discours et applaudissements enfiévrés d'un public en liesse…

On voit se succéder à la tribune, entre autres : Rudolf Hess, Otto Dietrich, l'ingénieur Todt, Walter Darré, chef de la paysannerie du Reich, Julius Streicher, Robert Ley, ministre du Travail, Goebbels, enfin Hitler lui-même, dont le discours s'achève sur une impressionnante retraite aux flambeaux. On voit aussi des ouvriers au travail sur les chantiers, des jeunes filles enthousiastes, des gosses épanouis. C'est la grande solidarité mystique de l'Allemagne autour de son chef.

Dangereusement spectaculaire

Leni Riefenstahl, sacrée après *La lumière bleue* (1932) cinéaste officielle du parti nazi (dont elle ne fut cependant jamais membre), avait déjà tourné un documentaire sur le «Congrès de la Victoire» de 1933. Elle va disposer pour ce second film de moyens considérables : 30 caméras, 16 opérateurs, un ascenseur géant permettant d'élever les caméras à 38 mètres de hauteur, etc. Le résultat est jugé fort différemment par les historiens du cinéma : les uns (René Jeanne et Charles Ford) y voient «une sorte de féerie wagnérienne se déroulant dans un Walhalla populaire dont la grandeur peut choquer mais ne saurait être niée»; les autres (Georges Sadoul) un film «inégal et grandiloquent», mettant en évidence, «derrière le décorum, la barbarie» du régime nazi. La réalisatrice a déclaré pour sa part (trente ans après) : «J'ai seulement montré ce dont tout le monde, alors, était témoin… À l'époque, on croyait encore à quelque chose de beau. Le pire était à venir, mais qui le savait ?»

Le triomphe de la volonté fut primé au festival de Venise en 1936 et projeté avec succès dans le cadre de l'Exposition internationale de Paris en 1937. Des extraits figurent dans des films de montage tournés par la suite, tels que *Pourquoi nous combattons, Mein Kampf,* etc. Mais sa projection publique intégrale demeure interdite.

Tout ce que l'on peut dire, avec trois quarts de siècle de recul, est que formellement *Le triomphe de la volonté* est une éblouissante réussite. Le seul antidote à sa (dangereuse) fascination serait peut-être de le jumeler avec *Nuit et brouillard* (1955), d'Alain Resnais. La réalisatrice confirma son immense talent de monteuse avec un splendide reportage sur les jeux Olympiques de 1936, *Les dieux du stade* (1938).

1936

La fiancée de Frankenstein

James Whale

The Bride of Frankenstein. **Scén.** : William Hurlbut,
d'après les personnages créés par Mary W. Shelley.
Réal. : James Whale. **Im.** : John Mescall (N. et B.).
Effets spéciaux : Jack Pierce, John P. Fulton.
Prod. : Universal. **Durée** : 75 minutes.
Interpr. : Boris Karloff *(le monstre)*, Colin Clive
(Frankenstein), Valerie Hobson *(Elizabeth)*,
Elsa Lanchester *(Mary Shelley / la fiancée)*,
Ernest Thesiger *(Dr Pretorius)*, O. P. Heggie *(l'ermite)*.

D'importation anglaise, le mythe de Frankenstein a été adopté par le cinéma américain. Le «Prométhée moderne» y devient une victime de la recherche scientifique.

En Angleterre au siècle dernier, une soirée amicale réunit trois écrivains : Byron, Shelley et sa femme Mary. On évoque le destin tragique de l'être artificiel créé par le Dr Frankenstein : il n'a pas péri, comme on le croyait, dans un incendie allumé par des villageois en colère; il a survécu et trouvé refuge chez un ermite de la forêt, qui lui a enseigné des rudiments d'humanité. Mais il n'en a pas fini avec ses bourreaux : le satanique Dr Pretorius persuade son confrère Frankenstein de lui confectionner une fiancée. Le projet sera exécuté, par une nuit d'orage, dans le grésillement des commutateurs. Mais le monstre femelle a des réactions imprévisibles. L'explosion du laboratoire mettra un terme à l'horrible expérience.

L'amour chez les monstres

Il est rare qu'au cinéma une suite conçue pour exploiter un premier succès surclasse l'œuvre initiale. C'est le cas avec ce deuxième *Frankenstein*, réalisé par la même équipe quatre ans après l'apparition — spectaculaire — du premier. On y retrouve le metteur en scène James Whale (1896-1957), qui entre-temps a tourné *L'homme invisible* (1933), et l'acteur Boris Karloff (1887-1969), qui restera marqué toute sa vie par son rôle. Le succès de la série s'explique par le climat puritain de l'Amérique des années 1930. C'est au maquilleur Jack Pierce que l'on doit la création du masque célèbre (front haut, paupières tombantes, traces d'hétérogreffe), à la fois hideux et pathétique.

Mais les auteurs ont fait mieux que céder à l'exploitation d'un filon horrifique : ils ont profondément humanisé le personnage. La créature du Mal devient le souffre-douleur d'un prothésiste névrosé; le spectateur n'a plus peur de ce nouveau Croquemitaine, il le prend en pitié. C'est le sadique Pretorius qui est cause de tout : ayant déjà mis au point la fabrication d'homuncules, il n'a de cesse de donner au monstre une compagne, en vue de l'établissement d'une dynastie. Il y a quelque chose de nazi là-dessous, et l'on comprend la révolte des cobayes contre la perversité de cet apprenti sorcier. Preuve décisive de clairvoyance : la créature détruit le Méchant (Pretorius) mais sauve le Bon (Frankenstein) !

L'homme de nulle part

Pierre Chenal

Scén. : Armand Salacrou, Pierre Chenal, Christian Stengel,
d'après le roman de Luigi Pirandello, *Feu Mathias Pascal*.
Dial. additionnels : Roger Vitrac. **Réal.** : Pierre Chenal.
Im. : Joseph-Louis Mundwiller, André Bac, F. Izzarelli (N. et B.).
Mus. : Jacques Ibert. **Prod.** : General Productions. **Durée** : 95 minutes.
Interpr. : Pierre Blanchar *(Mathias Pascal / Adrien Méis)*,
Isa Miranda *(Louise)*, Robert Le Vigan *(Papiano)*,
Catherine Fonteney *(la veuve Pescatore)*, Sinoël *(Paleari)*,
Ginette Leclerc *(Romilda)*, Margo Lion *(la Caporale)*,
Alcover *(Malagna)*, Palau, René Génin, Maximilienne.
La version italienne a été supervisée par Corrado d'Errico.

Le cinéma français des années 1930 est une pépinière de bons artisans que l'histoire a trop oubliés. Pierre Chenal est un peu le porte-drapeau de ces talents obscurs.

La petite province italienne au début du siècle. Un jeune homme sans dot, Mathias Pascal, mène une vie familiale pénible entre sa femme et sa belle-mère. À la suite d'une méprise, il passe pour mort. Trop heureux de l'aubaine, il s'enfuit à Rome et, la fortune lui ayant souri, entame une nouvelle existence sous un faux nom. Il s'éprend d'une jeune fille, Louise, fiancée à un escroc. Craignant d'être démasqué, il retourne à son village. C'est pour trouver sa femme remariée, avec un enfant. Tout s'arrangera avec l'aide d'un employé de mairie complaisant, et sa seconde identité dûment enregistrée, Mathias pourra rejoindre Louise et l'épouser.

Un film de série intelligemment populaire

Derrière les ténors de la production française (Renoir, Pagnol), on trouve quelques cinéastes de second plan, rattachables à aucun courant, genre ou école déterminés, mais touchant volontiers à tous, s'appuyant sur des équipes solides qui leur assurent une large audience : Serge de Poligny, Edmond Gréville, Jacques Tourneur… Si aucun de leurs films n'a fait date, ils n'en témoignent pas moins de la vitalité d'un art et d'une industrie résolument *populaires*.

Très représentatif de cette tendance est Pierre Chenal (1904-1990). Il s'affirme comme un excellent créateur d'ambiances, francise habilement des auteurs aussi différents que Dostoïevski, Pirandello ou James Cain, s'entoure de collaborateurs prestigieux et choisit avec soin ses interprètes. Il y a dans son œuvre — d'avant-guerre (*Le martyre de l'obèse*, 1933 ; *Le dernier tournant*, 1939), car la suite sera plus inégale — un parfum d'époque qui a de quoi séduire le sociologue autant que le cinéphile.

Adaptation d'un roman célèbre de Pirandello, qui avait déjà été porté à l'écran au temps du muet par Marcel L'Herbier, *L'homme de nulle part* tient à la fois de la comédie réaliste, de la satire, du mélodrame et de la farce poétique. La petite bourgeoisie de Toscane est croquée avec une verve qui annonce Dino Risi. Si le jeu du couple vedette date un peu, les seconds rôles sont parfaits : Robert Le Vigan en fripouille de charme, Sinoël en vieil excentrique, Catherine Fonteney en veuve abusive… Un film sans prétention, dont le charme a quelque chose d'intemporel.

1936 Le roman d'un tricheur

Sacha Guitry

Scén. et **commentaire** : Sacha Guitry, d'après son roman
Les mémoires d'un tricheur. **Réal.** : Sacha Guitry. **Im.** : Marcel Lucien (N. et B.).
Mus. : Adolphe Borchard. **Prod.** : Cinéas. **Durée** : 80 minutes.
Interpr. : Sacha Guitry *(le tricheur)*, Serge Grave *(le tricheur enfant)*,
Marguerite Moreno *(la comtesse)*, Rosine Deréan *(la voleuse)*,
Jacqueline Delubac *(Henriette)*, Pauline Carton *(Mme Moriot)*, Frehel.

Cinéma parlé ou théâtre filmé ? Sacha Guitry répond — de façon plus péremptoire encore que Pagnol — que l'important, c'est d'abord de créer des personnages, une situation, un rythme.

Un homme rédige négligemment ses Mémoires à la terrasse d'un café. Il raconte comment, à l'âge de douze ans, il survécut à un empoisonnement collectif dans sa famille parce qu'on l'avait surpris à voler dans la caisse et privé de champignons… Il exerça par la suite toutes sortes de petits métiers : chasseur dans un restaurant, groom sur la Côte d'Azur, croupier… Mais ce qu'il voulait surtout, c'est être riche. Pour cela une seule méthode, simple et sûre : devenir tricheur professionnel. Il y réussit pleinement, jusqu'au jour où, dans un sursaut d'honnêteté, il reperd tout ce qu'il a gagné.

Un cinéma de Boulevard ?

Les films de Sacha Guitry (1885-1957) ont été longtemps méprisés de la critique, qui se refusait à y voir autre chose qu'un décalque bâclé de ses pièces de théâtre. Il est vrai que Guitry tourne vite, très vite, sans s'embarrasser de fioritures techniques superflues ; et que le ressort principal des quelque trente-cinq films qu'il a écrits, joués et presque toujours réalisés, entre 1930 et 1957, repose sur le dialogue. Mais c'est un dialogue vif, étincelant de drôlerie ; le rythme est alerte, sans temps mort ; les acteurs, dirigés avec une désinvolture complice, sont parfaits. Et quand la fantaisie lui en prend, Guitry se montre très capable de « faire cinéma ».

Dans *Le roman d'un tricheur*, il se paie le luxe de tourner un film aux trois quarts muet, commenté en voix off (la sienne, bien entendu) ; les enchaînements se font en un tournemain ; et parfois la caméra s'emballe, comme dans la séquence de la relève de la garde, à Monte-Carlo. Entre les mains de ce royal amuseur, le film devient un jeu de quatre coins, réglé comme un ballet.

François Truffaut devait réhabiliter avec éclat ce cinéma du plaisir, assez proche finalement de Lubitsch, dans son amoralisme souriant et son élégance de forme. Il y a, certes, du déchet, notamment dans les revues historiques, souvent pesantes. Mais presque toutes les comédies intimistes sont à sauver : *Bonne chance* (1935), *Ils étaient neuf célibataires* (1939), *Le trésor de Cantenac* (1950), *La poison* (1951), *La vie d'un honnête homme* (1953). Sans oublier *Ceux de chez nous,* un reportage tourné en 1915, où Guitry a rassemblé quelques célébrités de l'époque.

Sacha Guitry a résumé sa conception du cinéma en une fière boutade : « C'est une lanterne magique. Ne devraient pas en être exclues l'ironie et la grâce. »

Les temps modernes

Charles Chaplin

Modern Times. **Scén., réal., mus.** : Charles Chaplin. **Im.** : Rollie Totheroh (N. et B.).
Prod. : Artistes Associés (Charles Chaplin). **Durée** : 85 minutes.
Interpr. : Charles Chaplin *(Charlot)*, Paulette Goddard *(la gamine)*, Henry Bergman
(le propriétaire du cabaret), Chester Conklin *(le mécanicien)*, Allan Garcia, Hank Mann.

Chaplin, dit Jean Cocteau, c'est «le rire esperanto». Les temps modernes est un mouvement d'horlogerie réglé à la perfection, où chaque rouage compte. Et le film est à l'heure de notre temps.

Charlot est employé à l'usine, où des techniques de travail à la chaîne sont expérimentées, en vue d'obtenir un rendement maximum. Il est choisi comme cobaye pour la «machine à manger», un appareil conçu pour limiter le temps de la pause-repas. Mais la mécanique se détraque, et le pauvre homme fait les frais de l'opération. Atteint de «taylorite» aiguë, il est transporté à l'hôpital. À la sortie, il se retrouve au chômage et réduit à vivre d'expédients. Il recueille une jeune fille dans la misère, et décide de reprendre le collier. Mais la guigne le poursuit : après un séjour en prison, il devient serveur dans un cabaret, où son amie est chanteuse. Il improvise un numéro de variétés qui remporte un triomphe. Mais il faut fuir encore la société des honnêtes gens ; et nous les retrouvons un matin, sur la grand-route…

Charlot chante !

Cette satire savoureuse du machinisme industriel et, par extension, des mutations économiques et sociales que connaissait alors l'Amérique, avec le spectre toujours présent du chômage, avait peut-être été inspirée à Chaplin par la vision d'*À nous la liberté*, de René Clair, qui lui-même devait beaucoup à l'auteur de *Charlot travaille*. Ce sont là chicanes d'historiens : le fait est que Chaplin est ici en pleine possession de son génie comique, et que certains morceaux de bravoure — par exemple la course en patins à roulettes dans le grand magasin — touchent à la perfection. La courbe mélodramatique, qui gâchait un peu *Les lumières de la ville* (1931), est évitée.

En outre, Chaplin s'offre la fantaisie de réaliser, huit ans après la naissance du parlant, un film quasi muet ; la seule partie parlée (sa chanson improvisée dans le cabaret, sur l'air de *Je cherche après Titine*) est faite de syllabes dépourvues de sens : pied-de-nez au dialogue qui envahissait alors les écrans ! Il se rattrapera sur ce plan avec l'homélie finale du *Dictateur* (1940). Chaplin n'a pourtant pas dit son dernier mot de virtuose de la comédie de mœurs : *Monsieur Verdoux* (1947) et *La comtesse de Hong Kong* (1967) compteront encore parmi ses meilleurs films.

1937

Blanche-Neige et les sept nains

Walt Disney Prod.

Snow White and the Seven Dwarfs. **Scén.** : Dorothy Ann Blank,
Richard Creedon, Earl Hurd, Ted Sears, etc., d'après le conte de Grimm.
Réal. : W. Cottrel, W. Jackson, L. Morey, P. Pearce, B. Sharpsteen, etc.
Technicolor. **Im.** : couleurs. **Prod.** : Walt Disney. **Durée** : 83 minutes.
Voix : Adriana Caselotti *(Blanche-Neige)*, Harry Stockwell
(le prince charmant), Lucille Taverne *(la reine)*.

Le dessin animé est une branche du septième art réservée aux poètes de l'écran. Le génie de Disney fut de transformer ce labeur de termite en une industrie et un art majeurs.

Il était une fois une jeune princesse nommée Blanche-Neige, que sa marâtre, une méchante reine, jalouse de sa beauté grandissante, décide de faire tuer par son garde-chasse. Mais le bourreau, pris de pitié, se contente de l'abandonner dans la forêt. Elle échoue dans une clairière où sept gentils petits nains ont leur cahute. La jeune fille s'endort dans ce paradis sylvestre. Mais la reine n'a pas désarmé. Avertie par son miroir magique de la retraite forestière de Blanche-Neige, elle s'y rend déguisée en sorcière et parvient à capter sa confiance : elle lui offre une pomme empoisonnée qui va conduire la malheureuse enfant au tombeau, au grand désespoir des nains, impuissants. Il faudra le baiser d'un prince charmant pour la ressusciter, tandis que la mégère trouvera un juste châtiment.

La première pierre du « Disneyworld »

Walt Disney (1901-1966) était né en Floride de parents canadiens. Travaillant en collaboration avec le *cartoonist* Ub Iwerks, il va connaître à l'aube du parlant un succès faramineux en créant un petit personnage, Mortimer, qui, après de menus arrangements, deviendra Mickey Mouse : une souris à l'allure bon enfant et au graphisme très stylisé, qui concurrencera les chats Félix et Krazy Kat, d'inspiration plus élitiste. La couleur et la musique aidant, Mickey devint une star de première grandeur, permettant à l'entreprise Disney de prospérer. D'autres personnages, conçus selon le même schéma discrètement anthropomorphique, sortiront de cette plume d'or.

D'où le projet — fastueux — de mettre toute la gomme sur un dessin animé de long métrage, en couleurs, le premier du genre. Le budget total dépassa le million et demi de dollars, remboursé au centuple par le succès mondial du film. La réalisation de *Blanche-Neige et les sept nains* dura trois ans et mobilisa une armada de techniciens : animateurs, maquettistes, décorateurs, traceurs, gouacheurs, etc. Le film comporte plus de cent mille images, ayant nécessité près d'un million de croquis et esquisses ! L'étonnant est que de ce monstre industriel soit née une œuvre pleine de fantaisie et de grâce. Le miracle ne se rééditera pas, et les films suivants de l'« usine » Disney, après quelques jolies réussites *(Pinocchio, Fantasia)* se dilueront progressivement dans la mièvrerie et le chromo.

La grande illusion

Jean Renoir

Scén., dial. : Jean Renoir et Charles Spaak.
Réal. : Jean Renoir. **Im.** : Christian Matras (N. et B.).
Mus. : Joseph Kosma. **Prod.** : R.A.C. **Durée** : 113 minutes.
Interpr. : Erich von Stroheim *(von Rauffenstein)*,
Jean Gabin *(Maréchal)*, Pierre Fresnay *(de Boïeldieu)*,
Dalio *(Rosenthal)*,Carette *(l'acteur)*, Jean Dasté
(l'instituteur), Dita Parlo *(Elsa)*.

À l'inverse ou en complément de La règle du jeu, *une œuvre d'une simplicité et d'une vérité tellement universelles que chacun peut s'y reconnaître.*

1916, sur le front allemand. Deux officiers français, le capitaine d'état-major de Boïeldieu et le lieutenant d'aviation Maréchal, se retrouvent prisonniers dans un oflag. Leurs compagnons de captivité sont un instituteur, un ingénieur du cadastre, un acteur et un juif, Rosenthal. Les différences de classe sont oubliées, et la vie s'organise de manière plutôt agréable, grâce à la tolérance des geôliers. Tous ne rêvent pourtant que de liberté. Rosenthal et les deux officiers sont transférés dans une forteresse, comman-dée par le junker von Rauffenstein, un aristocrate de vieille souche : ce dernier traite avec un égard particulier son homologue français, tout en faisant régner une stricte dis-cipline. Maréchal et Rosenthal parviendront pourtant à s'évader, grâce à la complicité active de Boïeldieu, que Rauffenstein se verra contraint d'abattre. Les fuyards, à bout de forces, seront hébergés quelques jours par une paysanne allemande, avant de franchir la frontière suisse.

Le mémorial de la liberté

Issu d'une famille d'artistes, ayant abordé le cinéma dès 1924, Jean Renoir (1894-1979) s'était affirmé rapidement comme un maître, manifestant la même aisance dans l'adaptation d'œuvres littéraires, les recherches d'avant-garde, la satire bouffonne et le mélodrame social. Une forte philosophie personnelle, le génie de l'improvisation, une gaieté supérieure, à la limite de la dérision, transcendent ici les intrigues et les genres, des plus vulgaires aux plus raffinés.

Dans *La grande illusion,* Renoir et son scénariste Charles Spaak se souviennent que leur génération — la «classe 14» — a été durement marquée par la guerre, la captivité, le brassage des castes et des mentalités. Ils cherchent à exprimer leur croyance profonde dans l'égalité et la fraternité, par-delà les clivages sociaux et les luttes fratricides, et à montrer que «même en temps de guerre, des combattants peuvent rester des hommes». Les frontières sont une abstraction absurde, le nationalisme une illusion; mais l'espoir en une paix durable ne l'est pas moins. Quant à l'amour, ce n'est qu'un bref répit dans la tourmente. Telle est «la règle du jeu» social et individuel.

La richesse idéologique du film tient dans son ambiguïté : ni la gauche «progressiste», ni la droite «réactionnaire» ne sauraient le revendiquer, comme elles ont tenté de le faire. Ce qui est sûr, c'est que «tous les démocrates du monde doivent voir ce film», selon le mot de Roosevelt.

1937

Pépé le Moko

Julien Duvivier

Scén., dial. : Henri Jeanson, d'après le roman du détective Ashelbé. **Réal.** : Julien Duvivier. **Im.** : Jules Kruger, Marc Fossard (N. et B.). **Déc.** : Jacques Krauss. **Mus.** : Vincent Scotto, Mohamed Yguerbouchen. **Prod.** : Paris-Film (Robert et Raymond Hakim). **Durée** : 93 minutes. **Interpr.** : Jean Gabin *(Pépé)*, Mireille Balin *(Gaby)*, Line Noro *(Inès)*, Lucas Gridoux *(inspecteur Slimane)*, Charpin *(Régis)*, Dalio *(l'Arbi)*, Fréhel *(Tania)*, Saturnin Fabre, Gabriel Gabrio, Gilbert Gil.

À la veille de la guerre, une psychose de l'échec s'abat sur la production (et la société ?) française. Jean Gabin fut l'interprète privilégié de cette génération en désarroi.

La Casbah d'Alger dans les années 1930 : un réseau inextricable de ruelles, de tripots clandestins et de louches trafics… Pépé le Moko, un truand d'origine métropolitaine, y règne avec les membres de sa bande, narguant la police impuissante. Pour le capturer, il faudrait qu'il quitte son fief, inaccessible aux forces de l'ordre. C'est à quoi s'emploie un autochtone, le rusé inspecteur Slimane. Profitant de l'idylle qu'a nouée Pépé avec une touriste, Gaby, et de la jalousie de sa maîtresse en titre, Inès, il attire le truand hors de sa tanière. Pépé, qui espérait s'embarquer pour la France, se suicidera devant les grilles du port.

Une mythologie en vase clos

Julien Duvivier (1896-1967) est un cinéaste déjà confirmé quand il tourne *Pépé le Moko*. Il a débuté en 1919 et a à son actif de belles réussites commerciales : *Poil de Carotte, La bandera, La belle équipe*. Après la guerre, il signera encore quelques œuvres de valeur : *Panique, La fête à Henriette, Voici le temps des assassins*. Habile à créer des ambiances interlopes, à tisser des trames fortement mélodramatiques, à diriger des comédiens solides, ce «professionnel», comme l'appelle Jean Renoir, a su tirer ici le meilleur parti d'une intrigue assez sordide, vaguement inspirée de *Scarface.* La Casbah, reconstruite en studio, devient un huis clos lourd de mélancolie poisseuse, les protagonistes sont vigoureusement typés (le caïd, la fripouille, la femme fatale…), le dialogue — d'Henri Jeanson — vise juste, quelques séquences, comme l'exécution du mouchard près du piano mécanique ou la descente de Pépé vers la mer, sont des morceaux d'anthologie.

Jean Gabin (1904-1976) a marqué de sa puissante personnalité cette fuite en avant d'un mauvais garçon. Sorte d'Œdipe faubourien, nous le retrouvons dans des rôles similaires, de *Gueule d'amour* à *La bête humaine,* du *Quai des brumes* au *Jour se lève,* et même, dix ans plus tard, dans *Au-delà des grilles.* Avec le temps, ce «héros du cafard» s'embourgeoisera et finira dans la peau de notables parvenus (*Les grandes familles, Le président,* etc.).

1938 Alexandre Nevski

Sergueï Mikhaïlovitch Eisenstein

Alexandre Nevski. **Scén.** : S. M. Eisenstein, Piotr Pavlenko.
Réal. : S. M. Eisenstein. **Im.** : Édouard Tissé (N. et B.). **Mus.** : Serge Prokofiev.
Prod. : Studios Mosfilm. **Durée** : 112 minutes. **Interpr.** : Nicolaï Tcherkassov
(prince Alexandre), Nicolaï Okhlopkov *(Bouslaï)*, Alexandre Abrikossov
(Gavrilo Olexich), Vladimir Erchov, Dimitri Orlov.

En feignant de se plier aux consignes de la propagande officielle, Eisenstein réussit à produire un monument de poésie et de rythme, qui préfigure la défaite allemande de Stalingrad.

La Russie au XIIIᵉ siècle. Fils du grand-duc Jaroslav, ayant vaincu l'armée suédoise sur la Néva (d'où son surnom de « Nevski »), le prince Alexandre a pris sa retraite au milieu de ses amis pêcheurs. Mais un nouvel ennemi l'oblige à reprendre du service : l'Allemand, dont les hordes sanguinaires ont envahi le pays. À Pskov, elles ont semé la désolation et la ruine. Pour leur faire face, il faut galvaniser la population, pallier l'insuffisance des moyens stratégiques par des ruses de guerre, attirer les orgueilleux chevaliers teutoniques dans un piège. C'est à quoi va s'employer Alexandre. La lourde cavalerie ennemie viendra s'abîmer sur le lac gelé de Tchoudsk, et l'infanterie russe surgissant au moment opportun gagnera la partie.

Une épopée pour chœur et orchestre

Depuis *Le cuirassé Potemkine,* S. M. Eisenstein (1898-1948), pourtant considéré comme un cinéaste de premier plan, a essuyé maints déboires : *Octobre,* son film le plus élaboré, n'a remporté qu'un succès d'estime, *La ligne générale* a été remaniée par Staline, et lui-même contraint de faire son autocritique. Aucun de ses projets hollywoodiens n'a abouti. La commande d'*Alexandre Nevski,* qui s'inscrivait dans le cadre des hagiographies officielles, exaltant le culte du chef, va lui donner l'occasion de se remettre en selle, avec éclat. Son opérateur favori, Édouard Tissé, modèlera des images superbes ; pour la musique, il fait appel au compositeur national Serge Prokofiev, lequel conçoit une suite symphonique rigoureuse ; quant au rôle d'Alexandre, il le confie au grand acteur (par la taille et le talent) Nicolaï Tcherkassov.

Le résultat fut une épopée spectaculaire, culminant dans la fameuse et très longue séquence (37 minutes, près d'un tiers du métrage total) du combat sur le lac gelé, tournée d'ailleurs en plein été, sur de la glace artificielle ! L'affrontement entre armées est traité à la manière d'un somptueux ballet, comme sur la scène d'un immense théâtre. À la pantomime sauvage de *Potemkine* succède une chorégraphie sans fausse note, une cantate héroïque en blanc et noir, que l'on peut préférer à la liturgie baroque d'*Ivan le Terrible* (1944-1946), dernier film d'Eisenstein.

L'enfance de Gorki
Marc Donskoï

Dietstvo Gorkovo. **Scén.** : Ilya Groudzev, Marc Donskoï, d'après le roman de Maxime Gorki *Ma vie d'enfant.* **Réal.** : Marc Donskoï. **Im.** : Piotr Ermoliov, I. Malov (N. et B.). **Mus.** : Lev Schwartz. **Prod.** : Soïouzdietfilm. **Durée** : 105 minutes. **Interpr.** : Alexei Liarski *(Alexis Pechkov,* dit *Aliocha),*Varvara Massalitinova *(la grand-mère),* Mikhaïl Troïanovski *(le grand-père),* Dimitri Sagal *(Vania,* dit *Tziganok),* Elena Alexeieva *(la mère),*V. Novikov, A. Joukov *(les oncles),* Igor Smirnov *(le petit infirme).*

L'enfance de Gorki est un «film d'apprentissage» d'une haute tenue esthétique et spirituelle, qui, par-delà l'U.R.S.S. stalinienne, nous replonge au cœur même de la vieille Russie.

Le quartier ouvrier de Nijni-Novgorod, vers 1880. Le petit Alexis Pechkov, dont le père vient de mourir, est venu vivre avec sa mère chez ses grands-parents, qui exploitent une teinturerie. Les temps sont durs et les disputes fréquentes. Le grand-père prend volontiers le fouet pour faire régner l'ordre, les oncles sont de sombres brutes. Un vieil ouvrier aveugle est mis à la porte, un autre, objet de mesquines vexations, meurt d'épuisement. Seule la grand-mère, avec son bon sourire, égaie un peu cette atmosphère pénible. À la suite d'un incendie, la famille se retrouve ruinée. Livré à lui-même, le petit Aliocha fait l'apprentissage de la rue. Il se lie d'amitié avec une bande de sympathiques galopins. Un voisin aux idées révolutionnaires lui apprend à lire et à comprendre le monde. Il s'en ira, un matin, vers son destin.

Une candide imagerie démocratique

Illustration fidèle des souvenirs d'enfance d'Alexis Pechkov, *alias* Maxime Gorki, ce film n'est que le premier volet d'une trilogie, qui se poursuivra avec *En gagnant mon pain* (1939) et *Mes universités* (1940) : on y retrouvera Alexis adolescent, affronté à la promiscuité du monde du travail, puis jeune étudiant sans ressources, et conscient de la nécessité de changer le monde. Produite par un studio spécialisé dans le cinéma pour enfants, l'œuvre est conçue pour l'édification de la jeunesse : d'où un effort de clarification du donné romanesque et de stylisation des caractères, qui ne trahit pas l'original, bien au contraire. Le livre était une fresque à la Zola, le film se rapproche plutôt de la sensibilité de Dickens. C'est le monde ancien, avec sa sauvagerie et ses injustices flagrantes, vu par le regard d'un enfant. De belles images de la Volga, symbole de liberté dans un univers étouffant, un lyrisme chaleureux, l'apport de la musique font de *L'enfance de Gorki* un modèle de «romantisme révolutionnaire», gâché toutefois, dans la dernière partie, par le didactisme envahissant du propos.

Le réalisateur, Marc Donskoï (1901-1981), a toujours professé une vive admiration pour l'œuvre de Gorki. Il y reviendra par la suite avec un *remake* de *La mère* (1954) et *Thomas Gordeiev* (1959). Ses autres films, notamment *Le cheval qui pleure* (1956), témoignent de la même simplicité robuste, rehaussant des thèses matérialistes d'un ferment paradoxal de spiritualité.

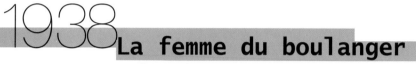

La femme du boulanger

Marcel Pagnol

Scén., dial. : Marcel Pagnol, d'après un épisode du roman de Jean Giono *Jean le Bleu*.
Prod., réal. : Marcel Pagnol. **Im.** : Georges Benoît (N. et B.). **Mus.** : Vincent Scotto.
Durée : 125 minutes. **Interpr.** : Raimu *(Aimable Castanier, le boulanger)*,
Ginette Leclerc *(sa femme, Aurélie)*, Charpin *(le marquis)*, Charles Moulin *(le berger)*,
Robert Vattier *(le curé)*, Robert Bassac *(l'instituteur)*, Delmont, Blavette,
Paul Dullac, Maupi, Maximilienne.

La «mâle gaieté» de Molière trouve son répondant dans le vœu de Pagnol, magnifiquement exaucé ici : «faire rire ces êtres qui ont tant de raisons de pleurer».

Un boulanger est venu s'établir dans une petite bourgade de haute Provence. Dès la première fournée, il fait la conquête des habitants. Le brave homme ne quitte son fournil que pour aller admirer sa jeune femme, la belle Aurélie. Mais un matin, la drôlesse décampe avec un berger des environs. Tout le village est mis dans la confidence. On passe de l'ironie à la compassion, car le malheureux fait peine à voir. Bientôt l'on se mobilise pour retrouver la fugitive, dont l'absence met en péril l'approvisionnement de la cité. Grâce à l'intervention du curé, tout rentrera dans l'ordre. Et le retour de l'épouse prodigue provoquera une scène touchante.

Comédie bouffe sous le ciel de Provence

Non content de porter ses pièces à l'écran, Marcel Pagnol (1895-1974) avait écrit des scénarios originaux, appris les rudiments de la mise en scène, mis en place une cellule autonome de production, de montage et de tirage des copies, créant ainsi une entreprise régionale unique en France : *Jofroi, Angèle, Regain, Le Schpountz* en seront les jalons essentiels. Ces films portent tous sa griffe, même lorsque leur point de départ est emprunté à un tiers, en l'occurrence son «compatriote» Jean Giono.

C'est encore à ce dernier qu'il vole l'argument de *La femme du boulanger,* mais en l'étoffant considérablement, en le «pagnolisant» de fond en comble. Tout son petit monde, en effet, est rassemblé là : commerçants au verbe haut, soiffards impénitents, vieilles filles revêches, maître d'école en conflit permanent avec le ministre du culte… Ce «chœur antique» accompagne de sa verve truculente le drame du pauvre boulanger, cocu magnifique tiraillé entre l'égoïsme et la générosité, la balourdise et l'abnégation. À ce personnage «pétri» d'humanité, Raimu confère une envergure unique : la scène, tournée quasiment en continuité, où il s'effondre, devant ses amis consternés, touche au sublime par son dosage de drôlerie et d'émotion. Ce fabliau provençal, étiré sur plus de deux heures, n'a peut-être pas la plénitude bucolique d'*Angèle ;* l'art de Pagnol, conteur et cinéaste, y atteint pourtant son apogée.

L'incendie de Chicago

Henry King

In Old Chicago. **Scén.** : Lamar Trotti, Sonya Levien,
d'après le roman de Niven Busch. **Réal.** : Henry King.
Im. : Peverell Marley (N. et B.). **Effets spéciaux** : Fred Sersen,
Ralph Hammeras, L. J. White. **Mus.** : Louis Silvers.
Prod. : 20th Century Fox (Darryl F. Zanuck).
Durée : 115 minutes. **Interpr.** : Tyrone Power *(Dion O'Leary)*,
Alice Faye *(Belle Fawcett)*, Don Ameche *(Jack O'Leary)*,
Brian Donlevy *(Gil Warren)*, Andy Devine *(Pickle Bixby)*,
Tom Brown *(Bob O'Leary)*, Phyllis Brooks *(Ann Colby)*.

La construction du Nouveau Monde ne se limite pas à la conquête de l'Ouest.
Elle passe aussi par la naissance tumultueuse des grandes cités, évoquée ici avec
une savoureuse exactitude.

L'Amérique en 1854. Les O'Leary font route vers Chicago, alors en pleine expansion. Le père meurt pendant le voyage, la mère reste seule avec ses trois fils. L'aîné, Bob, mène une vie sans histoire dans le petit commerce local ; Jack étudie le droit et devient un avocat célèbre, rêvant de purger la ville de ses îlots insalubres et de la corruption qui y fleurit ; quant à Dion, il se lance dans la spéculation financière et devient patron d'un cabaret, où son amie Belle Fawcett pousse la romance. Les élections approchent, mettant aux prises le sens civique des deux fils cadets, quand survient un terrible incendie qui ravage la vieille cité. Jack meurt en héros. Converti aux thèses généreuses de son frère défunt, Dion aidé de Belle décide de reconstruire une ville nouvelle, purifiée de ses miasmes.

Les heures chaudes de la vieille Amérique

C'est surtout aux séquences, spectaculaires, de l'incendie de la « zone », qui détruisit effectivement une partie de Chicago le 30 octobre 1871, que ce film doit sa réputation. Les catastrophes étaient — déjà — un thème cinématographique à la mode. Le succès de *San Francisco,* une superproduction M.G.M. retraçant le fameux tremblement de terre de 1906, incita la Fox à mettre les bouchées doubles : après *L'incendie de Chicago,* dont le budget s'éleva à un million et demi de dollars, cette firme mit en chantier *La mousson,* tandis que John Ford, pour les Artistes Associés, réalisait *Hurricane.*

Mais l'intérêt du film ne saurait être limité à ce clou final, dont la paternité incombe d'ailleurs au réalisateur de seconde équipe, Bruce Humberstone. Il réside davantage dans la peinture d'une petite communauté de pionniers, avec ses mœurs archaïques, le pittoresque de sa vie quotidienne, l'enthousiasme de ses bâtisseurs. Dans ce tableautin riche de chaleur humaine éclate le talent d'Henry King (1888-1982), chantre inspiré de l'Amérique profonde, auquel on doit en outre d'excellents westerns *(Le brigand bien-aimé)*, mélodrames *(La colline de l'adieu)* et films de guerre *(Un homme de fer)*.

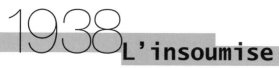

1938 L'insoumise

William Wyler

Jezebel. **Scén.** : Clements Ripley, Abem Finkel, John Huston,
d'après la pièce d'Owen Davis Sr. **Réal.** : William Wyler.
Im. : Ernest Haller (N. et B.). **Mus.** : Max Steiner.
Prod. : Warner Bros. (Hal B. Wallis). **Durée** : 110 minutes.
Interpr. : Bette Davis *(Julie Marston)*, Henry Fonda *(Pres Dillard)*,
George Brent *(Buck Cantrell)*, Donald Crisp *(Dr Livingstone)*,
Fay Bainter *(tante Belle)*, Margaret Lindsay, Richard Cromwell.

Pour les Américains, la belle époque de La Nouvelle-Orléans fut une source inépuisable d'inspiration.

La Nouvelle-Orléans, en 1850. Une riche et fantasque héritière, Julie Marston, a deux chevaliers servants, Pres Dillard et Buck Cantrell, qu'elle mène à la baguette. Un jour pourtant, Pres excédé se rebiffe ; pour l'humilier, elle se produit dans un grand bal en robe rouge, au lieu de la blanche imposée aux jeunes filles. À la suite de ce petit scandale, elle se retire à la campagne avec sa tante. À son retour, elle trouve Pres marié. Folle de jalousie, elle pousse Buck à le provoquer en duel. C'est ce dernier qui sera tué. Sur ces entrefaites, une épidémie de fièvre jaune se déclare, décimant la population. Pres est contaminé. Du coup, Julie oublie ses rancœurs et ses caprices d'enfant gâtée, pour se transformer en infirmière héroïque.

Un roman-photo au parfum de scandale

Cinéaste longtemps surestimé des producteurs américains pour qui il fut une mine d'or (c'est à lui que sera confié le remake de *Ben Hur*), mais aussi de la critique française, William Wyler (1902-1981), né à Mulhouse de parents suisses et ayant fait une brillante carrière à Hollywood, apparaît surtout comme un bon conteur d'histoires, capable de mettre en valeur un matériau romanesque ou théâtral de qualité, ou de traiter sobrement de «problèmes humains» : ses films surmontent assez bien l'épreuve du temps. En Bette Davis, Wyler trouva son héroïne de prédilection. *L'insoumise* est

sans doute leur meilleur film à tous deux : le romantisme y fait éclater les conventions du mélodrame, la riche héritière insouciante met en émoi la haute société avant de devenir une victime du devoir. Le cadre historique de La Nouvelle-Orléans, avec ses vastes plantations, ses villas à colonnades, le faste suranné de ses réceptions mondaines, sert de toile de fond à une «love story» contrariée, avec duel et sublime sacrifice à la clef. La mise en scène est ample et précise à la fois, attentive au moindre frémissement du visage de l'actrice sans perdre de vue la vision d'ensemble d'une époque troublée. Sans avoir connu le succès mondial d'*Autant en emporte le vent,* le film de Wyler peut lui être préféré, pour la justesse de ses notations psychologiques, la perfection de son casting, un dosage habile de réalisme et d'épopée.

1939 Autant en emporte le vent
Victor Fleming (et G. Cukor, S. Wood, W. C. Menzies)

Gone With the Wind. **Scén.** : Sidney Howard,
d'après le roman homonyme de Margaret Mitchell.
Réal. : William Cameron Menzies, George Cukor,
Sam Wood, Victor Fleming (ce dernier seul signataire).
Im. : Ernest Haller, Ray Rennahan, Wilfrid Cline (couleurs).
Mus. : Max Steiner. **Prod.** : David O. Selznick,
pour M.G.M. **Durée** : 225 minutes. **Interpr.** : Vivien Leigh
(Scarlett O'Hara), Clark Gable *(Rhett Butler),*
Leslie Howard *(Ashley Wilkes),* Olivia de Havilland
(Mélanie Hamilton), Thomas Mitchell,
Hattie McDaniel, Victor Jory, Ona Munson, Barbara O'Neil.

«Il faut un spectacle comme celui-ci pour comprendre le vrai cinéma, celui qui bouge, qui montre, qui fait éprouver des sentiments primitifs, peut-être, mais violents» (Robert Chazal).

La Géorgie en 1861. Au domaine de Tara, Scarlett O'Hara, fille de riches planteurs, fête ses seize ans, entourée d'une cour de prétendants. Elle est amoureuse du bel Ashley Wilkes, mais celui-ci annonce ses fiançailles avec sa cousine Mélanie. De dépit, elle jette son dévolu sur le frère de cette dernière, Charles, et l'épouse. Sur ces entrefaites, éclate la guerre civile. Charles meurt au combat. La jeune veuve part pour Atlanta et fait sensation au cours d'un bal, en dansant avec un séduisant aventurier, Rhett Butler. Peu de temps après a lieu la défaite de Gettysburg. Un terrible incendie ravage Atlanta. Le domaine familial est couvert de dettes. Scarlett se remarie avec un commerçant parvenu mais c'est Rhett qu'elle aime ; elle s'unira à lui après un second veuvage. Mais l'unité du couple ne résistera pas à la tourmente des événements ; abandonnée, Scarlett retournera vivre à Tara, seule sur la terre de ses ancêtres.

Un producteur à la barre pour des passions sudistes

Un monument de l'histoire du cinéma, en même temps que l'un des films les plus impersonnels qui soient, produit de moyens fastueux bien plus que d'une pensée créatrice. La cheville ouvrière de l'entreprise fut le producteur David O. Selznick (1902-1965), qui, flairant la bonne affaire, acheta à prix d'or les droits du best-seller de Margaret Mitchell, se livra à une prospection effrénée pour dénicher une Scarlett idéale, avant que le rôle n'échoie à une quasi-débutante, engagea une cohorte de scénaristes, dont Scott Fitzgerald, fit valser les metteurs en scène, se chargea en personne du montage et de la promotion du film, dont la première eut lieu en grande pompe à Atlanta. Le film avait coûté près de quatre millions de dollars, qui furent remboursés au bout de quelques mois d'exclusivité triomphale ; une pluie d'Oscars le récompensa ; la France le découvrit en 1950 ; en 1967 la M.G.M. en fit une version gonflée en 70 mm et son stéréophonique. Tous les ingrédients se trouvaient réunis pour faire de cette passion volcanique sur fond de guerre civile et de chute d'un empire, en couleurs, décors et costumes somptueux, un succès mondial. Celui-ci dure encore.

La chevauchée fantastique

John Ford

Stagecoach. **Scén.** : Dudley Nichols, d'après le roman de Ernest Haycox, *Stage to Lordsburg*.
Réal. : John Ford ; 2ᵉ équipe : Yakima Canutt. **Im.** : Bert Glennon (N. et B.).
Mus. : Boris Morros, d'après la chanson *The Trail to Mexico*. **Prod.** : Artistes Associés.
Durée : 97 minutes. **Interpr.** : Claire Trevor *(Dallas)*, John Wayne *(Ringo Kid)*,
Andy Devine *(Buck)*, John Carradine *(le joueur)*, Thomas Mitchell *(Dr Boone)*,
George Bancroft *(le shérif)*, Donald Meek, Louise Platt, Berton Churchill.

Du Cheval de fer *(1924) aux* Cheyennes *(1964), John Ford a payé un tribut royal au western.*

Une diligence quitte Tonto, petite bourgade du Texas, pour Lordsburg. À son bord ont pris place : une prostituée fuyant les ligues de vertu, un médecin alcoolique, un représentant en whisky, une épouse d'officier enceinte, un joueur professionnel et un banquier qui se sauve avec la caisse. Sur le trajet embarque un dernier passager, Ringo Kid, un hors-la-loi aux intentions suspectes. La piste est menacée par les Indiens de Geronimo, dont les exploits sanglants défraient la chronique. Le parcours sera émaillé d'incidents divers, dont un accouchement opéré avec les moyens du bord. Alors que les voyageurs se croient hors de danger, c'est la brutale offensive d'une horde d'Apaches, qui suscite la couardise des uns et l'héroïsme des autres.

Les trois unités

Genre parfaitement adapté aux structures filmiques, riche en caractères bien trempés et en affrontements farouches, le western, cette «forme moderne de l'épopée» comme l'a défini André Bazin, nous ramène à l'époque héroïque de la conquête de l'Ouest, des luttes sans merci entre shérifs et outlaws, du génocide indien et de Davy Crockett, le tout passé au pressoir juteux de la légende. Au temps du muet, le stéréotype y dominait, ne laissant que rarement la place aux grandes fresques d'un Thomas Ince ou d'un James Cruze. L'avènement du parlant — avec la musique et la couleur — va donner au genre un second souffle : Raoul Walsh, King Vidor, Michael Curtiz, Cecil B. DeMille, William A. Wellman, entre autres, le feront évoluer vers un certain classicisme.
Mais le grand rénovateur du western, son Corneille et son Hugo à la fois, ce fut John Ford (1895-1973). Il y introduit une chaleur, un humour, une générosité qui en font un genre majeur. Aucune fioriture, aucun temps mort : rien qu'une action dépouillée, qui respecte la règle des trois unités, une dramaturgie sans fausse note, une scénographie et une typologie proches de l'abstraction. Ford lui-même sera conscient des limites données à son domaine de prédilection, et les fera éclater par la suite.

1939
Espoir (Sierra de Teruel)

André Malraux

Scén., dial., réal. : André Malraux. **Assist.** : Denis Marion.
Dial. espagnols : Max Aub. **Im.** : Louis Page (N. et B.).
Mus. : Darius Milhaud. **Prod.** : Édouard Corniglion-Molinier.
Durée : 76 minutes. **Interpr.** : José Sempere *(commandant Pena)*,
Andrès Méjuto *(Munoz)*, José Lado *(le paysan)*, Julio Péna
(Attigniès) et non-professionnels.

L'unique film de l'écrivain André Malraux est un bouleversant témoignage non seulement sur la guerre d'Espagne, mais sur la guerre en général, la lutte clandestine, le courage, la mort.

Espagne, 1938. On assiste à quelques épisodes de la lutte qui oppose républicains et franquistes. Un avion en flammes s'écrase sur un terrain d'atterrissage : les honneurs sont rendus au pilote mort. On se bat dans les rues de Teruel : pour neutraliser un canon qui bloque l'entrée de la ville, une voiture suicide fonce sur l'objectif et explose. Un paysan repère un camp d'aviation ennemi et le signale aux républicains, qui décident de le bombarder. Ils décollent de nuit, sur un terrain balisé par des phares de voiture. La mission réussit, mais un des appareils volant en rase-mottes s'écrase sur la montagne. On organise des secours : morts et blessés sont évacués vers la vallée par des paysans de la région. Une foule immense massée le long de la route salue les héros.

La mort en face

C'est à l'initiative du gouvernement espagnol qu'André Malraux (1901-1976) vint, en pleine guerre civile, réaliser ce film qui devait être à l'origine un simple appendice à son livre *L'espoir* (publié en 1937). L'écrivain s'orienta finalement vers une production autonome, sans rapport direct avec son roman ; il mêla à la figuration locale une troupe d'acteurs de théâtre, bien résolu à jouer le jeu de la fiction cinématographique. Très loin du style documentariste d'un Joris Ivens (qui venait de réaliser *Terre d'Espagne*), il compose une sorte de poème lyrique sur la condition humaine face à la lutte armée. Paradoxalement, les aléas du tournage — studios vétustes, alertes constantes, pellicule de médiocre qualité — serviront son propos. Ces embuscades préparées à la sauvette, ces raids contre un ennemi invisible, cette guerre qu'on sait perdue d'avance, l'admirable baroud d'honneur final du cortège descendant le long de la montagne, tout cela a quelque chose de sublime et de dérisoire à la fois. Des tournesols, un envol de pigeons, un coucher de soleil ponctuent cette peinture de l'héroïsme quotidien.

Inachevé et monté vaille que vaille, à la veille de la déclaration de guerre, le film ne sortira commercialement qu'à la Libération, assorti d'un commentaire introductif, un peu grandiloquent, de Maurice Schumann.

La règle du jeu

Jean Renoir

Scén., adapt. : Jean Renoir, Carl Koch. **Dial., réal.** : Jean Renoir.
Im. : Jean Bachelet (N. et B.). **Mus.** : Mozart, Saint-Saëns, Johann Strauss,
Chopin, Monsigny, Vincent Scotto (arrangements : Roger Desormières, Joseph Kosma).
Prod., distr. : N.E.F. (1939). **Durée** (de la version intégrale) : 112 minutes.
Interpr. : Dalio *(marquis de La Chesnaye)*, Nora Gregor *(Christine)*,
Roland Toutain *(Jurieux)*, Jean Renoir *(Octave)*, Mila Parély *(Geneviève)*,
Paulette Dubost *(Lisette)*, Gaston Modot *(Schumacher)*, Carette *(Marceau)*,
Pierre Nay *(Saint-Aubin)*, Pierre Magnier, Anne Mayen, Léon Larive.

Pierre angulaire de l'œuvre de Jean Renoir, accomplissement et chant du cygne du cinéma français des années 1930, aux résonances profondes, à la facture éblouissante, La règle du jeu *est un alliage rare de satire, de vaudeville et de tragédie.*

Un jeune recordman de l'aviation civile, André Jurieux, atterrit au Bourget après un raid au-dessus de l'Atlantique. La foule l'ovationne, mais celle qu'il aime n'est pas là pour l'attendre : il s'agit de la marquise Christine de La Chesnaye, une femme du monde avec laquelle il a eu une liaison platonique. De désespoir, il tente de se tuer en voiture. Dans l'espoir d'arranger les choses, son ami Octave, un sympathique parasite qui fréquente les La Chesnaye, le fait inviter à une partie de chasse que ceux-ci donnent dans leur propriété de Sologne, à La Colinière. Les terres sont surveillées par un ombrageux garde-chasse, Schumacher, qui a surpris en flagrant délit de braconnage son vieil ennemi Marceau. Le marquis amusé prend ce dernier à son service.

Cependant, Christine découvre par hasard la liaison de son mari avec une de leurs amies parisiennes, Geneviève de Marras. Par dépit, elle répond aux avances d'un de ses soupirants, le fade Saint-Aubin. Mais Octave aussi est amoureux d'elle. Au cours d'une fête costumée, les couples vont s'affronter rudement : Jurieux se battra avec Saint-Aubin, puis le marquis avec Jurieux, tandis qu'à l'office, Schumacher est aux prises avec Marceau, qu'il a surpris en train de flirter avec sa femme, la volage Lisette. Peu à peu, tout rentre dans l'ordre. Mais Schumacher, abusé par un double échange de costumes, abat Jurieux d'un coup de carabine. Face à ce «déplorable accident», les La Chesnaye vont s'employer, devant leurs invités sceptiques, à sauver la face.

Le monde est un théâtre

La grande illusion (1937) et *La bête humaine* (1938) ont contribué à faire de Jean Renoir (1894-1979) le chef de file du cinéma français. Le temps est passé de l'amateurisme, et même du militantisme. Il peut à présent se placer au-dessus de la mêlée et entreprendre

un tableau «objectif» de la société française à la veille de la guerre, avec l'aisance royale d'un Beaumarchais raillant dans son théâtre les manèges mondains et annonçant en mineur la Révolution. *La règle du jeu* va ressembler à s'y méprendre à un «divertissement» dans l'esprit du XVIIIe siècle : on y cite Chamfort, et l'exergue est emprunté au *Mariage de Figaro*. Renoir sous-titre son film «fantaisie dramatique»; il ambitionne d'en faire «une description exacte des bourgeois de notre époque». Une réplique telle que celle-ci témoigne

bien de la volonté satirique de l'auteur (la censure en exigea d'ailleurs la suppression) : «On est à une époque où tout le monde ment : les prospectus des pharmaciens, les gouvernements, la radio, le cinéma, les journaux… Alors pourquoi veux-tu que nous autres, les simples particuliers, on ne mente pas aussi ?» Devant les remous suscités par les premières projections, il fit machine arrière et se hâta d'indiquer qu'il n'avait pas eu la prétention de faire une étude de mœurs ; les personnages devenaient «purement imaginaires». Nul n'était dupe pour autant. Le faux-semblant érigé en «règle du jeu», la futilité des relations amoureuses, l'égoïsme de classe, sont ici durement brocardés. Le vaudeville tourne à l'aigre, le remue-ménage à la danse macabre.

Mais il y a plus. Renoir a réussi, en outre, à combiner harmonieusement les deux tendances fondamentales qui gouvernent son œuvre : d'une part la fidélité à la nature, sensible dans des «tableaux» d'une force plastique saisissante (la partie de chasse, avec les rabatteurs progressant dans les sous-bois) ; de l'autre le goût du théâtre, ou plutôt de la théâtralité, qui s'exprime à travers les déguisements, les chassés-croisés, des structures scéniques habilement recréées, favorisant un approfondissement psychologique sans égal dans le cinéma français. Un amer scepticisme est la réponse à «cette fameuse question des rapports entre les hommes et les femmes» : pour gagner la partie, il faut, tel Marceau le braconnier ou Lisette la camériste, jouer la carte d'un épicurisme sans frein ; les gens «trop sincères» (Jurieux, Schumacher) sont condamnés. Cette œuvre de moraliste se signale encore, et surtout, par une virtuosité technique d'autant plus remarquable qu'elle se dissimule sous le masque du laisser-aller : la caméra semble être partout à la fois, jouant avec brio des effets de profondeur de champ, tout en faisant office de «téléloupe» apte à saisir — comme celle de l'écureuil — la vie intime de chacun.

Dialogue très écrit mais que l'on dirait improvisé, chevauchement des situations, raccords dans le mouvement, emploi de filtres clairs, dosage de musique classique et d'airs populaires, tout concourt ici à une espèce de spécificité cinématographique. De sorte qu'après avoir été longtemps un film maudit, objet de mutilations, d'interdictions et d'infortunes diverses, *La règle du jeu* est devenue, pour toute une génération, un film culte. D'innombrables exégèses, tant en France qu'à l'étranger, l'explorent encore.

1939 Le jour se lève

Marcel Carné

Scén. : Jacques Viot. **Adapt., dial.** : Jacques Prévert. **Réal.** : Marcel Carné.
Im. : Curt Courant (N. et B.). **Déc.** : Alexandre Trauner. **Mus.** : Maurice Jaubert.
Prod. : Sigma. **Durée** : 85 minutes. **Interpr.** : Jean Gabin *(François)*, Jules Berry *(M. Valentin)*, Arletty *(Clara)*, Jacqueline Laurent *(Françoise)*, René Génin et Mady Berry *(les concierges)*, Douking *(l'aveugle)*, Bernard Blier, Jacques Baumer.

Le film français le plus caractéristique et peut-être le plus fabriqué de l'avant-guerre : un homme traqué rumine sa mauvaise chance dans un huis clos prolétarien.

Un immeuble banal, sur une place de la banlieue parisienne. Dans une mansarde au sixième étage, le dénouement d'un drame sordide : deux hommes se battent, un coup de feu éclate… Le meurtrier va se terrer jusqu'au matin, en se remémorant les événements qui ont entraîné son geste, tandis que la police cerne la maison. Ouvrier soudeur, il est tombé amoureux d'une jeune fille, pupille comme lui de l'Assistance publique, et a découvert par hasard sa liaison avec Valentin, une fripouille. L'ouvrier tente en vain d'arracher son amie à cette boue. Mais le destin le nargue à travers l'ignoble personnage, qu'il finit par abattre d'un coup de revolver. Au petit jour, refusant de se livrer malgré les objurgations de ses camarades de travail, il se suicide.

Genèse d'un fait divers

Le jour se lève a été longtemps tenu pour *le* film-phare du «réalisme poétique» — cette dénomination imprécise regroupant une série d'œuvres de réalisateurs divers, à dominante populiste, qui s'attachent à des cas d'injustice sociale, ou de fatalité psychologique. Le terme fut employé pour la première fois, par le critique Michel Gorel, à propos de *La rue sans nom*, de Pierre Chenal, mais les historiens l'appliquent plus volontiers à des auteurs tels que Jean Vigo, Jean Renoir, Julien Duvivier, Jean Grémillon et surtout Marcel Carné. Ce dernier (1906-1996) fut très influencé par le film noir américain ; son nom est inséparable de celui de son compère Jacques Prévert (1900-1976) que l'on est en droit de considérer comme le véritable «auteur» de ses films. Leur collaboration dura dix ans, de 1936 *(Jenny)* à 1946 *(Les portes de la nuit)* : c'est dans cette période, leur plus féconde à tous deux, que se place *Le jour se lève*.

À l'actif de l'œuvre, dont la désespérance répondait bien à l'air du temps : l'habileté de la construction, fondée sur un usage judicieux du «retour en arrière» ; la force expressive du décor, dû à un maître : Alexandre Trauner ; la musique lancinante de Maurice Jaubert ; le jeu sobre de Jean Gabin, contrastant avec celui, débridé, de Jules Berry. À son passif : une mise en scène rudimentaire, un symbolisme de pacotille. On a voulu voir une «tragédie métaphysique» dans ce qui n'était qu'un remue-ménage faubourien. Faut-il préférer la verve canaille d'*Hôtel du Nord* ?

1940 La couronne de fer

Alessandro Blasetti

La corona di ferro. **Scén.** : Alessandro Blasetti, Renato Castellani,
Corrado Pavolini, Guglielmo Zorzi. **Dial.** : Giuseppe Zucca.
Réal. : Alessandro Blasetti. **Im.** : Vaclav Vich, Mario Craveri (N. et B.).
Mus. : Alessandro Cicognini. **Prod.** : Enic-Lux. **Durée** : 86 minutes.
Interpr. : Massimo Girotti *(Arminio)*, Gino Cervi *(Sedemondo)*,
Elisa Cegani *(Elsa)*, Osvaldo Valenti *(Eribert)*, Luisa Ferida *(la reine
de la montagne, Tundra)*, Rina Morelli, Paolo Stoppa, Primo Carnera.

*Film peu banal, qui accumule les péripéties naïves, la grandiloquence, les ana-
chronismes, se rit des idéologies, flatte les passions populaires — et tourne
pourtant à plein régime.*

Forgée avec le diadème d'un empereur d'Orient et des clous de la croix du Christ, la
Couronne de fer des rois lombards est dotée de pouvoirs magiques : elle s'enfonce
en terre quand la justice et l'ordre sont bafoués. Pour l'heure, elle est immobilisée à
Kandaor, patrie du roi Sedemondo, un usurpateur qui a assassiné son frère et fait jeter
le fils de ce dernier, Arminio, dans la vallée des Lions. Vingt ans plus tard, le jeune
homme reparaît, miraculeusement sauf et résolu à venger ses ancêtres. Il reconquiert
le trône et fait régner la paix à Kandaor.

Siegfried à Cinecittà

Depuis la grande époque de *Cabiria* (1914), le cinéma italien a marqué le pas. Ce n'est
pourtant pas faute d'avoir cherché à se renouveler. L'élégant Mario Camerini tourne de
charmantes comédies populistes à la manière de René Clair, la propagande fasciste
inspire des grosses machines *(Scipion l'Africain)*, les germes d'un courant «réaliste» apparaissent. Le public, lui, réclame des «téléphones blancs» — cet accessoire de luxe
symbolisant les fades drames sentimentaux situés dans les milieux de la grande bourgeoisie. L'intérêt du régime pour le septième art est pourtant manifeste : création de
la «Mostra» de Venise en 1932, ouverture d'une école de cinéma à Rome, le «Centro
Sperimentale», enfin, en 1937, inauguration des studios de Cinecittà, le Hollywood italien. En 1940, l'industrie est redevenue prospère. Les structures sont en place, mais le
talent n'est pas au rendez-vous.

Une personnalité, pourtant, émerge : celle d'Alessandro Blasetti (1900-1987). Cinéaste
éclectique, il tourne à peu près n'importe quoi : épopée à la gloire de Garibaldi, films de
cape et d'épée, comédies intimistes. Plus tard, il se convertira sans vergogne au néo-
réalisme ! C'est à lui que l'on doit l'édification de ce monument sans âge, d'un baroque
échevelé, ce «galimatias visuel de haut style» (Nino Frank), renvoyant dos à dos partisans et adversaires du fascisme, qu'est *La couronne de fer.* C'est *Salammbô* en images
d'Épinal, *Flash Gordon* chez les Lombards, la légende des *Nibelungen* traduite en *kitsch.*
Ce retour en force à la tradition du péplum ne craint pas les écueils du mauvais goût,
mais qu'a à faire le cinéma italien du bon goût ?

Les raisins de la colère

John Ford

The Grapes of Wrath. **Scén.** : Nunnally Johnson,
d'après le roman homonyme de John Steinbeck. **Réal.** : John Ford.
Im. : Gregg Toland (N. et B.). **Mus.** : Alfred Newman.
Prod. : 20th Century Fox (Darryl F. Zanuck). **Durée** : 129 minutes.
Interpr. : Henry Fonda *(Tom Joad)*, Jane Darwell *(Ma Joad)*,
Russell Simpson *(Pa Joad)*, John Carradine *(Casy)*, John Qualen *(Muley)*,
Charley Grapewin *(Grampa)*, Dorris Bowdon *(Rosasharn)*,
Ward Bond *(le policier)*, Frank Sully, Frank Darien.

Peu de films ont une résonance sociale et humanitaire aussi poignante que celui-ci. Il est pourtant construit comme une simple aventure : mais c'est celle des misérables de notre temps.

L'Amérique rurale des années 1930, en proie à la crise et aux expropriations. Les Joad, de pauvres fermiers, doivent se résigner, comme tant d'autres, à quitter leur lopin de terre de l'Oklahoma. Tom, le fils aîné, qui vient de purger une peine de prison pour homicide involontaire, emmènera la famille sur une camionnette chargée à mort, à travers les États-Unis où sévit un chômage endémique. Leur espoir : atteindre la Californie où il y a, paraît-il, du travail pour tous. Le voyage sera un long calvaire, émaillé de vicissitudes diverses : les grands-parents n'y survivront pas. Quant à la terre promise, elle s'avère un enfer pire que celui qu'ils ont quitté. Au contact d'un ancien ami pasteur, qui a perdu la foi et milite pour une société meilleure, Tom découvre la lutte des classes. Ayant abattu un milicien, il doit quitter les siens et fuir à nouveau, résolu à embrasser la cause des opprimés.

L'odyssée de la terre promise

Le roman de John Steinbeck s'élevait avec force contre les injustices sociales de l'Amérique contemporaine. Ford atténue cette virulence contestataire, lui substituant les vertus de compassion et de générosité qui sont la marque de cet «homme tranquille», fils de paysan peu porté vers l'idéologie révolutionnaire. Il se défend d'avoir voulu faire un film «engagé» : «*Les raisins de la colère*, dit-il, ne m'intéressait pas en tant qu'étude sociale. J'aimais seulement l'idée de cette famille qui s'en va pour essayer de se frayer un chemin dans le monde.» Il retrouve ici, en fait, les structures du western (la diligence étant remplacée par une guimbarde bringuebalante), en les insérant dans un cadre moderne. Plus profondément, il rejoint le mythe mosaïque de l'Exode. Ce «long voyage » annonce celui des Mormons dans *Le convoi des braves* (1950) et des Indiens *Cheyennes* (1964), sacrifiés à la raison d'État.

Sur le plan technique, le film atteste une rare maîtrise : images dures en noir et blanc, ciselées par le grand opérateur Gregg Toland, rythme soutenu, direction d'acteurs parfaite. On n'oubliera pas l'émouvante tirade finale de Jane Darwell à Henry Fonda : « On est vivants. On est le peuple qui survit à tout. Personne ne peut nous détruire. Personne ne peut nous arrêter. Nous avançons toujours. »

1941 Le faucon maltais

John Huston

The Maltese Falcon. **Scén.** : John Huston, d'après le roman homonyme de Dashiell Hammett.
Réal. : John Huston. **Im.** : Artur Edeson (N. et B.). **Mus.** : Adolph Deutsch. **Prod.** : Warner Bros
(Hal B. Wallis). **Distr.** : Artistes Associés. **Durée** : 100 minutes. **Interpr.** : Humphrey Bogart
(Sam Spade), Mary Astor *(Brigid O'Shaughnessy)*, Sidney Greenstreet *(Kasper Gutman)*,
Peter Lorre *(Joël Cairo)*, Elisha Cook Jr *(Wilmer)*, Gladys George *(Iva Archer)*,
Ward Bond *(l'inspecteur)*, Lee Patrick *(la secrétaire)*.

Hammett, écrit Raymond Chandler, a « sorti le crime du vase vénitien et l'a laissé tomber dans la rue ». Huston et Bogart l'ont ramassé et lui ont imprimé le sceau de la poésie.

San Francisco, dans les années 1930. L'associé de Sam Spade, directeur d'une agence de police privée, est assassiné. Spade enquête pour le compte d'une jeune femme, qu'il en vient vite à soupçonner de double jeu. Elle se trouve mêlée à une affaire de statuette volée, d'un prix présumé inestimable. De rusés filous sont dans la course : parmi eux, l'excentrique Kasper Gutman, prêt à payer une fortune pour retrouver l'objet — un faucon offert par le roi d'Espagne aux chevaliers de l'ordre de Malte, et dont l'acquisition depuis lors a suscité maintes convoitises. L'habileté de Sam lui permet d'entrer en possession de la statuette : c'est un faux sans valeur ! Gutman rit de sa déconvenue, tandis que Spade, convaincu de la duplicité de son employeuse, la livre sans remords à la police.

Un privé dur à cuire

Publié en 1930, le roman de Dashiell Hammett avait été salué comme un classique de la littérature policière américaine : son dialogue incisif, son style sans fioriture, sa vision d'une société dominée par le sexe et l'argent, en font un modèle du genre «noir». L'ouvrage fut porté à trois reprises à l'écran : en 1931 puis 1936, on en tira deux comédies assez ternes ; en 1940, John Huston (1906-1987), qui débutait dans la mise en scène après une longue carrière de scénariste à la Warner, en propose une version rajeunie, dans laquelle la dimension du livre est impeccablement respectée : «une logique mortelle tempérée par l'humour», comme le dit Carlos Clarens. Il confie le rôle de Sam Spade à son ami Humphrey Bogart (après que George Raft, vieux routier du film de gangsters, l'eut refusé) : ce sera l'une des prestations les plus fameuses de ce comédien d'exception, qui imposa l'archétype du *hard boiled detective* (le privé dur à cuire), sanglé dans un trench-coat, cigarette aux lèvres. «Bogey» (1899-1957) jouera un personnage similaire, celui de Philip Marlowe, dans *Le grand sommeil* (1946), film inspiré par l'autre grand romancier noir américain, Raymond Chandler.

Citizen Kane
Orson Welles

Citizen Kane. **Scén.** : Herman J. Mankiewciz, Orson Welles.
Réal. : Orson Welles. **Im.** : Gregg Toland (N. et B.).
Mus. : Bernard Hermann. **Prod.** : R.K.O. (Mercury Theater).
Durée : 119 minutes. **Interpr.** : Orson Welles *(Charles Foster Kane)*,
Dorothy Comingore *(Susan Alexander)*, Joseph Cotten *(Jedediah Leland)*,
Everett Sloane *(Bernstein)*, George Coulouris *(Thatcher)*,
Agnes Moorehead *(la mère de Kane)*, Paul Stewart *(le majordome)*,
Erskine Sandford *(Carter)*, Ruth Warrick.

«La caméra doit être un œil dans la tête d'un poète… Un film est un ruban de rêves.» Sur ces bases simples, Orson Welles a édifié un monument fabuleux — la centrale d'énergie du cinéma moderne.

Le magnat de la presse Charles Foster Kane, un des hommes les plus riches du monde, agonise dans son immense domaine de Xanadu. En mourant, il prononce un dernier mot : «Rosebud». Quel en est le sens ? Est-ce la clef qui va enfin permettre de pénétrer cette existence tumultueuse, faite de scandales, de coups de bluff, d'ascension sociale foudroyante, de soif de pouvoir et d'échecs retentissants ? Un journaliste va s'employer à démêler les fils de cet écheveau complexe, dont les prémices remontent à l'enfance. Il épluche les Mémoires du banquier Thatcher, qui fut chargé de l'éducation du jeune Kane. Il rend visite à son collaborateur de la première heure, Leland, aujourd'hui hospitalisé et déçu d'avoir été licencié, naguère, par celui qu'il croyait être son ami ; à sa seconde femme, Susan Alexander, pour laquelle il construisit un opéra et qui, lasse d'être un jouet entre ses mains, le quitta pour échouer dans un beuglant ; au majordome de Xanadu. Les témoignages, parfois contradictoires, s'assemblent peu à peu comme les pièces d'un puzzle, mais il manque toujours une pièce. Au château à présent désert, les déménageurs brûlent dans une chaudière les objets sans valeur. On jette ainsi au feu une luge ayant appartenu au petit Charles, alors qu'il vivait loin du monde et de son tohu-bohu, dans le blanc paradis d'une enfance heureuse. Gravé sur l'avant-train, on peut lire une inscription léchée par les flammes : Rosebud…

«Rosebud» : le nabab aux pieds d'argile

Citizen Kane, nous dit son auteur, est «l'étude d'un sultan amnésique et de son comportement». Une version moderne du *Chat botté* ou du *Roi de Thulé*, dont le héros est un homme que son immense fortune n'a pu rendre heureux. Un film *faustien* s'il en fut. Jeune prodige, ayant déjà à son actif une carrière brillante d'acteur et de metteur en

scène de théâtre, rendu célèbre du jour au lendemain par une émission radiophonique à sensation — une adaptation criante de réalisme de *La guerre des mondes,* de H. G. Wells, qui mit en émoi l'Amérique entière —, Orson Welles (1915-1985) avait un peu tâté du cinéma, par le biais du court métrage d'amateur (*The Hearts of Age,* 1934) et de «préludes filmés» à ses travaux scéniques. La R.K.O. lui ayant donné plein pouvoir pour réaliser un long métrage de son choix, il se lance à corps perdu dans l'aventure. Se familiarisant en un temps record avec le langage de l'écran, faisant appel à des techniciens chevronnés, dont le scénariste Herman J. Mankiewicz et le chef opérateur Gregg Toland (qui avait déjà travaillé pour Howard Hawks et William Wyler), et pour l'interprétation, à sa troupe du *Mercury Theater,* lui-même s'adjugeant le rôle vedette, accumulant les audaces de construction, les acrobaties visuelles, les effets de profondeur de champ et de montage choc, il accouche d'une œuvre révolutionnaire, qui va marquer un tournant décisif dans l'histoire de la «modernité» cinématographique.

Le personnage dont il nous conte la «résistible ascension» est une synthèse de plusieurs célébrités du Gotha de la finance, de la presse et des multinationales : Harold McCormick (des machines agricoles), Bazil Zaharoff (du trafic d'armes), Jules Brulator (de Kodak), Howard Hugues (de la T.W.A. et des salles de jeux), enfin et surtout William Randolph Hearst, propriétaire d'un immense empire de presse, qui s'estima d'ailleurs ouvertement visé au point de chercher à bloquer la sortie du film. Mais Welles sut tirer parti de cette polémique, et en faire un argument publicitaire — sans pour autant rencontrer le succès commercial.

La morale de l'œuvre, simpliste au demeurant, est que tout est vanité, dans un monde dominé par la loi du profit ; les vraies valeurs ne peuvent s'acheter, et «Rosebud» est un symbole de la richesse intérieure, liée à la pureté de l'enfance. En d'autres termes, l'ogre Kane a gardé son âme de petit poucet… Ce pourrait n'être qu'une allégorie banale, mais elle se trouve rehaussée par un procédé de narration magistral, jouant sur l'enchevêtrement des actions, des souvenirs, des lieux, sur les moments éclatés d'une vie, rassemblés par la magie unifiante du spectacle. Aucun film à ce jour n'avait usé du retour en arrière avec une telle habileté. On a évoqué le patronage littéraire de Joyce et de Borges. Ce dernier d'ailleurs fait l'éloge des labyrinthes wellesiens : «Cette découverte de l'âme secrète d'un homme, à travers les ouvrages qu'il a construits, les mots qu'il a prononcés, les destinées qu'il a brisées, cette rhapsodie de scènes hétérogènes, sans ordre chronologique, ce chaos d'apparence, tout cela a quelque chose de génial, dans le sens le plus sombre et le plus allemand du mot. » Et André Bazin a loué la « spécificité » d'une œuvre qui a « ébranlé l'édifice des traditions cinématographiques ». La référence la plus évidente semble être Shakespeare. Son pessimisme comme sa fougue poétique puisent aux mêmes sources. *Citizen Kane* est le *Roi Lear* du XXe siècle.

1941, Les voyages de Sullivan

Preston Sturges

Sullivan's Travels. **Scén., dial., réal.** : Preston Sturges. **Im.** : John Seitz, Farciot Edouard (N. et B.). **Mus.** : Roy Webb. **Prod.** : Paramount. **Durée** : 95 minutes. **Interpr.** : Joel McCrea *(John L. Sullivan)*, Veronica Lake *(Mary Wilson)*, Robert Warwick *(Mr Lebran)*, William Demarest *(Mr Jones)*, Margaret Hayes *(la secrétaire)*, Eric Blore *(le valet de chambre)*, Porter Hall *(Mr Hadrian)*, Byron Foulger.

De Show People *à* Boulevard du crépuscule, *des* Ensorcelés *au* Dernier nabab, *le cinéma américain s'est souvent représenté lui-même. Mais jamais comme ici, il n'a pratiqué de plus subtil auto-exorcisme.*

Un célèbre *director* d'Hollywood, John L. Sullivan, las de réaliser de fades vaudevilles, décide de mettre en scène un film réaliste et, afin de se documenter à bonne source, de partager incognito la vie des clochards et des miséreux. Son producteur, inquiet, le fait suivre par une équipe de journalistes chargés en outre d'assurer la publicité de l'aventure. De pittoresques tribulations et un intermède sentimental émaillent le voyage, jusqu'au jour où la comédie vire au drame : détroussé et à demi amnésique, Sullivan blesse un garde et se retrouve aux travaux forcés. Ses amis le croient mort. Parmi les galériens, il réapprend la joie de vivre. Tout finira bien, du moins en apparence. Son odyssée a fait comprendre à Sullivan que faire rire est un art.

Le rire pour exorciser Hollywood

Preston Sturges (1898-1959) fut un scénariste inventif (c'est à lui que l'on doit les flash-back entrecroisés de *Thomas Garner,* 1933, annonciateurs de *Citizen Kane*), avant de se lancer, à partir de 1940, dans l'écriture et la réalisation d'apologues brillants, caustiques, proches dans leur esprit et leur verve satirique des meilleurs vaudevilles français. Digne héritier de Capra et de McCarey, il apporte à la comédie américaine — alors moribonde — un second souffle, qui prépare la génération des Wilder et des Mankiewicz. Sa « stridente gaieté » (Pierre Kast) fait mouche dans *Infidèlement vôtre* (1948), divertissement musical à tiroirs d'une impeccable élégance, et dans ces *Voyages de Sullivan,* véritable « mise en abyme » du système hollywoodien, où les structures narratives, les conventions, la typologie des genres et jusqu'aux lois du marché sont subtilement décortiquées, par un orfèvre en la matière, qui plaide pour la pérennité d'un certain art du spectacle. Un arrière-goût d'amertume imprègne ce fabliau moderne, qui apparaît comme une sorte de synthèse de *New York - Miami* (1934) et des *Raisins de la colère.* (1940) Sturges s'est peint lui-même à travers Sullivan, et son éloge final du « rire qui fait du bien aux hommes » témoigne d'un fervent hédonisme.

1942

To be or not to be

Ernst Lubitsch

To be or not to be. **Scén.** : Edwin Justus Mayer, d'après un sujet d'Ernst Lubitsch
et Melchior Lengyel. **Réal.** : Ernst Lubitsch. **Im.** : Rudolph Maté (N. et B.).
Mus. : Werner R. Heymann. **Prod.** : Alexander Korda. **Distr.** Artistes Associés.
Durée : 99 minutes. **Interpr.** : Jack Benny *(Joseph Tura)*, Carole Lombard
(Maria Tura), Robert Stack *(Stanislav Sobinsky)*, Stanley Ridges *(Siletsky)*,
Felix Bressart *(Greenberg)*, Tom Dugan *(Bronski)*, Sig Ruman *(le colonel Erhardt)*,
Lionel Atwill *(Rawitch)*.

*« Où finit le théâtre ? Où commence la vie ? » : Lubitsch, avant Renoir, pose la
question, sur le mode mineur, dans cette éblouissante comédie d'espionnage
où l'art triomphe de l'uniforme.*

Varsovie, 1939. La troupe de Joseph Tura monte une pièce antinazie, qui est aussitôt interdite. Ils se rabattent sur leur vieux succès, *Hamlet*. Mais Hitler envahit la Pologne, et le
théâtre doit fermer ses portes. Sur ces entrefaites, un agent double s'infiltre dans les
rangs des patriotes polonais pour les dénoncer aux autorités d'occupation. Un jeune lieutenant amoureux de la femme de Tura, ayant eu vent du complot, convainc la troupe
de jouer aux nazis « pour de vrai ». Tura, assez fade sur scène, se surpasse sous la
défroque d'un officier allemand, et Bronski, un acteur qui jouait les utilités, fait sensation déguisé en Hitler… Le traître est liquidé et la troupe au grand complet réussit à
gagner Londres, où elle triomphera dans *Hamlet*.

Jeu de dupes

Ernst Lubitsch (1892-1947), au seuil des années 1940, est considéré comme un des
maîtres du cinéma américain. Il peut tout se permettre, y compris de brocarder — avec
sa « touche » inimitable — la sanglante mainmise des nazis sur l'Europe. Ses origines
juives le rendent particulièrement sensible au déroulement d'un conflit qu'il ne connaît
pourtant que de loin. Vers la même époque, Chaplin tourne *Le dictateur* et Fritz Lang
Les bourreaux meurent aussi. C'est entre ces deux pôles que se situe *To be or not
to be* : Lubitsch y réussit la gageure de combiner un authentique esprit de résistance

avec les ressorts classiques du vaudeville (déguisements, quiproquos, etc.), le gag le plus fameux étant celui du spectateur qui quitte la salle au moment où le comédien attaque la célèbre tirade «To be or not to be», pour aller retrouver son épouse volage en coulisse. L'œuvre se fonde sur un perpétuel jeu de dupes, dont l'issue n'est autre que la survie d'une communauté. Les baladins finissent par jouer au péril de leur vie : l'obscure doublure d'Hitler (à la scène) devient un héros malgré lui et, inversement, les fantoches galonnés sont ramenés à l'état de pantins.

Dans la carrière de Lubitsch, *To be or not to be* s'inscrit entre ces deux autres jolies réussites que sont *Shop around the Corner* (1940) et *Le ciel peut attendre* (1943). Il témoigne de la maturité de son génie comique.

1943 Casablanca
Michael Curtiz

Casablanca. **Scén.** : Julius J. et Philip G. Epstein, Howard Koch, d'après la pièce de Murray Burnett et Joan Alison *Everybody Comes to Rick's*. **Superv.** : Jerry Wald. **Réal.** : Michael Curtiz. **Im.** : Artur Edeson (N. et B.). **Mus.** : Max Steiner. **Chansons** : *«As Time Goes By», «Knock on Wood»*. **Prod.** : Warner Bros. **Durée** : 102 minutes. **Interpr.** : Humphrey Bogart *(Rick)*, Ingrid Bergman *(Ilsa)*, Conrad Veidt *(major Strasser)*, Claude Rains *(capitaine Renault)*, Paul Henreid *(Victor Laszlo)*, Peter Lorre *(Ugarte)*, Sydney Greenstreet, Dalio, Curt Bois, Madeleine Lebeau.

Casablanca est un carrefour des passions (politiques et privées), un lieu mythique propice à l'Aventure éternelle.

Casablanca en 1943, plaque tournante de la résistance française. Le gouvernement de Vichy exerce son autorité sur cette ville cosmopolite où transitent des émigrés fuyant la menace allemande. Tout le monde se retrouve au night-club de Rick, écoutant Sam, le pianiste et ses refrains nostalgiques… Un soir, un couple se présente : l'homme est traqué par les nazis, la femme est une ancienne amie de Rick. Celui-ci les aidera-t-il à fuir vers des cieux plus cléments, au risque de se compromettre ? Il faut pour cela neutraliser le féroce major Strasser, représentant des nazis à Casablanca ; et s'assurer la complicité du capitaine Renault, l'allié de Vichy… Tout se résoudra à l'aéroport, dans la brume du matin.

Le romantisme dans sa splendeur

Un tel résumé rend imparfaitement compte du *charme* tenace qui se dégage de *Casablanca*, fruit d'une heureuse conjonction de talents et de circonstances. Y concourent la mythologie personnelle d'Humphrey Bogart, alors à son zénith (de blanc vêtu, il est le calife tout-puissant de ce conte de fées moderne) ; le métier très sûr du réalisateur, Michael Curtiz (1888-1962), d'origine hongroise, ayant à son actif une quantité impressionnante de *thrillers* et de films d'aventures, dont il fait ici la synthèse ; l'adroite combinaison de romance sentimentale et de mélodrame d'espionnage ; la musique «viennoise» de Max Steiner ; la coïncidence, enfin, du débarquement allié en Afrique du Nord, quelques jours après la sortie du film. Réalisme et romantisme sont harmonieusement conjugués dans ce film, et tout ce qui aurait pu relever du cliché prend une dimension magique.

Le succès phénoménal de *Casablanca* incita son réalisateur à en tourner une sorte de suite libre, *Passage to Marseille* ; Woody Allen donne à l'un de ses premiers scénarios un titre qui reprend la phrase fameuse de Rick à son pianiste : *Play it again, Sam* ; en 1985, l'Italien Francesco Nuti tourne une manière de pastiche intitulé *Casablanca, Casablanca* ; une des premières productions télévisées de la Warner brodait sur le thème d'*As Time Goes By*, etc. Mais ce ne sont là que quelques exemples de l'incroyable postérité de *Casablanca*.

1943 Le corbeau

Henri-Georges Clouzot

Scén. : Louis Chavance. **Adapt., dial.** : Louis Chavance et H.-G. Clouzot.
Réal. : Henri-Georges Clouzot. **Im.** : Nicolas Hayer (N. et B.). **Déc.** : André Andreiew.
Mus. : Tony Aubin. **Prod.** : Continental Film. **Durée** : 93 minutes.
Interpr. : Pierre Fresnay *(Dr Germain)*, Pierre Larquey *(Dr Vorzet)*, Micheline Francey *(Laura)*, Helena Manson *(Marie Corbin)*, Ginette Leclerc *(Denise)*, Noël Roquevert *(l'instituteur)*, Liliane Maigné *(Rolande)*, Sylvie *(la mère du cancéreux)*, Balpêtré, Louis Seigner, Pierre Bertin, Palau *(les notables)*, Roger Blin.

Peintre de mœurs d'un rare cynisme, attaché au versant noir des êtres, Clouzot a édifié un univers cruel, digne des grands romanciers naturalistes.

Une petite ville de province française. Le Dr Germain, médecin généraliste, reçoit une lettre anonyme l'accusant de pratiques abortives. C'est le début d'une longue série de missives plus odieuses les unes que les autres qui va éclabousser toute la communauté : la femme du directeur de l'hôpital, le médecin-chef, un malade atteint d'un cancer du foie, l'économe, l'instituteur, nul n'échappe à la hargne d'un correspondant à la plume acérée qui signe «Le corbeau». Les soupçons se portent sur une infirmière, Marie Corbin, qui manque d'être lynchée. Germain finira par confondre le vrai coupable, son confrère le Dr Vorzet, mais le bras de la vengeance a déjà fait son œuvre.

France profonde

Henri-Georges Clouzot (1907-1977) a une œuvre courte, mais qui révèle, dans sa meilleure part, une causticité, un sens «diabolique» de la vanité des relations humaines, une verve naturaliste qui ne sont pas sans parenté avec Stroheim. Il a bâti la plupart de ses films sur des schémas policiers, qui sont autant de prétextes à ciseler de rudes tableaux de mœurs, d'une verve un peu nauséeuse. Dans *Le corbeau,* son deuxième film (après *L'assassin habite au 21,* 1942), une chape d'infamie semble recouvrir le récit, cocktail explosif de querelles de clocher, de sordides règlements de comptes, étalage d'infirmités physiques et morales, de tares et de dépravations en tous genres. Même les enfants sont de petits monstres dans ce cloaque provincial fouillé par le scalpel d'un implacable analyste. Inspiré d'un fait divers réel (une affaire crapuleuse, qui mit en émoi la ville de Tulle, en 1923), *Le corbeau* fut regardé comme un miroir complaisant de la France occupée, livrée à la dissimulation et au mouchardage.

Le corbeau valut à ses auteurs l'accusation de propagande anti-française, accréditée par le fait qu'il s'agissait d'une production de la firme Continental, sous contrôle allemand. Les comités d'épuration en firent leur cible privilégiée. Le film est subversif sans doute, mais salubre ; sa noirceur, plus métaphysique que politique, est rehaussée par une mise en scène de grande classe et une direction d'acteurs (souvent à contre-emploi) qui fera aussi le prix de *Quai des Orfèvres* (1947), du *Salaire de la peur* (1953) et des *Espions* (1957).

Le ciel est à vous

Jean Grémillon

Scén. : Albert Valentin. **Adapt., dial.** : Charles Spaak. **Réal.** : Jean Grémillon.
Im. : Louis Page (N. et B.). **Mus.** : Roland Manuel. **Prod.** : Raoul Ploquin.
Durée : 105 minutes. **Interpr.** : Charles Vanel *(Pierre Gauthier)*,
Madeleine Renaud *(Thérèse Gauthier)*, Jean Debucourt *(Larcher)*,`
Léonce Corne *(Dr Maulette)*, Raymonde Vernay *(la mère de Thérèse)*,
Anne Vandenne *(Lucienne Ivry)*, Raoul Marco, Anne-Marie Labaye,
Albert Rémy, Michel François.

Film austère, ne cachant pas son attachement aux bons sentiments, Le ciel est à vous *illustre de manière exemplaire les servitudes et les grandeurs d'un certain « esprit » français.*

Un petit village de France, à une date indéterminée. Pierre et Thérèse Gauthier sont un couple de garagistes qui a la passion de l'aviation civile. Ils sacrifient leur train-train quotidien, leur confort et jusqu'à l'avenir de leurs enfants au goût des records aéronautiques. Les activités de l'aéro-club local les mobilisent complètement. Un jour, Thérèse décide de s'attaquer au record de distance en vol. Elle part dans son petit zinc, démuni de radio de bord. Les heures passent, on est sans nouvelles, l'inquiétude grandit. La famille, les gens du village, accusent Pierre Gauthier de coupable imprudence. Mais Thérèse a réussi son raid. On lui fait un triomphe, et Pierre devient président de l'aéro-club.

Exercices du courage quotidien

Le scénario de Charles Spaak s'inspire de l'exploit authentique d'Andrée Dupeyron, épouse d'un garagiste de Mont-de-Marsan, qui battit en 1937 le record féminin de vol en ligne droite. Mais l'aviation n'est ici qu'un prétexte. Le réalisateur s'en est clairement expliqué : « Je n'ai pas cherché à glorifier l'esprit d'aventure. J'ai seulement voulu montrer qu'il convenait de posséder une foi hors de soi-même… Thérèse, qui n'était qu'une petite bourgeoise bornée et égoïste, est purifiée et grandie. »

Film édifiant, donc ? Sans doute, et Jean Grémillon (1901-1959) confirme ici sa volonté de décrire des natures fortes, défiant le cours du destin, même si celui-ci a raison de leur obstination, avec son revers : la compassion pour les âmes déchues. Ce Breton cultivé, féru de musique et de peinture, excelle à décrire l'apparition du « tragique au sein des destinées paisibles » (Pierre Kast). Homme de gauche, il a un sens social aiguisé et une haute idée de la condition humaine, qui s'expriment ici dans un contexte de grisaille réaliste. On a voulu voir dans ce film un symbole de l'esprit de résistance ; d'autres au contraire ont souligné l'ambiguïté « vichyste » du message. La vérité est ailleurs : dans ce qu'Henri Agel, exégète du cinéaste, appelle la « tension invisible entre deux forces », le matériel et le spirituel, à mi-chemin de Malraux et de Péguy.

1944
Henry V
Laurence Olivier

Henry V. **Scén.** : Laurence Olivier et Alan Dent,
d'après William Shakespeare. **Réal.** : Laurence Olivier.
Im. : Robert Krasker (couleurs). **Déc.** : Paul Sheriff,
Carmen Dillon. **Mus.** : William Walton. **Prod.** : Two Cities.
Durée : 137 minutes. **Interpr.** : Laurence Olivier *(Henry V)*,
Renée Asherson *(Catherine)*, Robert Newton *(Pistol)*,
Leo Genn *(le connétable de France)*, Leslie Banks *(le narrateur)*,
Felix Aylmer *(l'archevêque de Canterbury)*, Esmond Knight
(Fuellen), Harcourt Williams *(Charles VI)*, Ralph Truman
(Montjoy), George Robey *(Sir John Falstaff)*.

*Mixte audacieux de décors naturels et d'enluminures médiévales, voici une
expérience originale de théâtre filmé, par un maître de la scène britannique.*

Une troupe d'acteurs du Théâtre du Globe, au XVIe siècle, se prépare à jouer *Henry V,* de
William Shakespeare. Nous apercevons le public, les coulisses… Puis un récitant nous
invite à entrer de plain-pied dans la pièce, en sollicitant le secours de notre imagination.
On se retrouve en 1415, à la cour d'Angleterre. Le roi s'apprête à partir en guerre contre
le royaume de France. La flotte anglaise cingle vers Harfleur : la ville est bientôt soumise.
Puis c'est la fameuse bataille d'Azincourt, au cours de laquelle les fantassins anglais,
pourtant inférieurs en nombre, mettent en déroute la cavalerie française. Henry V
victorieux se fait reconnaître comme héritier du trône de France et épouse la princesse Catherine. Nous voici revenus sur la scène élisabéthaine : c'est la fin de la représentation, ponctuée par les applaudissements des spectateurs.

Ouvrage stylisé de broderie anglaise

Laurence Olivier (1907-1989), célèbre comédien et metteur en scène de théâtre anglais,
nommé codirecteur de l'Old Vic en 1944, a en outre une longue carrière d'acteur, et plus
courte de réalisateur, de cinéma : on l'a vu notamment dans *Les hauts de Hurlevent,
Rebecca, Le limier.* Ses versions filmées de pièces de Shakespeare s'appuient sur une
dynamique très personnelle, décuplée par la caisse de résonance de l'écran : *Hamlet*
se trouve ainsi doté d'une agilité insoupçonnée. Mais c'est surtout dans *Henry V* qu'il
résout de façon originale les contradictions inhérentes à la formule du théâtre filmé.
Son audace est de commencer le film par une représentation de la pièce, censée se
dérouler à l'époque même de Shakespeare. Dès lors, comme l'observe André Bazin, nous
ne sommes plus vraiment dans la pièce, mais dans un documentaire sur le théâtre élisabéthain ; les artifices s'annulent, ou plutôt se fécondent réciproquement. Certaines
séquences comme la bataille d'Azincourt fonctionnent ainsi sur deux registres, celui du
réalisme et celui de la stylisation. La formule est habile, et bénéficie d'un traitement subtil de la couleur.

Il est permis de préférer l'approche plus franche, plus musclée d'Orson Welles, dans
Macbeth (1948) et *Othello* (1952), à ce chamarrage esthétique, d'une rutilance un
peu apprêtée.

Laura

Otto Preminger

Laura. **Scén.** : Jay Dratler, Samuel Hoffenstein, Betty Reinhardt,
d'après le roman homonyme de Vera Caspary. **Réal., prod.** : Otto Preminger.
Im. : Joseph La Shelle (N. et B.). **Mus.** : David Raskin. **Prod.** : 20th Century Fox.
Durée : 88 minutes. **Interpr.** : Gene Tierney *(Laura)*, Dana Andrews
(Mark McPherson), Clifton Webb *(Waldo Lydecker)*, Vincent Price
(Shelby Carpenter), Judith Anderson *(Ann)*.

Avec Fritz Lang, dont il est parent à plus d'un titre, le Viennois Otto Preminger a imposé l'idée d'une nécessaire efficience de la mise en scène : Laura *indique la route à suivre.*

L'inspecteur McPherson enquête sur l'assassinat d'une jeune publiciste, Laura Hunt. Lancée par le chroniqueur mondain Waldo Lydecker dans la haute société new-yorkaise, Laura était sur le point d'épouser le play-boy Shelby Carpenter. Fasciné par le portrait de la disparue qui orne le mur de son appartement, McPherson tombe peu à peu amoureux d'elle… quand, une nuit, elle lui apparaît en chair et en os ! Le cadavre n'était pas le sien, mais celui d'un mannequin, amie de Carpenter. La belle ressuscitée serait-elle responsable de cet imbroglio ? Stimulé par son amour, l'inspecteur finit par découvrir le vrai coupable qui s'apprête à rééditer son geste : Lydecker.

De la fascination

Adapté d'un roman policier de Vera Caspary, *Laura* ne lui emprunte que sa trame super-ficielle : on peut y voir aussi bien une satire des milieux intellectuels américains qu'une

comédie psychologique, voire un poème surréaliste d'un charme singulier. D'abord confiée par le patron de la Fox, Darryl F. Zanuck, à Rouben Mamoulian, la réalisation incomba finalement au Viennois Otto Preminger (1906-1986), élève de Max Reinhardt, orfèvre en mise en scène théâtrale et qui avait déjà fait ses preuves au cinéma. Un homme que, «au-delà des énigmes purement factuelles, la vérité du cœur seule intéresse», comme l'écrit Jacques Lourcelles. Une émotion paradoxale naît en effet de ses mouvements d'horlogerie raffinés, qui ont la pureté du cristal et l'évidence du constat. Qu'ils soient l'«autopsie d'un meurtre» ou d'une passion amoureuse, ses films dégagent une identique aura de fascination, que l'on peut attribuer au «disparate élégamment résolu entre l'observation clinique et la suavité du récit» (Henri Agel). Même lorsqu'il est confronté à de «grands sujets», où son talent pourrait se dissoudre, Preminger reste égal à lui-même. Son art est fait d'un profond souci d'objectivité, d'une ténacité à toute épreuve et d'un certain éclectisme, qualités dont il ne s'est jamais départi, même dans son évident déclin à partir de 1970.

1945 Les enfants du paradis

Marcel Carné

Scén., dial. : Jacques Prévert. **Réal.** : Marcel Carné.
Im. : Roger Hubert (N. et B.). **Déc.** : Léon Barsacq (maquettes d'Alexandre Trauner). **Mus.** : Maurice Thiriet, Joseph Kosma.
Prod. : Pathé-Cinéma. **Durée des deux époques** : 195 minutes.
Interpr. : Arletty *(Garance)*, Jean-Louis Barrault *(Deburau)*, Pierre Brasseur *(Frédérick Lemaître)*, Marcel Herrand *(Lacenaire)*, Pierre Renoir *(Jéricho)*, Louis Salou *(comte de Montrav)*, Maria Casarès *(Nathalie)*, Fabien Loris *(Avril)*, Gaston Modot *(l'aveugle)*, Étienne Decroux, Marcel Pérès, Jane Marken, Palau, Léon Larive, Albert Rémy, Jacques Castelot, Robert Dhéry, Guy Favières.

Pot-pourri d'ingrédients mélodramatiques, cette œuvre célèbre marqua l'apogée du tandem Carné-Prévert.

1. *Le Boulevard du Crime.* — Paris, vers 1830. Une foule de badauds se presse sur le boulevard du Temple, en quête de sensations fortes. On a le choix entre le Mélodrame et les Funambules, le Théâtre du crime et celui du silence, le truculent Frédérick Lemaître et le gentil mime Deburau. De cette faune se détachent les figures aimables ou inquiétantes de la belle Garance, de l'anarchiste homosexuel Lacenaire, du «'chand d'habits» Jéricho, de la fragile Nathalie. C'est le carrefour de l'aristocratie et de la canaille, un lieu privilégié pour les rencontres de tripot et les amours impossibles…

2. *L'homme blanc.* — Deburau a épousé Nathalie, mais il aime Garance, devenue la comtesse de Montray; Frédérick Lemaître triomphe dans *L'auberge des Adrets*; Lacenaire complote de nouveaux forfaits. Sur le Boulevard, c'est la frénésie du Carnaval, où les masques se pourchassent et se perdent…

La superproduction du réalisme poétique

Adaptation déguisée des *Mystères de Paris,* avec quelques réminiscences de *L'opéra de quat'sous,* en même temps qu'hommage à deux formes de théâtre, le noble et le populaire, *Les enfants du paradis* (ce titre désignant la foule grouillante des «poulaillers») fut l'entreprise la plus ambitieuse du cinéma français de l'Occupation : deux «époques», trois heures de projection, un millier de figurants, d'énormes décors édifiés aux studios de la Victorine… Portés par le succès de leurs *Visiteurs du soir* (1942), joli conte médiéval, Marcel Carné et son scénariste Jacques Prévert parvinrent, en

dépit de la dureté des temps, à édifier ce monument de «réalisme poétique». Un dialogue très littéraire, un quatuor de grands acteurs, un parfum d'époque habilement distillé, ont assuré à cette parade un peu désordonnée, mais divertissante, le ciment d'un superalliage, que le temps n'a pas entamé. Plébiscité à plusieurs reprises par les cinéphiles et les critiques, *Les enfants du paradis* est pourtant considéré par Jean Mitry comme «une œuvre froide et compassée, un film que l'on regarde — ou écoute — avec un intérêt constant mais sans y adhérer jamais».

L'après-guerre

Anna Magnani dans *Rome, ville ouverte* (1945) de Roberto Rossellini.

1945 Aventures en Birmanie

Raoul Walsh

Objective Burma. **Scén.** : Alvah Bessie, Lester Cole, Ronald MacDougall.
Réal. : Raoul Walsh. **Im.** : James Wong Howe (N. et B.).
Mus. : Franz Waxman. **Prod.** : Warner Bros. **Durée** : 142 minutes.
Interpr. : Errol Flynn *(major Nelson),* William Prince *(lieutenant Jacobs),*
James Brown *(sergent Treacy),* George Tobias, Henry Hull, Warner Anderson.

Comment, à partir d'une simple anecdote sur une opération de commando dans la jungle birmane, on peut tirer la quintessence d'une vision tragique de l'homme en état de guerre.

1944. La Seconde Guerre mondiale fait rage sur le front asiatique. Un petit groupe de parachutistes américains est chargé de détruire une station radar, dans la forêt birmane. Ils atteignent facilement leur objectif. Mais l'ennemi leur coupe la retraite : l'avion chargé de les récupérer ne peut atterrir. Une longue marche commence, à travers la jungle infestée de Japonais. La troupe se scinde en deux : les premiers sont victimes d'une embuscade. Leurs camarades parvenus au point de jonction découvrent un atroce charnier. Une poignée de rescapés survivra à ce guêpier, à la faveur du débarquement des troupes alliées dans le Pacifique.

L'enfer est aux G.I.

Le cinéma américain a payé avec éclat son tribut à la défense du monde libre contre les invasions armées : tantôt sous la forme de relation honnête, tantôt dans un esprit de propagande, plus ou moins affiché. L'exemple le plus fameux est la série des *Pourquoi nous combattons* (1942-1945), produite par l'Army Signal Corps et à laquelle travaillèrent plus de 400 techniciens, sous la direction de Frank Capra. C'est dans le domaine de la fiction que Hollywood frappa les plus grands coups, de Vidor à Coppola, de Milestone à Fuller. L'horreur des combats, la lutte héroïque menée sur les fronts étrangers par de braves G.I., la nostalgie du pays natal sont exprimées avec force et émotion. À la différence des Français, les cinéastes américains sont soucieux de traiter l'Histoire «à chaud», sans crainte des approximations.

Le genre est toutefois guetté par une surenchère de violence ou d'héroïsme à bon marché. Raoul Walsh (1887-1980) a évité cet écueil, en s'en tenant à un réalisme rigoureux, à la description impeccable — et implacable — de l'homme affronté au danger, à la peur, à la mort. Le scénario est l'œuvre d'écrivains «de gauche» qui auront maille à partir avec le maccarthysme ; la mise en scène est sobre, presque invisible, «collant» aux personnages et au décor ; l'interprétation, dominée par Errol Flynn, est d'une parfaite homogénéité. D'où une impression d'authenticité quasi documentaire qui fait oublier les libertés prises avec la vérité historique.

Raoul Walsh aborda à nouveau le genre «guerrier» dans *Le cri de la victoire* (1955) et *Les nus et les morts* (1958). En 1951, il tourna un *remake* déguisé d'*Aventures en Birmanie* sous forme de western, *Les aventures du capitaine Wyatt,* remplaçant la jungle birmane par les marais de Floride et les Japonais par des Indiens Séminoles. Le secret de son art, par-delà les stéréotypes filmiques, réside dans une surprenante économie de moyens et une maîtrise narrative proche de l'épopée.

Le néo-réalisme italien

Le terme «néo-réalisme» a été lancé en 1943 par un critique et scénariste italien, Umberto Barbaro, pour désigner un mouvement — plutôt qu'une école — qui va se développer en Italie au lendemain de la guerre, à la fois en réaction contre le cinéma académique et sclérosé (celui des «téléphones blancs») et dans le but de décrire la société italienne traumatisée par vingt ans de fascisme. Le «Centro Sperimentale» de Rome, fondé dès 1935 par Luigi Chiarini, où se réunissaient quelques jeunes critiques et cinéastes hostiles au régime, fut le creuset de cette révolution, qui contestait l'univers factice des studios, la dramatisation outrancière, le «calligraphisme», et préconisait en contrepartie une plus grande attention portée à la vie quotidienne.

Au cinéma «riche» de naguère ils opposent une attitude généreuse, non conformiste, soucieuse de témoignage social. On cite en exemples l'écrivain régionaliste Giovanni Verga, initiateur du «vérisme», et le philosophe Antonio Gramsci, pour qui «la vérité est révolutionnaire». On rend hommage à quelques précurseurs : Nino Martoglio (*Perdus dans les ténèbres,* 1914), Gustavo Serena (*Assunta spina,* 1915), Raffaello Matarazzo (*Treno popolare,* 1933), qui avaient su faire œuvre réaliste, à travers la convention des genres. Le cinéma, tout en restant une fiction, doit pouvoir «rendre compte du réel d'une façon concrète».

Pour le théoricien du mouvement, Cesare Zavattini (1902-1989), le cinéma doit s'intéresser à «l'homme dans son aventure de tous les jours». À la limite, un film doit pouvoir décrire «90 minutes de la vie d'un homme auquel il n'arrive rien».

Le premier grand film néo-réaliste est l'œuvre d'un jeune aristocrate converti au marxisme, Luchino Visconti : ce fut *Ossessione* (1942), qui puisait — paradoxalement — son inspiration dans un roman noir américain, tout en se ressentant de l'influence française de Renoir. Mais c'est surtout *Rome ville ouverte* (1945) et *Paisà* (1946), de Roberto Rossellini, qui, par leur sobriété, leur insertion dans une collectivité réelle, furent les vrais détonateurs de l'explosion néo-réaliste. Deux autres jalons marquants seront *La terre tremble,* de Visconti, et *Le voleur de bicyclette,* de l'acteur passé à la mise en scène Vittorio De Sica, l'un et l'autre tournés sur les lieux mêmes de l'action, avec des non-professionnels. Sur les ruines de la guerre s'édifie peu à peu un nouveau cinéma, humain, tourné vers le peuple. Tous les genres, tous les sujets ou presque en seront imprégnés : film de résistance *(Le soleil se lèvera encore),* comédie populiste *(Deux sous d'espoir),* chronique historique *(Le moulin du Pô),* mélodrame religieux *(La fille des marais),* adaptations littéraires *(Le manteau),* etc. Seuls résisteront à cette marée quelques outsiders, tels Vittorio Cottafavi ou Riccardo Freda, pour qui le réalisme en général demeure «la pire forme d'expression artistique» et qui prédirent un rapide reflux du mouvement.

Ils n'avaient pas tout à fait tort. Avec le retour en force des «stars», la réorganisation des studios, les ambitions néo-réalistes vont s'estomper au bénéfice d'une dramatisation plus classique. En 1953, *L'amour à la ville,* un film-enquête conçu par Zavattini selon les règles strictes plus haut définies, sonne le glas d'un certain «pseudo-réalisme». De Sica, après l'échec d'*Umberto D,* revient à ses premières amours : la comédie ; Visconti s'oriente vers la grande mise en scène romantique ; seul Rossellini poursuit sa route, dans l'incompréhension la plus totale, avant de se tourner vers un nouveau mode d'expression, plus adapté à ses ambitions : la télévision. L'exaltation de l'immédiat après-guerre est retombée.

Dans les années 1960, on assistera à une résurgence du mouvement, sous une forme plus politisée, plus didactique, avec des films tels que *Bandits à Orgosolo, Salvatore Giuliano, Main basse sur la ville, Il posto, Padre Padrone.* Mais le cinéma italien est devenu le fait d'individualités, irréductibles à toute étiquette : Antonioni, Fellini, Pasolini. C'est hors d'Italie qu'il faudra chercher désormais les prolongements du néo-réalisme : dans le *cinema novo* brésilien, chez les Québécois, les Suisses et les adeptes du «cinéma direct».

1945
Les dames du bois de Boulogne
Robert Bresson

Scén., adapt., réal. : Robert Bresson, d'après un passage de *Jacques le Fataliste*, de Diderot. Dial. : Jean Cocteau. Im. : Philippe Agostini (N. et B.). Mus. : Jean-Jacques Grunenwald. Prod. : Raoul Ploquin. Durée : 84 minutes. Interpr. : Maria Casarès *(Hélène)*, Paul Bernard *(Jean)*, Élina Labourdette *(Agnès)*, Lucienne Bogaert *(Mme D.)*, Jean Marchat.

Clos comme un théorème, pur comme un cristal de roche, ce film ouvre la voie de la modernité cinématographique.

Hélène, une femme de la grande bourgeoisie, a juré de se venger de son amant qui la délaisse. Elle rencontre dans une boîte de nuit une amie qui a eu des revers de fortune : pour subsister, elle livre sa fille à de riches fêtards. Hélène reloge décemment les deux femmes et s'arrange pour leur faire rencontrer Jean. Celui-ci tombe amoureux de la jeune fille, Agnès, et lui fait une cour empressée. Hélène favorise cette liaison, qui s'achève par un mariage. C'est le moment que choisit la perfide pour révéler à Jean qu'il a épousé une grue. Jean s'enfuit — mais retourne finalement à celle qu'il aime et qui l'aime.

Au bonheur du style

Troisième film de Robert Bresson (né en 1901), après *Affaires publiques* (1934, un moyen métrage burlesque) et *Les anges du péché* (1943, une production consacrée aux «réhabilitantes» de l'ordre de Béthanie), *Les dames du bois de Boulogne* prend pour point de départ un chapitre de *Jacques le Fataliste,* de Diderot. D'un marivaudage mondain assez cynique, Bresson a tiré une œuvre d'une gravité hautaine, un miracle de distinction formelle, fondé entièrement sur la prééminence du style : du vœu même de son auteur, «une étude d'une grande simplicité, d'un grand dénuement». Un film de gestes, de regards, où l'émotion affleure sous le glacis de l'image. Quatre personnages y jouent le jeu de la tragédie, sans emphase, dans une sorte de lumière intemporelle. C'est la première manifestation de la volonté tenace du cinéaste de parvenir, par les moyens propres de l'écran, à exprimer l'intériorité d'un sentiment — ou d'une idée fixe. Ici, la vengeance. Ailleurs, ce sera le désir d'évasion *(Un condamné à mort s'est échappé)*, l'orgueil *(Pickpocket)*, l'intransigeance suicidaire *(L'argent)*, autant de variations sur une même quête de l'absolu. L'admirable est que ce «jansénisme» a son répondant dans la mise en scène : Bresson est à la recherche d'une dramaturgie nouvelle, distincte de ce qu'il appelle le «théâtre filmé». De formation picturale, il vise une abstraction formelle, qui refuse les empâtements du «cinéma» pour ne retenir que la ligne pure du «cinématographe».

Rome ville ouverte
Roberto Rossellini

Roma città aperta. Scén. : Sergio Amidei, Alberto Consiglio, Federico Fellini, Roberto Rossellini. Réal. : Roberto Rossellini. Im. : Ubaldo (N. et B.). Mus. : Renzo Rossellini. Prod. : Excelsa Film. Durée : 100 minutes. Interpr. : Anna Magnani *(Pina)*, Marcello Pagliero *(«l'ingénieur»)*, Aldo Fabrizi *(don Pietro)*, Farry Feist *(colonel Bergmann)*, Maria Michi *(Marina)*, Giovanna Galletti *(Ingrid)*.

Pour Roberto Rossellini, le néo-réalisme est une position morale bien plus qu'un système esthétique. C'est une façon d'exprimer avec une totale humilité la souffrance du monde.

Italie, hiver 1944. Rome est le théâtre de violents affrontements entre la Gestapo et les réseaux de résistance. Le communiste Manfredi, activement recherché, a trouvé refuge

chez un ami typographe, Francesco, qui doit épouser prochainement sa voisine, la veuve Pina. L'immeuble de la Via Casilina devient un nid de résistance : le fils de Pina, les gosses du patronage, le père don Pietro participent à la lutte. Mais ils sont dénoncés. Les S.S. cernent l'immeuble, embarquent les hommes et abattent froidement Pina. Le communiste mourra sous la torture sans avoir parlé. Le prêtre sera fusillé au petit jour, sur les hauteurs de Rome : massés dans les fourrés avoisinants, les enfants sifflent doucement leur air de ralliement, avant de redescendre vers la ville qui s'éveille.

Le sang des justes

Tourné avec de petits moyens, dans un pays exsangue à peine sorti de la guerre, *Rome ville ouverte* s'imposa d'emblée comme un saisissant témoignage de la renaissance du cinéma italien, confiné depuis dix ans dans l'horizon étroit du *ventienno* fasciste. En se situant au cœur de la réalité la plus saignante, loin des artifices des studios et du «calligraphisme» naguère triomphant, le film affirmait la suprématie du mouvement «néo-réaliste» amorcé par quelques rares précurseurs. L'année suivante, ce sera l'explosion : *Paisà, Sciuscia, Le soleil se lèvera encore, Vivre en paix*, etc. Presque malgré lui, l'auteur de cette «actualité reconstituée», Roberto Rossellini (1906-1977), était devenu le chef de file d'une révolution artistique dont l'influence sur le devenir du cinéma mondial fut considérable.

Ses films précédents, dans une forme plus conventionnelle, étaient déjà riches de pacifisme authentique. Mais ici, transcendant les clivages politiques, il atteint un point culminant dans la description de sacrifices exemplaires, recréant à travers le tableau vivant d'une société meurtrie le schéma universel de la Passion. Son lyrisme éclate dans la séquence de la mort de Pina, fauchée en pleine course par une rafale de mitraillette. Cette façon de «mettre à nu le réel de toutes ses profondeurs», comme dit Roger Vailland, se retrouvera dans tous ses films, de *Paisà* (1946) au *Messie* (1974).

1946

La Belle et la Bête

Jean Cocteau

Scén., dial., réal. : Jean Cocteau, d'après le conte
de Mme Leprince de Beaumont.
Direction artistique : Christian Bérard.
Im. : Henri Alekan (N. et B.).
Mus. : Georges Auric. **Prod.** : André Paulvé.
Durée : 96 minutes. **Interpr.** : Jean Marais
(la Bête, Avenant, le Prince), Josette Day *(Belle)*,
Marcel André *(son père)*, Mila Parély,
Nane Germon *(les sœurs)*, Michel Auclair *(Ludovic)*.

*Jean Cocteau voyait dans le cinéma la « dixième muse ». Il lui donne ici un nom :
Magie (qui est l'anagramme d'image).*

Il était une fois… un riche armateur et ses quatre enfants : Ludovic, un garçon espiègle ;
deux pimbêches prétentieuses, Adélaïde et Félicie ; et la cadette, incarnation de toutes
les grâces, Belle. Ils ont pour compagnon de jeux un beau jeune homme un peu fat,
Avenant. Un soir, le marchand s'égare dans une forêt profonde. Il commet l'imprudence de voler une rose appartenant à la toute-puissante Bête, monstre à corps
d'homme et à tête de lion, qui vit en reclus dans son château. La Bête exige le sacrifice de Belle pour prix de sa clémence. Mais au lieu de la malfaisance attendue, celle-
ci découvre chez le bourreau des trésors de générosité. Elle rentre au logis,
somptueusement parée. Jalouses, ses sœurs poussent les garçons à prendre leur part.
Avenant y laissera la vie, et la Bête seulement sa peau : car le regard d'amour de Belle
accourue l'a changée en Prince charmant.

Un rêve dormi debout

Depuis *Le sang d'un poète* (1930), Jean Cocteau (1889-1963) a délaissé le cinéma pour le théâtre et la poésie. En 1943, cependant, *L'éternel retour,* film dont il a écrit (pour Jean Delannoy) «le récit et les paroles», est un grand succès : cette modernisation de la légende médiévale de Tristan et Iseult ravive sa passion de l'écran. Reprenant son interprète d'élection, Jean Marais, il adapte un conte pour enfants, *La Belle et la Bête* — sans rien abdiquer de sa mythologie personnelle. Il se charge lui-même de la mise en scène. Contre toute attente, alors que la mode était au réalisme, c'est un triomphe. Le film illustre cette définition que Cocteau donne du cinéma : «un rêve dormi debout». Avec un minimum de truquages, en puisant adroitement dans le stock en magasin du merveilleux classique (château, forêt, candélabres animés, cheval magique, amour triomphant du sortilège…), le cinéaste est parvenu à créer un univers de pure féerie. Un maître décorateur, Christian Bérard, l'a aidé à façonner une «autre réalité», où l'esthétique picturale joue son rôle : on est à mi-chemin de Vermeer de Delft et de Gustave Doré. Dans cette somptueuse imagerie, le blason du poète a trouvé un écrin à sa mesure. Et si le «vol nuptial» de la fin a quelque chose d'un peu ambigu, de désincarné, on n'y prend pas garde. Le «bain lustral de l'enfance» a recouvert les récifs des fantasmes.

Cocteau n'en a pas fini avec le cinéma. Deux ans après *La Belle et la Bête,* il va filmer, avec un brio de professionnel, sa pièce *Les parents terribles* ; puis parachever son cycle orphique (*Orphée,* 1950 ; *Le testament d'Orphée,* 1960) ; écrire des scénarios, des commentaires, des essais théoriques. Il se répand aussi beaucoup dans d'autres domaines, scénique, graphique, etc. Mais comme dit François Périer, «ce sont ses films qui restent».

Le facteur sonne toujours deux fois
Tay Garnett

The Postman Always Rings Twice. **Scén.** : Harry Ruskin, Niven Busch, d'après le roman de James Cain. **Réal.** : Tay Garnett. **Im.** : Sidney Wagner (N. et B.). **Mus.** : George Bassman. **Prod.** : M.G.M. **Durée** : 113 minutes.
Interpr. : Lana Turner *(Cora),* John Garfield *(Frank),* Cecil Kellaway *(Nick Smith),* Hume Cronyn *(Arthur Keats),* Leon Ames *(Kyle Sackett),* Audrey Totter *(Madge).*

L'après-guerre verra tomber l'un après l'autre les tabous du cinéma américain. Ceux du sexe sont les plus tenaces. Deux coups de sonnette ont été décisifs.

Un chômeur, Frank Chambers, se fait embaucher comme pompiste dans un relais routier de Californie. Le patron est un brave homme un peu rustre ; sa femme, Cora, une splendide créature en manque d'affection. Les deux jeunes gens deviennent amants. Ils rêvent de fuir ensemble, mais comment se débarrasser de l'encombrant mari ? Une seule solution : le tuer, en maquillant le crime en accident. La police ordonne une enquête, mais un avocat habile les tire d'affaire. La vie reprend son cours normal. Pour faire taire les rumeurs, et exorciser leurs remords, les coupables songent à régulariser leur liaison. Mais un accident coûte la vie à Cora. Cette fois, Frank, alors qu'il est innocent, est convaincu de meurtre. La chaise électrique l'attend.

Le premier accroc au puritanisme américain

Lors de sa publication en 1934, le roman de James Cain avait connu un beau succès de scandale. Journaliste, romancier et auteur de nouvelles policières, Cain s'y révélait un

maître du « roman noir ». Son intrigue réveillait les vieux démons du naturalisme : c'était la transposition de *La bête humaine* dans le climat de la Grande Dépression. Violence et sexualité y avaient la part belle. De quoi séduire les producteurs. Mais la censure veillait… Il fallut attendre l'après-guerre pour que le projet prît forme.

C'est à Tay Garnett (1898-1977), un cinéaste éclectique, plutôt porté vers le picaresque (*Son homme,* 1930 ; *La maison des sept péchés,* 1940) ou le mélodrame romantique (*Voyage sans retour,* 1932), qu'échut curieusement la réalisation de ce sombre drame passionnel. Il s'en tira avec les honneurs, suggérant de façon détournée l'érotisme du thème et des personnages (le short blanc de Lana Turner, sa chaussure qui la blesse, ont un étrange pouvoir d'évocation). La direction d'acteurs est remarquable, le style « distancié » du roman bien respecté. L'accueil fut enthousiaste. Garnett avait ébranlé en douceur le conformisme des « love stories » hollywoodiennes. Tourné la même année, *Gilda* de Charles Vidor allait dans le même sens.

Autres adaptations

Il existe d'autres adaptations de cette « tragédie de station-service ». Deux précèdent celle de Garnett : elles sont dues à un Français, Pierre Chenal (*Le dernier tournant,* 1939), et à un Italien, Luchino Visconti (*Ossessione,* 1942) ; elles intègrent avec assez de bonheur le climat de l'ouvrage aux spécificités nationales (« réalisme poétique » d'une part, « néo-réalisme » de l'autre). En 1981, un Américain, Bob Rafelson, en tournera une quatrième version, nettement plus pimentée.

1946 Farrebique

Georges Rouquier

Scén., dial., réal. : Georges Rouquier,
d'après une idée de Claude Blanchard.
Im. : André A. Dantan (N. et B.).
Mus. : Henri Sauguet. **Prod.** : L'Écran français
et Films Étienne-Lallier.
Distr. : R.K.O. **Durée** : 100 minutes.
Interpr. : les habitants de Farrebique,
leurs parents, amis et voisins.

Tableau de mœurs pastorales, peint sur le vif, ce film est un défi aux lois de la fiction : les adeptes du «cinéma vérité» en retiendront la leçon.

À Farrebique («la ferme des chèvres» en patois aveyronnais), près de Goutrens, à la lisière du Massif central, une famille de paysans mène une existence paisible. Il y a le grand-père, gardien du patrimoine; la grand-mère, une vieille femme silencieuse; Roch, le fils aîné, et son épouse Berthe, préposée à l'entretien du foyer; Henri, le fils cadet, qui rêve de moderniser les installations de la ferme; et quatre enfants. Leurs voisins sont la tante Marie, qui tient un commerce d'épicerie au village, le père Fabre et sa fille la Fabrette.

Les quatre saisons de l'année rythment leurs activités. L'automne est le temps des semailles et des projets; les soirées d'hiver se passent au coin du feu, à écouter le grand-père égrener ses souvenirs; avec le printemps, c'est le réveil de la nature, l'éclosion végétale, la naissance d'un cinquième enfant; puis vient l'été, temps de la moisson. Le grand-père sent ses forces décliner, il mourra bientôt. La famille se réunit pour la succession. Henri courtise la Fabrette, le printemps reviendra.

La terre ne ment pas

Farrebique est un modèle de reportage, à peine romancé, sur la vie quotidienne d'une famille paysanne française d'avant les grandes mutations rurales, vivant en parfaite autarcie. Georges Rouquier (1909-1989) l'a réalisé selon les méthodes de Robert Flaherty, avec quelques emprunts à Dovjenko. Il est allé vivre avec son équipe une année entière dans une ferme du Rouergue, filmant avec simplicité et lyrisme «les travaux et les jours» de ses habitants. L'affabulation est réduite au minimum; certains protagonistes s'expriment même en patois. Se souvenant d'avoir été l'assistant de Jean Painlevé, un maître du film scientifique, Rouquier intègre des séquences de liaison purement documentaires (la germination des plantes) qui universalisent son propos.

Le sous-titre *Les quatre saisons* donne le ton : poème géorgique plutôt que constat social. Les problèmes économiques de la paysannerie ne sont qu'esquissés. Pour couper court au reproche d'archaïsme, Rouquier tournera quarante ans plus tard *Biquefarre* (1984), sorte d'envers didactique du film précédent. Entre-temps, il s'est essayé, sans succès, à la fiction traditionnelle; son vrai registre semble être l'humble dévoilement des gestes quotidiens.

Les dernières vacances

Roger Leenhardt

Scén., réal. : Roger Leenhardt. **Dial.** : en collaboration
avec Roger Breuil. **Im.** : Philippe Agostini (N. et B.).
Mus. : Guy Bernard. **Prod.** : L.P.C. **Durée** : 95 minutes.
Interpr. : Pierre Dux *(Valentin Simonet)*, Renée Devillers
(sa femme), Jacques François *(leur fils, Jacques)*, Jean d'Yd
(Oncle Walter), Berthe Bovy *(Tante Délie)*, Odile Versois
(Juliette), Christiane Barry *(Tante Odette)*, Jean Varas.

*Quel cinéaste n'a rêvé de peindre « le vert paradis des amours enfantines » ?
Novice dans le film de fiction, Roger Leenhardt y est parvenu, avec un rare
bonheur d'expression.*

Torrigne, un domaine familial du sud de la France, été 1933. Aux vacances, petits et
grands s'y retrouvent, sous l'égide d'Oncle Walter, un veuf passionné de photographie,
qui vit là avec sa fille Juliette (seize ans) et la vieille Tante Délie. Il y a notamment la
branche Simonet, dont le fils aîné, Jacques, entre dans l'adolescence ; et une cohorte
de cousins et cousines.

Mais cette année, les vacances commencent mal : la propriété n'est plus rentable, il faut
vendre. Un acquéreur se propose déjà. Tandis que les adultes se concertent, les enfants
au-dehors jouent dans l'insouciance. Jacques s'éprend de Juliette, et ces dernières
vacances seront celles de leurs premiers émois. Divers incidents surviennent : le père
de Jacques, Valentin, fait une cour discrète à la belle Odette, une cousine délurée ; un
garçon de santé fragile, Augustin, fait une fugue ; l'abandon du domaine ne va pas sans
heurts… Mais comme le dira à Jacques son professeur de rhétorique, à la rentrée des
classes : il faut que disparaissent les maisons trop vieilles et les trop jeunes amours.

Souvenirs, souvenirs

Issu de la grande bourgeoisie protestante, fin lettré, Roger Leenhardt (1903-1985) s'était
passionné très jeune pour le cinéma, au point de fonder, à vingt et un ans, une maison
de production, Les Films du Compas, toujours en activité. Il dirigea personnellement un
grand nombre de courts métrages, industriels, scientifiques, biographiques, tous témoi-
gnant d'une grande culture, à cent lieues de la morne vulgarisation. Cet homme d'esprit et de rigueur semblait peu fait pour les compromissions du spectacle. Il eut la
chance de pouvoir réaliser en toute liberté un long métrage, comme on écrit un premier
roman. Il sut combiner une fine texture littéraire, sa connaissance du paysage langue-
docien, de ses effluves, de sa « couleur », une direction d'acteurs attentive, une technique très fluide. Tout cela pour traduire l'impondérable : « la nostalgie des amours
enfantines et des horizons chimériques » (Henri Agel). Son film évoque *Le blé en herbe*,
Le Grand Meaulnes, Les Thibault, comme aucune adaptation de ces romans ne pourra
jamais le faire.

Malgré un vif succès critique, et la prestation remarquée d'Odile Versois (qui avait
presque exactement l'âge du rôle), *Les dernières vacances* ne toucha guère le grand
public. Leenhardt dut attendre quinze ans avant de pouvoir tourner un deuxième long
métrage, dans un style tout aussi personnel : *Le rendez-vous de minuit.* Pour la télévision, il fit encore *Une fille dans la montagne,* sorte de fable écologique (1964). Sa carrière de cinéaste de fiction s'arrête là. C'est assez pour avoir influencé en profondeur
toute une génération.

1948 Louisiana Story

Robert Flaherty

Louisiana Story. **Scén.** : Robert et Frances Flaherty. **Réal.** : Robert Flaherty.
Im. : Richard Leacock (N. et B.). **Mus.** : Virgil Thompson. **Prod.** : Standard Oil Co.
Durée : 77 minutes. **Interpr.** : Joseph Boudreaux *(l'enfant),*
Lionel Le Blanc *(son père)*, Frank Hardy, C.F. Guedry *(les ouvriers du derrick).*

«Le style poétique et contemplatif de Flaherty a été un modèle et une référence pour tous les cinéastes.» (Marcel Martin.) Louisiana Story *est son œuvre testamentaire, aux richesses inépuisables.*

Dans les marais de Louisiane, un paradis terrestre en marge du monde, vit une communauté paisible, aux besoins modestes et à l'âme pure. Pour le petit Napoléon-Ulysse Latour, un jeune «cajun» (Canadien de souche française), les journées se passent à glisser en pirogue au long des eaux noires, sous d'immenses frondaisons, dans le grand silence des bayous. Soudain, des explosions retentissent, et un animal de fer se fraie un chemin dans le marécage : c'est un derrick que viennent installer des prospecteurs en vue d'extraire le pétrole du sous-sol.

Bientôt l'enfant se familiarise avec ces nouveaux venus. Délaissant ses flâneries sylvestres (qui sont parfois dangereuses, car il y a des crocodiles à fleur d'eau), il rend visite aux ouvriers du chantier, qui s'en font un ami ; il versera du sel porte-bonheur dans le puits de forage, un moment bloqué. Au bout de quelques semaines, leur travail terminé, les foreurs s'en iront, salués par l'enfant juché sur «l'arbre de Noël» (robinet fixe donnant accès à la nappe pétrolière). La nature a accepté d'être domestiquée par l'homme.

La machine et l'homme

Comme *Nanouk l'esquimau* (1922), *Louisiana Story* est une commande — de la Standard Oil Company du New Jersey —, destinée à montrer les difficultés de la recherche pétrolière en milieu «sauvage». Robert Flaherty (1884-1951) devait réaliser «un film ouvertement industriel, qui aurait pourtant une valeur distractive assez grande pour être projeté dans les salles commerciales ». Double gageure, pour ce créateur hostile aux clichés romanesques (qui se souvenait des déboires d'*Elephant Boy,* tourné aux Indes avec Zoltan Korda), mais surtout chantre de l'écologie, à qui l'on demande de prôner l'exploitation industrielle des sols ! Il se tire de ce dilemme en centrant son film sur le regard émerveillé d'un enfant : celui-ci accepte l'intrusion du progrès technique dans son univers édénique, transformant le derrick en animal fabuleux qu'il faut dompter comme les sauriens du marais ! Son action de petit Hermès est décisive dans cet hymne à la coexistence de la beauté naturelle et de la technologie.

L'admirable photographie de Richard Leacock (cameraman d'origine britannique, qui deviendra par la suite un pionnier du « cinéma vérité » aux États-Unis) concourt au charme puissant que dégage l'œuvre. Une quantité considérable de pellicule fut impressionnée : environ 100 000 mètres, réduits à 2 100 pour le montage final. Il existe un bout-à-bout de toutes les prises, totalisant 18 heures de projection, monté après la mort du cinéaste par un chercheur de l'université du Minnesota.

1948 La terre tremble

Luchino Visconti

La terra trema. **Scén.** : Luchino Visconti, d'après le roman *Les Malavoglia,* de Giovanni Verga. **Réal.** : Luchino Visconti. **Im.** : G.R. Aldo (N. et B.). **Mus.** : Willy Ferrero et Luchino Visconti. **Prod.** : Universalia (Salvo d'Angelo). **Durée** : 160 minutes. **Interpr.** : non-professionnels (habitants d'Aci Trezza dans leurs propres rôles).

Comble du réalisme, ce film s'avère en même temps, paradoxalement, le comble du formalisme : c'est que l'art de Visconti se situe à l'exacte charnière de ces deux exigences.

Aci Trezza est un petit port sur la mer Ionienne, près de Catane. Les Valastro vivent pauvrement de la pêche, dont la vente est contrôlée par les mareyeurs. Le fils aîné, Antonio, dit Ntoni, s'élève contre les abus de pouvoir de ces intermédiaires sans scrupule. Sa révolte ne trouve guère d'écho chez ses camarades. Il se retrouve en prison après une rixe. À sa sortie, il décide de s'installer à son compte. Les premiers résultats sont prometteurs. Ntoni plastronne face à un entourage sceptique. Mais bientôt surviennent les revers : sa barque est détruite par la tempête, les dettes s'accumulent, les réserves d'anchois doivent être cédées à vil prix, la famille se désagrège, l'une des sœurs, Lucia, se prostitue… Ntoni se retrouve seul. La rage au cœur, il se fait réembaucher par les exploiteurs qu'il avait cru pouvoir défier.

Opéra prolétarien

Du roman de Giovanni Verga, un maître de l'école « vériste » italienne du siècle dernier, le cinéaste n'a conservé que le cadre — la Sicile —, le patronyme du héros — Ntoni (qui n'est plus un patriarche, mais un garçon de trente ans) — et la trame générale — une révolte individuelle qui se brise contre les pesanteurs sociales. Au lieu d'une fatalité obscure, nous sommes en présence d'un système d'oppression économique, dont les responsables sont nommément désignés : dans ce milieu de déshérités, voué au sous-développement, règne la loi impitoyable de l'exploitation capitaliste. C'est dire à quel point les théories de Marx et de Gramsci ont influencé Luchino Visconti (1906-1976), transformant ce descendant d'une grande famille italienne (son père était duc de Modrone, et lui-même a le titre de comte) en militant du P.C.I. Antifasciste déclaré, il prône l'avènement d'un art accordé aux préoccupations d'«une humanité qui souffre et qui espère». Mais, tributaire de ses origines patriciennes, il l'ordonne en fonction d'une ample théâtralisation. Ainsi doit se comprendre son projet d'un «triptyque de la misère» décrivant successivement la lutte des pêcheurs, des ouvriers des soufrières et des paysans, pour secouer le joug d'un esclavage ancestral. Seul le premier volet de cette trilogie sera réalisé.

Le tournage de *La terre tremble* se fit sans le concours d'interprètes professionnels. Les habitants parlent leur dialecte, vivent devant la caméra leur rude existence quotidienne sans pose apparente. Mais Visconti prend soin de construire, à partir d'un schéma unanimiste, une sorte d'opéra populaire, multipliant les recherches plastiques : les héros ont sous leurs haillons la dignité de princes de la tragédie. Nous sommes beaucoup plus près de la pompe de Verdi que du document à la Flaherty.

Le voleur de bicyclette

Vittorio De Sica

Ladri di biciclette. **Scén.** : Cesare Zavattini, Vittorio De Sica, Oreste Biancoli, Suso Cecchi d'Amico, Adolfo Franchi, Gherardo Gherardi, Gerardo Guerrieri, d'après le roman de Luigi Bartolini. **Prod., réal.** : Vittorio De Sica. **Im.** : Carlo Montuori (N. et B.). **Mus.** : Alessandro Cicognini. **Durée** : 85 minutes. **Interpr.** : Lamberto Maggiorani *(Antonio Ricci)*, Enzo Staiola *(son fils, Bruno)*, Lianella Carell *(Maria)*, Vittorio Antonucci *(le voleur)*.

Cette parabole sur la solidarité humaine fut comparée à La ruée vers l'or. *La référence est écrasante. Le film touche pourtant par un sentimentalisme de bon aloi.*

L'après-guerre à Rome. Un chômage endémique sévit. Antonio, marié, se voit proposer un poste d'afficheur municipal. Il met en gage l'unique paire de draps qui lui reste pour pouvoir retirer du mont-de-piété sa bicyclette, nécessaire à son nouveau job. Le jour

même de son entrée en fonction, on lui vole son instrument de travail. Avec son fils, Bruno, il part à la recherche du précieux véhicule. Commence une longue marche dans la cité, parmi la faune des éboueurs, des vendeurs à l'étalage, des mendiants… Il finit par retrouver son voleur, un crève-la-faim plus pauvre que lui. Désespéré, il s'enhardit à voler à son tour une bicyclette. Mais il est rattrapé et molesté par la foule. Une seule main secourable se tend : celle de son fils.

Un mélodrame social

Longtemps acteur de comédie, spécialisé dans les rôles de gandin désinvolte ou d'amoureux romantique, Vittorio De Sica (1901-1974) va se révéler à partir de 1940 comme un réalisateur sensible et éclectique, aussi à l'aise dans le marivaudage que dans le film à thèse. Sa rencontre avec Cesare Zavattini, fervent adepte du néo-réalisme, va le faire bifurquer vers le mélodrame social, teinté d'idéologie marxiste. Sous couvert de constat objectif d'un pays ruiné par la guerre, *Le voleur de bicyclette,* comme ensuite *Miracle à Milan* (1951) et *Umberto D* (1952), dénonce en effet l'impuissance des institutions à résoudre dignement les drames du prolétariat. L'humour vient à la rescousse, transformant cette morne errance d'un homme et de son fils en quête initiatique. Le film fut tourné sur les lieux mêmes, avec des interprètes non professionnels (dont de véritables chômeurs !).

Le succès du premier volet de cette «trilogie de la pauvreté» fut énorme, et valut à son auteur une réputation de grand cinéaste humaniste, qu'il eut par la suite du mal à assumer. Il faut mettre à son actif une délicatesse de trait qui l'apparente parfois à Chaplin ; mais la verve napolitaine reprend vite le dessus, comme en témoignent des films tels que *L'or de Naples* (1954), *Le jugement dernier* (1961) ou *Il boom* (1963). Entre-temps, De Sica aura continué à beaucoup jouer la comédie.

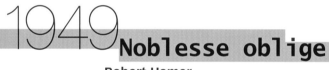

1949 Noblesse oblige
Robert Hamer

Kind Hearts and Coronets. **Scén., dial.** : Robert Hamer,
John Dighton, d'après le roman de Roy Horniman.
Réal. : Robert Hamer. **Im.** : Douglas Slocombe (N. et B.).
Mus. : Mozart (aria de *Don Giovanni*). **Prod.** : Michael Balcon.
Durée : 106 minutes. **Interpr.** : Dennis Price *(Louis Mazzini)*,
Valerie Hobson *(Edith)*, Joan Greenwood *(Sibella)*, John Penrose *(Lionel)*,
Alec Guinness *(les huit membres de la famille d'Ascoyne)*.
Le doublage français a été supervisé par André Maurois.

Ce classique de l'humour anglais est une brillante variation sur le thème du meurtre considéré comme un des beaux-arts.

Une prison anglaise, en 1902. Louis d'Ascoyne Mazzini, neuvième duc de Chalfont, pair d'Angleterre, rédige, au fond de sa cellule, ses Mémoires. Sa mère avait épousé, sur un coup de tête, un ténor italien, au grand scandale de sa famille, qui lui fit payer cher cette mésalliance. L'enfant de l'amour décide de se venger. Il coche sur son arbre généalogique les noms des huit prétendants à la couronne ducale, et s'emploie à les trucider à tour de rôle. Au dernier décès, il devient duc à son tour. Mais il est arrêté et emprisonné… pour la mort d'un vague cousin qu'il s'est contenté de cocufier et qui s'est suicidé ! Reconnu non coupable, il est libéré avec les égards dus à son rang. Mais l'étourdi a oublié ses Mémoires dans sa cellule !

Serial killer à l'anglaise

L'humour britannique a ses lettres de noblesse en littérature, de Thackeray à Oscar Wilde. Une certaine causticité s'y combine avec le respect des traditions, ce que résume bien la fière devise «Noblesse oblige». C'est sur ce schéma qu'est construit ce film raffiné, corrosif, d'un amoralisme réjouissant, aboutissement d'un genre cinématographique qui eut son heure de gloire à l'aube des années 1950 : la comédie anglaise. Parmi les perles de cette production, dont la cheville ouvrière était le producteur Michael Balcon, on peut citer *Passeport pour Pimlico, De l'or en barres, Whisky à gogo* et *Tueurs de dames*. Robert Hamer (1911-1963) les surclasse toutes, par sa «murder party» sur un air de Mozart, qui évoque à la fois Agatha Christie, *Le roman d'un tricheur* et *Monsieur Verdoux*. La grande trouvaille est d'avoir confié au flegmatique Alec Guinness l'interprétation des huit rôles de nobliaux (on trouve même dans le lot une suffragette en crinoline), successivement envoyés *ad patres* par un jeune et séduisant dandy qui accomplit son œuvre de justice sociale le sourire aux lèvres. Il y a là, comme l'écrit Henri Agel, «un miraculeux concours de circonstances : audace du scénario, charme de l'époque, élégance et mordant des interprètes, tact du réalisateur, parfum britannique de l'ensemble».

1949
Le troisième homme
Carol Reed

The Third Man. **Scén.** : Carol Reed, Graham Greene,
Mabbie Poole, d'après une histoire de Graham Greene.
Réal. : Carol Reed. **Im.** : Robert Krasker (N. et B.).
Mus. : Anton Karas. **Prod.** : Alexander Korda,
David O. Selznick (London Film). **Durée** : 104 minutes.
Interpr. : Joseph Cotten *(Holly Martins),*
Alida Valli *(Anna Schmidt),* Orson Welles *(Harry Lime),*
Trevor Howard *(le major Calloway),* Ernst Deutsch
(baron Kurtz), Paul Hörbiger *(le concierge),* Bernard Lee.

« Film charmeur, aux demi-teintes frileuses, aux sillages miraculeux », disait
Maurice Bessy de ce film d'espionnage, passé à la postérité à cause d'une
musique lancinante...

Vienne, au lendemain de la Seconde Guerre mondiale. Dans la ville quadrillée par les Alliés
se nouent de sordides complots... Un écrivain américain sans talent, Holly Martins,
est venu retrouver son ami Harry Lime ; on lui annonce que celui-ci a été victime d'un
accident. La police enquête sur son passé peu reluisant. Holly suit la piste pour son
compte ; il côtoie la pègre internationale, tombe amoureux de la maîtresse de son ami,
Anna Schmidt, et finit par découvrir Harry lui-même, toujours vivant et mêlé à un louche
trafic de pénicilline. Son cynisme le révulse ; il n'hésite pas à le dénoncer à la police, qui
abattra le fuyard à l'issue d'une âpre poursuite dans les égouts.

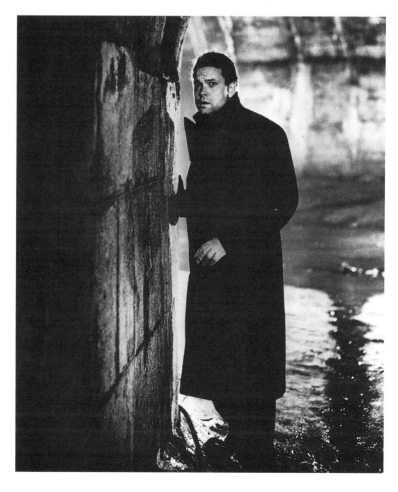

Dans les égouts de l'après-guerre

Graham Greene a écrit ce scénario directement pour le cinéma, en le chargeant, comme la plupart de ses romans, d'implications métaphysiques. François Mauriac a bien senti en quoi l'univers de cet auteur se prêtait idéalement à la traduction filmique : «Cette atmosphère de police et de crime, ces bas-fonds où une faune s'entre-dévore, où le gibier est traqué, où chacun à son tour devient chasseur (...), est une transposition cinématographique de la vie. » C'est à un cinéaste anglais au talent confirmé, Carol Reed (1906-1976), que le producteur Alexander Korda confia la réalisation de ce sombre drame. Il sut recréer avec vraisemblance le climat de la «guerre froide» le désarroi d'un pays dévasté, la poésie crapuleuse d'une pègre cosmopolite. Il en résulte une manière de cauchemar baroque, rythmé par les obsédants accords de cithare d'Anton Karas (le fameux *Harry Lime Theme*), et culminant dans la séquence finale de la poursuite dans les égouts. Il y a pour rehausser ces ténèbres l'énigmatique et fascinant visage d'Orson Welles, qui donne au film son aura définitive. Grâce à lui, le personnage d'Harry Lime acquiert une dimension mythique, et on ne l'entend pas sans stupeur proférer ces cyniques assertions : «En Italie, sous les Borgia, il y a eu la guerre, la terreur, les carnages, mais aussi Michel-Ange, Léonard de Vinci et la Renaissance. Et qu'ont produit les Suisses en cinq cents ans de paix et de démocratie? Le coucou!»

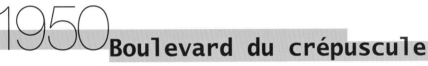

1950 Boulevard du crépuscule
Billy Wilder

Sunset Boulevard. **Scén.** : Charles Brackett,
Billy Wilder, Don Marschman Jr. **Réal.** : Billy Wilder.
Im. : John F. Seitz (N. et B.). **Mus.** : Franz Waxman.
Prod. : Charles Brackett, pour Paramount.
Durée : 110 minutes. **Interpr.** : William Holden *(Joe Gillis)*,
Gloria Swanson *(Norma Desmond)*, Eric von Stroheim
(Max von Mayerling), Nancy Olson *(Betty Schaefer)*
et, dans leurs propres rôles, Cecil B. DeMille, Hedda Hopper,
Buster Keaton, H.B. Warner, Anna Q. Nilsson.

Disciple de Lubitsch, mais aussi de Stroheim, qu'il dirige ici dans le rôle de sa vie, Billy Wilder réussit à rendre hommage à la mythologie du cinéma sous la forme d'une oraison funèbre.

Hollywood. Dans la piscine d'une luxueuse villa de Sunset Boulevard flotte le corps d'un homme criblé de balles. Le mort nous conte son histoire. Jeune scénariste au chômage, Joe Gillis est devenu l'amant d'une riche star du «muet», Norma Desmond, qui vit en recluse dans une somptueuse demeure, en ruminant sa gloire passée. Son premier mari, Max von Mayerling, naguère célèbre metteur en scène, entretient ses chimères, en sorte que Norma se croit encore adulée du public. Elle compte sur Gillis pour effectuer son *come back*. Une visite à Cecil B. DeMille encourage ses rêves. Mais le scénariste, las de ce jeu extravagant, jette le masque. Norma le tue dans une crise de démence avant de faire une dérisoire «sortie» devant les caméras enfin présentes, que Max, bouleversé, dirige pour elle une dernière fois.

Le mausolée des rêves perdus

Sunset Boulevard est une artère célèbre de Los Angeles, où les célébrités américaines ont leur résidence. Billy Wilder (1906-2002) y a situé l'un des plus fascinants — et des plus cruels — apologues sur la grandeur et décadence de la mythologie hollywoodienne. Plusieurs actrices furent pressenties pour incarner le personnage de la star

déchue. Toutes refusèrent, se jugeant par trop concernées. Le rôle fut dévolu finalement à Gloria Swanson, et lui convenait idéalement : lancée par Mack Sennett, elle connut en effet la gloire à l'époque du «muet» et l'un de ses derniers succès fut *Queen Kelly,* d'Eric von Stroheim ; un extrait de ce film figure dans *Boulevard du crépuscule,* et c'est Stroheim lui-même, sous le pseudonyme transparent de Max von Mayerling, qui en assure la projection ! C'est dire à quel point réalité et fiction, dans ce psychodrame, ont partie liée. L'humour (noir) vient à la traverse, si l'on songe que toute l'aventure est contée par un cadavre, créant un effet de distanciation morbide pour le moins savoureux. On reconnaît là la patte de Billy Wilder, réalisateur d'origine autrichienne, qui n'a pas tout à fait rompu les ponts avec l'expressionnisme. Le résultat est une œuvre envoûtante, riche de séquences oniriques (l'enterrement du chimpanzé).

Billy Wilder évolua par la suite vers un comique grinçant, s'ébattant dans l'équivoque et le double jeu avec une santé réjouissante. Citons *Sept ans de réflexion* (1955), *Certains l'aiment chaud* (1959), *La garçonnière* (1960) et le point d'orgue mélancolique de *Fedora* (1977), qui reprend en mineur certains effets de *Boulevard du crépuscule.*

1950 Quand la ville dort

John Huston

Asphalt Jungle. **Scén.** : Ben Maddow, John Huston,
d'après le roman homonyme de William R. Burnett.
Réal. : John Huston. **Im.** : Harold Rosson (N. et B.).
Mus. : Miklos Rosza. **Prod.** : M.G.M. **Durée** : 112 minutes.
Interpr. : Sterling Hayden *(Dix Handley)*, Louis Calhern *(Emmerich)*,
Jean Hagen *(Doll Conovan)*, Sam Jaffe *(« Doc » Riedenschneider)*,
James Whitmore *(Gus)*, John McIntire *(le commissaire)*,
Marc Lawrence *(Cobby)*, Anthony Caruso *(Cianelli)*,
Marilyn Monroe *(Angela)*.

Les forbans de la nuit, Panique dans la rue, Quand la ville dort : ces trois films ont en commun une aura de tragédie, liée à l'insécurité urbaine. John Huston a porté cette typologie à son point culminant.

Un casse dans une bijouterie du Bronx se prépare, organisé dès sa sortie de prison par le flegmatique et libidineux « Doc » Riedenschneider. Y participent Cobby, un bookmaker, Emmerich, un avocat véreux, et Dix Handley, un tueur névrosé qui ne rêve que de son Kentucky natal. Le hold-up, pourtant minutieusement organisé, tourne mal : le gardien de la bijouterie est tué, et l'un des hommes mortellement blessé. Emmerich tente de doubler ses complices, mais il est confondu par la police et se suicide ; Cobby se met à table, Riedenschneider est arrêté, et Dix Handley agonisant vient après une fuite éperdue en automobile s'écrouler aux pieds d'étalons qui paissent librement dans une vaste prairie.

Dans la jungle des villes

Quand la ville dort (on préférera le titre original, plus évocateur, de *La jungle de l'asphalte*) est un des sommets inégalés du film noir américain de la grande époque, auquel peut s'appliquer le mot de Malraux sur Faulkner : « intrusion de la tragédie grecque dans le roman policier ». Sous l'apparence d'un vulgaire « polar », on baigne en effet ici dans un climat de pure tragédie, où chaque protagoniste est soumis à l'empire d'une inexorable fatalité. Cela est dû sans doute en partie au roman de William R. Burnett, grand écrivain et scénariste de choc. Mais John Huston (1906-1987) apporte son quotient particulier de dérision, de marginalité et de poésie de l'échec. Il plonge avec une sorte de détachement amusé dans les abysses du corps social, nous présentant une galerie d'« anti-héros » dotés paradoxalement d'un riche poids d'humanité. « Nous sommes comme des âmes en enfer », dit l'un d'eux. La dernière séquence, d'un lyrisme saisissant, nous sort enfin de cette corruption et de ce désespoir glacé que sécrètent en leur flanc les cités modernes. Robert Benayoun décèle là « une conception *noire* digne des romans de terreur gothique ».

Il est juste d'associer dans l'hommage les interprètes, Sterling Hayden, Sam Jaffe et une débutante au talent prometteur nommée Marilyn Monroe. John Huston poursuivra jusqu'à l'aube des années 1980 une carrière féconde, marquée par un mélange détonant de verve picaresque et d'humour désespéré. Il adapte avec une égale aisance Hermann Melville, Romain Gary, Rudyard Kipling ou Malcolm Lowry. Les grandes étapes de cet itinéraire en zigzag sont *Les misfits* (1961, où il dirige à nouveau Marilyn Monroe, dans un de ses meilleurs rôles), *Reflets dans un œil d'or* (1967), *La lettre du Kremlin* (1970), *Fat City* (1972), *Le malin* (1979) et *Gens de Dublin* (1987).

Rashomon

Akira Kurosawa

Rashomon. **Scén.** : Akira Kurosawa, Shinobu Hashimoto, d'après deux nouvelles de Ryunosuke Akutagawa *Rashomon* et *Sous une futaie*. **Réal.** : Akira Kurosawa. **Im.** : Kazuo Miyagawa (N. et B.). **Mus.** : Fumio Hayasaka. **Prod.** : Daiei. **Durée** : 88 minutes. **Interpr.** : Toshiro Mifune *(le bandit)*, Masayuki Mori *(le mari)*, Machiko Kyo *(la femme)*, Takashi Shimura *(le bûcheron)*, Daisuke Kato.

Baptisé «l'empereur du cinéma japonais», Akira Kurosawa est le maître d'œuvre d'un monumental édifice filmique, dont Rashomon *est la pierre angulaire.*

La campagne japonaise au xᵉ siècle, pendant la guerre civile. Un bûcheron et un bonze devisent sous le porche d'un temple, méditant sur la dureté des temps. Ils se souviennent d'un procès qui vient d'avoir lieu, et où furent confrontés quatre relations contradictoires d'un sanglant événement. Un samouraï et sa femme, alors qu'ils se promenaient dans la forêt, ont été agressés par un bandit de grand chemin, le féroce Tajomaru. Le mari est mort dans des circonstances non élucidées. Y a-t-il eu viol ? L'épouse était-elle ou non consentante ? Le mari a-t-il fui lâchement, l'a-t-on tué ou s'est-il suicidé pour échapper au déshonneur ? Chacun des protagonistes a sa version des faits, y compris l'esprit du défunt, convoqué par une sorcière. Le bûcheron aussi a vu la scène et la raconte à sa façon. Qui croire ? Le bonze en conclut à la faiblesse de la nature humaine. Non loin de là, un bébé pleure, abandonné. Le bûcheron le recueillera, dans un élan de charité.

L'entrelacs humaniste des vérités

Ce film, qui révéla en Occident le cinéma japonais, est le douzième qu'ait réalisé Akira Kurosawa (1910-1998), troisième «grand» d'une production parmi les plus abondantes du monde, avec Kenji Mizoguchi et Yasujiro Ozu. Son œuvre se partage, à importance égale, entre films d'inspiration historique («*jidai-geki*») et sujets contemporains («*gendai-jeki*»), tandis que Mizoguchi illustre plutôt la première tendance, et Ozu la seconde. Elle se ressent en outre fortement de l'influence des formes théâtrales traditionnelles, nô (drame lyrique) et kabuki (drame populaire), plus ou moins occidentalisées. «Je suis avant tout un sentimental, a déclaré Kurosawa. Je ne peux pas regarder la réalité avec un regard froid.» Il y a chez cet auteur un vigoureux élan de sympathie humaine, qui s'exprime parfois de manière un peu abrupte *(Les sept samouraïs, Dersou Ouzala, Ran)*, d'autres fois en des accents d'un lyrisme intense *(L'idiot, Vivre, Dodes'caden)*. Son exégète Michel Mesnil parle d'«existentialisme primitif, dépourvu de toute conceptualisation», et Henri Agel de «grand office de l'atroce existentiel».

1952 Casque d'or

Jacques Becker

Scén. : Jacques Becker, Jacques Companeez. **Adapt., dial., réal.** : Jacques Becker.
Im. : Robert Le Febvre (N. et B.). **Mus.** : Georges Van Parys.
Prod. : Speva Films, Paris-Film productions. **Durée** : 96 minutes.
Interpr. : Simone Signoret *(Marie)*, Serge Reggiani *(Manda)*, Claude Dauphin *(Leca)*,
Raymond Bussières *(Raymond)*, William Sabatier *(Roland)*,
Jean Clarieux *(Paul)*, Gaston Modot *(Danard)*, Loleh Bellon *(Léonie)*,
Émile Genevois *(Billy)*, Roland Lesaffre *(le garçon de café)*, Paul Barge
l'inspecteur Juliani), Paul Azaïs, Claude Castaing, Daniel Mendaille.

Conteur d'histoires dans la lignée de Maupassant et de Mérimée, Becker fut peut-être le plus français des cinéastes.

Une guinguette sur les bords de la Marne, vers 1900. Les hommes de Leca — une bande d'apaches spécialisée dans le vol à main armée — sont venus «guincher» en compagnie de leurs «dames». Leur égérie est la belle Marie, que sa coiffure d'un roux flamboyant a fait surnommer «Casque d'or». Pour narguer son protecteur, elle flirte ouvertement avec un ouvrier charpentier, Manda, un ancien pote de Raymond «le Boulanger». Commencée dans l'euphorie générale, l'affaire va tourner au drame. Un combat à la loyale est organisé dans l'arrière-cour d'un café de Belleville où la bande a ses habitudes. Le sang coule, Manda doit fuir à Joinville, où Marie vient le rejoindre. Mais Leca ne l'entend pas de cette oreille. Il dénonce Raymond à la police, sachant l'amitié qui le lie à Manda. Convaincu de sa traîtrise, Manda l'abat comme un chien. Cette fois son compte est bon. Il sera conduit à l'échafaud, sous les yeux de Marie écrasée de chagrin.

Pavane pour un apache maudit

Le point de départ de ce joyau du cinéma français est emprunté à la chronique judiciaire de la Belle Époque. Casque d'or était une reine du trottoir, chantée par Xanrof. Manda et Leca avaient chacun leur bande, qui rivalisaient de crapulerie. Jacques Becker (1906-1960) a profondément idéalisé les personnages et donné à l'aventure les dehors d'une complainte nostalgique à la Bruant. Le ton est donné par la musique du *Temps des cerises,* chantée par un chœur de mendiants et reprise en accord final. On bascule peu à peu de la vignette d'époque dans l'épure dramatique.

Pour ses images, le cinéaste s'est inspiré des couvertures du *Petit Journal,* stylisant la vie quotidienne du temps sans jamais tomber dans la parodie. Cette résurgence du «réalisme poétique» évoque aussi bien les films primitifs de Zecca ou de Feuillade que *La belle équipe* de Duvivier. Becker y ajoute son humour, sa sensibilité, ce sens de l'ouvrage bien fait que l'on trouvait déjà dans ses films antérieurs, *Goupi Mains rouges* (1943) ou *Édouard et Caroline* (1951), mais qui n'avait jamais atteint un aussi haut degré de poésie. Il est magnifiquement servi par ses interprètes, Serge Reggiani et Simone Signoret, «un petit chat de gouttière tout en nerfs et une belle plante carnivore qui ne crache pas sur le fromage», comme les décrit joliment François Truffaut. Contrastant avec la luminosité radieuse de la séquence de la guinguette, le final, qui nous montre Marie dans une chambre d'hôtel sordide de la rue de la Santé guettant le couperet qui va s'abattre sur son amant, est d'une qualité d'émotion exceptionnelle.

1952 Chantons sous la pluie
Stanley Donen et Gene Kelly

Singin'in the Rain. **Scén.** : Betty Comden, Adolph Green.
Réal. : Stanley Donen, Gene Kelly. **Im.** : Harold Rosson (couleurs).
Mus. : Nacio Herb Brown (chansons), Lennie Hayton.
Prod. : M.G.M. (Arthur Freed). **Durée** : 103 minutes.
Interpr. : Gene Kelly *(Don Lockwood),* Donald O'Connor
(Cosmo Brown), Debbie Reynolds *(Kathy Selden),*
Jean Hagen *(Lina Lamont),* Cyd Charisse *(la danseuse),*
Millard Mitchell *(R.F. Simpson),* Rita Moreno,
Douglas Fowley, Madge Blake.

«Le plaisir cinématographique par excellence» (Raymond Lefèvre), plaisir distillé avec une grande maestria.

Hollywood en 1927, à la veille de la révolution du parlant. La foule se presse à la première d'un film dont les vedettes sont Don Lockwood et Lina Lamont. Cette dernière est une pimbêche, dotée d'une atroce voix de fausset : au muet, elle faisait illusion, le microphone va consacrer sa perte. Don, lui, est un humble cascadeur qui a plus d'un tour dans son sac… et des ailes aux pieds. Il s'éprend d'une mignonne figurante, Kathy Selden. Son sentiment étant partagé, il improvise une gigue enthousiaste, sous la pluie battante. Jalouse, Lina veut faire licencier la belle intruse. Aidé de son ami Cosmo, Don lui réserve une surprise : il fait doubler sa voix par celle, infiniment plus mélodieuse, de Kathy et révèle au bon moment le subterfuge au public, qui applaudit la doublure et conspue la star. Un pas de trois endiablé scelle le bonheur des joyeux drilles.

Beau fixe sur la comédie musicale

L'argument de ce film bondissant, euphorique, au succès jamais démenti, nous replonge dans le tourbillon de folie qui souffla sur Hollywood lors du passage du muet au parlant. Les ballets sont de la haute virtuosité : on se souvient de la danse sous la pluie, au milieu des poubelles et des becs de gaz ; de «Good Morning», où Donald O'Connor fait littéralement les pieds au mur ; du «Danseur chevaleresque», avec Cyd Charisse, robe verte haut fendue sur des jambes admirables. C'est un jaillissement continu d'invention et de grâce, dont le leitmotiv est *Make 'em Laugh* («Fais-les rire»).
Chantons sous la pluie marque l'apogée du *musical,* genre roi du cinéma américain, né avec le parlant, qui se définit par la prééminence accordée au rythme, à la musique et aux chansons. Alain Masson isole les composantes suivantes : «le goût du théâtre, le penchant sentimental, la géographie légendaire, les costumes brillants et mousseux, la

fête ». Le genre connut un premier essor avec les ballets kaléidoscopiques de Busby Berkeley (1895-1976), vrai magicien de l'espace. Puis vinrent Fred Astaire et Ginger Rogers, dont les danses magiques enchantèrent une génération. Il leur manquait la couleur, et une orchestration spécifique : ce fut l'apport d'Arthur Freed (1894-1973), producteur de génie qui, à partir de 1940, imposa un style inimitable, fait de miroitements baroques, de préciosités décoratives, d'érotisme sous-jacent, le tout passé au crible d'un subtil classicisme. Freed assure la transition entre les derniers Berkeley et les premiers Minnelli. Il imposera à la M.G.M. une équipe d'acteurs et de chorégraphes de premier plan (Gene Kelly, Cyd Charisse, Judy Garland, Michael Kidd). Il sera la cheville ouvrière des grandes réussites de la firme, dont *Chantons sous la pluie,* dont il a écrit lui-même les paroles de la chanson-titre.

Le train sifflera trois fois

Fred Zinnemann

High Noon. **Scén.** : Carl Foreman, d'après la nouvelle de John W. Cunningham *The Tin Star*. **Réal.** : Fred Zinnemann.
Im. : Floyd Crosby (N. et B.). **Mus.** : Dimitri Tiomkin.
Prod. : Stanley Kramer. **Distr.** : Artistes Associés. **Durée** : 89 minutes.
Interpr. : Gary Cooper *(Will Kane)*, Grace Kelly *(sa femme, Amy)*, Katy Jurado *(Helen Ramirez)*, Thomas Mitchell *(Henderson)*, Lloyd Bridges *(Harvey)*, Otto Kruger *(le juge)*, Lon Chaney Jr, Ian McDonald, Lee Van Cleef.

Beaucoup plus qu'un western, ce film se veut une parabole sur le courage individuel affronté à la lâcheté collective.

Hadleyville, petit village de l'Ouest américain, vers 1870. Le shérif Kane vient de se marier et va prendre sa retraite. Il s'apprête à quitter les lieux avec son épouse. Mais une ultime épreuve l'attend : le train de midi doit amener un hors-la-loi qu'il a fait autrefois condamner, et qui est résolu à se venger. Il est 10 h 30, et son frère et deux complices sont déjà sur le quai de la gare. Les gens du village, les notables, l'adjoint du shérif sont morts de peur ; pas question de lui prêter main-forte pour ce baroud d'honneur. Sa femme elle-même, une quaker hostile à la violence, préférerait fuir au plus vite. Kane décide de faire face. Seul, il viendra à bout des quatre malfrats. À midi un quart, tout sera terminé. Sans un mot pour ses concitoyens accourus pour le féliciter, il jettera à terre son étoile de shérif…

L'Ouest à visage humain

Depuis l'époque héroïque de *La chevauchée fantastique* (1939) de John Ford, le western a connu plusieurs mutations qui lui ont permis de survivre, en dépit d'un certain archaïsme, lié à sa forme et à son contenu. Le genre s'est humanisé, poétisé ; il a rompu avec les stéréotypes d'antan, renouvelé son folklore, affiné ses structures ; en bref, il est devenu *adulte.*

On a parlé — un peu hâtivement, peut-être — de « sur-western » à propos du *Train sifflera trois fois.* C'est qu'ici scénario, personnages, cadre ne sont plus que prétextes à affrontements psychologiques, dotés d'une profondeur qu'ils ignoraient auparavant. Le protagoniste cesse d'être le champion invincible à qui tout réussit ; il est un être fragile, en butte à la couardise d'une communauté ; le masque du virtuose de la gâchette craque pour laisser apparaître le visage de l'homme seul, marqué par la peur et les

coups. Géant sur le déclin, Gary Cooper incarne à merveille ce nouvel âge du héros de western ; même s'il est permis de le préférer dans des prestations plus éclatantes, ce grand acteur confère à une œuvre un peu démonstrative une humanité sobre et convaincante.

On ne saurait créditer de la réussite de ce film le metteur en scène, Fred Zinnemann, Américain d'origine autrichienne (1907-1997) dont le reste de la carrière est assez insipide. Elle est plutôt à mettre à l'actif du producteur, Stanley Kramer (1913-2001), qui a apporté au cinéma américain, à l'aube des années 1950, un ton nouveau de simplicité artisanale. Il y a surtout le miracle d'une excellente histoire et l'impact d'un leitmotiv musical habile, qui fit beaucoup pour le succès du film.

1953 L'appât

Anthony Mann

The Naked Spur. **Scén.** : Sam Rolfe,
Harold J. Bloom. **Réal.** : Anthony Mann.
Im. : William Mellor (couleurs).
Mus. : Bronislaw Kaper.
Prod. : M.G.M. **Durée** : 94 minutes.
Interpr. : James Stewart *(Howard)*,
Robert Ryan *(Ben)*, Janet Leigh *(Lina)*,
Ralph Meeker *(Roy)*, Millard Mitchell *(Jesse)*.

Une épure de western, à mi-chemin des itinéraires épiques de Ford et du lyrisme écologique de Boorman.

Cinq mille dollars de récompense sont offerts pour la capture d'un hors-la-loi accusé de meurtre, Ben Vandergroat. Celui-ci est accompagné d'une jeune femme qui croit à son innocence, Lina Patch. Trois hommes sont sur leurs traces : Howard Kemp, un rancher dépossédé de sa terre et prêt à tout pour la racheter ; Jesse Tate, un chercheur d'or malchanceux ; et Roy Anderson, un officier de cavalerie nordiste cassé de son grade. L'appât du gain est leur seule motivation.

Au cours d'un long périple à travers la montagne, la méfiance s'installe entre les chasseurs de prime, attisée par leur proie, qui n'a de cesse de les monter les uns contre les autres. Réalisant la cruauté de son compagnon, devant le meurtre de sang-froid du vieux Jesse, Lina se range aux côtés d'Howard, qu'une violente bagarre sur un piton rocheux va opposer au proscrit, s'achevant par un mortel coup d'éperon et une double noyade dans un torrent. Renonçant à toucher la prime, Howard enterre le cadavre de Ben et part avec Lina pour la Californie.

Duel sur les cimes

Anthony Mann (1906-1967) fut un des grands rénovateurs du western dans les années 1950. Son style rigoureux, sa maîtrise de l'espace, l'allure austère de ses scénarios (souvent signés d'un orfèvre, Borden Chase), comme de ses acteurs, de James Stewart à Gary Cooper, confèrent à ses films l'aura de la tragédie, rehaussée par les rudes paysages de l'Oregon ou du Nouveau-Mexique. Tel est le cas de *Winchester 73* (1950), *Je suis un aventurier* (1955), *L'homme de l'Ouest* (1958) et surtout de *L'appât,* sommet de cette magistrale saga.

Anthony Mann déclare avoir voulu montrer ici, à l'encontre des stéréotypes habituels du genre (déserts, saloons, poursuites en diligence, contrées arides…), «la montagne et les torrents, les sous-bois et les cimes neigeuses». L'affrontement final de ses rudes héros se situe sur un éperon rocheux de la sierra Madre, d'où le titre original à double sens, l'éperon *(spur)* étant aussi l'arme de défense d'un des combattants. Le *gunfight* devient un combat de titans. Quant à la femme, elle n'est plus seulement un enjeu dérisoire, mais tient sa partie avec détermination dans ce duel à mort. Il en résulte une mise en perspective grandiose de «la brutalité du monde en même temps que [de] son étrangeté» (Robert Benayoun).

Les contes de la lune vague après la pluie

Kenji Mizoguchi

Ugetsu monogatari. **Scén.** : Matsutaro Kawaguchi, Yoshikata Yoda, d'après
deux contes d'Akinari Ueda : *La maison dans les roseaux* et *L'impure passion
du serpent.* **Réal.** : Kenji Mizoguchi. **Im.** : Kazuo Miyagawa (N. et B.).
Mus. : Fumio Hayasaka. **Prod.** : Daiei. **Durée** : 96 minutes. **Interpr.** : Masayuki Mori
(Genjuro), Kinuyo Tanaka *(sa femme, Miyagi)*, Machiko Kyo *(Wakasa)*,
Kikue Nori *(la servante)*, Sakae Ozawa *(Tobei)*, Mitsuko Mito *(sa femme, Ohama)*,
Ichisaburo Sawamura *(l'enfant)*.

*Peu de films ont décrit avec une telle force le tumulte du monde extérieur
et chanté avec une telle grâce les élans de l'âme. On y atteint aux cimes de la
poésie cinématographique.*

À la fin du XVIᵉ siècle, le Japon est déchiré par les guerres intérieures. Dans la région d'Omi, sur les bords du lac Biwa, un potier, Genjuro, vit pauvrement, sous la menace des hordes de l'armée Shibata. Ce soir-là, la cuisson a été bonne ; il décide d'aller à la ville, en compagnie de son beau-frère, Tobei, vendre le produit de son artisanat. Miyagi, son épouse, restée seule avec son fils, doit faire face aux mercenaires : elle est tuée d'un coup de lance, mais l'enfant est indemne. Pendant ce temps, les hommes tirent un bon prix des poteries. Tobei va pouvoir réaliser son rêve : acheter une coûteuse armure de samouraï, au désespoir de sa femme, Ohama, qui tente de le raisonner et le perd dans la foule. Tandis qu'il joue les foudres de guerre, elle tombe entre les mains de soudards. Quant à Genjuro, il est la proie d'un autre maléfice : une séduisante princesse, Wakasa, l'entraîne dans sa luxueuse résidence, à l'écart de la cité, et le subjugue par ses charmes. Il goûte des joies édéniques… avant de réaliser qu'il a été le jouet d'une illusion. La riche demeure où il croit avoir été reçu est en ruine depuis des années : Wakasa était un fantôme.

Un prêtre rompt le sortilège, mais le potier se retrouve finalement dépouillé de son bien. Il rentre tristement au village, où il trouve sa femme qui l'attend et lui pardonne. Son fils le rejoint et se couche à ses côtés. Au réveil, il s'apercevra que ce bonheur retrouvé aussi est un leurre : Miyagi est morte, son fils fleurit pieusement sa tombe. Genjuro continuera à actionner le tour, tandis que Tobei, lui aussi de retour au pays, ayant récupéré Ohama dans un bouge, jette à la rivière ses armes de samouraï, symbole de toutes les vanités.

Raffinement et traversée des apparences

Film d'un raffinement extrême, à la beauté tour à tour altière et éthérée, conjuguant en un même ample mouvement l'épopée et l'élégie, l'art de la fresque et l'art de la fugue, *Les contes de la lune vague* peut être regardé comme un point limite de l'art de l'écran, qui transcende le clivage des genres, des lieux, des époques, et touche d'emblée à l'universel. Éric Rohmer le salue en ces termes : «C'est à la fois le mythe grec de l'*Odyssée* et la légende celtique de Lancelot, un des plus beaux poèmes d'aventure et d'amour fou, un des chants les plus fervents qui aient été composés en l'honneur du renoncement et de la fidélité, un hymne à l'Unité, en même temps qu'à la diversité des apparences.» Et Louis Marcorelles : «Nous oublions le cinéma, nous oublions le Japon, nous croyons cerner la beauté pure.»

Ces éloges n'ont rien d'excessif, même s'ils doivent être tempérés par le fait que, dans son pays d'origine, le film ne fut qu'un demi-succès. Son réalisateur lui-même s'en déclarait insatisfait. Quand il le tourna, Kenji Mizoguchi (1898-1956) avait plus de soixante-dix films à son actif, dont une infime partie a été vue en Europe. Citons *Les sœurs de Gion* (1936), *Les 47 ronins* (1942), *La vie de O'Haru, femme galante* (1953). Il ne tournera plus ensuite que six films, dont le bouleversant *Intendant Sansho* (1954), peut-être supérieur aux *Contes* par la cohésion de sa facture et l'intensité de son émotion, *Les amants crucifiés,* et deux splendides épopées en couleurs : *L'impératrice Yang Kwei Fei* et *Le héros sacrilège* (1955). Bien qu'il excelle surtout dans le film à caractère historique («jidai-geki»), sa carrière se clôt sur une œuvre réaliste : *La rue de la honte* (1956). Il est, sans nul doute, le plus grand cinéaste nippon, pratiquant en virtuose ce que Jacques Rivette a appelé «un art de la modulation».

Son inspiration est généreuse (son sujet d'élection est la déchéance de la femme, victime de l'orgueilleuse ambition des hommes), sa technique très fluide (lents mouvements d'appareil balayant le paysage et cadrant à distance les acteurs), son sens plastique éblouissant (chacun de ses plans est composé comme un tableau, chaque séquence comme une mélodie).

Il s'inspire ici d'un célèbre recueil de fabliaux fantastiques du XVIIIe siècle, *Contes de pluie et de lune,* qui tournent tous autour d'histoires de revenants. La construction oscille entre *deux* récits différents, entremêle le destin de *deux* personnages, oppose *deux* types complémentaires de femme, joue sur l'alternance de *deux* rythmes. Or, ce qui pourrait sembler incohérent laisse sur une impression d'harmonie ineffable. Le génie de l'auteur unifie admirablement les contrastes. Nous sommes ensorcelés, comme le héros l'est par la princesse. Une séquence telle que celle de la traversée du lac Biwa, dans une brume irréelle, aux sons sourds du taïko (sorte de tambour japonais), semble exaucer le vœu de Proust que «tout un promontoire du monde inaccessible surgisse de l'éclairage du songe et entre dans notre vie».

Tous en scène

Vincente Minnelli

The Band Wagon. **Scén.** : Betty Comden, Adolph Green. **Réal.** : Vincente Minnelli.
Im. : Harry Jackson (couleurs). **Mus.** : Arthur Schwartz. **Chorégraphie** : Michael Kidd.
Lyrics : Howard Dietz. **Prod.** : M.G.M. (Arthur Freed). **Durée** : 112 minutes.
Interpr. : Fred Astaire *(Tony Hunter)*, Cyd Charisse *(Gabrielle Gérard)*,
Jack Buchanan *(Jeffrey Cordova)*, Oscar Levant *(Lester Marton)*,
Nanette Fabray *(Lily Marton)*, Ava Gardner *(elle-même)*, James Mitchell, Robert Gist.

Piano, jazz, chant, danse, harmonies décoratives et scintillements chromatiques sont les composantes de ce mariage d'amour de la musique et du cinéma.

Tony Hunter est une idole de la danse vieillissante. Il rentre à New York où il croit que les journalistes l'attendent : mais ils n'en ont que pour Ava Gardner. Il doit se contenter d'un couple de fans, les Marton, des inconditionnels. Ceux-ci ont un sujet pour lui, qu'accepte de réaliser le grand Jeffrey Cordova. Le projet prend forme assez laborieusement. Une actrice en renom est engagée, la belle Gabrielle Gérard. Mais les deux vedettes ne s'entendent pas, et d'aigres disputes perturbent les répétitions. On court au désastre. Tony reprend les choses en main et modifie la mise en scène selon sa propre conception du *musical.* Gaby se laisse séduire, et la pièce, d'abord rodée en province, connaît enfin, à New York, un triomphe.

Dans les coulisses enchantées de l'*entertainment*

Tous en scène représente la quintessence d'un genre, la comédie musicale, à son zénith ; c'est aussi une brillante réflexion sur les rapports du théâtre et de la vie, comparable en bien des points au *Carrosse d'or,* de Jean Renoir ; et c'est enfin le

chef-d'œuvre — terme un peu galvaudé, qu'on ose employer ici — de Vincente Minnelli (1910-1986), un de ces *magiciens* de Hollywood qui ont contribué à parfaire l'image de marque de la Metro Goldwyn Mayer, la «firme du lion». C'est un film tour à tour enjoué, nostalgique, grave, cocasse, bondissant, qui nous fait assister à la genèse d'un spectacle, pénétrer ses coulisses, découvrir ses écueils et partager son enchantement. Il est l'admirable illustration d'un thème qui court à travers toute l'œuvre de Minnelli, à savoir (selon ses exégètes Jean-Paul Török et Dominique Rabourdin) «l'affrontement de la réalité et du rêve, vécu par un personnage central — l'artiste —, à travers sa propre inadaptation à la vie». On le trouve développé aussi bien dans des drames comme *Les ensorcelés* (1952) ou *Quinze jours ailleurs* (1962) que dans ses comédies, qu'elles soient «pures» (*La femme modèle,* 1957) ou musicales — son registre d'élection, où il règne en maître absolu : *Ziegfeld Follies* (1945), *Le pirate* (1947), *Un Américain à Paris* (1950), *Brigadoon* (1953).

1953
Les vacances de monsieur Hulot
Jacques Tati

Scén. : Jacques Tati, Jacques Lagrange, Henri Marquet. **Réal.** : Jacques Tati.
Im. : Jacques Mercanton, Jean Mousselle (N. et B.). **Mus.** : Alain Romans.
Prod. : Cady films - Discina, Éclair-Journal. **Durée** : 96 minutes.
Interpr. : Jacques Tati *(M. Hulot)*, Nathalie Pascaud *(Martine)*,
Lucien Frégis *(l'hôtelier)*, Raymond Carl *(le garçon)*, Michèle Rolla *(la tante)*,
Valentine Camax *(l'Anglaise)*, René Lacourt *(le promeneur)*, André Dubois
(le commandant), Michèle Brabo.

«La possibilité d'ouvrir une terrasse sur la vie, et d'en faire connaître toutes les richesses, fait partie, il me semble, des multiples utilisations du cinéma» (Jacques Tati).

C'est le temps des vacances. La foule des estivants se bouscule sur les quais de gare. À Saint-Marc-sur-Mer, petite station balnéaire de Loire-Atlantique, la vie s'écoule, au rythme monotone du ressac… Mais voici qu'un hurluberlu vient perturber le ronron des aoûtiens. Il s'appelle M. Hulot. Surgissant à bord d'une Amilcar pétaradante, il met en émoi le personnel et les pensionnaires de l'Hôtel de la Plage, ne respecte pas l'horaire des repas, tache les parquets, réveille les gens à des heures indues, révolutionne les règles du tennis et du ping-pong, fait éclater le feu d'artifice un jour trop tôt... Avec lui, les enterrements tournent à la mascarade, les pique-niques au désastre. Ce boute-en-train se sera néanmoins fait quelques amis, et aura peut-être même inspiré une inclination à une jolie vacancière.

Le temps, comme il passe...

Ce film, venant après *Jour de fête* (1948), imposa le nom de Jacques Tati (1908-1982), acteur et auteur venu du music-hall, au ton original, aux trouvailles poétiques, sans commune mesure avec les pitreries de la production comique française de l'époque. Dédaignant les grosses ficelles du vaudeville et les mots d'auteur, il s'oriente vers un burlesque en demi-teinte, fonde ses gags sur une observation minutieuse des travers de la petite bourgeoisie, s'inscrit dans une tradition qui part de Jules Renard pour aboutir à Sempé. Le paradoxe est qu'un énorme travail de mise en scène est mis au service de scénarios délibérément inconsistants. De ces *Vacances,* on retiendra la marche hésitante d'un enfant tenant deux cornets de glace, une tête ahurie émergeant d'un vasistas, le rire sous cape d'une vieille dame ou le chuintement d'une chambre à air...

Hulot n'est pas drôle en soi, il sert de révélateur au ridicule des autres. On a beaucoup glosé sur ce personnage, qui disparaît presque dans une vision pointilliste, osons dire tâtillonne, d'une humanité grouillante et de va-et-vient dérisoires. L'auteur joue à l'entomologiste blasé. Plus que du comique proprement dit, son approche relève d'un tracé à la pointe sèche, entre la caricature et la fresque sociale.

Le succès de ce film sans histoire, sans vedettes, sans effets tapageurs, fut mondial. Au contraire, *Playtime* fut un cuisant échec, condamnant Jacques Tati à une semi-retraite. Son assistant Pierre Étaix (né en 1928) a repris le flambeau (*Le soupirant, Yoyo, Tant qu'on a la santé*).

Voyage à Tokyo

Yasujiro Ozu

Tokyo monogatari. **Scén.** : Kogo Noda, Yasujiro Ozu. **Réal.** : Yasujiro Ozu. **Im.** : Yushun Atsuta (N. et B.). **Mus.** : Kojun Saito. **Prod.** : Shochiku. **Durée** : 140 minutes. **Interpr.** : Chishu Ryu *(le père)*, Chieko Higashiyama *(la mère)*, So Yamamura *(le fils médecin)*, Kuniko Miyake *(sa femme)*, Michihiro Mori, Zen Murase *(leurs enfants)*, Setsuko Hara *(Noriko)*.

Cinéaste de la contemplation souriante, Ozu pratique un «art minimal», dont l'apparente sécheresse sécrète une émotion profonde.

Un couple de retraités se sent vieillir. Un matin de juillet, ils décident de quitter leur petit village portuaire et de rendre visite à leurs enfants, établis à Tokyo. Mais ceux-ci les reçoivent plutôt froidement. Seule la veuve de leur second fils, tué à la guerre, Noriko, leur témoigne un peu d'amitié. Un soir, l'homme retrouve un de ses camarades et se saoule au saké. Puis les deux vieillards regagnent leur village. Dans le train du retour, la femme est prise d'un malaise. Elle mourra sans avoir pu revoir les siens, prévenus trop tard. Les funérailles terminées, chacun se hâte de repartir. La plus éprouvée est Noriko, à laquelle le vieil homme, touché de sa sollicitude, conseille de se remarier. Le soir tombe…

Visa pour l'éternité

Plus encore que ses compatriotes Kurosawa et Mizoguchi, Yasujiro Ozu (1903-1963) a été découvert tardivement en Occident. Il fallut l'obstination de la critique anglo-saxonne pour que fût enfin révélée au public l'œuvre de ce créateur discret, à l'inspiration résolument traditionaliste, au style d'un statisme déconcertant, que ses pairs considéraient comme «le plus japonais des cinéastes japonais». Son existence est à elle seule un modèle d'équilibre : vivant en ascète auprès de sa mère, il ne se maria jamais et mourut le jour même de ses soixante ans, un 12 décembre. Sur sa tombe, un seul mot gravé : *Mu* (néant).

Ses films racontent à peu près tous la même histoire : la désagrégation des valeurs familiales et sociales, dans un pays guetté par la modernisation. «Réactionnaire» pour certains, Ozu est en fait un contemplatif, inscrivant de menus faits quotidiens dans le grand livre de l'éternité. Il filme en plans fixes, cadrant les scènes en «position basse», dédaignant travellings et gros plans. Son exégète français Max Tessier le compare au «scribe accroupi, à la recherche d'une perfection séculaire». De ce moule immuable sont issus quelques films austères et limpides, à l'émotion infinitésimale.

Voyage à Tokyo est caractéristique de cette vision «à ras de terre», d'un réalisme minutieux qui confine paradoxalement à l'abstraction.

Voyage en Italie

Roberto Rossellini

Viaggio in Italia. Autre titre français : *L'amour est le plus fort.* **Scén., dial.** : Roberto Rossellini, Vitaliano Brancati. **Réal.** : Roberto Rossellini. **Im.** : Enzo Serafin (N. et B.). **Mus.** : Renzo Rossellini. **Prod.** : Sveva-Junior-Italia film. **Durée** : 79 minutes. **Interpr.** : Ingrid Bergman *(Katherine Joyce)*, George Sanders *(Alexander Joyce)*, Maria Mauban *(Annie)*, Leslie Daniels, Anna Proclemer.

De ce qui aurait pu n'être qu'un banal roman-photo, un grand cinéaste a tiré une œuvre d'un modernisme aigu, qui relie le quotidien à l'éternel, le fragile à l'ineffable.

Un couple de Britanniques fortunés vient en Italie recueillir l'héritage d'un oncle : une villa dominant la baie de Naples. Décidés à vendre, ils s'installent pour quelques jours dans ce site enchanteur. Leur ménage traverse une période de crise. Le séjour va se passer en promenades séparées : lui chez des amis à Capri, elle dans des musées et catacombes. Le dernier jour, une dispute éclate, les menant au bord du divorce. Une visite aux ruines de Pompéi, qu'ils accomplissent ensemble, paraît consommer l'irréparable. Mais au retour, ils sont arrêtés par une procession. Un miracle se produit sous leurs yeux. Dans la marée humaine en prière, le couple retrouve son unité et son amour.

Un cinéma du regard

Dédaigné par la critique italienne, qui lui reprochait son absence de dramatisation et de perspective sociale, *Voyage en Italie* fut, au contraire, porté aux nues par les *Cahiers du Cinéma,* Rivette et Truffaut en tête. Pour eux, «ce film ressemble à ceux que l'on tournera dans dix ans, quand les metteurs en scène renonceront à imiter la forme romanesque au profit de la confession filmée et de l'essai». Il est clair que Rossellini (1906-1977), après les grandes orgues de *Rome ville ouverte* et de *Païsà,* a choisi ici la forme intimiste, quasi autobiographique, qui fait songer au Stendhal de *Souvenirs d'égotisme,* ou au Chardonne de *Vivre à Madère.* Il y ajoute une technique d'une rare fluidité, un sens admirable de l'espace et de la durée, une prescience des liens secrets qui unissent les actes les plus ordinaires, les répliques les plus convenues, aux grandes forces qui gouvernent l'univers. Vision spiritualiste ? Sans aucun doute, mais surtout vision purificatrice, prônant la nécessité d'un retour à un cinéma du regard, de la simplicité, de l'adéquation exacte au réel. Il fallait ce film pour décrasser une fois pour toutes le septième art de ses scories déclamatoires et sentimentalistes, de sa «langue de bois» dramaturgique. *Voyage en Italie* accomplit une révolution comparable à celle de l'impressionnisme en peinture. Nombre de jeunes auteurs en subiront la durable influence : d'Antonioni à Wenders, de Bertolucci à Godard.

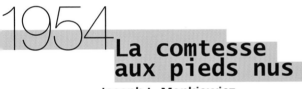

1954
La comtesse aux pieds nus
Joseph L. Mankiewicz

The Barefoot Contessa. **Scén., prod., réal.** : Joseph L. Mankiewicz.
Im. : Jack Cardiff (couleurs). **Mus.** : Mario Nascimbene.
Distr. : Artistes Associés. **Durée** : 128 minutes.
Interpr. : Humphrey Bogart *(Harry Dawes),*
Ava Gardner *(Maria Vargas),* Edmond O'Brien *(Oscar Muldoon),*
Marius Goring *(Alberto Bravano),* Rossano Brazzi
(comte Vincenzo Torlato-Favrini), Valentina Cortese *(Eleanora),*
Warren Stevens *(Kirk Edwards),* Franco Interlenghi *(Pedro).*

Dans ce conte de fées moderne, une star chue de son piédestal nous laisse entrevoir les secrets de son cœur : ils reflètent toute l'ironie du destin.

Dans un cimetière noyé de pluie de la Riviera italienne ont lieu les obsèques de la comtesse Torlato-Favrini. Nous sommes loin de ce night-club de Madrid où se produisait une danseuse du nom de Maria Vargas. Un producteur d'Hollywood, séduit par sa beauté, en fit une star. Des hommes qui l'ont côtoyée évoquent son souvenir : le metteur en scène Harry Dawes, qui fut peut-être son seul véritable ami ; le milliardaire Bravano, qui crut pouvoir l'acheter ; le comte Torlato-Favrini, qu'elle épousa. Sa nuit de noces fut une amère déception : elle se retrouva face à un mari impuissant. Soucieuse de lui assurer une descendance, elle prit un amant. Ayant surpris le couple adultère, le comte abattit l'infidèle. Une vie que l'on dirait calquée sur un mauvais film…

L'envers de la légende

Joseph Leo Mankiewicz (1909-1993) avait déjà une solide réputation de scénariste, producteur et metteur en scène quand il écrivit et réalisa ce film insolite, à mi-chemin de la fable, de la satire et du mélodrame. Esprit indépendant et caustique, il avait été la cheville ouvrière de films tels que *Furie,* de Fritz Lang, ou *Trois camarades,* de Frank Borzage. Son œuvre personnelle commence en 1946 avec une série de comédies brillantes et sophistiquées : *L'aventure de Mme Muir* (1947), *Chaînes conjugales* (1950), *Ève* (1950)… On lui doit aussi une imparfaite, ruineuse mais nullement méprisable *Cléopâtre* (1963). Son art se fonde sur un fascinant jeu de miroirs entre la vérité et les apparences, entre le guêpier mondain et le miel de la sincérité, culminant dans son dernier film, *Le limier* (1972).

Construit sur plusieurs retours en arrière entrelacés, un peu comme *Citizen Kane,* ce film est une enquête sur la vraie personnalité d'une femme, victime des fastes tapageurs du *show business,* de la muflerie ou de l'arrivisme des hommes, et de sa propre frivolité.

X, XL et XXL

La dimension de l'image cinématographique projetée sur un écran s'exprime couramment dans le rapport de sa hauteur (H) à sa largeur (L). Au temps du muet, ce rapport est 1(H)/1,33(L): l'image est proche du carré. À l'arrivée du parlant et de sa nécessaire bande-son sur la pellicule, il devient 1/1,37. Très tôt, certains cinéastes jugèrent ce format trop étroit, comme Abel Gance qui, pour son *Napoléon* (1925), fit juxtaposer trois écrans sur chacun desquels était projetée une image différente. En 1953, Hollywood, pour attirer au cinéma les spectateurs tentés de rester chez eux devant la télévision, relança un procédé inventé en 1927 par le Français Henri Chrétien, le Cinémascope, grâce auquel l'image, anamorphosée sur la pellicule, était élargie à la projection dans le rapport 1/2,55, apparaissant ainsi, selon certains, comme une ouverture de boîte à lettres. Encore utilisé, plus rarement toutefois, à l'aube du XXe siècle, le Cinémascope a donné naissance aux écrans larges et panoramiques qui sont la norme depuis les années 1960 et sur lesquels sont projetés les films majoritairement tournés dans les formats d'images 1/1,66 et 1/1,85 plus proches de celui, 1/1,33, de l'écran de télévision.

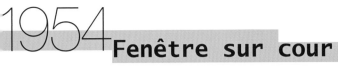

1954 Fenêtre sur cour

Alfred Hitchcock

Rear Window. **Scén.** : John Michael Hayes,
d'après une nouvelle de Cornel Woolrich
(William Irish). **Prod., réal.** : Alfred Hitchcock.
Im. : Robert Burks (couleurs). **Mus.** : Franz Waxman.
Distr. : Paramount. **Durée** : 112 minutes.
Interpr. : James Stewart *(Jeffries)*, Grace Kelly
(Lisa Fremont), Wendel Corey *(le détective)*,
Thelma Ritter *(l'infirmière)*,
Raymond Burr *(Lars Thornwald).*

Que le cinéma soit l'art du voyeurisme, on en a la preuve éclatante dans cette « meurtrière » à claire-voie.

Jeff, un reporter photographe, est immobilisé dans sa chambre, une jambe dans le plâtre. Sa fenêtre donne sur une cour intérieure. Par désœuvrement, il observe aux jumelles ce qui se passe dans les appartements de la façade opposée. Il y a là un compositeur, de jeunes mariés en pleine lune de miel, un vieux couple avec leur chien, une demoiselle solitaire, une danseuse.

Son attention est attirée par l'étrange manège d'un couple dont les disputes sont fréquentes. La femme disparaît : Jeff a la conviction que le mari l'a tuée. Il fait part de ses soupçons à ses proches, qui doivent se rendre à l'évidence : il y a bien eu assassinat, et charcutage de la victime qui plus est. Jeff envoie son amie Lisa en reconnaissance : la preuve du crime est faite. Mais l'assassin, se voyant démasqué, traverse la cour et vient agresser son voisin trop curieux, qui s'en tirera avec… une seconde jambe cassée.

Une métaphore du cinéma

Ce film illustre à merveille cette définition que donne Raymond Bellour de la méthode de Hitchcock : « Sa mise en scène, inverse en cela de celle de la plupart des cinéastes, rend compte de la vision subjective des êtres et fait de leur regard des éléments de son propre discours. » D'où un traitement de l'intrigue, une approche des lieux et des personnages, au second degré si l'on peut dire, qui fait de chaque spectateur un complice, ou, mieux, un voyeur. Dans *Fenêtre sur cour,* le photographe rivé dans son fauteuil est comme le double du spectateur devant l'écran ; c'est aussi un double du metteur en scène, construisant son histoire et son « découpage » (sans jeu de mots) à partir d'une série d'images ou de séquences puisées dans le spectacle de la cour — c'est-à-dire de la vie. Ce qui fait dire à Hitchcock : « Cela reproduit la plus pure expression de l'idée cinématographique. »

On aboutit à une abstraction émotionnelle de haute qualité, à une partie de cache-cache entre l'explicite et l'implicite où chacun est partie prenante, et qui se joue sur « un ton très insolite, participant du réalisme, de la poésie, de l'humour macabre et de la pure féerie » (François Truffaut).

La réalisation de *Fenêtre sur cour* a constitué à elle seule une gageure, puisque jamais ou presque la caméra ne quitte l'appartement du témoin, bloquée comme le héros à distance fixe des événements qu'elle découvre. Cet exercice de haute voltige formelle rappelle *La corde* (1948), où Hitchcock se refusait tout champ-contre-champ et suivait ses personnages en travelling continu. Il délaissera bientôt ces travaux de pure virtuosité au profit d'investigations plus profondes du comportement des êtres, où la technique ne servira plus que d'appoint à de vertigineuses plongées dans le subconscient.

1954
Johnny Guitare
Nicholas Ray

Johnny Guitar. **Scén.** : Philip Yordan,
d'après un roman de Roy Chanslor.
Réal. : Nicholas Ray. **Im.** : Harry Stradling
(couleurs). **Mus.** : Victor Young.
Prod. : Republic Pictures (Herbert J. Yates).
Durée : 110 minutes. **Interpr.** : Joan Crawford
(Vienna), Sterling Hayden *(Johnny)*,
Mercedes McCambridge *(Emma)*,
Scott Brady *(Dancing Kid)*, Ward Bond
(McIvers), John Carradine *(Tom)*,
Ernest Borgnine *(Bart)*, Ben Cooper *(Turkey)*.

Poète de la violence et de la fureur de vivre, Nicholas Ray fait du western, qui était déjà une chanson de geste, un chant d'amour et de folie.

Johnny Logan, un as de la gâchette qui joue à présent de la guitare, se présente dans une maison de jeu isolée en bordure du désert. La directrice, Vienna, est une maîtresse femme qui ne craint ni l'hostilité des éleveurs locaux ni la jalousie d'Emma, une fille au sang chaud dont le frère a été tué par le gang de Dancing Kid. Ce dernier est un séduisant hors-la-loi, qui suscite beaucoup de passions sur son passage. Johnny mettra bon ordre à ces rivalités amoureuses, d'autant qu'il a été lui-même jadis l'amant de Vienna. Celle-ci, accusée de complicité, échappe de peu au lynchage. Son établissement est incendié. Après de rudes affrontements, Johnny et Vienna s'en iront, libres, vers des cieux plus cléments.

L'Ouest flamboyant

Nicholas Ray (1911-1979), cinéaste au tempérament fougueux, à la limite de la marginalité, cultivant un style volontiers flamboyant, a transformé les chevauchées et *gun-fights* de naguère en un psychodrame passionnel aux féeriques prolongements. L'auteur des *Indomptables* (1953), qui sera bientôt celui de *La fureur de vivre* (1955) et de *La forêt interdite* (1958), fait ainsi de *Johnny Guitare* une manière de *Colomba* du western, où, comme dit François Truffaut, «les cow-boys s'évanouissent et meurent avec des grâces de danseuses».

On est frappé par l'irréalisme du cadre : un luxueux saloon, vide de tout client ; par l'intensité du sentiment qui unit les deux protagonistes ; par la fraîcheur du dialogue ; surtout, par la tonalité agressive des couleurs, jouant sur les dominantes rouge, noir et jaune vif, qui créent la sensation d'une sorte de «tragédie picturale» (Gérard Langlois), dominée par les figures emblématiques de Sterling Hayden et de Joan Crawford. Nicholas Ray a su tirer parti d'un procédé de couleurs pourtant rudimentaire (le Trucolor). Il est parvenu à intégrer à des stéréotypes un peu usés (le gang des pilleurs de banque, le lynchage, l'incendie du saloon, le repaire assiégé, etc.) sa propre imagerie, son charisme particulier. D'abord fraîchement reçu par la critique, *Johnny Guitare* est devenu un classique.

En associant Joan Crawford (1904-1977), qui avait déjà inspiré Frank Borzage *(Mannequin)* et Michael Curtiz *(Le roman de Mildred Pierce)*, à Sterling Hayden (1916-1986), l'inoubliable truand de *Quand la ville dort*, Nicholas Ray a créé un de ces couples de forte trempe qui assurent la pérennité du cinéma américain.

1954 Senso

Luchino Visconti

Senso. **Scén.** : Luchino Visconti, Suso Cecchi d'Amico, d'après la nouvelle homonyme de Camillo Boito. **Dial. anglais** : Tennessee Williams, Paul Bowles. **Réal.** : Luchino Visconti. **Im.** : G.R. Aldo, Robert Krasker (couleurs). **Mus.** : Anton Bruckner *(VIIe Symphonie)* et Verdi (extraits du *Trouvère*). **Prod.** : Lux Film. **Durée** : 115 minutes. **Interpr.** : Alida Valli *(comtesse Livia Serpieri)*, Farley Granger *(Franz Mahler)*, Massimo Girotti *(marquis Roberto Ussoni)*, Heinz Moog *(comte Serpieri)*, Rina Morelli *(Laura)*, Christian Marquand, 200 cavaliers et 8 000 figurants.

Les désordres de la passion amoureuse, interférant avec les convulsions de l'Histoire, dans une composition picturale raffinée : tel est ce film, conçu comme un opéra.

1866. L'Autriche occupe la Vénétie. Au Théâtre de la Fenice, une représentation du *Trouvère* est troublée par une manifestation de patriotes. Parmi eux, le marquis Ussoni, qui provoque en duel un fade lieutenant autrichien, Franz Malher. La comtesse Serpieri, cousine du marquis, s'entremet dans le but de sauver ce dernier, dont elle partage les idées. Mais son geste a pour seul effet de la rendre amoureuse du bellâtre. Elle ira jusqu'à trahir pour lui sa cause, et à acheter son exemption de service. Cependant, la guerre fait rage, et la résistance italienne est écrasée. La comtesse quitte ses terres pour aller retrouver Franz à Vérone : elle le découvre vivant dans une honteuse débauche. Il lui avoue cyniquement qu'il ne l'a jamais aimée, ne s'intéressant qu'à son argent. Folle de douleur, elle le dénonce comme déserteur au commandant de la place, qui le fait fusiller.

À l'unisson de Verdi

Ce film est avant tout un sompteux *melodramma*, au sens noble qu'a ce terme en Italie : grand drame musical, mêlant passions privées et toile de fond historique. Luchino Visconti, familier des mises en scène théâtrales (il venait de régler celle de *La vestale* de Spontini à la Scala quand il entreprit *Senso*), puise là son inspiration, de plus en plus éloignée du néo-réalisme : « J'ai fait sauter, dit-il, les sentiments exprimés dans *Le trouvère* par-dessus la rampe dans une histoire de guerre et de rébellion. » En contrepoint

de la vision marxiste d'une époque en crise, nous assistons à la déchéance d'une femme. Le titre même est ambigu : il désigne aussi bien les (amers) plaisirs des *sens* que le *sens* (profond) de l'Histoire.

On pourra gloser sur le personnage de Franz Mahler, bel éphèbe perverti, miné par le dégoût de soi, qui annonce le Tancrède du *Guépard* (1962), le nazi débauché des *Damnés* (1969), le Ludwig du *Crépuscule des dieux* (1972), autres créatures célèbres de Visconti. À ses côtés, Alida Valli incarne — à la perfection — la femme esclave d'une passion qui la conduira à la folie.

Sur le plan plastique, *Senso* est une grande réussite. On y trouve des réminiscences de Delacroix, Manet, Guardi et du Quattrocento. On regrettera seulement un certain hiératisme de la mise en scène, aboutissant souvent (comme le pensent certains exégètes) «à une grandiloquence figurative où ne passe plus le bouillonnement de la vie».

La Strada
Federico Fellini

La strada. **Scén., dial.** : Federico Fellini, Tullio Pinelli, Ennio Flaiano. **Réal.** : Federico Fellini. **Im.** : Otello Martelli (N. et B.). **Mus.** : Nino Rota. **Prod.** : Dino de Laurentiis, Carlo Ponti. **Durée** : 94 minutes. **Interpr.** : Giulietta Masina *(Gelsomina)*, Anthony Quinn *(Zampano)*, Richard Basehart *(il Matto)*, Aldo Silvani *(Giraffa)*, Marcella Rovere, Livia Venturini et non-professionnels.

Dans la grisaille du néo-réalisme déclinant, les baladins de Fellini apportent un grain de folie et de poésie candide, qui va germer de façon spectaculaire.

Une campagne perdue en bordure de mer. Gelsomina, femme-enfant un peu simplette, est vendue par sa mère au brutal Zampano, un hercule de foire qui sillonne les routes d'Italie à bord d'un side-car transformé en roulotte. Elle lui servira de partenaire dans ses exhibitions, au long d'un périple sordide et sans joie. Son calvaire est égayé par la rencontre d'un autre saltimbanque, Il Matto, sympathique funambule. Mais la brute, agacée par les facéties de ce dernier, lui fracasse la tête dans un accès de colère. Puis il abandonne sa compagne au bord de la route. Un jour, il apprendra qu'elle est morte. Torturé par le remords, il s'effondre en pleurant sur la plage…

Les petites gens du voyage

Dès ses premiers travaux, *Les feux du music-hall* (1951) et *Les Vitelloni* (1953), Federico Fellini (1920-1993) a dessiné nettement les contours de son univers : le clinquant bruyant du spectacle, les vies ratées, la solitude des êtres sous un masque de bouffonnerie. Les influences conjointes du cirque — sa passion d'enfant —, de la caricature, qu'il pratiqua à ses débuts en copiant les *comics* américains, et du néo-réalisme ont fécondé durablement sa vision du monde. Un sens inné de la parabole, une maîtrise rare des mécanismes de la représentation, un humour ravageur achèvent de caractériser ce Barnum génial d'une moderne Foire aux vanités.

Commencée en farce grinçante et nostalgique (sur un motif musical de Nino Rota emprunté au premier mouvement de la symphonie *Titan* de Gustav Mahler), *La Strada* bascule peu à peu dans un tragique quasi shakespearien. Plutôt qu'à Charlot, auquel on l'a hâtivement comparée, Gelsomina, créature lunaire interprétée avec une grâce un peu maladroite par la propre épouse du cinéaste, Giulietta Masina, ressemble à Harpo Marx. Elle est de cette famille de «clowns blancs» chers à Fellini, auprès d'un Zampano figurant le cruel Auguste, et d'un «fou» philosophe chargé de tirer la morale de la fable : «Dans l'univers, tout sert à quelque chose. Même ce petit caillou.» Fellini a sans doute édifié de plus imposants chapiteaux. Jamais il n'a retrouvé la pureté de ce rêve d'enfant.

Une étoile est née

George Cukor

A Star Is Born. **Scén.** : Moss Hart
(*remake* du film homonyme
de William A. Wellman, 1937).
Réal. : George Cukor.
Im. : Sam Leavitt (couleurs).
Mus. : Harold Arlen. **Lyrics** : Ira Gershwin.
Chorégraphie : Richard Barstow.
Prod. : Sid Luft (Warner Bros.).
Durée de la version intégrale : 154 minutes.
Interpr. : Judy Garland *(Esther Blodgett/
Vicky Lester)*, James Mason *(Norman Maine)*,
Jack Carson *(Libby)*,
Charles Bickford *(Oliver Niles)*,
Tommy Noonan *(Danny McGuire)*,
Lucy Marlowe.

Pygmalion du cinéma américain, George Cukor offre ici à Judy Garland le rôle de sa vie — et la vie de son rôle.

Vedette sur le déclin, Norman Maine a sombré dans l'alcoolisme. Lors d'un gala de charité, il découvre une jeune chanteuse, Esther Blodgett, et la fait engager par le directeur du studio. Sous le nom de Vicky Lester, elle connaît une ascension triomphale. Elle épouse son mentor, qui promet de ne plus boire. Mais leur bonheur est de courte durée. Le soir de la cérémonie des Oscars, dont elle est l'une des lauréates, il se présente ivre et l'humilie publiquement. Vicky décide alors de sacrifier sa carrière pour se consacrer à son mari. Celui-ci, qui ne veut pas être un poids pour elle, se suicide. Surmontant sa douleur, Vicky revient à la scène et se fait ovationner sous le nom de Mme Norman Maine.

Le lourd tribut de Hollywood

Sur le thème de la grandeur et décadence des stars, le cinéma a brodé à l'envi, chaque génération fournissant un nouvel exemple de ces gloires soudaines et de ces vies gâchées. Nourri dans le sérail, George Cukor (1899-1983) fut l'un des premiers à traiter ce sujet douloureux : ce fut, en 1932, *What Price Hollywood ?* Il y revient vingt ans plus tard, en tournant un *remake* du film à succès de William A. Wellman *Une étoile est née* (1937, avec Janet Gaynor).

Dans cette mise à nu des drames du *show business,* nul doute que ce soit la version Cukor/Garland qui nous enchante, autant qu'elle nous touche, le plus. Il s'agit d'une authentique «tragédie musicale», faisant coïncider de façon complexe vie et spectacle, réalité et fiction : Judy Garland fut en effet une étoile lancée très jeune, comme Vicky Lester, qui déclina vite sous l'effet de l'alcool et des tranquillisants, comme Norman Maine. Son personnage de femme marquée est fort loin du cliché ; il apparaît comme l'envers tragique des rôles qu'elle joua sous la direction de Vincente Minnelli, dans *Le pirate* par exemple.

Par ailleurs, ce fascinant psychodrame est réalisé selon une technique d'une richesse confondante. S'inspirant des tableaux de David, George Cukor traite le Cinémascope avec une maîtrise qui n'a d'égale que celle d'Ophuls, dans *Lola Montès* (1955) ; son travail sur la couleur, qui oppose les teintes «froides» de la vie au bariolage du spectacle, est de premier ordre.

1955
Lola Montès
Max Ophuls

Lola Montès. **Scén., adapt.** : Max Ophuls, Annette Wademant, Claude Heymann, Jacques Natanson et, pour la version allemande, Fritz Geiger, d'après un sujet de Cécil Saint-Laurent.
Dial. Jacques Natanson (supervision de la version anglaise : Peter Ustinov). **Réal.** : Max Ophuls.
Im. : Christian Matras (couleurs). **Mus.** : Georges Auric. **Prod.** : Gamma-Film, Florida-Films (Paris), Union-Film (Munich). **Durée** : 110 minutes. **Interpr.** : Martine Carol *(Lola Montès)*,
Peter Ustinov *(le meneur de jeu)*, Anton Walbrook *(le roi Louis Iᵉʳ de Bavière)*,
Ivan Desny *(lieutenant James)*, Lise Delamare *(Mrs Craigie)*, Oscar Werner *(l'étudiant)*,
Will Quadflieg *(Liszt)*, Henri Guisol *(le cocher)*, Paulette Dubost *(la camériste)*,
Werner Finck et la troupe du cirque Kröne.
Le film a été tourné simultanément en trois versions : allemande, française et anglaise.

Chant du cygne d'un cinéaste inclassable, où Barnum semble avoir mis en scène L'amour et la vie d'une femme…

Un cirque à La Nouvelle-Orléans, à la fin du siècle dernier. Le meneur de jeu présente une attraction sensationnelle : «du spectacle, de l'émotion, de l'action, de l'histoire…». Une danseuse étoile, Lola Montès, dont la conduite dissolue défraya la chronique internationale pendant un demi-siècle, va mimer devant le public les étapes de sa fabuleuse carrière, répondre aux questions les plus indiscrètes, se montrer nue enfin parmi les fauves… Toute la troupe du Mammouth Circus — les clowns, les trapézistes, les nains, les acrobates — va participer à cette évocation grandiose, qui masque une grande détresse. Car Lola est aussi une femme usée, vulnérable, au cœur malade. Elle se souvient d'un de ses derniers prétendants, le musicien Franz Liszt : c'était déjà l'automne d'une vie gâchée.

Auparavant, il y avait eu sa jeunesse orageuse, l'arrivée à Paris, un mariage raté ; puis l'ascension difficile d'une jeune écervelée qui se croyait douée pour la danse ; des aventures galantes, des scandales bien orchestrés… Cette existence itinérante, dominée par une perpétuelle instabilité, trouve son couronnement en Bavière : un monarque vieillissant en fait sa maîtresse attitrée, l'anoblit sous le nom de comtesse de Lansfeld, construit pour elle un palais et lui témoigne, *in extremis,* une affection sincère. Mais il est trop tard. Le pays est en effervescence, la révolte gronde, Lola doit fuir encore. Le cirque l'attend, avec son cortège d'exhibitions périlleuses et d'amers simulacres. Un jour, ce sera son tombeau.

La courtisane au bûcher

Lola Montès est un film maudit. Dès sa sortie en 1955, le film fut conspué par le public parisien, dérouté par un spectacle qui allait à contre-courant des verroteries à grand tapage auxquelles il était accoutumé ; il fut également rejeté par une large fraction de la critique, sous prétexte de «lourdeur de style» (Jean Thévenot) et de «tonitruant avant-gardisme» (Georges Sadoul). Sur le plan commercial, ce fut un échec, qui incita les producteurs à reprendre le montage (contre le gré du metteur en scène), avec l'espoir qu'une restitution chronologique de cette biographie éclatée de «la femme la plus scandaleuse du siècle» serait mieux reçue : calcul aberrant, et heureusement déjoué. Des voix, certes, s'étaient élevées pour défendre cette imagerie «délirante, orchestrée avec une virtuosité qui ne se dément pas» (Claude Mauriac), ce «film pour les poètes et les artistes» (François Vinneuil). Des confrères du cinéaste, parmi lesquels Jacques Becker, Jean Cocteau, Roberto Rossellini, Jacques Tati, avaient même pris publiquement la défense de ce qu'ils considéraient comme une entreprise neuve et audacieuse, bien faite pour relever le goût et la sensibilité des spectateurs ; les ciné-clubs, les salles de répertoire n'allaient pas tarder à prendre le relais.

Rien n'y fit, et ce film flamboyant, météorique, resta — et reste encore, relativement — méconnu. Ce fut l'ultime manifestation à l'écran du talent multiforme de Max Ophuls, cinéaste itinérant (dont la trajectoire recoupe en bien des points celle de son héroïne). Aujourd'hui que les passions se sont apaisées, que retenir de *Lola Montès* ? Avant tout, une rigoureuse dénonciation du sensationnalisme spectaculaire et de la surenchère médiatique. Ophuls, qui était à cet égard très en avance sur son temps, ne cachait pas ses intentions : « Les questions que le public du cirque pose à Lola m'ont été inspirées par les jeux radiophoniques d'émissions publicitaires follement impudiques. Je trouve effrayant ce vice de tout savoir, cet irrespect devant le mystère… »

Mais en même temps, et paradoxalement, il exauce le vœu wagnérien d'un spectacle *total* : le traitement original de la couleur (dans la lignée de Renoir et de Minnelli), l'emploi de caches permettant de modifier à volonté le format de l'image en Cinémascope (ce qui crée l'impression d'un écran variable, soumis à de subtils changements à vue), l'agilité étourdissante de la caméra, qui jongle avec les décors, les accessoires, les personnages et les sentiments (on a pu parler à juste titre d'une « esthétique de la mobilité »), tout cela fait de *Lola Montès* un acte de foi envers le septième art, considéré comme le lieu privilégié de la *magia* moderne. Nous sommes en présence d'une « allégorie tourbillonnante », selon l'expression du costumier — et collaborateur favori d'Ophuls — Georges Annenkov ; d'une « cathédrale entre terre et ciel », disait François Truffaut. Au centre d'un vitrail multicolore, entouré de panneaux racontant sa légende, le visage de Lola (sainte Lola ?) disparaît un peu sous le brillant des dorures et la profusion des masques. On le distingue pourtant, crispé par l'angoisse, derrière le tumulte des formes ; car ce feu d'artifice de l'esprit ne couvre jamais tout à fait les intimes mouvements du cœur.

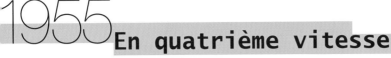

1955 En quatrième vitesse

Robert Aldrich

Kiss Me Deadly. **Scén.** : A.I. Bezzerides, d'après le roman homonyme de Mickey Spillane. **Réal.** : Robert Aldrich. **Im.** : Ernest Lazlo (N. et B.).
Mus. : Frank de Vol. **Distr.** United Artists. **Durée** : 96 minutes.
Interpr. : Ralph Meeker *(Mike Hammer)*, Paul Stewart *(Carl Evello)*,
Maxine Cooper *(Velda)*, Cloris Leachman *(Christina)*, Gaby Rodgers *(Lily)*,
Albert Dekker *(Dr Soberin)*, Juano Hernandez *(Eddie)*, Nick Dennis *(Nick)*,
Wesley Addy *(Pat)*, Jack Elam.

Écho de la peur atomique ? Dernier avatar du film noir ? Version moderne de la boîte de Pandore ? Voici en tout cas une œuvre peu banale, qui nous annonce l'apocalypse…

Une fille court, pieds nus, la nuit, sur l'autoroute… Le détective privé Mike Hammer la prend en stop… Elle se dit pourchassée par des gangsters, mais ses propos sont incohérents… La suite le sera plus encore. Ils sont heurtés par une voiture : la fille est tuée, Mike se retrouve à l'hôpital. Puis il s'efforce de remonter la filière. Cela le conduit à une bande de malfrats dirigée par le puissant Carl Evello. Ce dernier lui offre une voiture piégée : il déjoue la manœuvre, mais se retrouve entre les mains du mystérieux Dr Soberin. Sa secrétaire, Velda, est kidnappée. Il entre en possession d'une mallette contenant, aux dires de la police, un redoutable élément radioactif. Une formidable explosion s'ensuivra. Mike et Velda n'auront que le temps de fuir vers la mer.

Le film noir à l'ère nucléaire

Adapté d'un roman plutôt banal de Mickey Spillane, ce film fit à sa sortie l'effet — prévisible — d'une bombe : pour la première fois était évoqué à l'écran, fût-ce de manière allusive, le péril atomique. En outre, le « privé » ne suscitait plus, comme naguère Humphrey Bogart, la sympathie du public : il se conduisait comme une brute, sadique et misogyne. L'action procédait par bonds, l'intrigue était confuse, la violence s'étalait. Une poésie barbare imprégnait un récit aux accents kafkaïens, bien inséré pourtant dans la société américaine de la guerre froide.

L'auteur de ce film à petit budget, mais de grande ambition, avait manifestement subi l'influence d'Orson Welles. Son idéologie « de gauche » ne faisait aucun doute. Il s'appelait Robert Aldrich (1918-1983). Avec Nicholas Ray, Samuel Fuller et Richard Brooks, il représentait une « Nouvelle Vague » américaine, soucieuse de rompre avec la routine des scénarios et du montage classiques. Il fit subir le même électrochoc au western (*Vera Cruz*, 1954), au drame psychologique (*Le grand couteau*, 1955) et au film de guerre (*Attaque*, 1956). Son énergie, malheureusement, s'essouffla vite. La suite de sa carrière fut décevante, en dépit de quelques beaux sursauts (*Les douze salopards*, 1967 ; *La cité des dangers*, 1975).

En quatrième vitesse marque la fin de la tradition romantique du film noir, ouverte par John Huston avec *Le faucon maltais* (1941). Il annonce un courant *réaliste*, illustré par les films de Richard Fleischer, Don Siegel et Clint Eastwood. La voie est libre pour les « justiciers dans la ville ».

1955
La nuit du chasseur

Charles Laughton

The Night of the Hunter. **Scén.** : James Agee, d'après le roman de David Grubb.
Réal. : Charles Laughton. **Im.** : Stanley Cortez (N. et B.). **Mus.** : Walter Schumann.
Prod. : Paul Gregory (United Artists). **Durée** : 93 minutes. **Interpr.** : Robert Mitchum
(Harry Powell), Shelley Winters *(Willa Harper)*, Lilian Gish *(Rachel Cooper)*,
Billy Chapin *(John)*, Sally Jane Bruce *(Pearl)*, Peter Graves *(Ben Harper)*.

Mêlant les terreurs gothiques au merveilleux enfantin, le film noir au conte de fées, Charles Laughton a réalisé une œuvre étrange, indéchiffrable, unique à tous les sens du terme.

L'Ohio en 1930. Un tueur psychopathe, Harry Powell, sillonne les campagnes en se faisant passer pour un prêcheur itinérant. L'un de ses effets favoris est d'entrecroiser les doigts de ses deux mains, sur lesquels sont tatoués, à droite *love* (amour), et à gauche *hate* (haine). Mis sur la piste d'un butin caché dans sa ferme par un condamné à mort, il séduit la veuve, l'épouse, la tue et s'en prend à ses deux enfants, John et Pearl, qui connaissent le secret de leur père. Mais ceux-ci réussissent à fuir, sur une barque glissant au fil de la rivière. Ils trouvent refuge chez une très vieille dame qui héberge les enfants abandonnés. Powell, qui les a suivis à la trace, les assiège dans leur retraite. Il sera enfin mis hors d'état de nuire et condamné à la pendaison.

Le Mal et l'Innocence

Qu'y a-t-il dans *La nuit du chasseur* ? Tout d'abord, un beau roman de David Grubb, chargé de réminiscences du drame élisabéthain. Puis une adaptation subtile de James Agee, journaliste, romancier et scénariste américain de talent, qui apporte son folklore personnel. Un acteur, Robert Mitchum, qui fait ici une composition archétypale. Un chef opérateur ensuite, Stanley Cortez, qui confère à l'image une touche «expressionniste» déroutante. Enfin et surtout, un metteur en scène, d'origine britannique, plus connu comme acteur, auquel son producteur a donné carte blanche : Charles

Laughton (1899-1962), dont ce sera l'unique réalisation. Il a déclaré s'être plongé dans l'œuvre muette de Griffith avant de se lancer dans l'aventure — en vérité un peu anachronique — de *La nuit du chasseur.* Il alla jusqu'à engager sa muse, Lillian Gish, disparue des écrans depuis des années, pour le rôle de la grand-mère consolatrice. Son intention fut, selon ses propres termes, non de chercher le symbole, mais de recréer un rêve. Dans une atmosphère proche des *nursery rhymes,* il a construit un monde étrange, allégorique, où le Mal pourchasse l'Innocence, où l'épouvante côtoie la féerie, où la poésie s'enracine dans le tuf du subconscient.

Une œuvre intemporelle, qui survivra à toutes les modes. Malgré un total insuccès public, ce film a suscité chez ses thuriféraires un enthousiasme délirant. Ses commentateurs en parlent comme d'un point limite du genre fantastique, d'une «vraie odyssée de la connaissance, touchant aux mythes éternels» (Robert Benayoun). Gérard Mordillat y voit «l'estuaire où convergent les eaux courantes du cinéma et les eaux profondes de la littérature». Et il conseille de s'immerger dans cette œuvre «comme on s'enfonce dans l'obscurité du poème et de la nuit».

Pather Panchali

Satyajit Ray

Pather Panchali. **Scén., réal.** : Satyajit Ray, d'après le roman homonyme de Bibhutibushan Bandapaddhaya. **Im.** : Subrata Mitra (N. et B.).
Mus. : Ravi Shankar. **Prod.** : gouvernement du Bengale de l'Ouest.
Durée : 115 minutes. **Interpr.** : Kanu Bannerjee *(Harihar),*
Karuna Bannerjee *(Sarbojaya),* Subir Bannerjee *(Apu),*
Uma Das Gupta *(Durga),* Chunibala Devi *(tante Indir).*

L'énorme production de l'Inde (800 films tournés chaque année) n'a laissé que peu de place à la création personnelle. Un seul grand cinéaste s'est révélé : Satyajit Ray.

Dans un petit village du Bengale naît un enfant, Apu, au sein d'une famille pauvre qui compte déjà une fillette, Durga. Le père est un rêveur qui ne parvient pas à faire vivre décemment sa famille, la mère se tue aux tâches ménagères. Cependant, le petit Apu grandit, va à l'école. Il s'émerveille au spectacle d'une troupe de théâtre ambulant, au passage d'un train. Le soir, la vieille tante Indir lui conte des histoires de revenants. Elle mourra bientôt. Durga aussi, qui a pris froid en dansant sous la pluie. Un jour, les parents décident d'abandonner cette terre inhospitalière et d'aller chercher fortune à la ville. Dans un vieux char à buffle, Apu et les siens font route vers Bénarès.

Néoréalisme à l'indienne

Tiré d'un célèbre roman bengali, ce film est le premier volet d'un triptyque dont la suite s'intitulera *Aparajito* (1956) et *Le monde d'Apu* (1959) : on y verra le garçon adolescent, puis aux prises avec les problèmes du monde «civilisé». Il s'agit d'une autobiographie, proche dans l'esprit et la forme de la trilogie de *L'enfance de Gorki* de Donskoï. Satyajit Ray (1921-1992) entreprit cette adaptation avec un budget de misère (8 000 roupies) et une vieille caméra Wall. Il se démarquait des stéréotypes en vigueur dans le cinéma indien, voué aux aventures mythologiques et aux mélodrames musicaux. Le grand choc, ce fut pour lui la révélation du néo-réalisme italien; et la rencontre avec Jean Renoir, dont il fut en 1950 l'assistant pour *Le fleuve.* Son art se fonde sur une observation patiente de la vie; la conscience aiguë des injustices sociales n'empêche pas l'exaltation de la beauté. Ray a été formé dans l'entourage, et le culte, du poète Rabindranath

Tagore ; de son enseignement il a retenu le sens de « l'offrande lyrique ». Toute son œuvre ultérieure témoigne de la même vision à la fois fataliste et lucide, qui semble devoir résoudre les conflits dans une muette et sereine contemplation. Ce que l'auteur cherche à saisir, par-delà les anomalies d'une société tiraillée entre l'ancien et le nouveau, ce sont les notes à peine audibles d'une harmonie universelle perpétuellement menacée. Rythmé par une obsédante musique de Ravi Shankar (sitar, flûte et tabla), *Pather Panchali* frappe par son subtil dosage de réalisme et de lyrisme. Toutes les choses existent ensemble, « dans une globalité où la mort et la vie, l'individu et le cosmos ne peuvent plus, ne doivent plus, être distingués » (Henri Agel). Cela est du très grand art.

1955 Écrit sur du vent
Douglas Sirk

Written on the Wind. **Scén.** : George Zuckerman, d'après le roman homonyme de Robert Wilder. **Réal.** : Douglas Sirk. **Im.** : Russell Metty (couleurs). **Mus.** : Frank Skinner, Joseph Gershenson (chanson de Victor Young et Sammy Cahn). **Prod.** : Albert Zugsmith (Universal). **Durée** : 99 minutes. **Interpr.** : Rock Hudson *(Mitch Wayne)*, Lauren Bacall *(Lucy Hadley)*, Robert Stack *(Kyle Hadley)*, Dorothy Malone *(Marylee)*, Robert Keith *(le père)*.

Ce film tumultueux, foisonnant, baroque, frôlerait le mauvais goût s'il n'y avait aux commandes un conducteur virtuose : Douglas Sirk.

Les Hadley sont une richissime famille du Texas, vivant de l'industrie pétrolière. Le père est un bourreau de travail, les enfants font les quatre cents coups : Kyle, le garçon, s'éprend d'une publiciste, Lucy, l'emmène à Miami dans son avion personnel et l'épouse sur-le-champ. Mais il est porté sur la bouteille, et se croit stérile. Sa sœur, Marylee, est une nymphomane invétérée. Mitch, l'ami de toujours, s'efforce d'apaiser les passions. Celles-ci se déchaîneront avec la mort du père, terrassé par un infarctus. Kyle sera tué au cours d'un sauvage affrontement ; Lucy, enceinte, fera une fausse couche ; Mitch, accusé de meurtre, sera innocenté grâce au témoignage de Marylee. Devenue enfin raisonnable, cette dernière prendra la direction de l'entreprise.

Quand les passions s'embrasent

S'il est un film que l'on peut tenir pour un mélodrame, au sens moderne du mot — survoltage des passions et accumulation des péripéties romanesques —, c'est bien *Écrit sur du vent*, prototype d'un genre qui sera galvaudé par les séries télévisées. Ce microcosme du rêve américain, devenu cauchemar, est parcouru d'un étrange frémissement lyrique. Douglas Sirk (1900-1986), de son vrai nom Detlev Sierck, était d'origine européenne. Il fit une carrière brillante, au théâtre et au cinéma, en Allemagne avant la guerre. On lui doit notamment deux superbes mélos exotiques avec Zarah Leander, *La Habanera* et *Paramatta, bagne de femmes* (1937). Son talent s'épanouira dans sa période américaine, du *Secret magnifique* (1954) à *Mirages de la vie* (1959).

Les héros de Sirk, proches par certains côtés de ceux de Fitzgerald, sont marqués par une vénéneuse fatalité. Leur itinéraire est fait de fuites en avant, d'exacerbation des désirs, sans assouvissement. Le plus souvent, leur malaise se traduit par un désespoir strident (la danse hystérique de Dorothy Malone, en chemise de nuit rose vif, dans *Écrit sur du vent,* la course éperdue de Susan Kohner derrière le cercueil de sa mère, au final de *Mirages de la vie*). Cet embrasement des passions, déjà sensible dans *L'aveu* (1944), trouve ici son expression la plus achevée et la plus flamboyante.

Le septième sceau

Ingmar Bergman

Det sjunde inseglet. **Scén., réal.** : Ingmar Bergman, d'après sa pièce *Trämalning*.
Im. : Gunnar Fischer (N. et B.). **Mus.** : Erik Nordgren. **Prod.** : AB Svensk
Filmindustri. **Durée** : 90 minutes. **Interpr.** : Max von Sydow *(Antonius Block)*,
Gunnar Björnstrand *(Jöns, l'écuyer)*, Nils Poppe *(Jof)*, Bibi Andersson *(sa femme, Mia)*,
Bengt Ekerot *(la Mort)*, Ake Fridell *(le forgeron)*, Inga Gill *(Lisa)*.

Ingmar Bergman, le plus célèbre cinéaste moderne avec Fellini, s'est fait d'abord connaître par cette allégorie tragi-comique, en forme de mystère médiéval.

Nous sommes au XIVᵉ siècle. La peste ravage l'Europe. Le chevalier Antonius Block et son écuyer Jöns rentrent au pays après dix ans de croisade en Terre sainte. Un personnage tout de noir vêtu les poursuit, défiant le chevalier aux échecs : c'est la Mort. Elle perd la première manche. Non loin de là, une troupe de bateleurs campe dans sa roulotte, en attendant de donner leur représentation. L'un d'eux, Jof, assure avoir vu la Vierge Marie. Il y a aussi une sorcière, un moine défroqué, une procession de flagellants, un forgeron et sa femme infidèle… Quelques-uns accompagneront le chevalier jusqu'à son château où Karin, son épouse, les accueille. On se met à table. Mais la Mort est là, qui attend son heure. Elle les entraînera sur la colline, en une infernale sarabande. Seuls le gentil bateleur et sa femme verront l'aube se lever.

La Mort joue aux échecs

Ingmar Bergman a expliqué qu'il avait construit son film à la façon d'un peintre du Moyen Âge, «avec le même engagement objectif, la même sensibilité et la même joie». Le message est clair : nous sommes toujours menacés par la peste, cela s'appelle aujourd'hui la guerre nucléaire, et face à ce péril il n'est d'autre recours que les cœurs purs. Au fanatisme et à l'intolérance Bergman oppose «le lait de la tendresse humaine». Son film n'a pourtant rien de dogmatique. Il joue le jeu de la naïveté iconographique, brode librement sur l'imaginaire médiéval. On pense à Dürer, aux gravures sur bois de Hans Beham, à la *Danse macabre* d'Orcagna. La réflexion philosophique, au demeurant un peu sommaire, est sans cesse irriguée par un onirisme limpide, et même des traits d'humour, notamment à travers le personnage de l'écuyer. Le rôle de Jof le naïf baladin est tenu par le célèbre acteur comique Nils Poppe.

L'œuvre s'inscrit en outre dans une tradition bien ancrée du merveilleux scandinave, qui va de *La charrette fantôme*, de Victor Sjöström (1920), au *Chemin du ciel* (1942), d'Alf Sjöberg. Il y a enfin des réminiscences de l'*Orphée* de Cocteau.

Le septième sceau consacra la réputation internationale d'Ingmar Bergman, metteur en scène de théâtre et cinéaste suédois (né en 1918). De nombreuses exégèses ont tenté alors de cerner la personnalité de ce grand artiste, dominée, semble-t-il, par un immense scepticisme. Il fait dire à l'un des personnages de son film *Prison* (1948) : «La vie n'est rien d'autre qu'un voyage, cruel et dénué de sens, vers la mort.» Mais il reste à Bergman beaucoup de chemin à parcourir jusqu'à *Cris et chuchotements* (1973).

1955 La traversée de Paris

Claude Autant-Lara

Scén., adapt., dial. : Jean Aurenche, Pierre Bost, d'après une nouvelle de Marcel Aymé.
Réal. : Claude Autant-Lara. **Im.** : Jacques Natteau (N. et B.).
Déc. Max Douy. **Mus.** : René Cloerec. **Prod.** : Franco-London films (Paris),
Continentale produzione (Rome). **Durée** : 80 minutes. **Interpr.** : Jean Gabin *(Grandgil)*,
Bourvil *(Martin)*, Louis de Funès *(Jambier)*, Jeannette Batti *(Mariette)*,
Robert Arnoux *(le boucher)*, Bernard Lajarrige, Anouk Ferjac.

Pour décrire l'Occupation, «période de tous les courages et de toutes les lâchetés», il fallait la hargne vengeresse de l'anarchiste Claude Autant-Lara.

1943. Paris occupé vit à l'heure du marché noir. Un brave chauffeur de taxi en chômage, Martin, effectue des transports de viande clandestins d'un quartier à l'autre de la capitale, malgré le couvre-feu et les patrouilles allemandes. Il s'est abouché avec un nommé Grandgil, artiste peintre à ses heures, qui méprise cordialement ses contemporains. Une équipée nocturne leur vaudra quelques rencontres cocasses, ponctuées de violents coups de gueule. Ils se retrouveront finalement à la Kommandantur, mais un officier allemand amateur d'art voit tout de suite à qui il a affaire. Martin sera retenu comme otage, Grandgil relâché. À la Libération, les deux hommes se retrouveront : l'un voyage en pullman, l'autre trime comme bagagiste…

Une verve quasi célinienne

Le cinéma français des années 1950 se signale par un morne conformisme. La production piétine, des scénaristes maison cultivent le poncif, pimentant de lieux communs des sujets rebattus, mis en scène par des routiniers sans imagination. C'est le règne des Henri Jeanson, des Jean Delannoy, des Gilles Grangier. De cette « qualité française », contre laquelle la Nouvelle Vague va s'élever avec véhémence, *La traversée de Paris* constitue un échantillon exemplaire. D'où vient que pour une fois le résultat soit positif ?

De la saveur de l'anecdote, tout d'abord, empruntée à Marcel Aymé, une salubre remise en question du comportement « héroïque » des Français sous l'Occupation. Les adaptateurs, Jean Aurenche et Pierre Bost, ont enfoncé le clou avec jubilation, brossant un tableau sinistre d'un pays en proie aux minables combines, à la « trouille » généralisée. Pas une réplique qui ne sonne ici comme un féroce règlement de comptes. Le réalisateur, pour sa part, a trouvé là son registre d'élection.

Claude Autant-Lara (1903-2000), qui s'était révélé par des films futiles en apparence, mais qui sentaient déjà le soufre (*Douce,* 1943), donne ici libre cours à une verve quasi célinienne ; « la truculence, la hargne, la vulgarité, l'outrance, loin de le desservir, haussent son propos jusqu'à l'épique », reconnaît François Truffaut, qui n'avait pas été tendre jusque-là pour le cinéaste du *Diable au corps* (1946) et de *L'auberge rouge* (1951).

Ajoutons une subtile recherche de stylisation de la part du décorateur Max Douy ; et le talent des acteurs, dont les rôles sont taillés dans l'étoffe d'une robuste humanité. Aucun film ultérieur du trio Gabin-Bourvil-de Funès, ni de leur metteur en scène, ne retrouvera la force d'impact de ce tir à boulets rouges, qui n'engendre pas le chagrin — ni la pitié !

1957
La soif du mal
Orson Welles

Touch of Evil. **Scén., dial.** : Orson Welles, d'après le roman de Whit Masterson *Badge of Evil.*
Réal. : Orson Welles. **Im.** : Russel Metty (N. et B.). **Mus.** : Henry Mancini. **Prod.** : Albert Zugsmith (Universal International). **Durée** : 108 minutes (version réduite et remontée : 93 minutes).
Interpr. : Orson Welles *(Hank Quinlan),* Charlton Heston *(Mike Vargas),* Janet Leigh *(Susan),* Akim Tamiroff *(« oncle Joe » Grandi),* Joseph Calleia *(Menzies),* Marlene Dietrich *(Tanya),* Dennis Weaver *(le veilleur de nuit),* Joseph Cotten, Zsa-Zsa Gabor, Mercedes McCambridge.

La soif du mal, c'est l'intrusion de la morale shakespearienne dans le film policier. Quoi d'étonnant, puisque son auteur est un digne successeur du grand Will ?

Dans une petite ville frontalière, à cheval sur le Mexique et les États-Unis, un jeune policier, Vargas, chargé de la répression du trafic des stupéfiants, est témoin de l'explosion d'une voiture piégée : deux morts, dont le potentat local Rudy Linnekar. Quinlan, un inspecteur américain, est chargé de l'enquête. Son collègue mexicain lui offre ses services. Les deux policiers vont s'affronter violemment. Vargas acquiert la conviction que Quinlan truque les preuves. Les préjugés racistes s'en mêlent. La bande à Grandi, un truand qui a eu maille à partir avec Vargas, compromet l'épouse de ce dernier, Susan. Quinlan laisse faire. Mais Menzies, un de ses lieutenants, le trahit. Vargas, qui n'a pas le choix des moyens, parvient ainsi à le confondre. Quinlan est abattu. Il avait pourtant vu juste dans l'affaire Linnekar. Sa vieille amie Tanya prononce une laconique oraison funèbre : « C'était un homme, et voilà tout ! »

Un polar shakespearien

La soif du mal marque le retour de l'enfant prodigue Orson Welles à Hollywood, après huit ans d'errance européenne. C'est à l'initiative de l'acteur Charlton Heston qu'il dut cette éphémère rentrée en grâce. Comme on pouvait s'y attendre, il transforma de fond en comble une banale histoire de série noire ; il en fit une fable convulsive et ténébreuse, menée à un rythme d'enfer, qui pose explicitement un problème social d'envergure : celui de l'abus du pouvoir policier, porte ouverte à l'intolérance et à la dictature. Le libéral Vargas s'oppose — rudement — au «fasciste» Quinlan. Ce qui ne va pas sans ambiguïté, puisqu'il doit déroger à ses principes ; d'autant que Welles incarne lui-même, avec une conviction monstrueuse et fascinante, le personnage du «salaud». Il y a, sans aucun doute, du Shakespeare là-dessous : Quinlan n'est pas loin de Macbeth, et son âme damnée Menzies de Iago. L'injustice et la trahison sont «dans leur caractère».

D'où un certain malaise, comme l'a noté Robin Wood, qui tend à ébranler les certitudes morales du spectateur. Du fameux plan à la grue qui ouvre le film, et joue sur toute la gamme de l'illusion cinématographique (emploi du grand-angulaire, profondeur de champ anormale, distorsion de l'espace, etc.), jusqu'à l'assaut final, dans un étrange décor de terrain vague, de poutrelles et d'eau croupie, nous baignons dans un monde de pur cauchemar, étonnamment restitué par une caméra omniprésente, d'une souplesse protéiforme, qui ne s'accorde aucun répit.

1958 Cendres et diamant
Andrzej Wajda

Popiol i diament. **Scén.** : Andrzej Wajda, Jerzy Andrzejewski, d'après le roman homonyme de ce dernier. **Réal.** : Andrzej Wajda. **Im.** : Jerzy Wójcik (N. et B.). **Prod.** : KADR, Films Polski. **Durée** : 107 minutes.
Interpr. : Zbigniew Cybulski *(Maciek Chelmicki)*, Ewa Krzyzewska *(Krystyna)*, Waclaw Zastrzezynski *(Szczuka)*, Adam Pawlikowski, Jan Ciecierski, Bogumil Kobiela.

Andrzej Wajda est le chantre des dissidents, des rebelles sans cause, des vaincus de l'Histoire. Il a l'art d'exprimer en images envoûtantes leur immaturité et leur agonie.

Mai 1945. La Pologne s'éveille de la longue nuit de l'Occupation. Mais d'autres épreuves l'attendent. La situation politique reste confuse : il y a d'un côté le Parti ouvrier, aligné sur l'U.R.S.S., de l'autre les militants nationalistes, fidèles à l'ancien régime. C'est parmi ces derniers que se rangent Maciek et Andrzej, deux hommes de main chargés d'abattre un responsable communiste. Mais Maciek commence à être las de son existence de combattant. Il ne croit plus à la noblesse de sa cause, et préfère goûter aux joies simples de l'amour en compagnie de Krystyna, une serveuse de bar. Andrzej le rappelle à son devoir. Il exécutera donc son contrat, pendant que les politiciens locaux s'enivrent. Fuyant cette orgie, il est abattu par une patrouille et s'écroule sur un tas d'ordures.

En un combat douteux

Né en 1926, Andrzej Wajda s'est imposé comme le chef de file de sa génération. *Génération* est précisément le titre de son premier long métrage (1954), qui sera suivi du pathétique *Kanal* (1957) et de *Cendres et diamant,* où s'expriment avec éloquence son refus du manichéisme, son sens aigu du baroque et d'un symbolisme exaspéré, toutes qualités qui se retrouveront dans ses œuvres ultérieures, de l'insolite *Lotna* (1959) au généreux diptyque de *L'homme de marbre* (1976) et *L'homme de fer* (1981). Surmontant toutes les désillusions et les normalisations, il continue d'incarner les «grandes promesses» d'une terre qui ne peut se résoudre à voir mourir son printemps. *Cendres et diamant* est caractéristique des contradictions, fécondes, qui impulsent son art : d'une part la conscience de la nécessité d'un engagement, de l'autre une méfiance à l'égard des mots d'ordre, d'où qu'ils viennent. Son héros, magistralement campé par Zbigniew Cybulski (le «James Dean polonais»), incarne de manière exemplaire cette double postulation. En paraphrasant les titres d'autres films de l'«école de Lodz», on pourrait dire qu'il se tient sur «la ligne d'ombre» qui sépare les «hommes sur la voie» des «croisades maudites». Il aimait la vie et mourra à vingt ans.

Quand passent les cigognes
Mikhaïl Kalatozov

Letiat jouravly. **Scén.** : Victor Razov. **Réal.** : Mikhaïl Kalatozov. **Im.** : Serguei Ouroussevski (N. et B.). **Mus.** : Moïse Vaïnberg. **Prod.** : Mosfilm. **Durée** : 97 minutes. **Interpr.** : Tatiana Samoïlova *(Veronika)*, Alexeï Batalov *(Boris)*, Alexander Chvorine *(Mark)*, Vassili Merkouriev *(le père de Boris)*.

Comme un vol de cigognes dans le ciel de Moscou est signe de renouveau, ce film, dans la grisaille du cinéma soviétique, fit l'effet d'un rayon de soleil.

Moscou, printemps 1941. Boris et sa fiancée Veronika — qu'il surnomme «l'Écureuil» — vont bientôt se marier. Mais, en juin, les armées nazies attaquent l'Union soviétique. Boris s'engage. Veronika, dont les parents ont péri sous les bombes, est recueillie par le père de Boris, le docteur Fiodor Ivanovitch. La jeune fille, désemparée, se laisse séduire par Mark, un cousin de Boris, et l'épouse. Réfugiée en Sibérie avec le docteur (nommé à la tête d'un hôpital militaire) et son mari, Veronika apprend la mort de Boris par un soldat en permission. Elle refuse d'y croire avant de s'y résoudre, à la fin de la guerre, lorsque tous les rescapés sont revenus du front.

Le réalisme socialiste en question

Lors du XXe congrès du parti communiste, en février 1956, Nikita Khŕouchtchev présenta un rapport condamnant les crimes de Staline. Les conséquences de cette dénonciation des méfaits du stalinisme se firent notamment sentir dans le domaine artistique alors étroitement encadré par le dogme du «réalisme socialiste» qui enjoignait aux artistes de ne proposer à l'admiration du peuple que des «héros positifs» totalement dévoués à l'édification du communisme. C'est ainsi que le cinéma avait vu sa production réduite à quelques dizaines de longs métrages par an. Or, le discours de Khrouchtchev déclencha un «dégel» dont *Quand passent les cigognes* demeure le témoignage le plus prestigieux puisque, outre la palme d'or au festival de Cannes, le film reçut de nombreuses récompenses dans le monde entier.

Son auteur, Mikhaïl Kalatozov (1903-1973) avait connu une traversée du désert après avoir réalisé, en 1930, *Le sel de Svanétie*, documentaire jugé trop formaliste, et, en 1932, *Un clou dans la botte*, interdit pour ses connotations antimilitaristes. Revenu «dans la ligne», il se trouvera enfin à l'aise, avec son tempérament romanesque et son attention au quotidien, avec le scénario de ce film. On y découvre, en effet, des personnages «réalistes» plutôt que «socialistes», tel le médecin qui ironise sur les appels au patriotisme dont les résultats les plus visibles sont des monuments aux morts. D'autres se planquent à l'arrière et y trafiquent privilèges et prébendes. Des fiancées, des épouses trompent leur homme, comme Veronika, hantée, jusqu'à une tentative de suicide, par une faute pourtant commise dans un moment d'égarement. Tatiana Samoïlova s'est identifiée à Veronika et, avec son minois, sa vitalité, sa grâce, à l'écureuil auquel Boris la compare. Impulsive, passionnée, elle vit au rythme de ses coups de cœur, entraînant dans sa course une caméra qui fait des prodiges pour ne pas la perdre dans les foules où sa solitude l'isole. La virtuosité de la mise en scène traduit l'empathie du cinéaste et de son interprète dont les cœurs battent à l'unisson pour donner vie au seul idéal qui compte : l'amour.

Nouvelles vagues

Jean-Paul Belmondo dans *Pierrot le Fou* (1965) de Jean-Luc Godard.

1959

À bout de souffle

Jean-Luc Godard

Scén., réal. : Jean-Luc Godard.
Conseiller technique : Claude Chabrol.
Im. : Raoul Coutard (N. et B.).
Mus. : Martial Solal.
Prod. : Georges de Beauregard.
Durée : 89 minutes. **Interpr.** : Jean-Paul Belmondo
Michel Poiccard), Jean Seberg *(Patricia)*,
Daniel Boulanger et Henri-Jacques Huet *(les policiers)*,
Jean-Pierre Melville *(Parvulesco)*,
Jean-Luc Godard *(le mouchard)*, Roger Hanin,
Van Doude, Claude Mansard.

*Jean-Luc Godard est un créateur vaticinant aux intuitions parfois fulgurantes ;
il a durablement traumatisé le cinéma français.*

Une petite frappe, Michel Poiccard, qui a volé une voiture à Marseille, est poursuivi par deux motards. Il tire sur l'un d'eux et s'enfuit à travers champs. À Paris, il vit d'expédients et se fait entretenir par une jeune journaliste américaine, Patricia Franchini. Sa vie se passe en flâneries aux Champs-Élysées et en escapades au nez et à la barbe de la police. Son amie, sur un coup de tête, le dénonce. En tentant de fuir, il est abattu en pleine rue.

Table rase

Sur ce schéma classique de film policier, un remuant cinéaste de vingt-neuf ans, Jean-Luc Godard, frais émoulu du journalisme, a réalisé, avec un maigre budget (45 millions d'anciens francs), une œuvre provocante, accordée à l'air du temps, et dont le retentissement fut considérable. Parti d'un pastiche de *Scarface,* il se retrouve «du côté de chez Vigo», comme l'écrit Jean Collet qui ajoute : «Godard a fait table rase. Table rase de la psychologie, de la sociologie, de la logique, de la morale, et bien entendu du cinéma traditionnels.»

Il est vrai que le ton alerte du récit, la décontraction des personnages, le dialogue regorgeant de *private jokes,* les hasards heureux de l'improvisation (le découpage fut écrit au jour le jour), un tournage à la sauvette, en prise directe sur l'événement, une caméra dissimulée aux regards, tout cela donne l'impression d'un renouvellement complet de la matière et de la manière filmiques. Ce bouleversement n'était pas prémédité : le producteur ayant trouvé le film trop long, Godard eut l'idée de modifier son montage non en supprimant des scènes entières, mais en coupant dans *chaque* séquence, gommant les temps morts, escamotant les transitions. D'où ce ton syncopé, électrisant, très représentatif des cadences trépidantes du monde d'aujourd'hui.

À bout de souffle est loin d'atteindre à l'émotion de films tels que *Hiroshima mon amour* (1959) ou *Les quatre cents coups* (1960), et même à l'humour corrosif des *Bonnes femmes.* C'est le témoignage d'un écorché vif, pressé de jeter sa gourme, d'un «clown avant-gardiste de la bourgeoisie» (comme il se qualifie volontiers lui-même), nourri de cinéma américain et qui a eu la chance de trouver en Jean-Paul Belmondo, alors débutant, un porte-parole de choix, au *look* résolument moderne.

Godard tournera par la suite le picaresque *Pierrot le Fou* (1965), suite libre d'*À bout de souffle,* où le héros cette fois descend vers le Sud et explose «en beauté». Après plusieurs films d'inégale valeur *(Le mépris, Bande à part, La Chinoise…)* et une période militante où il s'essaie, naïvement, au gauchisme de choc, Godard s'est installé en Suisse, où il poursuit son travail de sape de la dramaturgie traditionnelle, avec parfois des élans d'authentique détresse : *Sauve qui peut (la vie), Passion, Prénom Carmen, Je vous salue Marie, For ever Mozart…*

La Nouvelle Vague

«Nouvelle Vague» est une étiquette lancée en 1958 par Françoise Giroud, dans un article du magazine *L'Express,* pour qualifier un groupe de jeunes cinéastes français débutant avec éclat, en marge des filières traditionnelles de la profession, sans qualification technique, parfois soutenus par des capitaux privés et employant des interprètes de leur âge, aucun n'ayant encore accédé à la notoriété. Le terme fit fortune et s'appliqua bientôt à un nouveau style cinématographique, à base de désinvolture narrative, de dialogues provocants, d'amoralisme et de «collages» inattendus, dont le prototype sera *À bout de souffle* de Jean-Luc Godard. Le public s'enthousiasma, et en 1960 quarante-trois nouveaux auteurs tournaient leur premier film. Parmi eux, le noyau le plus actif venait de la critique, de l'hebdomadaire *Arts* et des turbulents *Cahiers du Cinéma* : outre Godard, on y trouvait François Truffaut, qui s'imposa d'emblée avec ses *Quatre cents coups,* Claude Chabrol *(Le beau Serge, Les cousins),* Jacques Rivette, Pierre Kast et leurs aînés Jacques Doniol-Valcroze et Éric Rohmer (rédacteurs en chef des *Cahiers).*

D'autres appartenaient à la génération précédente : bien qu'ils eussent déjà réalisé des films, de court ou long métrage, ils ne s'étaient pas compromis avec le «système»; ils furent donc reconnus comme des précurseurs : ainsi Roger Leenhardt, Jean-Pierre Melville, Georges Franju, Alexandre Astruc *(Les mauvaises rencontres),* Agnès Varda *(La pointe courte)* et surtout Alain Resnais, qui frappa un grand coup dès 1959 avec une œuvre de conception et de facture révolutionnaires, *Hiroshima mon amour.* D'autres encore rejoignirent le mouvement par accident ou par calcul, mais s'en détachèrent vite : c'est le cas de Louis Malle, de Jean-Pierre Mocky, de Marcel Camus, de Michel Drach, voire de Roger Vadim.

La mode aidant, les anciens les plus contestés se mirent de la partie, de Marcel Carné *(Les tricheurs)* à Henri Decoin. Il faudrait ajouter encore les noms de Jean Rouch, ethnographe de talent qui exerça une influence profonde sur le groupe; de l'écrivain et journaliste Chris Marker, au brio inclassable; du dramaturge Armand Gatti; et de quelques outsiders qui se glissèrent dans la foulée et s'affirmèrent — plus ou moins glorieusement — par la suite : Jacques Rozier *(Adieu Philippine),* Jacques Demy *(Lola),* Michel Deville, Philippe de Broca, Henri Colpi, Jean-Daniel Pollet, etc.

Le succès de la Nouvelle Vague s'explique par une conjonction de facteurs économiques, politiques et esthétiques extrêmement divers : désagrégation de la IVe République et avènement d'un nouveau type de société; relâchement des mœurs et recul de la censure; système de l'«avance sur recettes» bientôt accordée par le Centre national de la cinématographie aux films «ouvrant des perspectives nouvelles à l'art cinématographique»; action concertée de quelques producteurs dynamiques (Pierre Braunberger, Georges de Beauregard, Anatole Dauman) soucieux d'échapper aux lois contraignantes du marché; extension des circuits «Art et Essai»; apparition d'une nouvelle génération d'acteurs, plus décontractés, moins marqués par la routine théâtrale (Brigitte Bardot, Jean-Paul Belmondo, Bernadette Lafont); en bref, rajeunissement des cadres à tous les niveaux.

Il faut enfin observer que la Nouvelle Vague s'inscrivait résolument en faux contre une tradition jugée routinière et néfaste du cinéma français, celle des Jean Delannoy, des Christian-Jaque, des Gilles Grangier, des scénaristes comme l'équipe Aurenche et Bost. Elle se reconnaissait, en revanche, chez Jean Renoir, Robert Bresson et Jacques Tati. À partir de 1963, un reflux s'amorce et les ténors de la Nouvelle Vague s'assagissent. Les uns évoluent vers le classicisme (Truffaut, Rohmer), d'autres composent avec le système naguère abhorré (Chabrol), d'autres se tournent vers le militantisme (Godard) ou le cinéma expérimental, d'autres enfin poursuivent leur route en solitaires (Malle, Franju, Resnais). Après 1968, on verra surgir une nouvelle «Nouvelle Vague», soit très politisée, soit au contraire s'évadant dans le divertissement et le «naturel» : elle va de Jean Eustache à André Téchiné, de Maurice Pialat à Bertrand Tavernier, de Pascal Thomas à Jacques Doillon.

1959
Hiroshima mon amour
Alain Resnais

Scén., dial. : Marguerite Duras. **Réal.** : Alain Resnais.
Im. : Sacha Vierny (France), Takahashi Michio (Japon) (N. et B.).
Mus. : Georges Delerue, Giovanni Fusco. **Mont.** : Henri Colpi.
Coprod. : Argos films, Como films, Daiei, Pathé Overseas.
Durée : 91 minutes. **Interpr.** : Emmanuelle Riva *(la femme)*,
Eiji Okada *(l'homme)*, Bernard Fresson *(l'Allemand)*,
Stella Dassas et Pierre Barbaud *(les parents)*.

Pour la première fois, un film nous introduit dans «le cheminement dialectique de la conscience, le processus de la subjectivité» (Nathalie Weinstock). En images de cendres, de nuit et de lumière.

Quelques heures de la vie d'un couple à Hiroshima, au mois d'août 1957. Elle, une actrice française d'une trentaine d'années, est venue jouer dans un film international sur la paix; lui, marié, est un architecte japonais. Ils s'aiment, librement, dans la chambre d'hôtel de la jeune femme. Le souvenir des «dix mille soleils» d'Hiroshima — une ville entière soulevée de terre et réduite en cendres — les hante. Cette ville qui fut le théâtre de l'extrême horreur est faite à présent à la taille de l'amour...

Où était-elle, la petite Française, quand la bombe explosa sur Hiroshima? À Nevers, où elle vécut un amour de jeunesse qui la bouleversa profondément. Maîtresse d'un soldat allemand qui fut tué à la Libération, elle fut tondue par la foule et enfermée dans une cave par ses parents morts de honte. Le souvenir de ce drame reflue à sa mémoire. Le Japonais l'écoute...

Le temps d'une confidence, le temps d'en vivre, le temps d'en mourir, et l'oubli fait son œuvre. Il reste deux noms de villes, qui sont aussi des noms d'êtres vivants : Hiroshima, Nevers.

Les sphères cachées de la conscience

Dès les premières images (une empreinte fossilisée, des corps nus enlacés émergeant d'un bain de cendres), dès les premières phrases, s'élevant en voix *off,* sur le ton de la psalmodie («Tu n'as rien vu à Hiroshima...»), nous baignons dans un climat envoûtant, mélange de douleur et de douceur, qui non seulement se maintiendra tout au long du film, mais imprégnera l'œuvre entière d'Alain Resnais : il se caractérise par l'interpénétration de l'amour et de la mort, avec en filigrane le poids du souvenir. C'est comme si toute la souffrance du monde se trouvait confrontée à l'éphémère du sentiment, et au traumatisme de la mémoire : mémoire individuelle et mémoire collective, indissolublement liées. Autant de traits que l'on a pu attribuer à la scénariste, Marguerite Duras (elle en développera certains à sa manière, dans ses écrits ou ses films), mais qui semblent liés davantage au réalisateur («Je suis obsédé par la mort, par le temps qui passe, par l'usure des choses...», déclare-t-il lors d'une interview), et que l'on retrouvera, amplifiés et jamais autrement élucidés, aussi bien dans *L'année dernière à Marienbad* (1963) que dans *Muriel* (1966) ou *L'amour à mort* (1984).

Avec ses amis Chris Marker, Paul Paviot et Agnès Varda, Alain Resnais (né en 1922) s'inscrit dans un courant de cinéma intellectuel et «engagé» qui fait le lien entre le «Nouveau Roman» et la future «Nouvelle Vague». Son talent de monteur s'épanouit dans une série de courts et moyens métrages, dont l'admirable *Nuit et brouillard* (1955), mémorial sur les camps de la mort, qui lui vaut une commande sur le thème de l'horreur atomique, premier jet d'*Hiroshima*. Il a l'idée d'y intégrer une mince intrigue sentimentale, comme le contrepoint mineur d'un thème majeur. L'effet sera souligné par un contraste de styles photographiques (aux images crues d'Hiroshima s'oppose la lumière crépusculaire de Nevers) et de motifs musicaux complexes, le tout subtilement entrelacé. Le résultat est un étonnant film-poème, un film-cantate, aux multiples connotations, qui a secoué l'apathie d'une production enlisée dans l'académisme. «Le cinéma, peut écrire Jean de Baroncelli, retrouve ici une liberté d'écriture qui fut celle du muet — celle de Griffith, d'Eisenstein, de Stroheim.»

Présenté au festival de Cannes en 1959, hors compétition (par crainte de déplaire aux Américains, qui allaient lui faire quelques mois plus tard un triomphe), l'œuvre suscita des réactions mitigées, allant du dédain affiché de Marcel Achard à l'enthousiasme délirant d'André Malraux. Les passions apaisées, il fallut bien en convenir : ce premier long métrage d'un jeune cinéaste annonçait une révolution dans le langage filmique comparable à celle qu'accomplirent en leur temps *Intolérance* ou *Citizen Kane*. En quoi consistait cette révolution ? Le cinéaste belge André Delvaux l'a bien résumée : «Contrairement à l'ensemble des œuvres de fiction où l'anecdote, les péripéties commandent la construction, *Hiroshima mon amour* se présente comme un dialogue *lyrique* qui définit à la fois la structure de l'œuvre, le montage et le son.»

Cette technique, esquissée dès *Guernica,* se fonde notamment sur un emploi très souple du *travelling,* explorant les lieux, traquant les personnages et les objets, pénétrant dans les sphères cachées de la conscience : une investigation respectueuse de l'intimité des êtres, de leur présence au monde, de leur passé inavoué, soulignée par un monologue ou une musique intérieurs qui sont comme l'écho de leurs inclinations, de leurs espérances ou de leur désarroi. Pour ces voyages au bout de l'imaginaire, on a longtemps cru que Resnais avait besoin de boussoles — à savoir ses scénaristes, Jean Cayrol, Jorge Semprun, Jean Gruault, etc. Mais il est bien le seul à tenir la barre. Dans ses derniers films, le diptyque *Smoking / No Smoking* (1993) et *On connaît la chanson* (1997), sans rien abdiquer de ses audaces formelles, le cinéaste tend vers une forme de comédie sociale désinvolte qui lui vaut — enfin — le succès populaire.

1959 Pickpocket

Robert Bresson

Scén., dial., réal. : Robert Bresson.
Im. : Léonce-Henry Burel (N. et B.).
Mus. : J.-B. Lulli. **Prod.** : Lux films
(Agnès Delahaie). **Durée** : 75 minutes.
Interpr. : Martin Lasalle *(Michel D.)*,
Marika Green *(Jeanne)*, Pierre Leymarie
(Jacques), Jean Pélegri *(l'inspecteur)*,
Kassagi *(l'initiateur)*,
Pierre Étaix *(le comparse)*.

« Le cinéma n'est pas un spectacle, c'est une écriture » : tel est le postulat sur lequel se fonde désormais Robert Bresson pour tracer un étrange diagramme de gestes et de regards.

Longchamp. Un jeune homme plonge une main hésitante dans un sac qui pend au bras d'une femme. Il s'éloigne avec son maigre butin, le cœur battant. La police l'épingle, mais le relâche aussitôt, faute de preuves. Cet être solitaire, imbu de sa supériorité, intellectuelle et morale, ne va plus vivre désormais que pour assouvir une passion malsaine : le vol. Un pickpocket professionnel, qui a remarqué son manège, l'initie aux rites de la « fauche ». Ensemble, dans la rue, les gares, ils vont dérober portefeuilles, montres et objets divers. Le cœur sec de Michel va pourtant s'ouvrir à l'amour de Jeanne, une fille mère. Mais il est arrêté. Elle ira le voir en prison, brisant sa gangue d'égoïsme. À travers les grilles du parloir, il l'embrasse, le visage baigné de larmes.

Jeux de mains, jeu du destin

Il est difficile d'appliquer à cette œuvre insolite, grave, où l'auteur se refuse délibérément tout alibi psychologique, toute dérive spectaculaire, une grille de lecture traditionnelle : les personnages ici existent à peine, ils ont le geste et le verbe rares, le regard fuyant, la démarche hésitante ; dans un décor tellement banal qu'il en devient opaque (un champ de courses, des escaliers, des couloirs), ils se meuvent comme des somnambules ; leur âme affleure au terme d'une longue et douloureuse errance. Ainsi l'auteur des *Dames du bois de Boulogne* (1945) et d'*Un condamné à mort s'est échappé* (1956) peaufine-t-il sa recherche d'une vérité intérieure qui transcende les dérisoires simulacres du monde visible. Son « système » est au point : il n'en variera plus, jusqu'à *L'argent* (1983), son dernier film. Nous n'avons pas ici un « metteur en scène » qui « fait du cinéma », mais un peintre qui met en ordre des fragments épars de réalité, un clinicien qui enregistre des battements de cœur. Démarche austère, peut-être insensée, qui évoque la quête spirituelle du Graal (explicitement traitée dans *Lancelot du lac*, 1974). Au point que Claude Mauriac peut écrire : « Le véritable art abstrait d'aujourd'hui, c'est Robert Bresson qui nous le propose. »

Ce cinéma — ou plutôt ce cinématographe : Bresson tient au suffixe, qui lui permet de se démarquer de toute une esthétique tapageuse, relevant à ses yeux du « théâtre filmé » — n'a pas que des zélateurs. Certains y voient un processus maladif d'introversion, une aseptisation aberrante de la réalité. Mauvais procès : il est vrai que Bresson est un cas à part dans l'industrie du spectacle, une sorte d'ascète mondain reclus dans sa tour d'ivoire. Nous le croyons pourtant plus proche de Giacometti que de Bernard Buffet. *Pickpocket* reste, avec *L'argent*, peut-être son œuvre la plus achevée : sous une carapace d'aridité glacée couve en effet, épurée et chargée de sens, la vraie richesse humaine.

Les quatre cents coups

François Truffaut

Scén. : François Truffaut, Marcel Moussy. **Réal.** : François Truffaut. **Im.** : Henri Decae (N. et B.).
Mus. : Jean Constantin. **Prod.** : Les Films du Carrosse — SÉDIF. **Durée** : 93 minutes.
Interpr. : Jean-Pierre Léaud *(Antoine Doinel)*, Claire Maurier *(sa mère)*, Albert Rémy *(son père)*,
Guy Decomble *(le professeur de français)*, Patrick Auffay *(René)*, Georges Flamant *(son père)*,
Pierre Repp *(le professeur d'anglais)*, Robert Beauvais, Claude Mansard.

Entre Zéro de conduite *et* Les Enfants terribles, *entre la gouaille buissonnière et le cœur d'amour épris, voici le film de l'adolescence assumée, de la jeunesse désirée.*

Antoine Doinel est un écolier parisien de treize ans, rêveur et turbulent. Son père adoptif est un brave homme que son épouse trompe ouvertement. Le garçon, en manque d'affection, sèche les cours en compagnie de son copain René. Un jour, pour justifier son absence, il prétexte que sa mère est morte. La supercherie découverte, c'est l'engrenage de l'illégalité. Provocations, fugues, menus larcins se succèdent. Avec l'accord des parents, le juge des mineurs décide de le placer dans un centre d'observation pour délinquants. La discipline est rude, et Antoine ronge son frein. Un jour de sortie, il s'évade et court, à perdre haleine, jusqu'à la mer.

La vie aux trousses

Comme son co-équipier Jean-Luc Godard, François Truffaut (1932-1984) est d'abord un écorché vif, imprégné jusqu'à la moelle de cinéma (Renoir, Vigo, Hitchcock…) et qui fut révélé, de façon spectaculaire, par un long métrage non conformiste : ces *Quatre cents coups* au titre sonnant comme un manifeste de jeune Turc résolu à rompre les lances. Comme Godard, il a commencé par la critique, mais en concevant cet exercice d'une manière plus sérieuse, selon les principes inculqués par son père spirituel André Bazin (auquel est dédié ce premier film) ; comme Godard encore, il a trouvé un interprète rêvé en la personne de Jean-Pierre Léaud, son faire-valoir et son double. Mais les ressemblances s'arrêtent là : *Les quatre cents coups,* comme les films qui vont suivre, est nettement plus respectueux des normes classiques du récit cinématographique ; il conte une histoire simple, celle d'un enfant mal dans sa peau, comme Truffaut le fut sans doute, mais dont sont exorcisés du même coup les aspirations et les blocages affectifs ; l'esprit de révolte cède le pas au besoin de tendresse, la volonté d'édifier une œuvre — et de réussir une vie — exclut toute rage suicidaire. Les routes de Godard et de Truffaut, d'ailleurs, divergeront très vite. La carrière du second sera celle d'un créateur responsable, qui saura s'intégrer au «système» sans rien abdiquer de sa sincérité. Truffaut est bien dans la lignée des grands cinéastes du cœur.

1959 Rio Bravo

Howard Hawks

Scén. : Jules Furthman, Leigh Brackett,
d'après une nouvelle de B.H. McCampbell.
Prod., réal. : Howard Hawks.
Im. : Russell Harlan (couleurs).
Mus. : Dimitri Tiomkin. **Distr.** : Warner Bros.
Durée : 141 minutes (version française réduite
à 130 minutes). **Interpr.** : John Wayne
(John T. Chance), Dean Martin *(Dude)*,
Ricky Nelson *(Colorado)*, Angie Dickinson
(«Feathers»), Walter Brennan *(Stumpy)*,
Ward Bond *(Pat Wheeler)*, John Russell
(Nathan Burdette), Claude Akins *(Joe Burdette)*,
Pedro Gonzalez-Gonzalez *(Carlos)*.

« Si on me demandait de choisir un film qui justifie l'existence de Hollywood, ce serait Rio Bravo *», écrit Robin Wood. On y atteint en effet la quintessence du classicisme américain.*

À Rio Bravo, petite bourgade de l'Arizona, le shérif John T. Chance est en lutte ouverte contre le puissant gang des frères Burdette. Un soir, à la suite d'une rixe de saloon, l'un des frères abat froidement un cow-boy. Chance l'arrête et l'incarcère. Mais il doit faire face à des adversaires résolus. Pour le seconder, il n'a à sa disposition que Stumpy, un vieil adjoint boiteux, et Dude, un ami pochard qui a promis de s'amender. Colorado, un jeune et sympathique garde du corps, se joint à eux. Il y a aussi la belle «Feathers», une joueuse professionnelle dont le shérif sans se l'avouer est tombé amoureux. Dans le village cerné, aux sons d'une musique lancinante, s'engage une lutte inégale, émaillée d'intermèdes cocasses, dont Chance le bien nommé et sa petite équipe sortiront finalement vainqueurs.

Le western à huis clos

Rio Bravo se veut l'antithèse exacte du *Train sifflera trois fois* : on ne s'y encombre pas de psychologie, le ton général est à l'euphorie, la solidarité virile joue à plein, il s'établit entre les personnages une complicité qui suscite chez le spectateur une intense

jubilation. C'est que Howard Hawks (1896-1977) respecte scrupuleusement les lois du western ; il s'efforce de tirer la « substantifique moelle » d'un genre auquel il a déjà sacrifié (*La rivière rouge,* 1948), et sacrifiera encore, dans deux films qui prolongent librement celui-ci : *El Dorado* (1966) et *Rio Lobo* (1970).

Les sentiments en présence sont simples (c'est la violence, le courage, l'amitié), l'intrigue d'une évidence linéaire, il n'y a pas d'*action* à proprement parler, plutôt une savoureuse *décontraction,* qui relève de la comédie, ou du sport d'équipe, mais n'exclut pas pour autant le plaisir du travail bien fait. Élégance, désinvolture, respect de l'autre sont ici les maîtres mots ; avec par-dessus tout un sens de l'efficacité narrative qui est la marque d'un grand cinéaste, « maître de son sourire comme de son *punch* » (Claude-Michel Cluny).

Rio Bravo annonce aussi la fin du western classique. La même année, Arthur Penn, dans *Le gaucher*, a recours à la psychanalyse pour expliquer le comportement d'un jeune *gunman ;* en 1964, ce sera l'entrée en force du western à l'italienne, et en 1969 la surenchère sanguinolente de *La horde sauvage,* de Sam Peckinpah.

1960 L'avventura
Michelangelo Antonioni

Scén., dial. : Michelangelo Antonioni, Elio Bartolini,
Tonino Guerra. **Réal.** : Michelangelo Antonioni.
Im. : Aldo Scavarda (N. et B.). **Mus.** : Giovanni Fusco.
Prod. : Cino Del Duca. **Durée** : 135 minutes. **Interpr.** : Gabriele Ferzetti
(Sandro), Monica Vitti *(Claudia),* Lea Massari *(Anna),*
Dominique Blanchard *(Giulia)*, Renzo Ricci, Esmeralda Ruspoli.

Voici un film émouvant par ses « divines lenteurs », ses béances, sa grisaille, sa morosité même.

Un groupe d'amis fortunés part en croisière au large des îles Éoliennes. Parmi eux, le couple formé par Sandro et Anna, qui traverse une période de lassitude. Lors d'une escale, la jeune femme disparaît. Les recherches pour la retrouver s'avèrent vaines. La vie suit son cours. Sandro est attiré par une autre femme, Claudia, et en tombe amoureux. Ce qui ne l'empêche pas de se commettre, au cours d'une soirée mondaine, avec une prostituée. Claudia les surprend et s'enfuit. Sandro est effondré. Dans l'aube naissante, sur une terrasse dominant la mer, la femme ébauche un geste de pardon...

Le regard d'un entomologiste

Michelangelo Antonioni (né en 1912) était un adepte de ce qu'on appela le « néo-réalisme intérieur ». À l'inverse d'un De Sica ou d'un Visconti, il pratique un art distancié, glacial, fuyant les excès de la dramatisation. Ses admirations, plutôt qu'à Verga ou Verdi, vont à Sartre et Pavese (de ce dernier il tira un film en 1955, sous le titre *Femmes entre elles*). Le tempo excessivement lent de sa mise en scène, une prédilection pour les personnages en crise, le goût de l'introspection et de la confusion des sentiments le situent dans un courant, littéraire et cinématographique, qui relève de l'esthétique du désenchantement. Les héros d'Antonioni sont des névrosés, hantés par le spectre de l'échec, sentimental ou social. Pour beaucoup d'entre eux, la seule issue est le suicide. Aucun apitoiement chez le cinéaste pour ces êtres dépressifs ou blasés, mais un détachement hautain, un regard d'entomologiste. Techniquement, cela se traduit par une errance sans but, dans les paysages gris où la caméra s'enlise lentement.

Ce schéma se répétera, à une image près, dans tous ses films, particulièrement dans l'espèce de trilogie de la désillusion formée par *L'avventura, La notte* (1961) et *L'éclipse* (1962). Comme l'écrit Alberto Moravia : «Antonioni fait penser à ces oiseaux solitaires qui répètent nuit et jour les seules notes qu'ils savent chanter.»

La présentation de *L'avventura* au festival de Cannes 1960 donna lieu à une véritable bataille d'Hernani. Face aux sarcasmes du public, des voix autorisées s'élevèrent pour défendre ce long itinéraire sentimental, cette exploration minutieuse du «désert de l'amour», cette quête d'un bonheur introuvable, s'achevant sur un pathétique constat d'échec. Françoise Sagan prit la plume pour célébrer cette «vision désolée et tendre de la vie», résumée en un mot qui fit fortune, celui d'*incommunicabilité*.

L'«aventure» antonionienne tend avec le recul à se dissoudre dans une sorte de néant morose. Elle n'en a pas moins constitué, par son intransigeance et son refus du compromis, une étape importante du cinéma moderne.

1960
Elmer Gantry le charlatan

Richard Brooks

Elmer Gantry. **Scén.** : Richard Brooks,
d'après le roman homonyme de Sinclair Lewis.
Réal. : Richard Brooks. **Im.** : John Alton (couleurs).
Mus. : André Prévin. **Prod.** : Bernard Smith.
Durée : 145 minutes. **Interpr.** : Burt Lancaster
(Elmer Gantry), Jean Simmons *(Sister Sharon),*
Arthur Kennedy *(le journaliste),* Shirley Jones
(la prostituée), Dean Jagger, Patti Page.

Les cinéastes américains ont souvent eu à cœur de dévoiler les failles de l'American Way of Life. Richard Brooks a extirpé la racine du mal.

La province américaine, dans les années 1920. Un commis voyageur, hâbleur et coureur de jupons, Elmer Gantry, sillonne le pays en quête de dupes à plumer. Il rencontre une troupe d'évangélistes itinérants, qui compte dans ses rangs une ardente propagandiste, Sœur Sharon. Pour entrer dans ses bonnes grâces, il se convertit sur-le-champ à la religion baptiste, dont il devient à son tour le fougueux prosélyte. Sa forte personnalité, son bagout, son sens du public galvanisent les foules. Les conversions affluent. Sharon est conquise comme les autres, malgré l'intervention d'une catin, qui menace de révéler le passé peu reluisant du beau prêcheur. Tout paraît aller pour le mieux sous le chapiteau du «Renouveau évangélique», quand un violent incendie se déclare, où Sharon trouve la mort et le charlatan l'effondrement de son règne.

Amère Amérique

Ce film adapte avec une grande fidélité un roman de Sinclair Lewis (publié en 1927), lui-même inspiré de personnages et de faits réels, qui brossait un tableau féroce de la prédication populaire, génératrice d'hystérie collective, très en faveur aux États-Unis. Ce à quoi l'on assiste ici, c'est au procès du puritanisme et du mercantilisme, ces deux «mammelles» de l'Amérique, à une gigantesque parade de la jobardise humaine, à travers un personnage si hautement picaresque qu'il en devient presque sympathique. La présence aux côtés du matamore d'un journaliste sceptique — porte-parole du metteur en scène — ne fait que rendre la fable plus éloquente.

Ce n'est ni la première ni la dernière fois que Richard Brooks (1912-1992) enfonce «le fer dans la plaie» d'un pays malade. Il s'en est pris aux trusts journalistiques (*Bas les masques,* 1952), au décervelage militaire (*Sergent la Terreur,* 1953), aux tares du système éducatif (*Graine de violence,* 1955), au génocide indien (*La dernière chasse,* 1956), avant de décortiquer avec force les mécanismes de la violence (*De sang-froid,* 1967). La générosité du message fait passer une certaine lourdeur stylistique. Brooks le démocrate rejoint Fuller le républicain dans le regard lucide qu'il porte sur les aberrations de l'«Amérique profonde».

1960

Samedi soir et dimanche matin

Karel Reisz

Saturday Night and Sunday Morning. **Scén.** : Alan Sillitoe, d'après son roman.
Réal. : Karel Reisz. **Im.** : Freddie Francis (N. et B.). **Mus.** : John Dankworth.
Prod. : Harry Saltzman, Tony Richardson. **Durée** : 89 minutes. **Interpr.** : Albert Finney
(Arthur Seaton), Shirley Ann Field *(Doreen),* Rachel Roberts *(Brenda),*
Hylda Baker *(tante Ada),* Norman Rossington *(Bert).*

Peintre sans illusion de la condition ouvrière, Karel Reisz a tracé ici un constat social qui a le parfum du temps jadis.

Une usine de cycles dans les Midlands. Un ouvrier tourneur mène une existence morne et sans éclat, entre les cadences de l'atelier et des week-ends qui se passent en beuveries, parties de pêche et coucheries avec Brenda, l'épouse volage d'un de ses collègues de travail. Bistrot, boulot, dodo… Il semble se complaire dans sa médiocrité, jusqu'au jour où il fait la connaissance d'une jeune fille volontaire, Doreen, qui secoue son apathie et réussit à lui imposer l'idée du mariage. Pour elle, il va peut-être changer son fusil d'épaule et jeter la pierre à toute cette grisaille…

Qu'elle était grise, ma cité !

Chronologiquement, le Free Cinema anglais a précédé la Nouvelle Vague française. On désigne par là une équipe de jeunes réalisateurs résolus, dès le début des années 1950, à secouer le joug d'une production nationale sclérosée, coupée des problèmes réels. C'est d'abord par la critique, puis le documentaire, à petit budget, que s'exprimeront Lindsay Anderson, Karel Reisz et Tony Richardson : on citera d'eux *O Dreamland* (1953), description sarcastique de la faune d'un parc d'attractions, et *Ceux de Lambeth* (1959), reportage sur un club de loisirs d'un quartier populaire londonien. Leur influence, pour discrète qu'elle fût à l'origine, se ressentira sur l'ensemble du cinéma britannique, comme en témoignent quelques films importants de la décennie suivante : *Les chemins de la haute ville* (Jack Clayton, 1959), *La solitude du coureur de fond* (Tony Richardson, 1962), *If…* (Lindsay Anderson, 1968), *Kes* (Kenneth Loach, 1969).

Mais le plus pur de ces jeunes rebelles est sans doute Karel Reisz (d'origine tchèque, né en 1926). Il donna d'emblée le meilleur de ce «cinéma de prolétaires», un peu vite qualifié de marxiste sous prétexte qu'il contestait l'*establishment,* avec *Samedi soir et dimanche matin.* Il s'agissait moins d'un procès de la condition ouvrière (certes décrite sans fard) que d'une évocation chaleureuse et, somme toute, nostalgique d'une Angleterre en voie d'extinction, celle des paisibles réunions familiales, des pubs enfumés et des sorties dominicales à bicyclette, comme eût pu la filmer John Ford.

Shadows

John Cassavetes

Réal. : John Cassavetes. **Im.** : Erich Kolmar (N. et B.).
Mus. : Charlie Mingus. **Prod.** : Maurice McEndree, Nico Papatakis.
Durée : 81 minutes. **Interpr.** : Ben Carruthers *(Ben)*, Lelia Goldoni *(Lelia)*,
Hugh Hurd *(Hugh)*, Anthony Ray *(Tony)*, Dennis Sallas *(Dennis)*.

Shadows marque la fin du pouvoir absolu du metteur en scène et préconise l'avènement d'un cinéma brut, «aléatoire», accordé aux rythmes convulsifs de notre temps.

La faune de Greenwich Village, à l'aube des années 1960. Des Blancs, des Noirs, des métis, garçons et filles, se trémoussent dans des caves enfumées, au son d'une musique entraînante… Il y a là Hugh, cadet d'une famille de Noirs, qui voudrait bien s'intégrer à la communauté blanche ; Ben, son frère, un chanteur sur le déclin, qui court le cachet dans des tournées miteuses ; Lelia, une jolie métisse qui en est à sa première expérience sexuelle ; Tony, un Blanc qui ne parvient pas à vaincre ses préjugés racistes… Tous ces gens vont se côtoyer, s'affronter, se perdre, se retrouver, au fil de soirées tour à tour joyeuses et frénétiques…

Le tempo brut du jazz-band des ombres

«Ce film est une improvisation», précise le carton final. Ce qui est la stricte vérité. Un jeune intellectuel new-yorkais, connu surtout comme acteur de films policiers, John Cassavetes (1929-1989), laissa une troupe d'acteurs improviser devant sa caméra 16 mm une sorte de psychodrame sur un canevas très lâche, tournant autour du problème racial. Il y avait certes, comme le souligne Raymond Lefèvre, «une situation de départ, mais pas de scénario ; le cinéaste s'efface derrière ses acteurs». Le résultat ne va évidemment pas sans tâtonnements, cafouillages, voire quelques faux raccords, et l'ensemble peut paraître invertébré. Mais la contrepartie de cet amateurisme est un charme, une générosité d'approche, très rares à l'écran ; un critique américain parle à juste titre d'«un rythme de respiration, de parole et de mouvement [qui favorise] l'épanouissement de la vie à chaque image».

Ces «ombres» — puisque tel est le titre, volontairement allusif, choisi par l'auteur — nous touchent par leur évanescence même. Nous sommes dans le voisinage de *La fureur de vivre* (le fils de Nicholas Ray joue d'ailleurs l'un des rôles), mais avec un détour du côté de chez Godard. La jeunesse américaine, en tout cas, se reconnut dans ce tableau de mœurs en lumière crue, et lui fit un triomphe.

Quant à Cassavetes, il poursuivit par la suite ses recherches dans la voie d'un cinéma «hyperréaliste» *(Husbands,* 1970 ; *Une femme sous influence,* 1975 ; *Opening Night,* 1978 ; *Love Streams* 1984), tout en se produisant parallèlement comme acteur dans des films de facture classique *(Rosemary's Baby).*

1960 Le voyeur

Michael Powell

Peeping Tom. **Scén.** : Leo Marks. **Réal.** : Michael Powell.
Im. : Otto Heller (couleurs). **Mus.** : Brian Easdale.
Prod. : The Archers (Michael Powell, Emeric Pressburger).
Distr. Rank. **Durée** : 109 minutes. **Interpr.** : Karl-Heinz Boehm *(Mark Lewis)*,
Anna Massey *(Helen Stephens)*, Maxine Audley *(sa mère)*, Moira Shearer *(Viv)*,
Brenda Bruce *(Dora)*, Pamela Green *(Milly)*, Michael Powell
(le père de Mark), Columba Powell *(Mark enfant)*,
Martin Miller, Esmond Knight, Jack Watson.

Film fantastique au second, voire au troisième degré, Le voyeur *présente le cas d'un moderne Jack l'Éventreur, qui aurait trop vu* Un chien andalou *et* Fenêtre sur cour...

Mark Lewis est un jeune opérateur de prises de vues, qui ne se sépare jamais de sa caméra portative 16 mm. Celle-ci lui sert en particulier pour filmer à la sauvette les prostituées qui l'accostent dans la rue, et les tuer à l'aide d'un stylet dissimulé dans le pied de l'appareil. Afin de corser son plaisir, il brandit au moment crucial un miroir parabolique qui renvoie à ses victimes l'image de leur épouvante. Il se confie à sa voisine, Helen, en lui projetant des films d'amateur tournés par son père, un psychiatre, en vue d'analyser ses réactions d'enfant devant la peur et le désir : son goût pervers du voyeurisme vient de là. Mais la police finit par le confondre. Comme il n'a plus de proies sous la main, il choisit de se suicider avec son arme favorite, tout en filmant sa propre mort.

La caméra qui tue

Ce film, que l'on serait tenté d'attribuer à quelque épigone de Buñuel ou de Hitchcock, est l'œuvre d'un respectable citoyen britannique, Michael Powell (1905-1990), qui s'était plutôt tenu jusqu'alors à des travaux de prestige (mais déjà frappés au sceau d'un solide humour) : par exemple *Colonel Blimp* (1943) ou *Une question de vie ou de mort* (1946). Des rétrospectives récentes ont permis de mesurer l'étendue d'un talent qui n'est pas indigne des maîtres américains du film d'aventure ou du *musical*.

On pourra s'étonner du choix d'une histoire — assez sordide — qui évoque les romans criminels d'Edgar Wallace, pimentée de *private jokes.* Non seulement, en effet, tout

tourne ici autour de la scoptophilie, conçue comme une variante inquiétante de la ciné-philie, mais le réalisateur multiplie les… clins d'œil : lui-même joue le rôle du père indigne filmant les peurs d'un garçonnet (son propre fils dans la réalité), tandis que le *deus ex machina* est dévolu à une vieille dame alcoolique et aveugle ! Pour tout couronner, Powell affirme tranquillement qu'il n'y a là rien de malsain, qu'il s'agit au contraire d'un «film très tendre, très gentil, presque romantique». L'œuvre en tout cas impressionna plusieurs générations de spectateurs — et de cinéastes, comme Martin Scorsese et Brian DePalma.

H Pictures
À la même époque que *Le voyeur,* on assista en Grande-Bretagne à la résurgence du film d'horreur *(H pictures)*, genre un peu galvaudé mais où s'illustrèrent quelques bons cinéastes, comme Terence Fisher (*Le cauchemar de Dracula,* 1958), John Gilling, Freddie Francis, Don Sharp et Michael Reeves (*Le grand inquisiteur,* 1968). L'acteur Christopher Lee fut la figure de proue de cette sanglante imagerie, détrônée aujourd'hui par le style «gore».

Les yeux sans visage
Georges Franju

Scén. : Boileau-Narcejac, Claude Sautet, Jean Redon, d'après le roman homonyme de ce dernier. **Dial.** : Pierre Gascar. **Réal.** : Georges Franju. **Im.** : Eugen Schufftan (N. et B.). **Mus.** : Maurice Jarre. **Prod.** : Jules Borkon. **Durée** : 88 minutes. **Interpr.** : Pierre Brasseur *(professeur Génessier),* Edith Scob *(sa fille, Christiane),* Alida Valli *(Louise),* Juliette Mayniel *(Edna Grüberg),* Alexandre Rignault et Claude Brasseur *(les inspecteurs),* François Guérin, Béatrice Altariba.

À mi-chemin du Grand-Guignol et du document clinique se situe cette œuvre d'un des grands poètes de l'écran.

Le professeur Génessier, un célèbre chirurgien connu pour ses travaux sur l'hétéro-plastie, a une fille, Christiane, qui a été horriblement défigurée dans un accident. Seuls, ses yeux sont intacts. Pour tenter de lui rendre sa beauté première, il n'hésite pas, avec la complicité d'une infirmière qui lui est aveuglément dévouée, à enlever et à mutiler des jeunes filles saines pour se livrer à des essais de greffe de peau, qui d'ailleurs échouent l'un après l'autre. Christiane ignore tout de la monstruosité de ces expé-riences. Quand elle l'apprendra, elle poignardera l'infirmière d'un coup de bistouri et lâchera sur son père une meute de molosses avant de disparaître dans la nuit…

Le masque de la mort blanche
S'il existe dans le cinéma français une tradition bien ancrée du merveilleux, de Méliès à Cocteau, on ne peut guère citer de grands auteurs se réclamant du fantastique — en dehors de Georges Franju (1912-1987). «Il est le seul metteur en scène insolite de ce temps», disait de lui Henri Langlois (aux côtés duquel il se trouva pour la fondation de la Cinémathèque française). De l'insolite, de l'étrange, de l'angoisse, les films de Franju n'en manquent pas ; mais ils se signalent aussi par une rigueur d'écriture, une fluidité narrative, un attachement au décor et aux objets, qui trouvèrent d'abord leur champ d'ex-pression naturel dans le documentaire. Passé au long métrage en 1958, Franju ne devait rien perdre de cette acuité de regard, liée à un fort tempérament de visionnaire. Ses films ont tous, comme il le dit lui-même, «le mystère, la fascination, la profondeur d'un gouffre noir». Le meilleur reste sans doute ces *Yeux sans visage,* où le réalisateur

semble pasticher au départ quelque film expressionniste allemand, pour nous faire basculer tout à coup dans le plus glacial réalisme. Ce qui frappe le plus en effet ici, ce ne sont pas les docteurs sadiques, les souterrains obscurs ou les cimetières profanés ; mais une DS noire entrant dans la cour de la morgue, des bistouris creusant une plaie, la nécrose d'un greffon de chair humaine. Nulle complaisance dans l'horreur, mais un figement de la forme, proche de la catalepsie.

La magie des *Yeux sans visage* doit beaucoup au travail du chef opérateur Eugen Schufftan (1893-1977), l'un des grands maîtres du «noir et blanc». Il a collaboré avec des cinéastes aussi divers que Fritz Lang *(Metropolis)*, Marcel Carné *(Le quai des brumes)*, Max Ophuls *(Werther, Sans lendemain)*, Douglas Sirk *(L'aveu)*, Robert Rossen *(L'arnaqueur, Lilith)*, etc.

1961

Cléo de 5 à 7

Agnès Varda

Scén., réal. lyrics : Agnès Varda. **Im.** : Jean Rabier (N. et B. avec la première séquence en couleurs). **Mus.** : Michel Legrand. **Prod.** : Carlo Ponti, Georges de Beauregard. **Durée** : 90 minutes. **Interpr.** : Corinne Marchand *(Florence, alias Cléo)*, Antoine Bourseiller *(Antoine)*, Dorothée Blank *(Dorothée)*, Dominique Davray *(Angèle)*, Michel Legrand *(Bob)*, Serge Korber *(«Plumitif»)*, José-Luis de Villalonga *(l'amant)* ; et dans le film burlesque : Jean-Luc Godard, Anna Karina, Eddie Constantine, Yves Robert, Danièle Delorme, Jean-Claude Brialy, Sami Frey.

La guerre d'Algérie, l'angoisse du cancer, la lutte d'une femme pour sa survie : d'emblée, Agnès Varda a touché à l'essentiel.

Paris, le 21 juin 1961. À 17 heures, Cléo, une chanteuse en vogue, dans l'attente des résultats d'une analyse médicale, est allée consulter une cartomancienne : les prédictions sont mauvaises. Pendant 1 h 30, elle va meubler son temps et son angoisse, faire du shopping, essayer des chapeaux, prendre un taxi, recevoir la visite de son amant, répéter une chanson avec ses paroliers, voir un petit film de la cabine d'un ami projectionniste, musarder au parc Montsouris… Là, elle rencontre un soldat en permission qui la réconforte par sa bonne humeur et l'accompagne à la Salpêtrière, où on lui apprend qu'elle doit commencer un traitement au cobalt. Pourtant, il lui semble qu'elle n'a plus peur.

Paris by day : une quête spirituelle

Agnès Varda avait réalisé, en 1954, un premier long métrage passé quasi inaperçu : *La pointe courte,* histoire d'un couple d'intellectuels en crise se ressourçant au contact de la vie quotidienne d'un port méditerranéen. En dépit de quelques préciosités de forme, ce film rendait un son neuf dans le cinéma français. Tout naturellement, l'auteur (née en 1928, et qui avait été photographe au T.N.P. de Jean Vilar) prenait place dans le courant de la Nouvelle Vague. Elle s'orienta ensuite vers le documentaire, sur le mode de la désinvolture. Avec *Cléo de 5 à 7,* elle s'affirme comme un des auteurs les plus personnels de sa génération, pimentant de discrète revendication féministe un récit sensible, un style vif et scintillant, une écriture à la fois légère et concertée. La gageure consistant à faire coïncider la durée diégétique et le temps réel avait déjà été tentée dans le passé ; mais Agnès Varda y ajoute une segmentation temporelle minutieuse (le trajet en taxi, par exemple, va de 17 h 58 à 18 h 04), des apartés visuels, le recours au commentaire intérieur, une saisie à vif du moindre «signe» environnant, qui confèrent à l'œuvre l'allure d'un journal intime, d'un carnet de notes esquissé «au fil de la caméra» et, au bout du compte, d'une quête spirituelle. Agnès Varda traversera ensuite un long tunnel de militantisme avant de se ressaisir, à l'aube des années 1980, avec la chronique, en forme de chant funèbre, de *Sans toit ni loi* (1985). Après la tendre et délicate évocation, dans *Jacquot de Nantes* (1991), de la jeunesse de Jacques Demy, son époux disparu, elle est revenue avec bonheur à la veine documentaire de ses débuts, signant, en particulier, *Les glaneurs et la glaneuse* (2000), flânerie humoristique et poétique en forme de reportage sur le monde de la marginalité.

Lola

Jacques Demy

Scén., dial., réal. : Jacques Demy. **Im.** : Raoul Coutard (N. et B.). **Mus.** : Michel Legrand (et extraits de Bach, Beethoven, Mozart, Weber). **Lyrics** : Agnès Varda. **Prod.** : Carlo Ponti, Georges de Beauregard. **Durée** : 85 minutes. **Interpr.** : Anouk Aimée *(Cécile, alias Lola)*, Marc Michel *(Roland)*, Elina Labourdette *(Mme Desnoyers)*, Alan Scott *(Frankie)*, Margo Lion, Corinne Marchand.

Première comédie musicale de Jacques Demy, Lola *est un conte de fées pour grandes personnes, dont la poésie diaphane a séduit une génération.*

Les jeux de l'amour confiés aux méandres du hasard dans les rues de Nantes. Quatre personnages y entrecroisent leurs nostalgies, leurs fantasmes, leur difficulté d'être : une jeune femme, Cécile, devenue entraîneuse de dancing sous le nom de Lola ; Michel, qui l'a abandonnée avec un enfant et dont elle espère toujours le retour ; Roland, un ami, qui rêve de croisières lointaines ; et un marin américain en permission, Frankie. Il y a aussi une charmante veuve, Mme Desnoyers, sa fille Cécile qui a envie à son tour de vivre sa vie, le fils de Lola et de Michel… Ils partiront tous, vers quel étrange destin ?

Le blanc paradis du rêve

Lola est la sœur de *Cléo*, comme Jacques Demy est le compagnon de route — et bientôt l'époux — d'Agnès Varda. Leurs deux films ont presque le même profil, la même nonchalance faussement superficielle, la même émotion rentrée, et certains acteurs se retrouvent de l'un à l'autre. On peut encore observer que les deux cinéastes ont inscrit le trajet de leurs personnages dans un cadre urbain scrupuleusement délimité — Paris et sa faune d'un côté, un port atlantique de l'autre. Jacques Demy y insiste : « La ville de Nantes, avec ses façades blanches, ses rues neuves ou tortueuses, le baroquisme de certains lieux, est un cadre idéal pour les connexions qui s'y établissent, donnant à la ville cet aspect irréel où tout peut arriver. »

La référence aux écrivains surréalistes — Breton, Mandiargues — paraît s'imposer, avec les séquences du passage Pommeraye ; pourtant, l'auteur se réclame plutôt de cinéastes : Max Ophuls (auquel il dédie son film et vole quelques mesures musicales), Luchino Visconti (celui des *Nuits blanches*, 1957) et Jean Cocteau (celui d'*Orphée*, 1950)… Une photographie presque constamment surexposée donne au film l'allure d'un rêve blanc. Par là se marquent les différences avec Agnès Varda : au charme naturel, plus âpre, de celle-ci, s'oppose la grâce éthérée, un peu intemporelle de Demy. Soit dit sans paradoxe, l'une est masculine, l'autre pas. L'évolution ultérieure du second accentuera cette impression : des *Parapluies de Cherbourg* (1964) à *Une chambre en ville* (1982).

Jacques Demy (1931-1990) a trouvé en Jean-Pierre Berthomé un fervent exégète. Voici comment ce dernier décrit l'univers enchanté de *Lola*, dont le cinéaste ne se détachera jamais tout à fait : « C'est dans une fragile broderie des figures de l'amour que réside l'ultime, l'essentielle beauté de ce film, et dans l'acceptation apaisée de toutes ses formes comme facettes multiples d'un accomplissement vers lequel nous tendons tous. »

1961 Viridiana

Luis Buñuel

Scén. : Luis Buñuel, Julio Alejandro.
Réal. : Luis Buñuel. **Im.** : José F. Aguayo (N. et B.).
Mus. : extraits du *Messie* de Haendel et
du *Requiem* de Mozart. **Prod.** : Gustavo Alatriste (Unici
et Films 59, Madrid). **Durée** : 90 minutes.
Interpr. : Silvia Pinal *(Viridiana)*, Fernando Rey *(don Jaime)*,
Francisco Rabal *(Jorge)*, Margarita Lozano *(Ramona)*,
Victoria Zinny *(Lucia)*, Teresa Rabal *(Rita)*, José Calvo,
Joaquin Roa, José Manuel Martin.

« *Viridiana est le film le plus réaliste de Buñuel, le plus clair dans sa signification, le plus pur dans son style et le plus efficace dans sa portée* » *(Georges Franju).*

Viridiana, une jeune novice sur le point de prononcer ses vœux, va passer quelques jours chez son oncle, don Jaime. Celui-ci, frustré sexuellement depuis la mort de sa femme, survenue le soir de leurs noces, tente d'abuser de la jouvencelle, qui réussit à lui échapper. Le barbon, mortifié, se pend. La nièce hérite du domaine où, par esprit de charité, elle décide d'héberger les infirmes et les nécessiteux. C'est bientôt une vraie cour des Miracles, favorisant les pires débauches. Viridiana manque d'être violée une fois de plus ; elle est sauvée par son cousin Jorge, au prix d'un sordide marchandage. Devant la faillite de ses bons sentiments, elle songe à revoir les règles du jeu...

La Vierge aux outrages

Viridiana marque le retour dans son pays natal de Luis Buñuel, après plus de vingt ans d'exil. Ayant quitté l'Espagne en 1938, il a émigré aux États-Unis, où il a été cantonné dans d'obscurs travaux de montage et de doublage, puis au Mexique où, à partir de 1950, il tournera une série de films importants, dans un style soit âprement réaliste *(Los Olvidados,* 1950*)*, soit romantique *(Les hauts de Hurlevent,* 1953*)*. Il montre, avec *El* (1952) et *Nazarin* (1958), que son surréalisme et son athéisme sont intacts.

Il ne fait aucun doute que Buñuel, dans *Viridiana*, a voulu une fois de plus, régler son compte à la religion, qui selon lui stérilise tout ce qu'elle touche. Comme Nazarin, Viridiana accomplit un chemin de croix à rebours : sur le point de faire vœu de chasteté au début du film, elle offre à la fin sa virginité — plusieurs fois mise en péril — à qui veut bien la prendre… Quoi de plus réjouissant que le spectacle d'une sainte nitouche qui s'encanaille ! À ses détracteurs, Buñuel confie avec une ironie désarmante : «C'est le hasard qui m'a amené à montrer des images impies ; si j'avais des idées pies, peut-être les exposerais-je aussi…» Cet enchaînement de fantasmes prétendument innocents, chargés en réalité de subversion jusqu'à la gueule, sera le fil conducteur de toute son œuvre ultérieure, de *L'ange exterminateur* (Mexique, 1962) à *Cet obscur objet du désir* (France, 1977), avec le point culminant de *Tristana* (1970), dont la thématique développe et enrichit celle de *Viridiana*.

La réussite de *Viridiana* tient peut-être moins à sa morale, d'un manichéisme inversé somme toute assez primaire, qu'à son esthétique : la noire cohorte des mendiants de Goya et de Zurbarán est venue rehausser l'imaginaire buñuélien et lui conférer le halo de l'immortalité.

West Side Story
Robert Wise et Jerome Robbins

Scén. : Ernest Lehmann, d'après le spectacle musical de R.E. Griffith et H.S. Prince. **Réal.** : Robert Wise et Jerome Robbins.
Im. : Daniel L. Fapp (couleurs). **Mus.** : Leonard Bernstein. **Lyrics** : Stephen Sondheim, Arthur Laurents. **Prod.** : Artistes Associés. **Durée** : 155 minutes.
Interpr. : Natalie Wood *(Maria)*, Richard Beymer *(Tony)*, George Chakiris *(Bernardo)*, Rita Moreno *(Anita)*, Russ Tamblyn *(Rift)*, Simon Oakland, Ned Glass, Tucker Smith.

De Berkeley à Minnelli, de Fred Astaire à Gene Kelly, la comédie musicale avait chanté la joie de vivre. West Side Story *la trempe dans un bain de violence et de mélodrame.*

New York City, ce ne sont pas seulement les gratte-ciel de Manhattan et d'immenses autoroutes, mais aussi les ruelles crasseuses et les terrains vagues du West Side, où une jeunesse bagarreuse tient le haut du pavé. Deux gangs d'adolescents s'affrontent : les «Jets», que dirige Riff l'Américain, et les «Sharks» du Portoricain Bernardo. Au cours d'un bal, Tony, un ancien de la bande des «Jets», tombe amoureux de Maria, la sœur de Bernardo. Une rixe violente s'ensuit, qui se termine dans le sang. Bernardo est tué, et Tony, rendu fou furieux par la fausse nouvelle de la mort de sa bien-aimée, est abattu à son tour. Maria en larmes se jette sur le corps de son amant, tandis que les bandes hébétées se dispersent…

La comédie musicale dans l'Amérique des bas-fonds

C'est Jerome Robbins (1918-1998), célèbre chorégraphe américain, qui eut l'idée d'une transposition en comédie musicale de *Roméo et Juliette* de Shakespeare dans le cadre des bas-fonds new-yorkais. À l'origine, la pièce devait opposer des Irlandais et des Juifs. Mais les rixes entre Portoricains et Blancs défrayaient alors la chronique, et l'on s'orienta dans cette direction. Le *show* vit le jour à la scène en 1956. Très vite, l'idée s'imposa d'en faire un film. Le budget engagé (6 millions de dollars) dépassait de beaucoup les normes d'un *musical* habituel : la difficulté consistait à investir un quartier entier de New York, pour la séquence d'ouverture. Celle-ci, traitée en amples mouvements de grue, panoramiques et «plongées» vertigineuses sur les jeunes danseurs

déployés en corolle dans les rues, sera d'une grande beauté. On peut sans hésiter l'attribuer à Robbins, de même que la rixe sous le pont de l'autoroute ou le « Mambo sauvage ». Il y a là une expression remarquablement stylisée de la violence contemporaine. L'intrigue sentimentale est malheureusement plus faible, et la référence à Shakespeare n'y change rien. Les parties « non dansées » sont dues à Robert Wise (né en 1914), ex-monteur d'Orson Welles, probe artisan au demeurant, dont le punch s'était manifesté de façon spectaculaire dans deux excellents films noirs, *Nous avons gagné ce soir* (1949) et *Le coup de l'escalier* (1959).

West Side Story fut couvert d'Oscars, dont ceux de la meilleure réalisation, de la meilleure photographie, de la meilleure musique et des meilleurs acteurs de second plan (George Chakiris et Rita Moreno). Son succès fut énorme, aux États-Unis comme en Europe. Il annonçait pourtant la fin d'un genre. À noter le superbe générique final en graffiti de Saül Bass, qui fut par ailleurs le « consultant » visuel des deux réalisateurs.

1962
Lawrence d'Arabie
David Lean

Lawrence of Arabia. **Scén.** : Robert Bolt. **Réal.** : David Lean. **Im.** : Frederick A. Young (couleurs). **Mus.** : Maurice Jarre. **Prod.** : Sam Spiegel. **Durée** : 224 minutes (version restaurée en 1988). **Interpr.** : Peter O'Toole *(T. E. Lawrence)*, Omar Sharif *(Ali)*, Anthony Quinn *(Auda)*, Alec Guinness *(Fayçal)*, Jack Hawkins *(général Allenby)*, Anthony Quayle *(colonel Brighton)*.

Cette épopée grandiose enchevêtre avec une rare subtilité les fils de trois destins : celui d'un homme d'exception, celui d'un peuple en quête d'identité, celui d'un monde entre guerre et paix.

1916 : la guerre fait rage en Europe mais aussi en Arabie où les forces anglaises affrontent les Turcs, alliés des Allemands. Le lieutenant Lawrence, féru de culture arabe et amoureux du désert, est chargé de fédérer les tribus de Bédouins sous l'autorité du prince Fayçal et de les lancer contre l'armée turque. Lawrence remplit sa mission avec succès, prenant la tête d'une véritable armée qui remporte victoire sur victoire. Grisé par son pouvoir, convaincu qu'il conduit le monde arabe vers son unité, Lawrence perd contact avec la réalité : les tribus se déchirent à nouveau et abandonnent leur souveraineté au profit des Britanniques et des Français en échange d'une aide financière et technique. Lawrence est renvoyé en Grande-Bretagne ; il y périra dans un accident de moto.

Du sang dans le désert

Dans *Les sept piliers de la sagesse*, ouvrage monumental publié en 1926, Thomas Edward Lawrence (1888-1935) relate son expérience politique, guerrière, humaine et personnelle en Arabie. S'il ne fait pas la lumière sur la vraie personnalité de son auteur idéaliste, généreux, visionnaire selon ses thuriféraires, mégalomane dangereux et assoiffé de pouvoir selon ses détracteurs — ce livre fut à l'origine d'une légende qui perdure, celle du colonel Lawrence, mythique héros du XXe siècle. La fresque historique que lui a consacrée David Lean (1908-1991) — cinéaste prestigieux s'il en fut, ainsi qu'en témoigne son œuvre, de *Brève rencontre* (1945) à *La fille de Ryan* (1970), en passant par *Les grandes espérances* (1946), *Le pont de la rivière Kwaï* (1957), *Le docteur Jivago* (1965) — est à la hauteur de cette légende.

David Lean et Robert Bolt, son scénariste, confèrent à leur héros une stature charismatique et la complexité psychologique qui exalte ses qualités — courage, ténacité, générosité — ou exaspère ses défauts : aveuglement, opportunisme, volonté de puissance. À ce personnage démesuré, ange et démon à la fois, le cinéaste confronte la majesté du désert, sans bornes comme l'ambition de Lawrence qui le tachera bientôt de sang. Minuscule trace d'humanité face aux horizons qui toujours se dérobent, Lawrence croyait faire bouger le monde. Il se voyait géant et se retrouvera nain lorsque les politiciens et leurs conciliabules à huis clos réduiront son idéal, l'indépendance et la liberté des peuples, à des tractations de boutiquiers. De la guerre et de la paix, des nations et des hommes, de l'Histoire et de la légende, David Lean a fait, avec *Lawrence d'Arabie*, un superbe spectacle qui donne ses lettres de noblesse au film historique.

1963 La jetée

Chris Marker

Scén., commentaire, réal. : Chris Marker.
Im. : Jean Chiabaut (N. et B.).
Mus. : Trevor Duncan et liturgie orthodoxe
du samedi saint. **Prod.** : Argos films.
Durée : 29 minutes. **Interpr.** : Hélène Chatelain
(la femme), Davos Hanich *(l'homme)*,
Jacques Ledoux *(le savant)*, André Heinrich
(un survivant), Jacques Branchu,
Ligia Borowczyk, William et Janine Klein.

Fondé sur un art de la mise en page autant que de la mise en scène, ce court métrage réussit le miracle de nous faire pénétrer de plain-pied dans un monde tout ensemble absolument familier et complètement étranger.

Un homme a été fortement marqué par une image d'enfance : celle d'une femme debout à l'extrémité de la grande jetée d'Orly, associée à la chute d'un corps. Cela se passait quelques années avant la troisième guerre mondiale, qui détruisit Paris. Les survivants se terrèrent dans les souterrains de Chaillot, où des savants se livrèrent sur eux à d'étranges expériences. L'homme a été choisi comme cobaye d'un voyage dans le temps, en raison de sa fixation sur un obsédant souvenir. Propulsé dans le passé, il retrouve la jeune femme de son rêve et revit avec elle, en flashes rapides, leur idylle. Il se retrouve en ce chaud dimanche d'avant-guerre, à Orly, court vers ce qu'il croit être le bonheur retrouvé… et s'effondre aux pieds de la femme, foudroyé. L'instant qui n'avait cessé de le hanter était celui de sa propre mort.

Mouvement suspendu pour temps perdu

Chris Marker (né en 1921) a surtout tourné des documentaires, mais truffés de savoureux coq-à-l'âne visuels et assortis de commentaires percutants : *Lettre de Sibérie* (1958), *Si j'avais quatre dromadaires* (1967), *Le fond de l'air est rouge* (1977) sont les principaux jalons de ces vagabondages effectués par un chasseur d'images à l'affût des surprises que lui réserve le monde. Marker cinéaste engagé ? Sans nul doute, mais à cent lieues (et à cent lieux) de la «langue de bois» politicienne, lui qui a toujours pratiqué un art de l'ellipse, de la provocation intellectuelle et du scintillement formel.

Son chef-d'œuvre pourrait bien être *La jetée*, étonnant photo-roman d'anticipation fondé sur une gageure : toute l'histoire est racontée en images fixes, ou plutôt en photogrammes «pris dans le mouvement», et montés avec un art raffiné de la suggestion, du «signifiant imaginaire», bref de la poésie.

Le seul moment, très bref, où passe un frémissement de vie est celui d'un visage de femme s'éveillant dans une chambre envahie par de stridents gazouillis d'oiseaux. Cet apologue nocturne, qui évoque certains récits fantastiques anglais, est aussi une poignante histoire d'amour.

En 1995, le cinéaste britannique Terry Gilliam s'inspira du scénario de *La jetée* pour réaliser *L'Armée des douze singes* qui, sans faire oublier l'original, en est tout à fait digne.

Main basse sur la ville

Francesco Rosi

Le mani sulla città. **Scén.** : Francesco Rosi, Raffaele La Capria.
Réal. : Francesco Rosi. **Im.** : Gianni di Venanzo (N. et B.).
Mus. : Piero Piccioni. **Coprod.** : Galatea (Rome), Lyre (Paris).
Durée : 105 minutes. **Interpr.** : Rod Steiger *(Eduardo Nottola)*,
Salvo Randone *(De Angeli)*, Guido Alberti *(Maglione)*,
Carlo Fermariello *(De Vita)*, Angelo d'Alessandro.

Pour Francesco Rosi, le rôle du cinéma est d'ouvrir «un débat d'idées, un débat de mentalités et un débat de moralités». Il préconise l'avènement d'un néo-réalisme critique.

Naples, vers 1960. Entrepreneur de construction, Eduardo Nottola est aussi un député de droite, qui se sert de ses appuis politiques pour faire aboutir ses projets d'urbanisation. Mais une catastrophe survient : un immeuble vétuste s'effondre, ébranlé par les travaux en cours. Le conseil municipal exige la création d'une commission d'enquête. Les amis de Nottola font traîner les choses, mais ne peuvent empêcher le scandale d'éclater. De nouvelles élections ont lieu : la liste centriste, sur laquelle se présente Nottola, en sort victorieuse. Malgré la vive opposition de la gauche, le promoteur véreux pourra poursuivre impunément ses fructueux trafics.

Enquête sur une cité au-dessus de tout soupçon

Né à Naples en 1922, Francesco Rosi est un cinéaste dont l'engagement ne fait pas de doute, il suffit pour s'en convaincre de parcourir sa filmographie : assistant de Luchino Visconti sur *La terre tremble,* co-réalisateur d'un film consacré aux Chemises rouges, il conçoit le cinéma d'abord comme un moyen d'investigation politique, et le prouve dès sa deuxième réalisation, un portrait «en creux» du mafioso sicilien *Salvatore Giuliano* (1962). Son originalité consiste à articuler sur une vision «matérialiste» de la réalité sociale une intrigue, un tempo dramatique, une caractérisation des personnages, «à l'américaine», allant dans le cas présent jusqu'à confier le rôle vedette à un acteur d'Hollywood, Rod Steiger (qui fut le gangster du *Sur les quais,* d'Elia Kazan). Il reprendra ce principe, avec quelques nuances, dans ses films suivants, notamment *L'affaire Mattei* (1971) et *Lucky Luciano* (1973).

Le risque de schématisme est évident ; Rosi y échappe, grâce à une parfaite maîtrise de la construction, un sens du détail signifiant (souligné par l'emploi habile du téléobjectif), «l'impression perpétuelle d'une action prise sur le vif», selon Michel Ciment. Ouvert sur un vaste panorama de terrains vagues en friche, le film se ferme sur un gros plan de foreuse mécanique accomplissant son inexorable action de pilonnage. Serait-ce la forme moderne, et la plus rigoureuse qui soit, de la tragédie ?

Le carton final du film précise : «Le personnage et les faits présentés ici sont imaginaires. La réalité sociale qui les produit, elle, est authentique.» Cette indication rend bien compte des intentions de Rosi : stigmatiser, à travers une fiction-prétexte, la corruption et la prévarication, une politique réactionnaire et criminelle. La collusion d'intérêts entre un capitalisme cynique et un pouvoir hypocrite est clairement dénoncée ; la gauche, en comparaison, apparaît comme un contre-pouvoir généreux mais impuissant.

The Servant

Joseph Losey

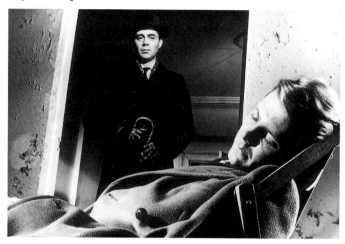

Scén. : Harold Pinter, d'après une idée originale de Robin Maugham. **Réal.** : Joseph Losey.
Im. : Douglas Slocombe (N. et B.). **Mus.** : John Dankworth. **Prod.** : Joseph Losey, Norman Priggen.
Durée : 115 minutes. **Interpr.** : Dirk Bogarde *(Hugo Barrett)*, Sarah Miles *(Vera)*, James Cox *(Tony)*,
Wendy Craig *(Susan)*, Patrick Magee *(l'évêque homosexuel)*.

Comme presque tous les films de Joseph Losey, celui-ci conte l'histoire d'un échec et d'une destruction humaine. Il le fait en des termes d'une élégance raffinée.

Tony, un jeune et séduisant aristocrate britannique qui vient d'emménager dans un coquet appartement londonien, prend à son service un valet de chambre, Barrett. Ce dernier, discret, compétent, stylé, entoure son maître de prévenances. Mais cette correction cache une perversité diabolique, qui va se révéler peu à peu. Il persuade Tony d'engager comme bonne à tout faire sa sœur Vera, en réalité sa maîtresse. Le jeune homme accepte et ne tarde pas à succomber au charme vénéneux du couple, négligeant sa fiancée Susan et se laissant bientôt complètement asservir. L'alcool, la drogue, le vice vont le transformer en épave, à l'entière dévotion de ses bourreaux.

Dialectique du maître et de l'esclave

Joseph Losey (1909-1984) s'est toujours complu dans l'équivoque. D'une part, en effet, il affirme une volonté de critique sociale, qui va loin : cela se sent dans *Haines* (1949), vigoureux plaidoyer antiraciste, dans *Accident* (1967), peinture acide d'un milieu corrompu. Mais en même temps, il prend un plaisir presque malsain à la description d'êtres dépravés, de l'humiliation physique et morale. La complicité charnelle (souvent de nature homosexuelle), la promiscuité des sentiments obsèdent à l'évidence ce dandy décadent, qui a trouvé en Grande-Bretagne son terroir d'élection. D'où ses meilleurs films, peut-être : *Gypsy* (1957), *Eva* (1962), *The Servant, Le messager* (1970). Ajoutons que sa technique, d'une grande virtuosité, traque les êtres dans leurs ultimes retranchements, joue sur les pièges du décor et des objets. Ces diverses motivations, épurées de leurs scories didactiques, culmineront dans *M. Klein* (1976), à coup sûr l'un de ses meilleurs films.

The Servant est représentatif de cette approche de personnages dont la transparence du statut social n'a d'égale que l'opacité psychologique. La fable est limpide : héritier d'un monde condamné, l'esclave devient le maître, et *vice versa*. Losey se délecte au spectacle de cet inexorable processus de désagrégation. On retrouve là cette «exigence perpétuellement tendue» dont parlait Michel Mourlet à propos de *Temps sans pitié* : un titre qui résume bien l'œuvre tout en arêtes vives de Losey.

Le mépris

Jean-Luc Godard

Scén., réal. : Jean-Luc Godard d'après le roman d'Alberto Moravia. **Im.** : Raoul Coutard (couleurs). **Mus.** : Georges Delerue. **Prod.** : Georges de Beauregard, Carlo Ponti. **Durée** : 105 minutes. **Interpr.** : Brigitte Bardot *(Camille)*, Michel Piccoli *(Paul)*, Jack Palance *(Prokosch)*, Georgia Moll *(Francesca)*, Fritz Lang *(lui-même)*.

« Le cinéma substitue à notre regard un monde qui s'accorde à nos désirs. Le Mépris *est l'histoire de ce monde » (André Bazin).*

À Cinecitta, Fritz Lang tourne une adaptation de l'*Odyssée* pour un producteur américain, Jeremy Prokosch. Celui-ci ne partage pas le point de vue du cinéaste sur l'œuvre d'Homère et il a demandé à Paul Javal, un scénariste renommé, d'orienter le scénario dans une direction plus conforme à sa vision. Bien qu'ayant besoin d'argent, Paul hésite à accepter la proposition de Prokosch car il estime que c'est le cinéaste, et non son producteur, qui est le véritable auteur d'un film. Camille, la femme de Paul, l'a accompagné à Rome. Dès qu'il la voit, Prokosch lui fait des avances non déguisées. Paul, comme s'il voulait paraître plus libéral et compréhensif qu'il ne l'est, semble jeter Camille dans les bras de l'Américain. Au terme d'une longue scène de ménage, Camille déclare à son mari qu'elle ne l'aime plus et qu'elle le méprise pour s'être servi d'elle comme appât. En dépit des dénégations de Paul et de sa décision de refuser la proposition de Prokosch, Camille part avec celui-ci. Fritz Lang terminera librement son film sans Prokosch ni Javal.

Le cinéma se regarde

Une caméra, montée sur le rail d'un travelling, avance du fond de l'image vers le premier plan, filmant Francesca, la scripte. Au terme du mouvement, l'opérateur tourne l'objectif de son appareil vers celui de la caméra, invisible, qui vient de filmer le début du *Mépris*, film dans le film dont le sujet, selon Jean-Luc Godard : « Ce sont des gens qui se regardent et se jugent, puis sont à leur tour regardés et jugés par le cinéma, lequel est représenté par Fritz Lang jouant son propre rôle, la conscience du film, son honnêteté. » Le cinéma, au premier acte de cette tragédie qui en compte trois, c'est d'abord une addition de conflits, entre le producteur, le cinéaste, le scénariste, entre l'argent et le talent, entre l'intégrité et la compromission, entre la réalité et les apparences. C'est l'univers de tous les mythes : celui de la star (« Merveilleux le cinéma. On voit des femmes, elles ont des robes. Elles font du cinéma, crac, on voit leur cul ! », dit Paul), de la réussite facile, du pouvoir absolu. Dans cette première partie, Godard joue à fond de la photogénie de ces lieux magiques que sont studios et salles de projection, de ces objets fétiches, caméra, bobines, clap, perche, et de sa star, Brigitte Bardot, symbole universel de la beauté.

Le deuxième acte se déroule dans l'appartement où Camille et Paul passent, comme naturellement, de la confiance à la suspicion, de l'amour à l'indifférence, de l'admiration au mépris, et le contraste entre la trivialité de leurs attitudes comme de leur langage et la gravité de ce qui se joue entre eux, témoigne du talent des comédiens et de celui qui les dirige. Godard, en effet, les suit pas à pas d'une caméra virtuose qui glisse d'une pièce à l'autre, d'une lumière, d'une couleur à l'autre, avec un sens de l'espace, du détail, de l'atmosphère qui dément, s'il en était besoin, l'accusation, souvent portée à son encontre, de filmer n'importe quoi n'importe comment. La tragédie culmine au troisième acte, sous l'aveuglante lumière du ciel italien et sur la terrasse d'un blanc éclatant d'une somptueuse villa. Camille, Prokosch, Paul semblent s'y perdre, minuscules silhouettes comme écrasées par leur destin. Fritz Lang tourne le dernier plan de son *Odyssée*. La caméra suit Ulysse qui marche vers la mer puis le dépasse pour fixer l'horizon à l'infini : elle a détourné son objectif de la réalité contemplée depuis le premier plan du *Mépris*. « Silence ! » crie la voix de Godard. La boucle est bouclée. La vie disparue, reste le cinéma qui, lui, contemple l'éternité.

1964

America, America

Elia Kazan

Scén., réal. : Elia Kazan, d'après son roman.
Im. : Haskell Wexler (N. et B.).
Mus. : Manos Hadjidakis. **Lyrics** : Nikos Gatsos.
Prod. : Elia Kazan, Charles H. Maguire.
Distr. Warner Bros. **Durée** : 168 minutes.
Interpr. : Stathis Giallelis *(Stavros Topouzoglou)*,
Frank Wolff *(Vartan Damadian)*,
Harry Davis *(Isaac)*, Elena Karam *(Vasso)*,
Gregory Rozakis *(Hohannes Gardashian)*,
Salem Ludwig *(Odysseus)*, Lou Antonio *(Osman)*.

Tous les émigrants en quête d'une terre promise ont conservé un souvenir ému de leurs « années d'apprentissage ». Elia Kazan en a tiré les motifs d'une moderne et cruelle Odyssée.

L'Anatolie au début du siècle, sous la domination turque. Les minorités grecques et arméniennes sont durement opprimées. Le jeune Stavros, fils de paysans, rêve de gagner l'Amérique, terre d'asile et de liberté. Ses parents lui procurent l'argent nécessaire au voyage. Détroussé par un Turc sans scrupules, il trouve un emploi de débardeur sur le port, se mêle à un mouvement révolutionnaire, songe un instant à se fiancer, s'embarque en compagnie d'autres émigrants, dont l'épouse complaisante d'un marchand de tapis. New York est en vue… Symboliquement, il échange son fez contre un canotier américain et débarque, sous un nom d'emprunt, avec cinquante dollars en poche. Il devient cireur de chaussures et écrit aux siens de venir le rejoindre.

Le dur chemin des exilés

Né à Istanbul en 1909, arrivé à l'âge de quatre ans aux États-Unis où son père avait immigré, Elia Kazanjoglou va d'abord s'affirmer comme acteur et metteur en scène de théâtre : en 1947, il sera avec Lee Strasberg le cofondateur de l'Actor's Studio où l'on enseigne la fameuse « Méthode » (application de la psychanalyse à l'art du comédien). Homme de gauche, ayant révisé ses idéaux à l'époque du maccarthysme, il reste fortement marqué par les contradictions idéologiques de l'Amérique, dont il est le clairvoyant observateur, tour à tour juge et partie. Son statut d'éternel « outsider » (comme il se définit lui-même) lui permet ce regard à la fois objectif et passionné.

Parvenu à sa cinquantième année, Elia Kazan a éprouvé la nécessité d'un retour aux sources. Troquant la caméra pour la plume, il entreprend une vaste fresque sur la diaspora gréco-arménienne. *America, America* est le premier volet d'une trilogie romanesque qui se poursuivra avec *L'arrangement* (1972), histoire d'une déprime chez un immigrant «arrivé», et *L'Anatolien* (1982). D'autres livres suivront. Les deux premiers seront portés par lui-même à l'écran, donnant lieu à une double et émouvante quête rétrospective, aux dimensions de l'épopée. Dans ce passage du monde ancien au monde nouveau, beaucoup d'exilés ont pu se reconnaître.

Le dieu noir et le diable blond

Glauber Rocha

Deus e o Diabo na terra do sol.
Scén., dial., lyrics, réal. : Glauber Rocha.
Im. : Waldemar Lima (N. et B.). **Mus.** : Heitor Villa-Lobos.
Chansons : Sergio Ricardo. **Prod.** : Jarbas Barbosa,
Luiz-Augusto Mendes, Glauber Rocha.
Durée : 110 minutes. **Interpr.** : Geraldo del Rey *(Manuel)*,
Iona Magalhaes *(Rosa)*, Lidio Silvia *(Sébastien)*,
Othon Bastos *(Corisco)*, Mauricio do Valle *(Antonio das Mortes)*.

«Terre en transe» par excellence, mosaïque de la civilisation moderne, l'Amérique latine se devait d'enfanter un grand cinéaste : ce fut Glauber Rocha.

Le Sertão, région désertique du Nord-Est du Brésil, dans les années 1940. L'injustice sociale est à son comble. À bout d'humiliations, un paysan, Manuel, tue un propriétaire terrien et s'enfuit avec sa femme. Ils trouvent refuge auprès d'un prophète noir, Sébastien, qui, du haut du Monto Santo, promet à ses fidèles le paradis sur terre. Manuel devient son disciple. Mais la femme se révolte contre les rites sanglants auxquels on la contraint et poignarde l'illuminé. Fuyant à nouveau, le couple se lie à un *cangaceiro*, Corisco, partisan de la violence et du pillage. Un mercenaire, Antonio das Mortes, met fin à cette deuxième ascendance pernicieuse, concluant qu'il ne faut adorer ni Dieu ni Diable, et que la terre n'appartient qu'à l'homme.

Concerto baroque

Ce film marqua l'apogée du «Cinema novo» brésilien, mouvement regroupant des cinéastes indépendants soucieux de rompre en visière avec la production nationale, vouée aux mélodrames musicaux et aux *chanchadas*, et d'imposer à la place, dans un style réaliste, des sujets d'inspiration révolutionnaire. Cinéma politique qui ne cache pas son attachement au marxisme, et qui s'épanouira à la faveur des réformes sociales des années 1960.

Glauber Rocha (1936-1981) fut l'un des ardents apôtres du mouvement, manifestant, tant dans ses écrits que dans ses films, des dons de polémiste virulent. Il se déclare partisan d'une culture «en transe» qui refuse la société actuelle. De *Barravento* (1961) à *L'âge de la terre* (1980), il fera montre d'une véhémence tous azimuts, d'un souffle politico-poétique conjuguant en un patchwork parfois extravagant les influences du cinéma soviétique, de la littérature de colportage, du documentaire social, du théâtre symboliste et du western. La générosité du propos, la ferveur quasi messianique du message font de lui l'un des créateurs les plus authentiquement *baroques* du cinéma contemporain (avec le Chilien Raul Ruiz, mais celui-ci dans un tout autre registre).

«*Le dieu noir et le diable blond,* dit Glauber Rocha, c'est un reflet du passé de notre peuple. Je n'ai rien inventé. On voit comment le sous-développement peut conduire aux manifestations les plus étranges de la révolte, à sa forme mystique et même à son expression la plus barbare, le sacrifice rituel.» L'auteur y déploie un lyrisme frénétique de nature incantatoire (le rôle dévolu à la musique, aux chœurs populaires, est prépondérant), qui fit l'admiration de Buñuel et de Fritz Lang.

1964 Prima della rivoluzione

Bernardo Bertolucci

Scén., réal. : Bernardo Bertolucci.
Im. : Aldo Scavarda (N. et B.).**Mus.** : Gino Paoli, Ennio Morricone
et extraits de *Macbeth* de Giuseppe Verdi.
Prod. : Iride Cinematografica (Milan). **Durée** : 115 minutes.
Interpr. : Adriana Asti *(Gina)*, Francesco Barilli *(Fabrizio)*,
Allen Midgette *(Agostino)*, Morando Morandini *(Cesare)*,
Christina Parisett *(Clelia)*, C. Barilli *(Puck)*.

Prima della rivoluzione est un poème à cœur ouvert dont la virtuosité n'étouffe jamais la sincérité ; une moderne et poignante éducation politique et sentimentale.

Parme, 1962. Fabrizio, un jeune bourgeois, a une passion : le cinéma, et une vive inclination idéologique pour la pensée marxiste, que lui a inculquée son professeur de philosophie. Un de ses amis, Agostino, en révolte ouverte contre son milieu, choisit la voie du suicide. Lui se contente de rompre ses fiançailles avec la demoiselle de bonne famille qu'on lui destine, Clelia, et de devenir l'amant de sa tante Gina, qui traverse elle-même une période dépressive ; il découvre du même coup un sentiment archaïque, la jalousie, et sent ses idéaux politiques chanceler. Après bien des tergiversations, il se réconcilie avec sa fiancée. Présente aux noces, Gina essuiera une larme…

Confession d'un enfant du siècle

Comme le protagoniste de son film, Bernardo Bertolucci (né en 1940 à Parme) est nourri de cinéma, notamment de Renoir, Rossellini et Godard ; il se réclame conjointement de la littérature, en donnant à trois de ses personnages des prénoms empruntés à *La chartreuse de Parme* ; il n'oublie pas non plus qu'il est de la patrie de Verdi. La résultante est une sorte d'*À bout de souffle* italien, riche de notations autobiographiques, de digressions politiques (reflétant le recul de l'audience du P.C.I. auprès des intellectuels) et d'effervescence romantique. Le titre vient d'un mot de Talleyrand : « Qui n'a pas vécu les années avant la Révolution ne peut comprendre ce qu'est la douceur de vivre. »

Comme les personnages d'Elia Kazan, Fabrizio a « la fièvre dans le sang » ; son comportement est hésitant, son mode de pensée fragile — ce qui ne le rend que plus attachant. *Prima della rivoluzione* est, par excellence, le film de l'ambiguïté et de l'incertitude ; mais son expression formelle est si gorgée de poésie, si fertile en trouvailles de jeu et de caméra, que l'ensemble ne peut qu'entraîner l'adhésion.

Avant d'être plébiscité en France, le film connut en Italie un rude échec, qui contraignit Bertolucci à piétiner quelque temps dans les allées du cinéma marginal. Il se recycla, après 1968, dans la production « de prestige », en y maintenant une marge confortable de provocation (*Le conformiste*, 1970 ; *Le dernier tango à Paris*, 1972 ; *1900*, 1976 ; *Le dernier empereur*, 1987). Il n'est pas certain qu'une telle évolution ait été en tous points bénéfique.

1965
Les sans-espoir
Miklós Jancsó

Szegénylegénvek. **Scén.** : Gyula Hernádi.
Réal. : Miklós Jancsó. **Im.** : Tamas Somló (N. et B.).
Prod. : Studio n° 4 de Mafilm, Budapest.
Durée : 105 minutes. **Interpr.** : János Görbe
(Gadior), Tibor Molnár *(Kabaï père),*
András Kozák *(Kabaï fils),* Gábor Agárdy,
Zoltán Latinovits.

Plus encore que par le «rêve de révolution» qu'il déroule de film en film, en d'obsédantes volutes, Miklós Jancsó nous touche ici par la pure concrétisation du concept concentrationnaire.

La Hongrie au lendemain du compromis austro-hongrois de 1867. Le haut-commissariat de Rady traque sévèrement les insoumis. Dans un fortin perdu au milieu de la Puszta, les gardes impériaux ont enfermé une centaine de paysans afin de détecter parmi eux les rebelles. Un mouchard les y aidera. Un père et son fils sont interrogés sans relâche, les hommes présumés les plus dangereux mis au cachot, une femme humiliée, le traître châtié. On promet l'amnistie à ceux qui accepteront de s'enrôler dans l'armée de François-Joseph : mais n'est-ce pas là une dégradation pire encore ?

Une chorégraphie de l'enfermement

Miklós Jancsó (né en 1921) est, avec István Szabó, le seul metteur en scène de classe internationale qui se soit révélé en Hongrie, pays dont la cinématographie a toujours été assez pauvre, conséquence de son instabilité politique. Ayant subi l'influence de Donskoï et Wajda, mais aussi d'Antonioni, il affirme sa volonté d'échapper à l'hagiographie (ce qu'il appelle «l'Épinal hongrois») et d'y substituer une vision syncrétique de l'histoire. Ce réaliste-socialiste repenti est sensible à l'imposture des idéologies, à la vanité des «révolutions» — au sens astronomique du terme : mouvement orbital autour d'un axe. Il se défend d'être pessimiste, mais ses meilleurs films, des *Sans-Espoir* à *Silence et cri* (1968) et à *Psaume rouge* (1971), laissent sur une impression de piétinement sans but, d'un dérisoire «éternel retour» — des mêmes injustices, de la même tyrannie. Cela s'exprime en une mise en scène ample, solennelle, fondée sur une dilatation spatio-temporelle inspirée de la chorégraphie. Le recours au plan-séquence, l'obsession de la circularité, la structure chorale de l'ensemble aboutissent à des ballets allégoriques, qui se déploient comme les reflets changeants d'un kaléidoscope.

Peu de films ont traduit de manière aussi forte l'oppression du milieu carcéral. On pense à la ronde des prisonniers de Van Gogh, aux géométries hallucinées de Beckett. Comme l'écrit Jean Collet, «nous entrevoyons les coordonnées d'un ordre monstrueux dont les horizontales et les verticales de l'image tissent la traduction plastique, la toile d'araignée implacable». Une métaphore du goulag ?

1966

Les chevaux de feu

Sergueï Paradjanov

Teni zabytykh predkov. **Scén.** : Ivan Tchendeï,
Sergueï Paradjanov. **Réal.** : Sergueï Paradjanov.
Im. : Youri Ilienko (couleurs). **Mus.** : Miroslav Skorik.
Prod. : Studio A. Dovjenko. **Durée** : 95 minutes.
Interpr. : Ivan Mikolaïtchouk *(Ivan)*,
Larissa Kadotchnikova *(Marichka)*,
Tatiana Bestaïeva *(Palagna)*.

Peintre autant que cinéaste, Paradjanov utilise la caméra comme un pinceau et illumine la toile de l'écran des mille couleurs d'un monde primitif et sauvage, aux confins du rêve.

Quelque part en Ukraine. Deux enfants, Ivan et Marichka, qui s'aiment d'un amour naïf, simple, d'instinct. À l'âge des épousailles, Marichka, qui s'est portée au secours d'une brebis en détresse sur une falaise, tombe et se noie dans le torrent. Misérable, Ivan erre sans fin dans la montagne à la recherche de sa bien-aimée. Au printemps, la sève et les fleurs revenues, il prend pour femme la sensuelle Palagna ; mais leur union, demeurée stérile, sera un échec. Cruellement blessé par un sorcier devenu l'amant de Palagna, Ivan rejoint enfin Marichka au royaume des morts.

Le chant de la terre

Torrent d'images d'une stupéfiante beauté, le film ne s'arrête jamais sur aucune d'elles pour consentir au spectateur le temps de s'en émerveiller. Tout au contraire, la caméra, boulimique de nouvelles splendeurs, court sans cesse aux côtés d'Ivan et de Marichka, avide de ne rien perdre de l'amour qu'ils irradient avant que la mort ne les fige pour l'éternité. Une course haletante pour saisir au vol toutes les manifestations de la vie, un regard, le frôlement de deux peaux, un sourire, un pas de danse, la fuite de quelque animal, dans le ciel, dans la forêt où les arbres, la mousse, les fleurs apparaissent, à l'instar du soleil, de la neige, du tonnerre, de la pluie et du vent, comme autant de thèmes majeurs d'une panthéiste symphonie du monde composée par Paradjanov à la gloire de la nature, de l'amour et de l'homme.

Sergueï Paradjanov (1924-1990) a étudié le chant et la peinture avant d'apprendre le cinéma auprès d'Alexandre Dovjenko, le poète de *La terre* (1930). Dans *Les chevaux de feu* — comme dans *Sayat Nova* (1968), qui exalte la vie et l'œuvre d'un poète arménien du XVIIIe siècle ; dans *La légende de la forteresse de Souram* (1984), luxuriante évocation d'une légende du Moyen Âge ; ou dans *Pirosmani* (1985), essai sur l'œuvre du peintre géorgien —, Paradjanov emboîte avec brio le pas de son maître. Farouchement indépendant, privilégiant la forme sur le fond, défenseur résolu des cultures traditionnelles, il fut honni par les autorités soviétiques qui, sous de fallacieux prétextes, l'internèrent plusieurs années en camp de travail. «Je ne suis pas conforme» : ainsi s'est défini cet artiste intransigeant qui a ouvert au cinéma soviétique la voie royale de la poésie pure.

1967

Andreï Roublev

Andreï Tarkovski

Scén. : Andreï Mikhalkov-Konchalovski,
Andreï Tarkovski. **Réal.** : Andreï Tarkovski.
Im. : Vadim Youssov (N. et B. et couleurs).
Mus. : Viatcheslav Ovtchinnikov. **Prod.** : Mosfilm.
Durée : 186 minutes. **Interpr.** : Anatoli Solonitzine
(Andreï Roublev), Ivan Lapikov *(Kirill)*, Nikolaï Grinko
(Daniel le Noir), Nikolaï Sergueiev *(Théophane le Grec)*,
Irma Raouch Tarkovskaïa *(la sourde-muette)*,
Nikolaï Bourliaiev *(Boriska)*, Youri Nazarov.

C'est du monde socialiste qu'est issu le plus grand cinéaste religieux de notre temps. Sainte Russie pas morte !

Prologue : un paysan fait le sacrifice de sa vie en tentant de réaliser le vieux rêve d'Icare, voler…

La Russie au début du XVe siècle. Un peintre d'icônes, Andreï Roublev, est chargé de repeindre les murs de la cathédrale de l'Annonciation, au Kremlin. Il travaille sous la direction du maître grec Théophane. Ce dernier est hanté par la cruauté des temps, qu'il attribue au courroux du Ciel, alors que son élève croit aux pouvoirs du libre arbitre. Considéré comme hérétique, Roublev fait vœu de mutisme, jusqu'au jour où un jeune fondeur de cloches Boriska, lui confirme que sa foi en l'homme n'est pas un vain mot.

Épilogue (en couleurs) : hommage à l'artiste et à sa célèbre *Trinité*.

L'icône de la Rédemption

Andreï Roublev est traversé par un souffle, une élévation spirituelle et une exigence plastique qui se situent à des années-lumière du «réalisme socialiste». À son générique, on trouve deux noms qui vont dominer de très haut les cinémas de l'Est durant les années 1970 : Andreï Mikhalkov-Kontchalovski (né en 1937), déjà connu comme réalisateur du *Premier maître* (1965), l'histoire d'un instituteur insoumis aux prises avec les contraintes de la féodalité; et Andreï Tarkovski (1932-1986), qui s'affirme dès ce

moment comme l'un des maîtres du cinéma moderne. Celui-ci s'était fait connaître par *L'enfance d'Ivan* (1962), émouvante odyssée d'un jeune garçon victime de la barbarie nazie. On avait parlé alors de *Quatre cents coups* soviétiques. Plus que de Truffaut, Tarkovski est à rapprocher de Bresson, pour sa tendance à l'épure, et de Dreyer, pour sa haute spiritualité. Tout son effort va à dénoncer le leurre du progrès matériel et à exalter par contraste la dignité de la vie intérieure, les vertus d'ascèse et de sacrifice. On comprend qu'il ait pris pour exemple un peintre d'icônes, à la recherche d'un absolu qui transcende les simulacres du monde terrestre.

Andreï Roublev est divisé en chapitres ; la frénésie épique y alterne avec des visions élégiaques, la ferveur mystique avec la fête païenne. On peut parler, sans exagération, d'une épiphanie moderne — au sens profane, sinon sacré, du terme.

Cette fresque grandiose fut entreprise en 1962 ; son tournage s'acheva en 1967, mais la sortie en U.R.S.S. n'eut lieu qu'en 1971, par suite de l'opposition des milieux officiels, qui lui reprochaient son manque de rigueur historique. Entre-temps, les festivals occidentaux lui avaient fait un triomphe. Rien d'étonnant à cette réaction d'une orthodoxie figée, qui a toujours muselé ses poètes.

Contraint à l'exil, Tarkovski achèvera sa brève carrière avec *Le sacrifice,* réalisé en Suède en 1986, où un homme (le cinéaste lui-même ?), ayant fait le bilan d'une vie de souffrances et d'espérances déçues, s'offre en holocauste pour que le monde retrouve son âme.

Bonnie and Clyde
Arthur Penn

Scén. : David Newman, Robert Benton.
Réal. : Arthur Penn. **Im.** : Burnett Guffey (couleurs).
Mus. : Charles Strouse. **Prod.** : Warren Beatty (Warner Bros.).
Durée : 111 minutes. **Interpr.** : Warren Beatty *(Clyde Barrow)*,
Faye Dunaway *(Bonnie Parker)*, Michael J. Pollard
(C.W. Moss), Gene Hackman *(Buck Barrow)*,
Estelle Parsons *(sa femme, Blanche)*.

À partir de 1967, le cinéma américain se libéralise. Bonnie and Clyde *joue dans cette évolution le rôle d'élément détonateur.*

Le sud-ouest des États-Unis, au début des années 1930. Un jeune truand, Clyde Barrow, alors qu'il tente de voler une voiture, fait la connaissance d'une fille délurée et impulsive, Bonnie Parker. Elle va s'associer à lui pour ses larcins, qui deviendront bientôt de sanglants hold-up. Un mécanicien un peu demeuré, C.W. Moss, et le frère de Clyde participent à ces équipées sauvages. Le gang devient vite célèbre. Recherché pour meurtre, traqué d'État en État, le couple est finalement dénoncé par le père de Moss. Attirés dans un guet-apens, ils périront sous les balles de la police.

Les enfants perdus de la Dépression

L'un des plus doués parmi les cinéastes américains de la nouvelle génération, passé par l'Actor's Studio et les séries télévisées de la N.B.C., Arthur Penn (né en 1922) était sensible aux effets de la «violence ordinaire» : assassinat du président Kennedy, exécution de son meurtrier présumé, Lee Harvey Oswald (qui lui inspira une scène clé de son film *La poursuite impitoyable*, 1965), drames nés du conflit vietnamien. Il entend passer au crible les formes d'instinct de mort qui, selon lui, gouvernent notre époque, avec le secours de la psychanalyse et de la sociologie, tout en s'impliquant profondément lui-même dans cette recherche. Dans *Bonnie and Clyde,* il ne se contente pas — comme cela lui a été parfois reproché — d'accumuler les morceaux de bravoure «rétro» tels que pillages d'épiceries, poursuite en limousine, etc. Il brosse un tableau éloquent de l'Amérique de la Dépression, jouant avec une habileté confondante sur les ruptures de ton, les dialogues à l'emporte-pièce, les digressions cocasses ou pathétiques. Une musique guillerette de banjo accompagne cette balade sauvage. «Penn, écrit Michel Ciment, transcrit le climat d'une époque où la comédie la plus folle côtoyait le sordide.» Arthur Penn a un faible pour les *losers,* comme le tueur infantile du *Gaucher* (1957), l'acteur déchu *Mickey One* (1964), les hippies de *Alice's Restaurant* (1969). L'un de ses films les plus forts, *Miracle en Alabama* (1962), traite de la rééducation d'une enfant aveugle et muette. Il s'intéressa au couple historique Clyde Barrow/Bonnie Parker après que le sujet eut été proposé à François Truffaut et Jean-Luc Godard, qui se récusèrent. On sent ici l'influence de la Nouvelle Vague française. *Bonnie and Clyde,* c'est un peu *J'ai le droit de vivre* de Fritz Lang revu par *À bout de souffle.* Les dernières images du film, maintes fois plagiées, montrent le couple d'amants maudits, tout de blanc vêtu, se tordre sous le crépitement des mitraillettes, et mordre la poussière en un savant ralenti. Il faut la maîtrise d'Arthur Penn pour faire passer cette sophistication de la violence.

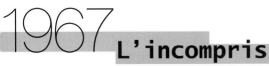

1967

L'incompris

Luigi Comencini

Incompreso. Autre titre français : *Mon fils, cet incompris.*
Scén. : Leo Benvenuti, Piero De Bernardi, Lucia Drudy Demby,
Giuseppe Mangione, Luigi Comencini, d'après le roman
de Florence Montgomery, *Misunderstood.* **Réal.** : Luigi Comencini.
Im. : Armando Nannuzzi (couleurs). **Mus.** : Fiorenzo Carpi.
Prod. : Rizzoli films. **Durée** : 105 minutes. **Interpr.** : Anthony Quayle
(Sir John Edward Duncombe), Stefano Colagrande *(Andrea),*
Simone Giannozzi *(Milo),* John Sharp *(oncle Will),* Giorgia Moll
(Miss Judy), Graziella Granata *(Dora),* Adriana Facchetti *(la nurse).*

Cinéaste lucide et désenchanté, Comencini nous conte ici le destin exemplaire d'un être vulnérable, victime expiatoire d'un monde sans amour.

Sir John Duncombe, consul d'Angleterre à Florence, vient de perdre sa femme. Il reste seul avec deux enfants en bas âge, qu'il place durant la journée sous la surveillance d'une gouvernante. L'aîné, Andrea, est un garçon sensible, que la mort de sa mère a perturbé et qui reporte toute son affection sur son père, cependant que Milo, le cadet, se dissipe en toute innocence dans la propriété. Un jour, ils font une escapade en ville, suscitant le courroux de Sir John. Andrea reçoit tous les blâmes et souffre en silence de la froideur de son père. Un grave accident lui brise la colonne vertébrale. Il meurt sous le portrait de sa mère, auprès de son père effondré.

Le regard de l'enfance

Le réalisateur de cette chronique intimiste, Luigi Comencini (né en 1916), est l'un des quatre grands de la comédie italienne d'après-guerre, avec Mario Monicelli, Dino Risi et Ettore Scola. La critique l'a longtemps sous-estimé, le tenant pour un «petit maître» compromis dans des besognes strictement commerciales. Il se pose surtout, comme l'indique le titre d'un de ses derniers films (*Cuore,* 1983), en cinéaste du *cœur,* plus attentif aux élans du sentiment qu'à la conviction des idées, celles-ci devant en tout cas passer obligatoirement par le filtre de celui-là. Il confie à son exégète Jean A. Gili : «La chose qui me passionne le plus est le rapport affectif, qui laisse de côté le raisonnement. Le miracle de la vie est le fait d'avoir des sensations, une compréhension inconsciente pour l'autre dont nul ne peut expliquer les raisons.» Cette éthique généreuse — qui a son répondant dans une esthétique probe et directe — se vérifie tout particulièrement dans ceux de ses films qui ont pour héros des enfants, souvent victimes de l'indifférence ou de l'égoïsme des adultes.

Comencini a un regard d'une limpidité totale, celui-là même de l'enfance, qui désoriente les esprits secs. Son *Incompris* a la beauté des grands romans d'apprentissage : il n'a rien à voir avec la Bibliothèque rose, mais beaucoup avec Dickens ou Henry James. *L'incompris* eut une destinée curieuse : accueilli par des huées lors de sa présentation au festival de Cannes en 1967, pour cause de complaisance mélodramatique, il rencontrera, pour sa diffusion à Paris dix ans plus tard, une presse enthousiaste, vantant cette fois ses qualités de tact et d'émotion. Au-delà des caprices du jugement critique, ces variations sont symptomatiques de l'attitude ambiguë des élites face à une vision du monde authentiquement populaire.

1968

2001 : l'odyssée de l'espace

Stanley Kubrick

2001 A Space Odyssey. **Scén.** : Stanley Kubrick,
Arthur Clarke, d'après la nouvelle de ce dernier,
The Sentinel. **Réal.** : Stanley Kubrick.
Im. : Geoffrey Unsworth (couleurs).
Effets spéciaux : Stanley Kubrick, Wally Weevers,
Douglas Trumbull. **Mus.** : Richard Strauss
(Ainsi parlait Zarathoustra), Johann Strauss
(Le beau Danube bleu), Aram Khatchaturian *(Gavaneh),*
Gyorgy Ligeti. **Prod.** : M.G.M. **Durée** : 141 minutes.
Interpr. : Keir Dullea *(David Bowman),* Gary Lockwood
(Frank Poole), William Sylvester *(Dr Floyd),*
Daniel Richter *(le « guetteur de lune »),* Douglas Rain
(voix de l'ordinateur), Leonard Rossiter, Margaret Tyzack.

Dans la grande tradition des utopies de Jules Verne, H. G. Wells et A. E. Van Vogt, ce film qui fait de la science-fiction cinématographique un genre majeur, ouvre une « voie royale vers une appréhension critique du futur » (Jacques Goimard).

1. *L'aube de l'humanité.* — Il y a quatre millions d'années, la Terre était peuplée de grands singes, luttant pour leur survie. Un jour, une de leurs tribus découvre avec stupeur un grand monolithe de pierre noire planté dans le sol. Puis l'un des anthropoïdes a l'idée de se servir d'un fémur comme arme de combat. Il le lance en l'air…

2. *L'an 2001.* — L'os lancé par l'hominien devient un magnifique vaisseau spatial en route vers la Lune. Le but du voyage est de percer le secret d'un étrange parallélépipède de pierre découvert près du cratère de Tycho. Il s'avère que l'objet a été enterré là depuis des millénaires. Ceux qui tentent de s'en approcher sont arrêtés par un sifflement assourdissant…

3. *Mission Jupiter.* — Dix-huit mois plus tard, *Discovery 1* s'élance vers Jupiter. À son bord, deux astronautes, Bowman et Poole, des savants placés en hibernation, et HAL 9000, un ordinateur doté de parole. Une sourde lutte d'influence va s'engager entre ce dernier et les cosmonautes. Le combat sera sans merci : Poole y trouvera la mort, mais Bowman parviendra à déconnecter la machine malfaisante, qui rendra l'« âme »…

4. *Au-delà de l'infini.* — A présent, Bowman est seul. Comme il s'apprête à atteindre le mégalithe, il est entraîné dans la spirale de l'espace-temps. Au terme d'une chute vertigineuse, il se retrouve, vieilli de cent ans, dans une coquette chambre de style Louis XVI où trône, immuable, le mystérieux bloc de pierre. Bowman se change en fœtus astral, flottant dans la galaxie…

Fœtus astral

2001 est, sans conteste, le plus ambitieux et le plus abouti des films de science-fiction. Par l'importance de son budget : dix millions de dollars. Par l'opulence de ses moyens techniques : c'est le triomphe des maquettes sophistiquées et des « effets spéciaux », mis au point avec le concours de la NASA. Par le sérieux de l'entreprise, s'agissant d'un genre regardé jusque-là comme infantile : depuis *Le voyage dans la Lune* de Méliès et *Metropolis* de Fritz Lang, les réussites étaient rares (*Le jour où la terre s'arrêta, Planète interdite, La jetée*…). Enfin, par le talent de visionnaire d'un metteur en scène hors de pair, qui travailla en étroite collaboration avec un grand romancier, Arthur Clarke (auteur du best-seller *La cité et les astres*).

Stanley Kubrick (1928-1999) s'était taillé une réputation de « cinéaste de choc », avec notamment *Les sentiers de la gloire* (1958), satire féroce du militarisme aveugle, et *Docteur Folamour* (1963), parabole sur la psychose nucléaire. Il confirmera par la suite cette réputation avec la somptueuse imagerie de *Barry Lindon* (1975) et la fantasmagorie érotique d'*Eyes wide shut* (1999). Auteur complet, étranger aux modes, sachant doser avec art la part de l'expérimental et du commercial, perfectionniste, jaloux de ses secrets de fabrication, maîtrisant en orfèvre tous les rouages de la machinerie cinématographique, il s'inscrit dans la grande tradition des Griffith et des Sternberg. Son ambition en l'occurrence n'était pas mince. Il voulait rien de moins que «faire un film sur la relation de l'homme à l'univers». Du Jules Verne revu et corrigé par le projet Apollo. Armstrong foulera le sol lunaire en juillet 1969, Kubrick le coiffe au poteau !

Se refusant à toute surenchère d'imagination (ni petits hommes verts ni intervention de hideux extraterrestres), il opte pour une approche quasi documentaire. Le seul méchant de l'aventure est un ordinateur, prénommé HAL en hommage à IBM (les trois lettres précédentes de l'alphabet) et à deux disciplines de haut niveau, l'*h*erméneutique et l'*a*lgorithme. Une notion complexe comme celle de l'immortalité biologique est développée, avec un minimum de recours à la fiction, dans ce conte de fées du XXᵉ siècle, que l'on peut considérer aussi bien comme un «compte de faits», d'une rigueur scientifique irréprochable.

On a beaucoup glosé sur le sens à donner à la séquence finale, dont le romantisme archaïque tranche sur la froideur technologique du contexte. Que signifie cette chambre viennoise, qu'est-ce que le «fœtus astral», où va-t-il, est-ce la fin de l'humanité ou le début d'une ère nouvelle ? Le monolithe est-il un symbole divin ? «Chacun est libre de spéculer à son gré sur la signification philosophique et allégorique du film, déclare Kubrick. J'ai essayé de créer une expérience *visuelle,* qui contourne l'entendement pour pénétrer directement l'inconscient avec son contenu émotionnel.» À l'appui de cette remarque, le fait que le voyage dans l'espace-temps lui a été inspiré par les délires consécutifs à l'absorption d'hallucinogènes. D'où cette équation, que pourrait proposer notre Einstein du cinéma : *2001 = IBM + LSD*. Il y a un aspect *orphique* de la quête kubrickienne, qu'il ne faut pas trop chercher à décrypter. Comme disait Jean Cocteau : «Il ne s'agit pas de comprendre, il s'agit de croire.» Croire, sinon à la toute-puissance de la science, du moins à la magie du cinématographe.

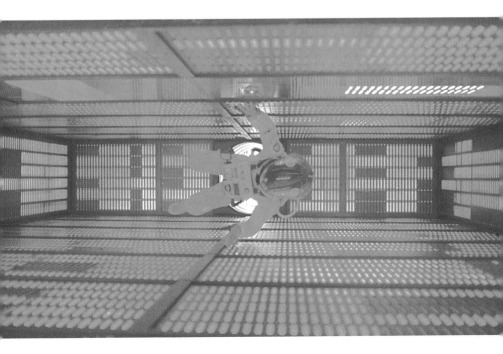

1968 La party

Blake Edwards

The Party. **Scén.** : Frank et Tom Waldman,
B. Edwards. **Réal.** : Blake Edwards.
Im. : Lucien Ballard (couleurs).
Mus. : Henry Mancini. **Prod.** : B. Edwards.
Durée : 99 minutes. **Interpr.** : Peter Sellers
(Hrundi V. Bakshi), Claudine Longet *(Michèle),*
J. Edward McKenzie *(Clutterbuck).*

Un inexorable crescendo comique, jusqu'à l'explosion d'un burlesque cataclysmique qui bouleverse l'ordre des choses.

Acteur d'origine indienne, Hrundi V. Bakshi tient le rôle d'un indigène dans un film dont il met en péril le tournage à force de maladresses. Au lieu d'être inscrit sur la liste noire des figurants à éviter, il est ajouté par erreur à celle des invités à la réception qu'organise le producteur du film, Fred Clutterbuck. Bakshi commet gaffe sur gaffe au cours de cette soirée qui dégénère, à cause de lui, en joyeuse et dévastatrice party.

Raz-de-marée burlesque

Le monde du cinéma, celui dont la réception chez Clutterbuck est le microcosme, est un monde où l'on s'ennuie et où l'hypocrisie dissimule la rudesse des coups qu'on s'y porte, par goût du lucre et de la renommée. Hrundi V. Bakshi y est l'intrus, l'étranger. N'est-il pas, de surcroît, le seul à proclamer : «C'est si bon de rire !» dans cette assemblée guindée où l'on grimace en parlant affaires. Mais le cataclysme bientôt déclenché par le petit Indien au veston étroit et au pantalon trop court va littéralement lessiver cet univers factice. En effet, jouant des boutons du tableau électrique qui régit les fonctions de la villa — chauffage, ventilation, éclairage —, il ouvre sous les pas des convives le plancher recouvrant la piscine sur laquelle est construit le bar. «Sauvez les bijoux», ordonne Clutterbuck lorsque son épouse disparaît dans les flots. C'est alors qu'une troupe de musiciens russes et une bande de jeunes hippies envahissent la party transformée en joyeux capharnaüm. «Sauvez les tableaux», hurle Clutterbuck lorsque des flots mousseux montent le long des murs. C'est l'Apocalypse !

La morale de cette fable burlesque semble claire : le capitalisme est menacé par le rire mais aussi — avant même que la contestation générale de mai 1968 ne l'ait proclamé — par la jeunesse, le socialisme (incarné par la sympathique troupe des Russes) et le tiers-monde (Bakshi) ! Cette lecture sérieuse d'un film qui se présente comme une farce délirante est rendue possible par la connaissance de l'œuvre de Blake Edwards (né en 1922), cinéaste réputé pour son génie comique et un anticonformisme qui l'a marginalisé dans l'industrie du cinéma. N'a-t-il pas, dans *Qu'as-tu fait à la guerre, papa ?* (1966), ridiculisé le militarisme, et dans *S.O.B.* (1981), fustigé les mœurs hollywoodiennes ? Il a aussi, dans *Victor-Victoria* (1982), remis en question toutes les certitudes concernant l'identité sexuelle et parsemé nombre de ses films, même les plus graves comme *That's Life* (1986), réflexion sur le vieillissement et la mort, de gags insolites et provocateurs.

Rosemary's Baby

Roman Polanski

Scén. : Roman Polanski, d'après le roman de Ira Levin.
Réal. : Roman Polanski. **Im.** : William Fraker (couleurs).
Mus. : Krzysztof Komeda. **Prod.** : William Castle (Paramount).
Durée : 137 minutes. **Interpr.** : Mia Farrow *(Rosemary)*,
John Cassavetes *(Guy, son mari)*, Ruth Gordon
(Minnie Castevet), Sidney Blackmer *(Roman, son mari)*,
Maurice Evans *(Hutch)*, Ralph Bellamy *(Dr Sapirstein)*,
Charles Grodin *(Dr Hill)*, Angela Dorian, William Castle.

Le cinéma américain — reflet fidèle d'une société immature — croit au démon, aux sectes, aux puissances occultes. Un lutin facétieux en propose ici un sulfureux assortiment.

Un jeune couple, Guy et Rosemary Woodhouse, emménage dans un vieil appartement de Manhattan. L'endroit a fâcheuse réputation : on y aurait pratiqué autrefois la magie noire. Une mince cloison sépare les nouveaux locataires d'un vieux ménage, les Castevet, qui font montre à leur égard d'une familiarité envahissante. Des événements étranges se produisent, mettant la jeune femme — qui est enceinte — de plus en plus mal à l'aise. Son entourage est aux petits soins pour elle, mais n'est-ce pas une façade qui cache une emprise diabolique ? Elle met au monde un enfant mort-né : du moins le croit-elle. Une nuit, elle découvre le cercle de famille rassemblé autour d'un berceau tendu de noir : elle s'approche horrifiée… et sourit à l'idée qu'elle a peut-être été l'élue de Satan.

Un diable au fond du berceau ?

La grande trouvaille de cette *ghost story* est de ne jamais *montrer* le bébé présumé monstrueux, mais de le laisser imaginer aux spectateurs, avec une telle conviction que certains ont affirmé l'avoir vu en réalité ! Technique de suggestion classique, maniée ici par un virtuose, qui se ménage un recul ironique vis-à-vis de son héroïne, et distille le doute sur la véracité de son témoignage : et s'il ne s'agissait que d'un cauchemar lié à de vagues frustrations ?

D'origine polonaise, ayant rapidement émigré dans les studios anglo-saxons, Roman Polanski (né en 1933) a toujours manifesté un goût pervers pour le macabre, l'absurde et l'humour noir. Il s'est d'abord essayé au court métrage d'avant-garde (*Deux hommes et une armoire,* 1958) et au huis clos psychologique (*Le couteau dans l'eau,* 1962). Son registre d'élection, il le trouvera dans ces exercices de «névrose appliquée» que sont *Répulsion* (1965) et *Cul-de-sac* (1966), et dans la parodie bouffonne du *Bal des vampires* (1967), où il s'octroie un rôle essentiel, à la Sganarelle. Il s'égarera par la suite dans des entreprises trop ambitieuses pour lui (avec des réussites comme *Tess,* 1979). *Rosemary's Baby* est un film en avance sur son temps puisqu'il annonçait la psychose de sorcellerie qui allait submerger l'Amérique au début des années 1970.

«Je ne crois pas personnellement aux sociétés secrètes, a déclaré le metteur en scène. Ce qui m'intéresse, c'est de donner des apparences qui peuvent y faire croire.» N'était-ce pas jouer avec le feu ? Un an après le tournage du film, sa propre épouse, l'actrice Sharon Tate, était victime d'une secte criminelle, celle de Charles Manson. La réalité avait largement dépassé en horreur la fiction.

1968 Théorème

Pier Paolo Pasolini

Teorema. **Scén., dial. réal.** : Pier Paolo Pasolini, d'après son roman.
Im. : Giuseppe Ruzzolini (couleurs). **Mus.** : Ennio Morricone et extraits du *Requiem* de Mozart. **Prod.** : Franco Rossellini, Manolo Bolognini.
Durée : 98 minutes. **Interpr.** : Terence Stamp *(le visiteur)*, Massimo Girotti *(le père)*, Silvana Mangano *(la mère)*, Anne Wiazemsky *(la fille)*, Andres Jose Cruz *(le fils)*, Laura Betti *(la servante)*, Ninetto Davoli *(le facteur)*, Susanna Pasolini *(la paysanne)*.

Pour Pasolini, le cinéma est un véhicule privilégié d'exorcisme de tous nos maux, de combat contre l'imposture, et surtout de poésie, à forte assise populaire.

La vie paisible d'une famille bourgeoise de Milan va être bouleversée par l'arrivée d'un mystérieux visiteur, un séduisant éphèbe de vingt-cinq ans, silencieux mais fort influent. À son contact, charnel et intellectuel, chacun va prendre conscience de la vanité de son existence. Quand il repartira, sa mission accomplie, ce sera la débandade : la mère se donne au premier venu, la fille tombe en catatonie, le fils quitte les siens et va peindre des croûtes qu'il conchie honteusement, la servante est atteinte de lévitation ; quant au chef de famille, un riche industriel, il abandonne son usine à ses ouvriers, se déshabille en pleine gare de Milan et se perd dans le désert…

L'annonce faite aux nantis

Ce film est l'œuvre d'un poète, essayiste, romancier et cinéaste parmi les plus contro-versés de l'intelligentsia italienne des années 1960 : Pier Paolo Pasolini (1922-1975) ; il déclencha un scandale. Le sujet sentait le soufre ; il fut taxé d'obscène par la fraction rétrograde de l'autorité religieuse, et porté aux nues par son aile «progressiste», au point que le film remporta le prix de l'Office catholique international du cinéma. Un prêtre cana-dien, Marc Gervais, lui consacra une exégèse des plus élogieuses. Après tout, l'auteur avait donné des preuves d'une incontestable ferveur spirituelle avec *L'Évangile selon saint Matthieu* (1964), dédié au pape Jean XXIII. Sans doute son christianisme était-il fortement teinté de marxisme, ou plus précisément croisé d'influences «hérétiques» diverses, allant de Freud à Gramsci. Son homosexualité affichée, perceptible dans d'autres films (par exemple *Accatone,* 1961, incursion dans le milieu des souteneurs de bidonvilles romains), brouillait encore les cartes. Franc-tireur par excellence, braconnant dans les allées de la mythologie grecque et des idéologiques contemporaines, Pasolini ne pouvait laisser indifférent. Il poursuivra son travail de sape — articulé sur un matériau filmique d'une grande beauté, notamment dans *Porcherie* (1969), *Médée* (1970), *Salo ou Les cent vingt journées de Sodome* (1975), ce dernier film précédant de peu son assassinat crapuleux, par un jeune voyou de la banlieue romaine.

Un soir... un train
André Delvaux

Scén., dial. : André Delvaux, d'après le roman de Johan Daisne.
Réal. : André Delvaux. **Im.** : Ghislain Cloquet (couleurs).
Mus. : Freddy Devreese. **Prod.** : Parc-Film (Mag Bodard), Fox-Europa,
Les Films du Siècle. **Durée** : 91 minutes. **Interpr.** :Yves Montand *(Mathias),*
Anouk Aimée *(Anne),* François Beukelaers *(Val),*
Adriana Bodgan *(Moïra),* Hector Camerlynck *(Hernhutter).*

André Delvaux est l'un des rares cinéastes contemporains à cultiver l'insolite. Son train fantôme nous ramène, par une ligne directe, à la grande époque de l'expressionnisme.

La province flamande en automne. Mathias, un professeur de linguistique, a pour compagne Anne, décoratrice de théâtre. Dans le train qui les emmène au centre universitaire, ils font le bilan de leur union, plutôt décevant pour la jeune femme. Lui s'endort et rêve qu'ils ont un accident. Au réveil, Anne a disparu. Le train fait halte en rase campagne. Quelques voyageurs, dont Mathias, entreprennent une marche forcée dans un paysage désolé, qui les conduit à un village peuplé de gens au parler incompréhensible. Parmi eux, une femme vêtue de noir, Moïra, qui ressemble à Anne. Mathias sort de sa torpeur : il y a bien eu un accident, et Anne est morte.

Sous le signe du fantastique

Première grande production de l'histoire du cinéma belge (si l'on excepte les essais bien oubliés d'Alfred Machin à l'époque du muet, et quelques courts métrages d'avant-garde d'Henri Storck), *Un soir... un train* est l'œuvre d'un ardent cinéphile, André Delvaux (né en 1926), qui après de solides études musicales s'était fait remarquer comme accompagnateur de films muets à la cinémathèque de Bruxelles : son intérêt se portait alors sur l'expressionnisme allemand (Murnau, Pabst) et les feuilletons de Louis Feuillade (une séquence de *Rendez-vous à Bray,* qu'il tourne en 1971, fait une référence directe à cette expérience de jeunesse). Son art se déploie sous le signe du fantastique, dans le domaine flamand qui va en littérature de Michel de Ghelderode à Jean Ray, et en peinture de James Ensor à son homonyme Paul Delvaux. Dès *L'homme au crâne rasé* (1965), il manifeste son goût de l'onirisme. Dans *Un soir... un train,* la mort mène le bal, comme au carnaval d'Ostende ; un destin maléfique se plaît à égarer les personnages (et les spectateurs), jusqu'au *deus ex machina* de l'accident de chemin de fer, vu par Mathias en *flash forward* (projection en avant) ; le mystère est partout. Delvaux est bien l'élève — singulièrement doué — de Murnau. Sa carrière ultérieure n'a pas tenu toutes ses promesses, en dépit de quelques beaux éclairs dans *Belle* (1973) et *Benvenuta* (1985).

1969
Ma nuit chez Maud
Éric Rohmer

Scén., dial. réal. : Eric Rohmer. **Im.** : Nestor Almendros (N. et B.).
Mus. : extraits d'œuvres classiques diverses. **Prod.** : Films du Losange.
Durée : 110 minutes. **Interpr.** : Jean-Louis Trintignant *(Jean-Louis)*,
Françoise Fabian *(Maud)*, Marie-Christine Barrault *(Françoise)*, Antoine Vitez.

Amoureux de la forme mais hostile au formalisme, épris de modernité sous des dehors traditionalistes, balzacien en goguette, Éric Rohmer joue la carte de l'amateurisme subtil.

Jean-Louis est un ingénieur célibataire d'une quarantaine d'années, vivant à Clermont-Ferrand. Il a le coup de foudre pour une jeune fille entrevue à la messe, et lui voue aussitôt un amour exclusif, sans rien savoir d'elle. L'un de ses amis, professeur de philosophie, libre penseur, le présente à sa maîtresse, Maud, une doctoresse divorcée. L'état des routes l'oblige à passer la nuit chez elle. Il s'interdit la moindre privauté, sauf un chaste baiser, au petit matin. Puis il retrouve celle qu'il aime, Françoise, et l'épouse. Cinq ans plus tard, devenu père de famille, il croise Maud sur une plage. Elle est remariée. Ils échangent des propos anodins. Leurs routes se séparent.

À fleur de rhétorique

Ce film est le troisième d'une série de six «Contes moraux», écrits par Éric Rohmer, *alias* Maurice Scherer (né en 1920), professeur, journaliste, ex-rédacteur en chef des *Cahiers du Cinéma,* et réalisés dans le désordre (les deux derniers s'intituleront *Le genou de Claire* et *L'amour l'après-midi*). On retrouve chaque fois le même schéma de base : un homme aime une femme, en rencontre une autre avec laquelle il flirte, puis revient à la première. Tous sont commentés par un récitant, qui n'est pas avare de ses états d'âme. Il n'y a pratiquement pas d'action, tout se passant dans la tête du personnage. On se livre ici au petit jeu des confidences, à grand renfort de citations littéraires ou philosophiques. Dans *Ma nuit chez Maud,* le débat tourne autour de Pascal et de «l'espérance mathématique». Les héros rohmériens sont de grands phraseurs, s'exprimant généralement

en une langue châtiée (sauf dans *Le rayon vert,* où ils bafouillent à qui mieux mieux). Ils ont tendance à peser au milligramme le pour et le contre. Le cinéaste enregistre sans broncher leurs désirs et inhibitions, si futile qu'en soit l'objet : il se fait le chroniqueur attentif des intermittences du cœur. On note sa prédilection pour les «jeunes filles en fleur», portant des prénoms de fantaisie : Haydée, Aurelia, Chloé, Aurora… Toute l'œuvre gardera ce ton-là, sans craindre la répétition, ni le maniérisme.

Après les «Contes moraux», Rohmer a entrepris deux nouveaux cycles, «Comédies et proverbes», invoquant le patronage de Musset (ou de la comtesse de Ségur ?) et «Contes des quatre saisons». Pour ses admirateurs, Éric Rohmer s'inscrit dans la tradition des grands moralistes. Il lui arrive aussi de musarder du côté des peintures médiévales ou du romantisme allemand, quand il met en scène Chrestien de Troyes (*Perceval le Gallois,* 1978) ou Heinrich von Kleist (*La marquise d'O,* 1976, ou, au théâtre, *Catherine de Heilbronn*). Par ailleurs essayiste de talent, il a analysé les œuvres de F. W. Murnau, Alfred Hitchcock et Roberto Rossellini.

Le chagrin et la pitié
Marcel Ophuls

Das Haus nebenan. **Scén., interviews** : Marcel Ophuls, André Harris. **Réal.** : Marcel Ophuls. **Im.** : André Gazut, Jürgen Thieme (N. et B.). **Montage** : Claude Vajda. **Prod.** : André Harris, Alain de Sédouy (Télévision Rencontre, N.D.R., S.S.R.). **Durée** : 265 minutes. **Interviews** d'Emmanuel d'Astier de la Vigerie, René de Chambrun, Jacques Duclos, Anthony Eden, Christian de La Mazière, Georges Lamirand, Claude Lévy, Pierre Mendès France, Helmut Tausend, etc.

Démystification du paternalisme et du chauvinisme «franchouillard», ce monument du cinéma de montage est aussi un grand film proustien, une résurrection du «temps perdu».

1. *L'effondrement.* — 1969. Dans une petite ville allemande, un ancien capitaine de la Wehrmacht, devenu un homme d'affaires paisible, se souvient… À Clermont-Ferrand, des Français se souviennent, eux aussi… Trente ans auparavant, c'était la «drôle de guerre», la ligne Maginot, la propagande à tout va, bientôt la capitulation, la prise du pouvoir par Pétain, la mise au pas des juifs. «Ça sent si bon la France», chante Maurice Chevalier. Des hommes politiques, des survivants lucides ou blasés, apportent leur témoignage.

2. *Le choix.* — Clermont-Ferrand, 1942. Les Allemands franchissent la ligne de démarcation. La résistance s'organise, les autochtones vaquent, indifférents, à leurs affaires. C'est un chapelet de bassesses et d'horreurs à la petite semaine : rafles, dénonciations, déportations, tortures… Pour les têtes brûlées, il y a la L.V.F. Des témoins racontent. À la Libération, le général de Gaulle sera ovationné par la même foule qui, la veille, acclamait le maréchal Pétain. Maurice Chevalier chante toujours…

Autant en emporte le Temps

Chronique impressionniste d'une ville française (et de ses alentours) sous l'Occupation, fondée sur une mosaïque de témoignages, entremêlée d'extraits de bandes d'actualités et de documents d'époque, et rythmée par la gouaille bon enfant de Maurice Chevalier, *Le chagrin et la pitié* constitue une salubre entreprise de «débourrage de crâne», qui contraste avec les fictions héroïques de rigueur dans le cinéma français quand il s'agit d'évoquer les «années noires». Ce film, conçu à l'origine dans le cadre d'une série d'émissions historiques de l'O.R.T.F., réveilla, inévitablement, de vieilles rancœurs, au point qu'il fut boycotté en France et ne put voir le jour que grâce au concours de la télévision suisse. Politiquement, l'œuvre se situe nettement à gauche : Pétain et de Gaulle sont renvoyés dos à dos, chacun ayant à sa manière fait don de sa personne à une France composée de 80 % de lâches et 20 % de héros.

Même en tenant compte de la manipulation des données, inhérente à tout film de montage, la synthèse est ici éloquente. On ne peut qu'admirer ce fabuleux travail de mise en perspective de l'Histoire, cette fresque grandiose ouvrant une ère nouvelle de la recherche audiovisuelle, ce modèle d'exploration «en direct» du temps passé. Le recul ironique de l'auteur, né en 1927, qui ne s'en laisse pas conter, confère à l'ensemble une alacrité inattendue.

1970 Le boucher

Claude Chabrol

Scén., réal. : Claude Chabrol. **Im.** : Jean Rabier (couleurs). **Mus.** : Pierre Jansen.
Prod. : Films La Boétie. **Durée** : 95 minutes. **Interpr.** : Stéphane Audran
(Mlle Hélène), Jean Yanne *(Popaul),* Roger Rudel *(le commissaire),*
Antonio Passalia *(le chanteur à la noce),* Mario Beccaria.

Claude Chabrol est un héritier de Courteline et de Labiche. Il tourne des films réalistes, mais en chaussant les verres grossissants de la bouffonnerie.

Trémolat est un petit village de Dordogne proche des sites préhistoriques où vécurent nos ancêtres de Cro-Magnon. Une noce paysanne s'y déroule de nos jours. Parmi les invités, Mademoiselle Hélène, l'institutrice et Popaul le boucher, un homme jovial aimant la bonne chère. Ils deviennent amis. À quelque temps de là, on découvre dans les bois avoisinants des corps de jeunes femmes sauvagement assassinées. Hélène trouve près d'un des cadavres un briquet qu'elle a offert à Popaul. Elle tremble d'être sa prochaine victime. Mais c'est lui-même qu'il poignardera, sous ses yeux. Hélène, qui l'aime, le fait transporter à l'hôpital, où il mourra.

Une bonne tranche de vie

Avec Godard, Truffaut et Rohmer, Claude Chabrol (né en 1930) est le quatrième mousquetaire issu des *Cahiers du Cinéma* et révélé par la Nouvelle Vague. S'il fallait souligner la ressemblance, il serait évidemment Porthos… Son humour féroce, son goût affirmé de la caricature, une pointe de vulgarité bien française, se combinant avec un art incontestable de la narration, lui ont permis de créer un univers, sinon un style. Son champ d'investigation favori est la petite bourgeoisie, confite dans sa bêtise satisfaite, ses turpitudes à la petite semaine, ses cocufiages de salon. Claude Chabrol traque la mesquinerie dans ses manifestations quotidiennes, à l'affût du détail «bête et méchant». Cette constellation vue par le gros bout de la lorgnette compte quelques sommets : *Les bonnes femmes* (1960), *Que la bête meure* (1969), *Une affaire de femmes* (1988), *Betty* (1992), *La cérémonie* (1995), *Merci pour le chocolat* (2000).

Le boucher est le film le plus représentatif de ces tendances, avec son apparence de bonne franquette, ses fragrances villageoises, sa partie de campagne tournant au Grand-Guignol écologique. L'environnement provincial est saisi avec justesse, les métaphores culinaires sont nombreuses et bien venues. Comme le souligne l'auteur lui-même, «le jeu du *Boucher,* c'est la nature humaine, sa foncière ambiguïté, le bien, le mal, l'innocence, la perversion, l'ambivalence…» Sans colère et sans haine, Chabrol nous assène quelques piquantes vérités.

Plutôt que de Hitchcock ou de Lang, qui sont ses modèles théoriques, on pourra rapprocher Chabrol d'un Billy Wilder ou d'un Dino Risi. L'œuvre de ce moraliste bon enfant n'est qu'un long — et assez savoureux — échantillonnage de goujats, d'imbéciles et de meurtriers d'occasion, dont le comportement est décrit avec une sympathie gourmande. Landru (auquel il a consacré un film) en est le prototype.

Le cercle rouge

Jean-Pierre Melville

Scén., réal. : Jean-Pierre Melville. **Im.** : Henri Decae (couleurs).
Mus. : Éric de Marsan. **Prod.** : Corona (Paris), Selena (Rome).
Durée : 140 minutes. **Interpr.** : Alain Delon *(Corey)*, André Bourvil
(commissaire Mattei), Yves Montand *(Jansen)*, Gian Maria Volonte *(Vogel)*,
François Périer *(Santi)*, André Reykan *(Rico)*, Pierre Collet, Paul Crochet.

« Quand des hommes qui s'ignorent doivent se retrouver un jour, ils peuvent suivre des chemins divergents, au jour dit, inexorablement, ils seront réunis dans le cercle rouge. »

Quatre hommes, qui ne se connaissaient pas, vont se trouver enfermés, par hasard, dans le cercle sanglant de la criminalité : Corey, un jeune truand au casier judiciaire encore vierge ; Vogel, un cheval de retour, qui a réussi à déjouer la vigilance du policier chargé de le convoyer ; Jansen, radié de la police pour éthylisme et décidé à remonter la pente ; le commissaire Mattei, enfin, un chasseur à l'affût qui les a dans le collimateur. Un cambriolage — pourtant réussi — dans une bijouterie va les perdre. Des receleurs et des « indics » douteux vont gripper une machine bien huilée. Mattei attire les trois malfrats dans un guet-apens et les abat l'un après l'autre.

« Casse » fatal et western nocturne

Jean-Pierre Melville (1917-1973) est le plus américain des cinéastes français. Passionné de *thrillers,* fasciné par la « loi du silence » et la virilité dévoyée des gens du « milieu », amoureux de la nuit, des voitures, des errances urbaines, s'immergeant avec volupté dans une mythologie glacée et intemporelle, ce solitaire, ce «condottiere égaré dans notre siècle», selon la définition qu'en donne son exégète Jean Wagner, a réalisé dans un genre tenu jusque-là pour mineur (Clouzot excepté), le «polar» français, quelques films d'une facture étonnamment lisse, aux frontières de la tragédie : *Bob le flambeur* (1956), *Le doulos* (1962), *Le deuxième souffle* (1966), *Le samouraï* (1967). Ex-combattant de «l'armée des ombres» pendant la Résistance, il s'était affirmé d'emblée avec *Le silence de la mer* (1948). La clandestinité a toujours été son domaine, qu'elle soit héroïque ou frauduleuse.

Le cercle rouge n'est pas emprunté à un quelconque roman de série noire, que Melville aurait décrassé de son pittoresque pour n'en conserver que l'ossature. Il en a tissé seul la trame, choisi les ingrédients, dosé avec un soin maniaque les proportions. Ce western nocturne a la perfection abstraite d'une sphère de béton armé. L'engrenage de la violence et de la fatalité y est implacable. Des hommes sans mémoire y accomplissent avec méticulosité des gestes d'automates. Pas l'ombre d'un sentiment pour les détourner de leur travail de professionnels : c'est un film d'hommes seuls, presque de robots. Ils mourront sans un cri.

1970
Il était une fois un merle chanteur
Otar Iosseliani

Iqo sasvi mgalobeli. **Scén.** : Dimitri Eristavi, O. Iosseliani. **Réal.** : Otar Iosseliani.
Im. : Abesalom Maïsouradze (N. et B.). **Mus.** : Taïmuraz Bakouradze.
Prod. : Grouzia Film. **Durée** : 82 minutes. **Interpr.** : Guela Kandelaki
(Guia Agladze) et les habitants de Tbilissi.

Cet éloge du dilettantisme, qui sent bon le Midi, celui de l'Union soviétique comme celui de la France ou de l'Italie, a été interdit quatre ans à l'exportation : il donnait une image par trop négative du travailleur soviétique !

Tbilissi, capitale de la Géorgie soviétique. Guia est percussionniste dans l'orchestre de l'Opéra local. Ses interventions se réduisent à quelques roulements de tambour en fin de morceau. Le reste de la journée, Guia s'emploie à ne rien faire de précis. Parfois, il compose, mais s'arrête bien vite ; il bouquine, passe à l'atelier de réparation des instruments, flâne avec une petite amie, drague des jolies filles. On l'aime bien car il est gentil, a du charme. Un soir, il est renversé par un autobus et succombe à ses blessures.

La vie du bon côté

Ce film ensoleillé, qui ne raconte presque rien, mais en dit beaucoup sur le quotidien d'une grande ville d'Union soviétique, Tbilissi, avec ses appartements communautaires trop petits, ses bâtiments officiels trop grands, ses cafés bondés, ses échoppes pittoresques ; ce film empreint d'un charme diffus, celui que dégage la peinture pointilliste d'un peuple chaleureux ; ce film, qui fait penser à un Pagnol peu bavard, à un Fellini modeste, à un Milos Forman, celui des *Amours d'une blonde* (1965), sans amertume, à Tati, en moins drôle mais en plus spontané, est totalement atypique. Atypique comme son auteur, Otar Iosseliani (né en 1934), qui a hésité entre la direction d'orchestre, les mathématiques et la mécanique, avant d'opter pour le cinéma. Écoutons-le : «[...] Après avoir terminé un film, je continue à vivre, je m'occupe de ma famille, de mes affaires, je bois, je chante. Et quand je découvre que je n'ai plus de quoi manger à la maison, alors je m'occupe à nouveau de cinéma.» On se prend à penser qu'il doit avoir des points communs avec Guia qui ne travaille que lorsqu'il n'a plus rien à faire. Et lorsque ce cinéaste ajoute qu'il n'abordera jamais les problèmes sociaux parce que, n'étant ni Dieu ni démiurge, il n'en trouvera pas la solution, et que son seul propos est de «fixer [son] bonheur ou [sa] tendresse sur l'écran pour les transmettre aux autres», on comprend qu'il ait dû, après un dernier film géorgien, *Pastorale* (1976) — le premier avait été *La chute des feuilles* (1966) et *Il était une fois... le* deuxième —, quitter l'Union soviétique pour l'Europe. Il y tournera une demi-douzaine de films en presque vingt ans, des *Favoris de la lune* (1984) à *Lundi matin* (2002), en passant par *Et la lumière fut* (1989), *La chasse aux papillons* (1992), *Brigands, chapitre VII* (1996) et *Adieu plancher des vaches* (1999). Tous obtinrent des récompenses, sans que leur auteur n'ait modifié sa démarche, celle d'un poète hédoniste des petites choses et des petites gens.

Family Life

Ken Loach

Scén. : David Mercer. **Réal.** : Ken Loach. **Im.** : Charles Stewart (couleurs). **Mus.** : Mark Wilkinson. **Prod.** : Anglo Emi Films-Kestrel. **Durée** : 108 minutes. **Interpr.** : Sandy Ratcliff *(Janice)*, Bill Dean *(le père)*, Grace Cave *(la mère)*.

Comme les autres films de Ken Loach, celui-ci a la véracité d'un reportage saisi sur le vif. Et son témoignage sur l'état de la société n'en est que plus irréfutable et accablant.

Mal dans sa peau, instable dans ses divers emplois, Janice s'est fait un ami de Tim, un peintre dont elle attend un enfant. Mais ses parents ne supportent pas ses «écarts», l'obligent à avorter et à consulter un psychiatre. Celui-ci, tente de faire prendre conscience tant à Janice qu'à ses parents, que l'origine des «troubles» de celle-ci est dans leurs rapports conflictuels. Les parents refusent d'envisager leur responsabilité et sont ravis que leur fille passe sous la coupe d'un autre psychiatre, adepte des électrochocs et des tranquillisants. Hospitalisée, libérée, internée à nouveau, Janice sombre dans l'apathie.

«Ouvrez, ouvrez la cage aux oiseaux»

Au début des années 1970, en Grande-Bretagne comme en France où Mai 68 a laissé des traces profondes dans les esprits, la société est l'objet, de la part des intellectuels et de la jeunesse, d'une mise en cause de ses structures, de son fonctionnement, de ses objectifs. Loach inscrit son film dans cette contestation globale en s'interrogeant sur le rôle de la famille, courroie de transmission des valeurs établies. Cette mise en examen débouche sur une condamnation dont l'évidente justesse doit tout au scrupuleux respect de la réalité qui imprègne toute l'œuvre du cinéaste, lui confère force et crédibilité et préserve, au-delà des ans, son actualité.

Formé à l'école de la télévision, Ken Loach (né en 1936) s'impose de tourner en décors naturels et de choisir ses comédiens, non professionnels pour la plupart, pour leur ressemblance physique avec des personnages dont ils respecteront accent ou dialecte. Avec ces amateurs, il n'hésite pas à improviser de longues séquences comme celle du repas de *Family Life* au cours duquel la sœur de Janice accuse ses parents d'être responsables de l'état de santé de celle-ci.

«Le cinéma doit restituer la vie dans sa totalité», affirme le cinéaste qui s'interdit tout effet susceptible de détourner l'attention du spectateur sur un détail étranger à son propos. Et ce propos est clair : la société coupe leurs ailes aux rêves de l'enfance (*Kes*, 1969)

et n'a que l'exclusion (*Family Life*) ou le chômage (*Regards et sourires*, 1981) à proposer à sa jeunesse. «En quelques années, notre société en Grande-Bretagne s'est pola-
risée : les riches plus riches, les pauvres plus pauvres» constate Ken Loach qui laisse
toutefois entendre dans *Riff Raff* (1991), *Ladybird* (1994) et *The Navigators* (2001), que
ces derniers, face à la misère et à la marginalisation, disposent encore d'armes puis-
santes qui ont noms : solidarité, fierté, révolte et... humour.

1971
Max et les ferrailleurs
Claude Sautet

Scén., dial. : Claude Sautet, Jean-Loup Dabadie, Claude Néron,
d'après le roman de ce dernier. **Réal.** : Claude Sautet.
Im. : René Mathelin (couleurs). **Mus.** : Philippe Sarde.
Prod. : Lira Films, Sonocam S.A. (Paris), Fida Cinematografica (Rome).
Durée : 110 minutes. **Interpr.** : Michel Piccoli *(Max)*,
Romy Schneider *(Lily)*, Georges Wilson *(le commissaire)*,
Bernard Fresson *(Abel)*, François Périer *(Rosinsky)*, Boby Lapointe,
Michel Creton, Henri-Jacques Huet, Philippe Léotard.

*Personnage-clé de la mythologie du cinéma français, le «flic» a trouvé, grâce
à Claude Sautet, son visage archétypique : celui d'un ange noir, butant contre
les «choses de la vie».*

Max, un officier de police narcissique et obstiné, a une idée fixe : pincer des malfaiteurs
en flagrant délit. L'occasion lui en est donnée par son ami Abel, qui vit de menues
rapines avec un groupe de zonards de Nanterre. Max concocte un plan machiavélique
visant à les faire tomber dans un piège. Une prostituée, Lily, servira d'appât. La machi-
nation réussit au-delà de ses espérances. La bande est arrêtée par le commissaire
Rosinsky, un homme à principes, qui refuse de blanchir la donneuse. Dans un élan de
rage suicidaire, Max abat son collègue et se laisse appréhender sans un mot, sous les
yeux de la fille éberluée.

La limaille du quotidien

Claude Sautet (1924-2000) est, avec Jean-Pierre Melville, un des artisans du renouveau
du film policier français. Les univers des deux cinéastes, pour autant, ne coïncident
pas : à la froideur hautaine de Melville, Sautet oppose une vision généreuse, nostalgique,
d'une communauté de marginaux évoluant dans un pittoresque décor de banlieue —
dont il est lui-même issu. Les héros melvilliens portent des noms de guerre, ceux de
Sautet des prénoms familiers : Abel, Max, Vincent, François, Rosalie, Mado... La femme
joue ici un rôle privilégié : celui de pôle d'attraction, ou de tendre consolatrice. Romy
Schneider en sera l'interprète rêvée : elle créera pour Sautet des personnages vulné-
rables et déchirants.

Abandonnant bientôt le domaine policier, celui-ci se tournera vers une description intimiste d'une bourgeoisie en crise : de *César et Rosalie* (1972) à *Nelly et M. Arnaud*
(1994), il narrera avec sensibilité des «histoires simples» fortement ancrées dans la
réalité française d'aujourd'hui.

Max et les ferrailleurs est un «polar» psychologique haut de gamme, plus proche de
Dostoïevski que de Simenon. Une poésie tenace imprègne ce duel à mort entre un
fabricant de concepts et la fraternité des traîne-misère ; l'enjeu en est peut-être une quête
désespérée d'identité. Une mise en scène nerveuse, un dialogue vif, un duo d'acteurs
au meilleur de leur forme font le prix de cette saga suburbaine, aux couleurs de la vie.

La salamandre

Alain Tanner

Scén. : Alain Tanner, John Berger. **Réal.** : Alain Tanner. **Im.** : Renato Berta (N. et B.).
Mus. : Patrick Moraz. **Prod.** : Gabriel Auer. **Durée** : 128 minutes.
Interpr. : Bulle Ogier *(Rosemonde)*, Jean-Luc Bideau *(Pierre)*, Jacques Denis *(Paul)*.

La salamandre est un joli animal de la famille des lézards. Elle ne craint pas le feu et peut traverser les flammes sans se brûler. Ainsi va Rosemonde…

Pierre, journaliste et Paul, romancier, s'associent pour écrire un scénario à partir d'un fait divers : un homme a été blessé et l'on n'a jamais su si c'est en nettoyant son arme ou si c'est sa nièce, Rosemonde, qui lui a tiré dessus. Pierre mène son enquête auprès de Rosemonde, ouvrière dans une entreprise de charcuterie, et de l'oncle, qui lui dit le plus grand mal de sa nièce. Paul, à son tour, s'entretient avec la jeune fille et le vieil homme, mais il a tendance à romancer les informations qu'il recueille. En vérité, l'attachement croissant que Pierre et Paul éprouvent à l'égard de Rosemonde leur masque sa personnalité réelle. Ils renoncent à leur projet. En se racontant, la jeune fille a pris conscience de l'exploitation qu'elle subit au quotidien ; elle mènera désormais sa vie en femme libre.

Un film politique

La Salamandre a permis l'éclosion d'un cinéma suisse jusqu'alors pratiquement inexistant. Le film d'Alain Tanner (né en 1929) reçut en effet un accueil chaleureux au festival de Cannes 1971 et resta à l'affiche, à Paris, 53 semaines consécutives. Ce succès inespéré donna à la Télévision suisse romande l'idée de financer des films pour le cinéma, offrant ainsi à quelques talentueux débutants l'opportunité de réaliser leur premier film. Michel Soutter (*L'escapade*, 1974), Claude Goretta (*La dentellière*, 1977), Yves Yersin (*Les petites fugues*, 1979), Patricia Moraz (*Les Indiens sont encore loin*,

1977), entre autres, constituèrent avec Tanner, mais sans Jean-Luc Godard installé en France, la nouvelle vague suisse dont fait aussi partie Daniel Schmid (*La Paloma*, 1974), cinéaste de langue allemande.

Avec ce film, son deuxième après *Charles mort ou vif* (1969), Alain Tanner prend place parmi les observateurs les plus lucides de la société contemporaine. Dans la première partie de son œuvre — *Le retour d'Afrique* (1973); *Le milieu du monde* (1974); *Jonas qui aura vingt-cinq ans en l'an 2000* (1976) et *Messidor* (1979) — le cinéaste développe une critique marxiste du système capitaliste à laquelle il renoncera ensuite pour opérer un retour sur lui-même qui trahit une déception et une amertume évidentes (*Dans la ville blanche*, 1983). *La Salamandre* est donc un film politique dans la mesure où son héroïne y parcourt le chemin qui conduit de la résignation à la révolte et conquiert sa liberté par l'expérience et la connaissance de ceux qui l'oppriment.

On ne peut plus sérieux dans son propos, Alain Tanner ne pratique pas la langue de bois. Son film adopte le ton léger d'une comédie, à l'ironie tendre nimbée d'une poésie mâtinée de nostalgie, qui vérifie la profession de foi de son auteur : «Il faut être heureux, c'est un devoir!»

1972
Aguirre, la colère de Dieu
Werner Herzog

Aguirre, der Zorn Gottes. **Scén., réal., prod.** : Werner Herzog. **Im.** : Thomas Mauch (couleurs). **Mus.** : Popol Vuh. **Durée** : 93 minutes. **Interpr.** : Klaus Kinski *(Don Lope de Aguirre)*, Ruy Guerra *(Don Pedro de Ursua)*, Helena Rojo *(Inés de Atienza)*, Cecilia Rivera *(Florès)*, Del Negro *(Gaspar de Carvajal)*, Peter Berling *(don Fernando de Guzma´n)*, et les indigènes de la coopérative de Lauramarca.

Tourné en plein cœur de la forêt amazonienne par un poète cultivant son déracinement, ce film porté par un bel élan romantique est caractéristique du nouveau cinéma allemand.

Vers l'an 1560, des conquistadores espagnols descendirent de la cordillère des Andes dans l'espoir de découvrir l'Eldorado, pays mythique dont les Indiens Incas leur avaient révélé l'existence. Un petit groupe commandé par Don Pedro de Ursua sera détourné par un illuminé, en révolte contre l'autorité du roi d'Espagne, Lope de Aguirre, qui rêve de fonder une dynastie en s'accouplant avec sa propre fille. La faim, les privations, des flèches empoisonnées jaillies d'on ne sait où, auront raison de leur absurde équipée. Aguirre restera seul, sur un radeau à la dérive, environné d'une horde de singes, clamant à la face du ciel ses rêves d'éternité...

En deçà du bien et du mal

Quête du Graal? Retour au mythe d'Antée? Variation sur le thème nietzschéen de la volonté de puissance? Allégorie du IIIe Reich?... *Aguirre* se prête à de multiples interprétations, dont aucune n'est vraiment satisfaisante. Abolissant les partis pris narratifs des films d'aventures traditionnels, l'auteur, comme l'observe Jean-Pierre Oudart, s'abandonne «à la splendeur et à l'étrangeté de signifiants erratiques». À la limite, l'histoire — ou la légende — de ces conquérants perdus se confond avec le projet du cinéaste, clamant son «rêve de jungle, de flèches et d'extase fiévreuse». Certes, le problème est posé de la prise du pouvoir politique et de ses abus, à travers les méandres d'une fiction d'ailleurs ambiguë : la fascination/répulsion qu'exerce Aguirre sur ses troupes a quelque chose de malsain, qui n'est pas explicité (Klaus Kinski, un acteur habité,

y ajoute son quotient personnel de perversité). Cet état d'esprit, qui réside «en deçà du bien et du mal», se retrouve dans les autres films de Werner Herzog (né en 1942), cinéaste des marginaux, des aigris et des désespérés : de *Signes de vie* (1967) à *Fitzcarraldo* (1982), en passant par l'insoluble *Énigme de Kaspar Hauser* (1974). On a voulu voir, dans ces films de fuite et d'exil intérieur, l'émergence d'un courant néo-expressionniste, mais celui-ci semble bien, à la longue, devoir se figer dans un glacis formaliste.

Cabaret
Bob Fosse

Scén. : Jay Allen, Hugh Wheeler, d'après le show de Joe Masteroff, John Kander et Fred Ebb, tiré de la pièce de John Van Drutten, *I am a Camera*, inspirée des nouvelles de Christopher Isherwood, *Intimité berlinoise*.
Réal., chorégraphie : Bob Fosse. **Im.** : Geoffrey Unsworth (couleurs).
Mus. : Ralph Burns, John Kander. **Prod.** : Allied Artists, ABC Pictures.
Durée : 124 minutes. **Interpr.** : Liza Minnelli *(Sally Bowles)*, Michael York *(Brian Roberts)*, Helmut Griem *(baron Maximilian von Heune)*, Marisa Berenson *(Natalia)*, Joel Grey *(le meneur de jeu)*, Fritz Weper.

Après West Side Story, *voici un dernier — et brillant — avatar de la comédie musicale hollywoodienne, à laquelle on a injecté pour l'occasion une dose intensive de réalisme politique.*

Le début des années 1930 à Berlin. Au *Kit Kat Club,* un meneur de jeu efféminé accueille en grande pompe un public bigarré. Alors que le pays traverse une crise grave, on s'étourdit de chants et de danses. L'étoile de la troupe est Sally Bowles, une jeune femme aux formes pulpeuses et à la voix d'or. Elle fait la connaissance d'un étudiant anglais, Brian, dont la technique amoureuse laisse à désirer : elle s'efforce d'y remédier, tout en flirtant avec un hobereau local, le baron von Heune. Pendant ce temps, le nazisme s'installe. Sally se retrouve enceinte : mais de qui ? Las de cette gabegie, Brian repart pour Londres, tandis que Sally, après s'être fait avorter, revient chanter au cabaret.

La bête à l'affût

Une première adaptation à l'écran du livre de Christopher Isherwood, *Goodbye to Berlin,* avait été réalisée en 1955 en Angleterre, avec Julie Harris dans le rôle de Sally. Puis une pièce fut créée à Broadway, avec Jill Haworth et, en France, mise en scène par Jérôme Savary au théâtre Mogador. Mais c'est l'Américain Bob Fosse (1925-1987), danseur, chorégraphe et metteur en scène, qui a su donner à cette tragi-comédie berlinoise sa véritable dimension : à mi-chemin de *L'ange bleu* — ouvertement décalqué — de Sternberg et des *Damnés* de Visconti. Il s'est entouré d'une équipe en or : Liza Minnelli, fille de Judy Garland et Vincente Minnelli, exprime à merveille le jus acide de la «divine décadence» ; Joel Grey campe un *entertainer* luciférien à souhait ; Geoffrey Unsworth (qui fut le génial chef opérateur de *2001*) braque ses projecteurs sur ce carrousel en folie… Les fastes sulfureux du music-hall trouvent leur contrepoint dans un document social d'un réalisme saisissant.

Cabaret, dit Max Tessier, c'est «adieu Berlin et bonjour kitsch». C'est aussi le chant du cygne du *musical,* genre agonisant dont Bob Fosse est l'un des derniers praticiens. En 1979, il tentera une ultime greffe avec *Que le spectacle commence,* qui narre les affres d'un metteur en scène terrassé par un infarctus. Nous sommes loin de la plénitude euphorique d'un Vincente Minnelli ou d'un Stanley Donen : inversant les termes de la formule célèbre, on serait tenté de dire «*The show must go out*»…

1972 Délivrance
John Boorman

Deliverance. **Scén.** : James Dickey, d'après son roman.
Réal. : John Boorman. **Im.** : Vilmos Zsigmond (couleurs).
Mus. : Éric Weissberg. **Prod.** : Warner Bros. **Durée** : 109 minutes.
Interpr. : Jon Voight *(Ed Gentry)*, Burt Reynolds
(Lewis Medlock), Ned Beatty *(Boby Trippe)*, Ronny Cox
(Drew Ballinger), James Dickey *(le shérif).*

Cette parabole écologique témoigne de l'ardent besoin des Anglo-Saxons de se retremper dans leur terreau originel, les sources vives de leur civilisation.

Pour se purger des miasmes de la ville, quatre jeunes citadins américains projettent une descente en canoë de la torrentueuse rivière Chatooga, en Géorgie du Nord. Les lieux sont sauvages à souhait et la population l'est tout autant, ils l'apprendront à leurs dépens. L'un des garçons, Bobby, se fait violer par un montagnard, un autre, Lewis, a la jambe brisée, un troisième, Drew, se noie dans les rapides. Après s'être pliés, bon gré mal gré, à la dure loi de la jungle, les trois survivants s'en retournent vers le monde civilisé. Mais le souvenir de leur aventure n'est pas près de s'effacer.

La civilisation en question

Bourlingueur dans la lignée de Hemingway, l'écrivain James Dickey a adapté lui-même pour l'écran son roman, un best-seller, et suivi de près le tournage du film. Comme l'auteur du *Vieil homme et la mer,* il croit aux vertus thérapeutiques de la compétition sportive, où se forge le caractère. Ce qui n'est pas tout à fait le cas du réalisateur, lequel penche pour une attitude rousseauiste. «La violence, dit-il, ne rend pas meilleur, elle dégraderait plutôt.» Cette divergence d'éthique rend le fruit de leur collaboration d'autant plus passionnant, en laissant planer une certaine ambiguïté : la civilisation, tout compte fait, n'est pas une si mauvaise chose. Il ne s'agit pas de la renier mais de lui redonner un sens, au prix d'un effort sur soi-même.

C'est précisément à ce genre d'épreuves initiatiques que nous convie, de film en film, l'Anglais John Boorman (né en 1933), dans des domaines divers : gangstérisme (*Le point de non-retour*, 1967), fable politique (*Leo The Last*, 1970 ; *The General*, 1998), science-fiction (*Zardoz*, 1974), chevalerie (*Excalibur*, 1981), aventure exotique à l'état pur (*La forêt d'émeraude*, 1985), film d'espionnage (*The Tailor of Panama*, 2001). Chaque fois, il est question d'un retour aux sources, dont le héros, un homme moyen, sortira meurtri mais purifié.

Qu'il y ait quelque naïveté dans cette démarche ne doit pas faire oublier l'extraordinaire brio technique déployé par le cinéaste, son sens flahertien de la nature, la richesse de son univers sonore. Ce «visionnaire en son temps» (Michel Ciment) a toujours ressenti, selon ses propres termes, «le besoin de travailler dans le sens de la beauté». Il n'a jamais dévié de sa trajectoire lyrique.

Jeremiah Johnson
Sydney Pollack

Scén. : John Milius, Edward Anhalt. **Réal.** : Sydney Pollack.
Im. : Duke Callaghan (couleurs). **Mus.** : John Rubinstein,
Tim McIntire. **Prod.** : Warner Bros. **Durée** : 102 minutes.
Interpr. : Robert Redford *(Jeremiah Johnson)*,
Stephan Gierasch *(Del Gue)*, Will Geer *(« Griffe d'ours »)*.

Ce n'est plus ici, comme dans la tradition westernienne, un peuple qui s'érige en nation, mais un homme qui se forge une identité. C'est la nouveauté de ce film en forme d'allégorie.

L'Amérique des pionniers, vers 1830. Un jeune soldat démobilisé, Jeremiah Johnson, décide d'aller vivre dans les montagnes. Peu à peu il s'initie à la rude existence des trappeurs et parvient à lier de bonnes relations avec les tribus indiennes. Il recueille un petit garçon que le massacre de sa famille a rendu muet, épouse une Indienne et rêve de fonder un foyer. Mais ayant commis le sacrilège de traverser un cimetière indien pour porter secours à des colons, il retrouve les siens assassinés. Il se livre à des représailles sanglantes qui en font un héros de légende.

Le roi des montagnes

Propriété interdite (1966), le premier film important de Sydney Pollack (né en 1934), mettait déjà en place une vision du monde fondée sur le redéploiement des valeurs ancestrales, une autre conception du romantisme, un sens original de l'espace et de la durée. On retrouvera cela dans l'œuvre ultérieure du cinéaste, frappée au sceau d'un lyrisme très personnel, parfois à la limite de l'effusion sentimentale, qu'incarne fort bien son interprète de prédilection, Robert Redford dans *Nos plus belles années* (1973), *Les trois jours du condor* (1975), *Out of Africa* (1985), *Havana* (1990).

Ses héros sont animés d'un désir profond de liberté, dans un environnement hostile. Jeremiah Johnson ne vise à rien de moins que s'élever très au-dessus du monde soi-disant civilisé, jusqu'aux confins de l'absolu. La montagne lui fournit un tremplin idéal. Mais elle a ses lois et ses exigences qu'il devra surmonter comme autant d'épreuves rituelles : de la manière de découper un grizzly à la reconnaissance des coutumes indiennes et à l'adoption de leur «sauvagerie». Il s'enfonce dans ces lieux hostiles qu'un vieux trappeur appelle la «moelle du monde», et s'y régénère — à moins qu'il ne s'y consume d'une passion suicidaire.

Cette odyssée en solitaire est filmée sans la moindre concession aux stéréotypes du film d'aventures : Pollack retrouve la simplicité des récits de Joseph Conrad ou de Jack London. La construction cyclique de l'œuvre (le héros accomplit, dans la seconde partie de son périple, un trajet rigoureusement symétrique de la première), la majesté du site naturel, le jeu contenu de Robert Redford, tout concourt à la réussite de l'ensemble. « J'ai voulu, déclarait le réalisateur, donner le sentiment que le monde entier entrait à l'intérieur du cadre. » Pari gagné ; le film introduit dans l'horizon du western une dimension proprement tellurique.

1972
Le parrain
Francis Ford Coppola

The Godfather. **Scén.** : Francis Ford Coppola, Mario Puzo,
d'après le roman homonyme de ce dernier. **Réal.** : Francis Ford Coppola.
Im. : Gordon Willis (couleurs). **Mus.** : Nino Rota. **Prod.** : Paramount.
Durée : 175 minutes. **Interpr.** : Marlon Brando *(don Vito Corleone)*,
Al Pacino *(Michael Corleone)*, James Caan *(Sonny Corleone)*,
Robert Duvall *(Tom Hagen)*, Richard Conte *(Barzini)*,
Sterling Hayden *(McCluskey)*, John Marley *(Jack Woltz)*,
Diane Keaton *(Kay Adams)*.

Le parrain, *c'est* Scarface *revu par Cecil B. DeMille : une œuvre d'une efficacité indéniable, mais dont les prestiges esthétiques sont étroitement liés aux exigences du marketing.*

L'Amérique en 1945. Le grand patron de la Mafia, don Vito Corleone, marie sa fille à un bookmaker, Carlo Rizzi. Il gère ses affaires d'une main de fer, entouré de vassaux à sa dévotion. Une « famille » concurrente, les Tattaglia, souhaite l'associer au contrôle du commerce de la drogue. Il refuse, ce qui déclenche une cascade de sanglants règlements de comptes. À sa mort, son fils Michael lui succédera, poursuivant son œuvre avec la même cruauté impitoyable. Un nouveau « parrain » est né...

Le parrain II (1974) conte la suite du règne de Michael Corleone : ses négociations avec la Mafia juive, ses démêlés avec le Sénat américain, ses déboires familiaux, l'ébranlement de son empire...

Le parrain III (1990). Retiré en Sicile, Michael Corleone tente en vain une reconversion dans la légalité. Mais le bruit et la fureur de la guerre des clans mafieux le débusquent. Sa fille mourra à sa place sous les balles d'un tueur. Terrassé par le chagrin, il ne lui survivra que quelques mois.

Ces messieurs de la Famille

Francis Ford Coppola (né en 1939) est d'ascendance italienne (il est le fils du chef d'orchestre Carmine Coppola) et de tempérament fonceur, à peu près comme le jeune mafioso dont nous est narrée l'ascension foudroyante. Une écriture musclée, des recherches plastiques originales, la musique « fellinienne » de Nino Rota, un casting en or massif (Marlon Brando fait une composition mémorable), tout contribua à la réussite de cette tonitruante saga, à laquelle on ne tarda pas à donner une suite, *Le parrain II*, fondée sur les mêmes critères et qui — fait exceptionnel — dépassa en qualité le premier volet. *Le parrain III*, réalisé une quinzaine d'années plus tard, fut, selon certains, le meilleur de la trilogie qu'il concluait sur le mode tragique.

La firme productrice, Paramount, soucieuse de renouveler sa stratégie commerciale, avait eu le flair de confier la mise en scène, non à un vieux routier, qui eût joué la carte d'un sage académisme, mais à un jeune loup qui rêvait de conquérir Hollywood. Propulsé au premier plan des cinéastes américains de sa génération (Lucas, Spielberg, Scorsese, De Palma…), dont il devint dès lors le «parrain», Coppola allait-il tenir ses promesses ? D'*Apocalypse Now* (1979) à *Dracula* (1992), sa carrière n'ira pas sans erreurs de parcours. Comme Abel Gance (pour lequel il s'enthousiasma au point de faire procéder, en 1980, à une somptueuse restauration de son *Napoléon*), Coppola a le goût de la démesure, qui risque, à terme, de le perdre, comme il a perdu son illustre prédécesseur.

1973 Amarcord

Federico Fellini

Scén. : Federico Fellini, Tonino Guerra.
Réal. : Federico Fellini. **Im.** : Giuseppe Rotunno (couleurs).
Mus. : Nino Rota. **Prod.** : F.C. Produzioni (Rome),
P.E.C.F. (Paris). **Durée** : 127 minutes. **Interpr.** : Bruno Zanin *(Titta)*,
Pupella Maggio *(sa mère)*, Armando Brancia *(son père)*,
Nando Orfei *(«Il pataca»)*, Ciccio Ingrassia *(l'oncle fou)*,
Magali Noël *(«La Gradisca»)*.

Mélange détonant de croquis satiriques, de caricature bouffonne et d'épanchements lyriques, voici le jardin secret fellinien des Hespérides, les «Federico Follies».

Un petit bourg italien au bord de l'Adriatique, dans les années 1930. Sur le *corso* se retrouvent chaque soir les enfants de l'école, les notables bedonnants, les filles maquillées. Titta, un gamin à l'œil vif, s'échappe souvent de la pétaudière familiale pour aller rôder dans les rues et découvrir le monde. Il rencontre de drôles de gens : un colporteur mythomane, un accordéoniste aveugle, une buraliste à la poitrine accueillante, une religieuse naine, etc. La vie provinciale en ce temps-là, c'est aussi une parade fasciste, le passage au large d'un mystérieux transatlantique, des séances de cinéma agitées… Tout n'est pas drôle : la mère de Titta meurt, mais il se consolera vite au son de l'accordéon d'une noce campagnarde.

Sur l'océan du songe

En patois de Romagne, *Amarcord* signifie à peu près «Je me souviens» *(Io mi ricordo)*. C'est le sésame de Federico Fellini (1920-1993), parvenu au faîte de sa gloire (depuis *La strada*, il a fait du chemin : *Les nuits de Cabiria,* 1957 ; *La dolce vita,* 1960 ; *Huit et demi,* 1963 ; *Satyricon,* 1969 ; *Les clowns,* 1970…), et qui éprouve le besoin de se retremper dans le monde bigarré de son enfance. N'est-ce pas d'ailleurs ce qu'il a toujours fait ? Ses films ne sont qu'une longue rêverie, toujours recommencée, sur ses émois de jeunesse, la clownerie humaine des adultes en folie, le décrochez-moi-ça fleuri de la mémoire. Jusqu'à *Amarcord,* il enrobait le tout de considérations sentimentales ou culturelles, préservant une marge raisonnable de réalisme ; ici, il lâche les rênes de son imaginaire, en une foisonnante et cocasse exhibition, une gigantesque tasse de thé où chacun peut tremper à l'envi sa madeleine. Le regard émerveillé d'un *bambino,* ses premiers troubles sexuels, le passage mythique d'un navire voguant sur l'océan du songe, une mascarade fasciste, se parent d'un lustre universel.

On trouve aussi, dans ce film-somme, des connotations politiques (discrètes), que résume ainsi Gilbert Salachas, dans son essai sur Fellini : «*Amarcord,* c'est l'Italie paresseuse, d'hier et de toujours, docile à l'autorité officielle, incorrigiblement passive, prédisposée à n'importe quelle dictature. »

Après le tournant d'*Amarcord,* Fellini s'éloignera de plus en plus des contingences réalistes. Ses films ressembleront à de grands opéras baroques, le plus abouti étant probablement *Et vogue le navire* (1983), à l'étrange poésie crépusculaire.

Cris et chuchotements
Ingmar Bergman

Viskningar och rop. **Scén., dial., réal.** : Ingmar Bergman.
Im. : Sven Nykvist (couleurs). **Mus.** : Chopin *(Mazurka),* et J.-S. Bach *(Sarabande).*
Prod. : Ingmar Bergman, Svenska Film. **Durée** : 90 minutes.
Interpr. : Harriet Andersson *(Agnès),* Kari Sylwan *(Anna),* Ingrid Thulin *(Karin),*
Liv Ullman *(Maria),* Erland Josephson *(le docteur),* Anders Ek *(le pasteur).*

Cette bouleversante étude en noir et rouge témoigne du talent d'un artiste — Ingmar Bergman — à son zénith.

Une propriété familiale, en Suède, au début du siècle. C'est l'automne. Trois sœurs et une servante y sont réunies : Agnès, célibataire, qui a hérité du domaine à la mort de ses parents, et que ronge un cancer ; Karin, l'aînée, qu'un mariage malheureux a aigrie ; Maria, la cadette, sensuelle et pleine de vie ; et Anna, la domestique, taciturne et dévouée. Toutes ont eu leur part de joie et de déceptions sur terre. Aujourd'hui, elles sont affrontées au terrible spectacle de l'agonie d'une des leurs. Devant la mort qui s'installe, laquelle saura se montrer la plus digne ?

Douceur et douleur

Rarement Ingmar Bergman sera allé aussi loin dans l'expression cinématographique de la souffrance, physique et morale, la peinture d'un univers sans espoir, la traque d'êtres blessés, murés dans leur solitude. Cette œuvre proprement «agonique» pourrait être une illustration littérale de la fameuse formule de Cocteau : «Le cinéma est l'art de filmer la mort au travail.» Dans ce funèbre oratoire, l'auteur ménage des plages de poésie champêtre (les quatre femmes en robe blanche se promenant dans le parc), qui alternent avec des séquences d'une noirceur absolue (Karin se taillant le sexe avec des bris de verre) et en atténuent un peu la cruauté. Douceur et douleur sont indissolublement liées dans le plan admirable de la servante demi-nue tenant la morte dans ses bras, à la manière d'une pietà. Sur le plan plastique, cela se traduit par des dominantes pourpres, dont Bergman, dans un prologue destiné à son équipe, explique le fonctionnement par l'image, qui l'obsède, de «trois femmes en blanc, échangeant quelques mots dans une pièce entièrement rouge». Et il précise que, depuis son enfance, il s'est toujours représenté «l'intérieur de l'âme comme une membrane humide aux teintes rouges». La psychanalyse aurait sans doute ici son mot à dire, si la perfection presque monastique du produit n'interdisait le recours à une grille profane.

Les plus rebelles à l'art du maître suédois, que son mysticisme exacerbé a parfois déroutés (*Les communiants,* 1962 ; *Persona,* 1966…), ont dû s'incliner devant ce paroxysme d'émotion. Son évolution ultérieure le conduira vers une certaine sérénité, de *La flûte enchantée* (1973) à la saga familiale de *Fanny et Alexandre* (1982).

1973
La maman et la putain

Jean Eustache

Scén., dial. réal. : Jean Eustache.
Im. : Pierre Lhomme (N. et B.).
Mus. : Offenbach, Mozart, Deep Purple.
Chansons : Zarah Leander, Damia,
Marlene Dietrich, Frehel, Édith Piaf.
Prod. : Pierre Cottrell. **Durée** : 220 minutes.
Interpr. : Jean-Pierre Léaud *(Alexandre)*,
Françoise Lebrun *(Véronika)*,
Bernadette Lafont *(Marie)*,
Isabelle Weingarten *(Gilberte)*,
Jacques Renard *(Charles)*,
Jean-Noël Picq, Jean Douchet.

« Récit de certains faits d'apparence anodine » (comme l'a voulu son auteur), ce film en forme de psychodrame est un témoignage sur la difficulté d'être, d'aimer, de filmer.

Alexandre est un dandy parisien qui passe ses journées à lire et à flâner à Saint-Germain-des-Prés. Il vit en concubinage avec une vendeuse plus âgée que lui, Marie, tout en étant amoureux d'une jeune étudiante, Gilberte. Un jour, il fait la connaissance d'une infirmière aux mœurs faciles, Véronika. Il s'entiche d'elle et l'installe chez Marie, que ne réjouit guère cette cohabitation. Pris entre deux femmes qui lui sont également chères, Alexandre ne saura laquelle choisir.

Le jeu de la vérité

Le destin de Jean Eustache (1938-1981) ressemble fort à celui d'un cinéaste « maudit », bien qu'il ait toujours refusé cette étiquette. Fervent adepte du « cinéma direct », cultivant un art sensible, à ras de l'anecdote, que l'on pourrait presque assimiler à de l'amateurisme, si une vibrante exigence intérieure ne venait le rehausser, il élabore ses premiers films, des courts métrages à compte d'auteur, dans la foulée de la Nouvelle Vague. Avare de déclarations, il a résumé sa démarche par ces mots : « Je fais du cinéma parce que je suis incapable d'être romancier. » Ce romantique désabusé, cet écorché vif « écrit » en effet avec sa caméra : des histoires d'enfants perdus, de vagabondages sans fin, d'amour impossible, où entre une large part d'autobiographie.

La maman et la putain est un long dialogue fait d'un réseau complexe de banalités sentencieuses, de verve célinienne et de « jeu de vérité ». Cela commence comme *Le roman d'un jeune homme pauvre* et s'achève comme *Une saison en enfer*. L'étalage d'idées reçues masque une réelle angoisse. À force d'impudeur et de vaticinations, les personnages acquièrent une épaisseur singulière, qui nous les rend étrangement attachants. Ce vaudeville dédramatisé, d'apparence nonchalante, ouvre des perspectives morales inattendues, typiques d'une génération.

Jean Eustache ne s'en tiendra pas là. Son goût de la provocation l'amènera à *Une sale histoire* (1977), où un voyeur nous détaille par le menu ses plus scabreuses sensations. Après quoi il mettra fin à ses jours.

1974

Lacombe Lucien

Louis Malle

Scén. : Louis Malle, Patrick Modiano.
Réal. : Louis Malle. **Im.** : Tonino Delli Colli (couleurs).
Mus. : Django Reinhardt. **Prod.** : NEF/UPF (Paris),
Vides-Films (Rome), Hallelujah Films (Munich).
Durée : 140 minutes. **Interpr.** : Pierre Blaise *(Lucien)*,
Aurore Clément *(France)*, Thérèse Giehse *(la grand-mère)*.

« Tout homme actif et pessimiste est ou deviendra fasciste, sauf s'il a une fidélité derrière lui » (André Malraux). Louis Malle est resté fidèle à ses engagements de jeunesse, tout en restant lucide à l'égard des égarés.

Juin 1944, à la veille du débarquement allié en Normandie. Un jeune paysan de dix-sept ans se retrouve presque par hasard embrigadé dans la Gestapo. Peu au fait des questions idéologiques, il accepte de « travailler » pour la police allemande, tout en nouant une relation amoureuse avec la fille d'un tailleur juif. Au cours d'une fusillade entre l'occupant et le maquis, il change brusquement de camp et abat un officier allemand. Il s'enfuit avec la jeune fille qu'il aime, mais sera bientôt rattrapé, jugé et fusillé par les résistants.

Le thème du traître et du héros

« Faire un film sur le fascisme ordinaire, montrer un jeune paysan français qui aurait pu devenir résistant et qui, par accident, entre au service de la Gestapo, c'était certes provocant, mais dans le bon sens », a déclaré Louis Malle (1932-1995). La provocation semble bien être le fil conducteur d'un cinéaste que son ascendance bourgeoise aurait plutôt fait ranger dans le camp des « enfants sages ». Or, il s'est toujours montré hostile à l'ordre établi : qu'on se souvienne du scandale provoqué par l'évocation d'un orgasme dans *Les amants* (1958), du nettoyage par le vide de *Zazie dans le métro* (1960), de l'anarchisme souriant du *Voleur* (1967), du tabou de l'inceste levé dans *Le souffle au cœur* (1971), de la pédophilie dans *Pretty Baby* (1978).

Dans *Lacombe Lucien*, il s'attaque à la collaboration, autre sujet tabou pour le public français, déjà secoué par l'électrochoc du film de Marcel Ophuls *Le chagrin et la pitié* (1969). La polémique se déchaîna donc, sous prétexte d'un point de vue révisionniste et démagogique sur l'Occupation — procès d'intention qui sera gagné en appel quelques années plus tard, lorsque Malle donnera le bouleversant *Au revoir les enfants* (1987).

Il paraît illustrer ici les théories de Borgès sur l'infamie et le lien ambigu unissant la lâcheté et l'héroïsme : il est vrai que la frontière entre ces deux notions est étroite, et se franchit aisément. Au-delà de cette réflexion philosophique sans doute contestable, qui se ressent de l'influence du coscénariste, Patrick Modiano, il y a la reconstitution d'une époque, opérée avec une grande économie de moyens, et la prestation mémorable d'un acteur non professionnel, qui « colle » idéalement à son personnage (il mourut peu de temps après le tournage).

La Résistance à l'écran

Dès la Libération, le cinéma français a évoqué les problèmes de l'Occupation et de la Résistance, le plus souvent sur le mode triomphaliste *(Jéricho, Les démons de l'aube)* ou mélodramatique *(Vive la liberté, Un ami viendra ce soir)*, parfois teinté d'humour *(Le Père tranquille)*. L'antériorité absolue revenant à Jean Renoir qui, des États-Unis où il a émigré, proclame en 1943 que la France doit *Vivre libre*. Mettons à part de semi-documentaires pris sur le vif *(La bataille du rail, Au cœur de l'orage)* et le très probe *Silence de la mer*, de Jean-Pierre Melville, d'après Vercors. C'est encore Melville qui, en 1969, donnera la juste mesure de ce que fut *L'armée des ombres*, pendant glorieux du démystifiant *Le chagrin et la pitié*, de Marcel Ophuls. On peut citer encore, parmi les réussites honorables du genre : *Les honneurs de la guerre* (Jean Dewever, 1969), *La ligne de démarcation* (Alexandre Astruc, 1965), *L'affiche rouge* (Frank Cassenti, 1976) et surtout *Lacombe Lucien*.

Les doigts dans la tête

Jacques Doillon

Scén. : Jacques Doillon, Philippe Defrance. **Réal.** : Jacques Doillon.
Im. : Yves Lafaye (N. et B.). **Prod.** : UZ Production. **Durée** : 104 minutes.
Interpr. : Ann Zacharias *(Liv)*, Roselyne Vuillaumé *(Rosette)*,
Christophe Soto *(Chris)*, Olivier Bousquet *(Léon)*, Gabriel Bernard *(François)*.

De ce film, François Truffaut a écrit qu'il était « simple comme bonjour ». C'est le meilleur compliment qu'on puisse faire à Jacques Doillon, le plus perfection-niste des cinéastes français d'aujourd'hui.

Chris, le mitron, habite avec Rosette dans une mansarde que le boulanger a laissée à sa disposition. Liv, une jeune Suédoise en vacances, s'installe chez Chris et prend la place de Rosette dans le cœur du garçon. Celui-ci, en retard au travail, est licencié. Informé de ses droits, il décide d'occuper sa chambre jusqu'à ce que justice lui soit rendue. Léon, son copain mécano se joint à lui. Liv et Rosette complètent le quatuor auquel François, le remplaçant de Chris, rend une visite amicale. Rosette souffre de l'infidélité de Chris et Liv, consciente d'être une intruse, part. Léon et Chris vont à Bourges où Rosette a rejoint ses parents. Ces derniers refusent de les recevoir.

Le ciel est par-dessus le toit...

Pépiant sans cesse, blottis les uns contre les autres pour partager chaleur et douceur, ils ont l'air d'oisillons au creux d'un nid. Chris, Rosette, Léon, Liv et François sont des adolescents, les tout premiers d'une œuvre qui en compte beaucoup, car Doillon les aime, de *La drôlesse* (1979) aux *Petits frères* (1998), en passant par *La fille de quinze ans* (1989), *Le petit criminel* (1990) ou *Le jeune Werther* (1993), sans oublier tous ceux, dans *La pirate* (1984), *La vie de famille* (1985) ou *Amoureuse* (1992) qui perdent des plumes à jouer dans la cour des grands.

Jacques Doillon (né en 1944), s'inspirant d'un fait divers – la grève de la faim de deux apprentis boulangers – a fait les choix autour desquels s'organiseront ses films à venir : celui d'une anecdote mince comme un prétexte et celui du huis clos où en confiner les protagonistes. Ici, une chambre, ailleurs une maison *(La femme qui pleure*, 1978 ; *Comédie !*, 1987), un grenier *(La drôlesse)*, un bateau *(La pirate)*, une voiture *(Le petit criminel)* ou un appartement *(La vengeance d'une femme*, 1990), sont le théâtre de l'éternelle tragi-comédie de l'amour où jalousie, trahison et déception jalonnent l'itinéraire des cœurs, de l'éclosion du bonheur à l'indifférence. Dans *Les doigts dans la tête* domi-nent encore la fraîcheur et l'innocence du « vert paradis des amours enfantines » sur lequel plane l'ombre du désenchantement. Mais ce film met déjà en lumière l'art et la manière d'un cinéaste qui est, en délicatesse et en passion, le frère d'un Eustache et d'un Cassavetes. La manière : cette attention aux manifestations les plus secrètes de la sensibilité, à l'âge où le cœur est le plus vulnérable, celui de la jeunesse ; cette recherche à tâtons de la justesse d'un mot, de la pertinence d'un geste. L'art : ce don de révéler, au terme d'un travail acharné qui exclut tout recours à l'improvisation, la vérité cachée des êtres comme une évidence.

1974

Nous nous sommes tant aimés

Ettore Scola

C'eravamo tanto amati. **Scén.** : Age et Scarpelli, Ettore Scola. **Réal.** : Ettore Scola. **Im.** : Claudio Cirillo (N. et B. et couleurs). **Mus.** : Armando Trovaioli. **Prod.** : Dean Film. **Durée** : 115 minutes. **Interpr.** : Nino Manfredi *(Antonio)*, Vittorio Gassman *(Gianni)*, Stefano Satta Flores *(Nicola)*, Stefania Sandrelli *(Luciana)*, Aldo Fabrizi *(Catenacci)*, Giovanna Ralli *(Elide)*, et, dans leurs propres rôles : Vittorio De Sica, Federico Fellini, Marcello Mastroianni.

La comédie italienne a longtemps été considérée comme un genre mineur. Ettore Scola, un de ses meilleurs artisans, prouve ici qu'elle peut être le miroir d'une époque.

1945. L'Italie est libérée du fascisme. Trois camarades, qui ont lutté côte à côte dans la Résistance, ont foi en l'avenir de leur pays. Antonio, membre du parti communiste, croit aux lendemains qui chantent ; Gianni, étudiant en droit, rêve de plaider de justes causes ; Nicola, cinéphile enragé, est persuadé que le néo-réalisme va changer le monde. Les années passeront, refroidissant leur bel enthousiasme. Leur vie privée comme leur vie professionnelle se solde par des échecs. La société va mal, le cinéma aussi… On entre dans l'ère de l'incommunicabilité, à l'écran comme dans la vie. Il faut pourtant se résoudre à survivre.

Le temps d'apprendre à vivre

Ettore Scola (né en 1931) fait partie de la nouvelle génération de réalisateurs italiens qui s'est révélée au début des années 1960, en marge des «ténors» (Fellini, Antonioni), des «militants» (Rosi, Petri) et des «avant-gardistes» (Pasolini, Bertolucci, Bellocchio). Comme ses aînés Mario Monicelli *(Le pigeon, La grande guerre)* et Dino Risi *(Le fanfaron, Parfum de femme)*, il pratique un cinéma résolument populaire, entre la comédie de mœurs, la satire et la caricature grinçante. L'alibi de la farce lui permet de décocher des traits acérés, d'une grande justesse sociologique : voir *Drame de la jalousie* (1970), *Affreux, sales et méchants* (1974), *Une journée particulière* (1977) et surtout *Nous nous sommes tant aimés,* bilan cocasse et sensible de trente ans d'histoire italienne, dont la cinéphilie est l'élément catalyseur, De Sica et Fellini (en personne) et Antonioni servant de points de repère à un itinéraire désenchanté. La démocratie italienne est vivement étrillée, mais l'intellectualisme de gauche y laisse aussi des plumes, même si Scola ne cache pas ses sympathies. L'œuvre témoigne, écrit Jean A. Gili, de «la vigueur populaire d'une société qui veut encore lutter malgré la désagrégation sournoise d'un pays après trente ans d'incurie politique». Pas la moindre prétention didactique là-dessous, l'humour et la poésie venant sans cesse l'irriguer.

Deux grands acteurs (qui sont aussi des metteurs en scène) déploient ici toute la gamme de leur talent : Nino Manfredi et Vittorio Gassman. Le premier (né en 1921) a toujours incarné à l'écran l'Italien moyen, hâbleur et pathétique. Le second (1922-2000) a eu une carrière internationale, qui l'a conduit du film de cape et d'épée (Freda) au néo-réalisme (De Santis) et aujourd'hui à Altman et Resnais.

Phantom of the Paradise

Brian De Palma

Scén. et Réal. : Brian De Palma. Im. : Larry Pizer (couleurs). Mus. : Paul Williams. Prod. : 20th Century Fox. Durée : 92 minutes. Interpr. : Paul Williams *(Swan)*, William Finlay *(Winslow Leach)*, Jessica Harper *(Phoenix)*, Gerrit Graham *(Beef)*.

Brian De Palma joue en virtuose des potentialités visuelles de son art pour dénoncer la manipulation des consciences par l'image.

Propriétaire de Death Records et du Paradise, Swan fait jeter Winslow Leach en prison après lui avoir volé la partition de sa cantate. Évadé, Leach est défiguré par une presse à disques en la sabotant. Le visage caché sous un masque d'oiseau, il hante le Paradise. Swan lui propose d'achever son opéra et promet que Phoenix, qu'aime Leach, en sera l'interprète. Mais Swan confiera le rôle à Beef, un rocker efféminé. En plein spectacle, Leach électrocute Beef que remplace Phoenix, avec succès. Puis Winslow tue Swan en détruisant la bande sur laquelle est enregistré le pacte d'éternelle jeunesse entre ce dernier et le Diable. Son sort étant lié à celui de Swan, Winslow meurt alors sous les yeux de Phoenix et les ovations du public.

L'enfer du tout-image

Swan, le démiurge du Paradise, se dérobe à la vue de ses victimes pour mieux les espionner et voler leur œuvre, leur voix, leur image. Winslow et Phoenix sont captifs de ce regard démoniaque dans les dédales du Paradise où murs et plafonds sont truffés de caméras dont les films sont projetés sur de multiples écrans ; Swan est un adepte de la vidéo-surveillance ! Il s'adonne aussi aux délices du voyeurisme, contemplant sur le même écran ses ébats avec Phoenix et le désespoir de Winslow qui en est le témoin. Manipulateur d'images en avance sur les *reality shows*, il projette l'assassinat de Phoenix en pleine cérémonie, télévisée, de leur mariage, sachant qu'une foule hystérique, incapable de discerner le vrai du faux, applaudira à tout rompre !

À l'instar du docteur Faust, Swan a vendu son âme au Diable afin que son visage apparaisse éternellement jeune, tel que la bande magnétique en a enregistré les traits ; désormais, croit-il, sa vie sera dans son image ! Winslow et Phoenix ont conclu le même marché de dupes en échange de la gravure sur le vinyle de leur musique et de leur voix, substituant ainsi une apparence à leur réalité. L'un et l'autre – ensorcelés par Swan et sous la pression d'un public avide de sensations fortes – ont sacrifié au culte de l'image et succombé à sa toute-puissance.

De ce pouvoir, Brian De Palma (né en 1940) a fait, pour mieux le dénoncer, un des thèmes majeurs de son œuvre où voyeurs (*Sœurs de sang*, 1978 ; *Pulsions*, 1981 ; *Body Double*, 1984), espions (*Furie*, 1978 ; *Snake Eyes*, 1998) mettent l'image au service de leurs maléfiques activités.

1974
Les valseuses
Bertrand Blier

Scén. : Bertrand Blier, Antoine Tudal. **Réal.** : Bertrand Blier. **Im.** : Bruno Nuytten (couleurs). **Mus.** : Stéphane Grapelli. **Prod.** : Paul Claudon. **Durée** : 117 minutes.
Interpr. : Gérard Depardieu *(Jean-Claude)*, Patrick Dewaere *(Pierrot)*,
Miou-Miou *(Marie-Ange)*, Jeanne Moreau *(Jeanne)*, Brigitte Fossey *(la jeune mère)*.

«Mettre les pieds dans le plat en prenant tout le monde à rebrousse-poil», tel était, selon son auteur, le but de ce film.

La DS, ils ne l'ont pas volée, mais empruntée ! Son propriétaire veut faire arrêter Jean-Claude et Pierrot et blesse ce dernier, alors qu'il fuit, dans son intimité (les «valseuses»). La folle cavale commence. Incapable d'honorer une jeune mère draguée dans un train, Pierrot craint de ne plus être un «mâle». Il sera rassuré par Marie-Ange, shampouineuse que ses assauts laissent pourtant de glace. Les compères s'attachent à une ex-détenue, Jeanne, qui leur donne un peu d'amour avant de se suicider. Les fugitifs reprennent leur cavale en compagnie de Marie-Ange qui a enfin connu l'orgasme dans les bras du fils de Jeanne.

Provocateur et prémonitoire

Nombre de critiques se surpassèrent, en 1974, pour vilipender ce film ; mais leurs métaphores poétiques – «putride comme un abcès mal soigné» – et leurs condamnations sans appel – «moralement hideux», «cinématographiquement nul» –- restèrent sans effet sur sa carrière, triomphe d'autant plus surprenant que son auteur et ses interprètes étaient alors pratiquement inconnus. Aujourd'hui, *Les valseuses* est tenu par beaucoup pour une œuvre-clé du cinéma français et Bertrand Blier (né en 1939) pour un auteur essentiel.

Jean-Claude et Pierrot traduisent en actes certains des slogans de Mai 68, «Tout, tout de suite» ou «Il est interdit d'interdire». Leurs quatre cents coups sont l'expression d'une soif de liberté, de reconnaissance et d'intégration. En 1974, alors que chômage et malaise des banlieues sont encore des phénomènes peu ou mal perçus, des millions de spectateurs jugèrent inoffensifs, voire sympathiques, ces loubards que leurs excès même semblaient tenir à distance du quotidien. Spectateurs et critiques ne pressentirent pas que ces «affreux jojos» pouvaient être les ancêtres des marginaux à venir, chômeurs, RMIstes, SDF des décennies 80 et 90, sur lesquels Blier posait, prémonitoirement, un regard compréhensif. La réalité, depuis *Les valseuses,* a rejoint la fiction. Et le public, que Marie-Ange, Pierrot et Jean-Claude faisaient rire, ne s'amuse plus au spectacle des exactions de leurs enfants, les paumés sevrés d'amour de *Merci la vie* (1991) et *Un deux trois soleil* (1993), ces oubliés de la croissance descendus des écrans pour envahir la rue et ruiner la bonne conscience d'une société égoïste. *Les valseuses* annonçaient le désastre social de la fin du XXe siècle. Or Blier fut accusé de démagogie : il sollicitait simplement de la part du spectateur, sans souci des convenances artistiques et morales, un regard compatissant, un peu d'amour…

1975 Cousin, cousine

Jean-Charles Tacchella

Scén., dial., réal. : Jean-Charles Tacchella.
Im. : Georges Lendi (couleurs). **Mus.** : Gérard Anfosso.
Prod. : Fils Pomereu, Gaumont. **Durée** : 85 minutes.
Interpr. : Marie-Christine Barrault *(Marthe),*
Guy Marchand *(Pascal),* Victor Lanoux *(Ludovic),*
Marie-France Pisier *(Karine),* Ginette Garcin *(Biju),*
Pierre Plessis *(Gobert),* Sybil Maas, Jean Herbert,
Hubert Gignoux, Catherine Verlor, Françoise Caillaud,
Alain Doutey, Véronique Dancier, Pierre Forger,
Ginette Mathieu.

«Un mélange de bienveillance et d'ironie à l'égard de mes personnages… le refus du manichéisme… un certain humanisme, un brin de merveilleux» : telle est la recette de Jean-Charles Tacchella.

Un repas de noce dans une banlieue parisienne. Biju, cinquante ans, grand-mère, se remarie avec un fringant sexagénaire, Gobert. Sa fille, Marthe, employée dans une compagnie d'assurances, est l'épouse d'un butor, Pascal, qui la trompe ouvertement avec Karine, seconde femme de Ludovic, un professeur de danse. Une aimable complicité rapproche le couple délaissé, qui se transforme bientôt en liaison affichée. D'une fête de famille à l'autre, ils vont se retrouver et s'aimer, au vu de tous et à la consternation de leurs conjoints respectifs, lassés du même coup de leurs propres fredaines. Tandis que Biju, à nouveau veuve, songe à convoler pour la énième fois, les deux amants, secouant pour de bon le joug des conventions, se font la paire…

Pas de deux tonique et primesautier

Venu tard à la mise en scène, après une carrière de critique et de scénariste, Jean-Charles Tacchella (né en 1925) est le représentant d'un style de comédie de mœurs à la française, alerte, pointilliste, excluant la vulgarité, en prise directe sur l'air du temps, qui sait effleurer avec tact les problèmes de l'heure (la pollution, l'union libre, les désarrois de la jeunesse ou du troisième âge), en se refusant à la délivrance d'un quelconque «message». À l'écart des vagues, l'auteur se réclame d'une tradition classique (Renoir,

Ozu, McCarey) et plaide avec conviction pour une certaine pérennité de la cinéphile. *Cousin, cousine* est un film tonique, primesautier, sans recherche mais non sans profondeur, qui, ainsi que le souligne Roger Régent, «en dit plus sur une certaine société française d'aujourd'hui, sur sa façon d'être, de dire, de penser, d'aimer, que beaucoup d'œuvres réputées importantes et qui prétendent remuer des idées fortes». Cette «petite» production, au dialogue vif, au rythme soutenu, où le moindre rôle a son importance (Ginette Garcin en mémé de charme est irrésistible), enchanta les Américains et fut trois fois «nominée» aux Oscars. Tacchella retrouvera cette veine dans *Escalier C* (1985) et *Travelling avant* (1987).

1975 Nashville
Robert Altman

Scén. : Joan Tewkesbury. **Réal.** : Robert Altman.
Im. : Paul Lohmann (couleurs). **Mus.** (supervision) : Richard Baskin.
Prod. : Robert Altman, Paramount. **Durée** : 159 minutes.
Interpr. : David Arkin *(Norman)*, Barbara Baxley *(lady Pearl)*,
Ned Beatty *(Delbert Rees)*, Karen Black *(Connie White)*,
Ronee Blakley *(Barbara Jean)*, Keith Carradine *(Tom Frank)*,
Geraldine Chaplin *(Opal)*, Shelley Duvall *(L.A. Joan)*,
Henry Gibson *(Haven Hamilton)*, Timothy Brown, Gwen Welles,
David Hayward, Jeff Goldblum, etc. (Certains de ces interprètes
ont composé eux-mêmes les chansons du film : *Bluebird,
Memphis, I'm Easy, It Dont' Worry Me*, etc.).

Cinéaste contestataire, libéral, antiromantique, expert en démystification sauvage, Robert Altman nous donne ici sa version musicale de la folie du Nouveau Monde.

Nashville (Tennessee), capitale de la *country music,* pendant la campagne électorale d'un candidat à la présidence. De nombreux personnages vont entrecroiser leurs destinées, spectaculaires, cocasses, pitoyables ou tragiques : une journaliste gaffeuse, une star surmenée, un bellâtre cavaleur, un imprésario survolté, un homme sur son tricycle, un autre qui exhibe à la ronde son étui à violon, des roucouleuses prêtes à tout pour décrocher un contrat, des fans en délire, des parasites, des groupies, des autochtones blasés, des traîne-savates et jusqu'à deux enfants sourds… Tout cela finira par l'assassinat d'une chanteuse par un illuminé.

Portrait de groupe corrosif

Robert Altman (né en 1925) poursuit dans cette vaste fresque musico-sociale, dont la composition polyphonique s'accorde on ne peut mieux au sujet (on y compte pas moins de vingt-quatre personnages principaux, tous liés en quelque façon au milieu décrit : l'industrie du disque, à son niveau zéro), l'entreprise de décervelage inaugurée dans *M.A.S.H.* (1970), qui réglait son compte à une armée de débiles et de gâte-sauce. Il s'attaquera ensuite, avec la même verve corrosive, au Wild West show (*Buffalo Bill et les Indiens,* 1976), et même à la sacro-sainte institution du mariage (*Un mariage,* 1978). Ces films où est brocardée vertement l'*American way of life* sont autant de «portraits de groupe avec hargne», pour reprendre une expression de Claire Clouzot. Tous sont conçus dans un registre unanimiste d'une grande virtuosité.
Mais *Nashville* a d'autres attraits : au-delà de la satire — déjà esquissée par Elia Kazan dans *Un homme dans la foule* — d'un monde en proie à la folie médiatique et qu'obsèdent les rapports de sexe, d'argent et de pouvoir (les trois libidos fondamentales de

la société américaine), perce une grande tendresse, une nostalgie de la communication vraie, qui s'incarne dans les personnages les plus paumés de cette fascinante kermesse funèbre.

«Auteur macluhanien», comme le définit son exégète Jean-Loup Bourget, Altman est aussi un humaniste et un poète. Il n'est pour s'en convaincre que de se référer au conte de fées moderne de *Brewster McCloud* (1970), à la splendide parabole anticipatrice de *Quintet* (1978) ou aux puzzles géants de *The Player* (1991), de *Short Cuts* (1993) et de *Gosford Park* (2001).

1975

Vol au-dessus d'un nid de coucou

Miloš Forman

One Flew Over the Cuckoo's Nest. **Scén.** : Lawrence Hauben
et Bo Goldman, d'après la pièce de Dale Wassermann
tirée du roman *La machine à brouillard*, de Ken Kesey.
Réal. : Miloš Forman. **Im.** : Haskell Wexler (couleurs).
Mus. : Jack Nitzche. **Prod.** : Fantasy Films (Michael Douglas).
Durée : 134 minutes. **Interpr.** : Jack Nicholson *(McMurphy)*,
Louise Fletcher *(Miss Ratched)*, Will Simpson *(l'Indien)*,
Danny DeVito, Brad Dourif.

*Les gens anormaux n'ont rien d'exceptionnel, ils ont droit aussi au respect : c'est
la morale de ce brillant manifeste contre une société coercitive.*

Un prisonnier de droit commun, Randle P. McMurphy, réputé pour son insubordination,
est transféré dans un établissement psychiatrique, où règne une discipline de fer, incarnée par l'infirmière en chef, l'intraitable Miss Ratched. Tous les malades sont sous sa
coupe, sauf un vieil Indien autiste qui ronge son frein en silence. Avec la complicité
tacite de ce dernier, le nouveau venu va faire voler en éclats ces ukases, au risque de
compromettre la sécurité de la communauté asilaire. Il paiera de son équilibre mental,
et finalement de sa vie, ce salubre mouvement de révolte.

Gloire aux réfractaires !

Ce film s'inscrit dans un courant de remise en cause des excès de l'univers carcéral,
où des malades mentaux soumis au régime d'une psychiatrie inhumaine font les frais
de traitements de choc qui aboutissent à une totale dépersonnalisation. Il y avait eu dans

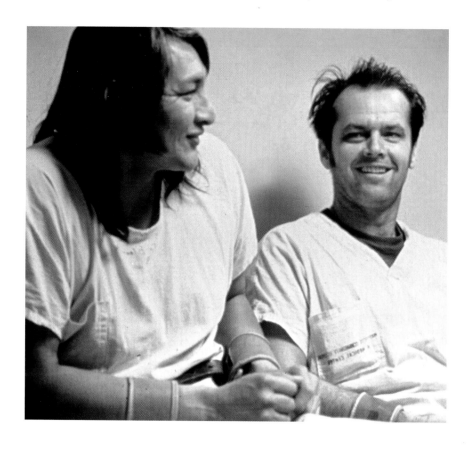

le passé *La fosse aux serpents* (Anatole Litvak, 1950), *La tête contre les murs* (Georges Franju, 1959), *Shock Corridor* (Samuel Fuller, 1963). Émigré de fraîche date aux États-Unis, le Tchèque Miloš Forman (né en 1932) va y trouver le terrain idéal où faire germer le message subversif qu'il avait esquissé avant 1968 dans son pays d'origine, par le biais de l'humour, dans *Au feu les pompiers,* puis dans son premier film américain, le grinçant *Taking Off* (1970). Il glissera ensuite vers un style plus chatoyant, sans cesser pour autant de prendre fait et cause pour les réfractaires à l'ordre dominant *(Ragtime, Amadeus, Valmont, Larry Fllint, Man on the Moon).*

De ce parti pris généreux, *Vol au-dessus d'un nid de coucou* (*cuckoo* signifie «cinglé» en anglais), tiré d'une pièce à succès, témoigne de façon exemplaire : sur un scénario bien charpenté, avec une équipe d'interprètes survoltés (en tête desquels Jack Nicholson, utilisé au mieux de son éréthisme naturel), il brosse un tableau «plein de bruit et de fureur» (contrôlé), qui sera couronné d'une brassée d'Oscars.

Le cinéma n'est pas chauvin

N'éprouve-t-on pas, souvent, la tentation d'attribuer à un film la nationalité de son auteur ? Dans ce cas, *À bout de souffle*, *Le mépris* et tant de films de Jean-Luc Godard devraient être tenus pour suisses puisque telle est la nationalité du cinéaste. Hypothèse inconcevable, qui conduirait à affirmer que les films réalisés en France par Fritz Lang, Joseph Losey ou Jules Dassin sont allemands ou américains. Ou que ceux tournés aux États-Unis par Jean Renoir, René Clair, Louis Malle ou Costa-Gavras sont français ! La nationalité d'un film n'est donc pas celle du cinéaste qui l'a signé, mais celle de ses producteurs et des capitaux qui l'ont produit.

C'est ainsi qu'*Arizona Dream* (1993), interprété par des comédiens américains, Johnny Depp, Faye Dunaway et Jerry Lewis, réalisé aux États-Unis, en anglais, par Emir Kusturica, cinéaste yougoslave (et né à Sarajevo, dans l'actuelle Bosnie), est, en dépit des apparences, un film 100 %, financièrement parlant, français ! *L'empire des sens* comme *Mulholland Drive* doivent leur existence à des capitaux français et sont, selon le même critère, des films français. Aujourd'hui que l'économie du cinéma est mondialisée comme tant d'autres activités commerciales, les exemples de ce cosmopolitisme financier, aux antipodes d'un nationalisme étroit, sont innombrables. Finalement, qu'on retienne le critère du lieu de naissance d'un cinéaste ou celui de la domiciliation des capitaux, la nationalité d'un film n'est pas aisée à définir. C'est pourquoi le lecteur ne trouvera dans cet ouvrage que des films phares «sans drapeau».

Apocalypse Now (1979)
de Francis Ford Coppola.

1976
Cría Cuervos
Carlos Saura

Scén. et réal. : Carlos Saura.
Im. : Teo Escamilla (couleurs).
Mus. : Federico Mompou, Valverde Leon y Quiroza,
J. L. Perales. **Prod.** : Elias Querejeta.
Durée : 112 minutes. **Interpr.** : Ana Torrent *(Ana)*,
Geraldine Chaplin *(la mère d'Ana, Ana adulte)*,
Monica Randall *(Paulina)*, Florinda Chico *(Rosa)*.

Dans le regard de la petite Ana se reflète une société réactionnaire et répressive qui n'offre d'autre avenir à ses enfants, et particulièrement à ses filles, que la résignation.

Ana se souvient de son enfance en compagnie de la mort. La mort de son père, dans les bras d'une maîtresse. Celle de sa mère, dans d'atroces souffrances, malade de n'avoir pas été aimée. Celle de Roni, le cochon d'Inde qu'elle a enterré au fond du jardin. La mort, omniprésente dans la vie et les fantasmes d'une gamine de huit ans qui a songé en faire cadeau à sa grand-mère pour la délivrer du poids de ses souvenirs. La mort qu'elle a cru infliger à sa tante Paulina, qui n'a jamais su remplacer la maman disparue, en versant dans son verre un poison qui n'était que du bicarbonate…

La fillette et la Mort

Depuis l'avènement, en 1939, du général Franco à la tête de l'État, le cinéma ibérique vit sous la tutelle d'une censure au service de la propagande gouvernementale selon laquelle un bon Espagnol est «moitié moine, moitié soldat». Les censeurs encouragent donc la production de films dont les héros, religieux ou militaires, sont les garants de la morale et de l'ordre, et interdisent tout projet un tant soit peu sceptique à l'égard du pouvoir. Dans le désert artistique d'un cinéma voué aux mélodrames édifiants, aux comédies musicales et de (bonnes) mœurs, deux cinéastes, L. G. Berlanga avec *Bienvenue Mr. Marshall* (1952) et J. A. Bardem avec *Mort d'un cycliste* (1955), ont tenté de créer un espace à la liberté d'expression.

S'ils n'y sont pas immédiatement parvenus, ils ont néanmoins ouvert la voie à Carlos Saura (né en 1932) dont les films, dès le début des années 1960, déclineront, sous couvert de scénarios allégoriques ou symboliques, une critique virulente des fondements religieux, moraux et éthiques du régime franquiste. Dans son style si personnel — celui d'un réalisme onirique qui mêle étroitement le passé et le présent, le rêve et la réalité — le cinéaste, avec *Peppermint frappé* (1967), *La Madriguera* (1969), *Ana et les loups* (1972), *La cousine Angélique* (1973), aborde les problèmes des couples désunis, de la condition féminine, de la frustration sexuelle, des traumatismes infligés aux enfants par la religion et ses interdits. *Cría cuervos* (premiers mots du proverbe : «Nourrissez les corbeaux et ils vous crèveront les yeux») est au cœur de ces questions d'autant plus douloureuses que Saura, après la mort de Franco en 1975, peut désormais les confronter au plus candide des regards, celui d'une enfant, Ana, sa petite héroïne qui, à huit ans, mélange le réel et l'imaginaire, la vie et la mort, qui confond hier et aujourd'hui, mais n'attend déjà plus rien de demain.

L'empire des sens

Nagisa Oshima

Ai no corrida. **Scén., dial. réal.** : Nagisa Oshima.
Im. : Hideo Ito (couleurs). **Mus.** : Minoru Miki
et chants traditionnels japonais. **Prod.** : Argos Films (Paris),
Oshima Prod. (Tokyo). **Durée** : 110 minutes.
Interpr. : Eiko Matsuda *(Sada)*, Tatsua Fuji *(Kichizo)*,
Aoi Nakajima *(Toku)*, Taiji Tonoyama *(le vieux mendiant)*,
Kanae Kobayashi *(la vieille geisha)*, Hizoko Fuji.

Inspiré d'un fait divers authentique, cet hymne à l'amour fou réussit la gageure d'échapper à toute vulgarité. C'est une liturgie du sexe.

Tokyo, 1936. Ancienne geisha devenue serveuse de restaurant, Sada aime épier les ébats amoureux de ses maîtres et soulager de temps à autre les vieillards vicieux. Fortement excité par cette fille, son patron, Kichizo, va l'entraîner dans une escalade érotique qui ne connaîtra bientôt plus de bornes. Leurs rapports sont épicés par toutes sortes de prestations annexes, qu'ils accomplissent comme autant de célébrations initiatiques. Au terme d'une joute épuisante, Kichizo se laissera étrangler par sa compagne, qui l'émasculera dans un geste ultime de mortification.

Éros et Thanatos au Japon

Les années 1970 ont vu, dans les pays à civilisation avancée, une libération des mœurs, qui a entraîné une forte atténuation de la censure. Le cinéma pornographique a pu s'épanouir, d'abord sur le mode *soft* (suggérant avec complaisance l'acte sexuel), puis *hard* (le détaillant dans toute sa crudité). Nous sommes loin des timides audaces d'*Extase,* devant l'assaut de dévergondage d'*Emmanuelle* (film médiocre, mais qui battit tous les records de recette). Au Japon, la « sex-production » est d'un niveau

nettement plus relevé, comme en témoignent des films tels que *L'étrange obsession* (1959) de Kon Ichikawa, *Éros + massacre* (1969) de Yoshishige Yoshida, et surtout *L'empire des sens.*

De la production abondante de Nagisa Oshima (né en 1932), on retiendra *Nuit et brouillard au Japon* (1960), *Les plaisirs de la chair* (1965), *La cérémonie* (1971) et *Furyo* (1982). Dans *L'empire des sens,* Oshima traite l'érotisme dans une perspective quasi mystique, à la manière de Georges Bataille ou de Sade (auquel le prénom de l'héroïne fait curieusement référence).

On sera surpris de savoir que le scénario suit de très près un fait divers authentique, qui a défrayé la chronique judiciaire nippone avant-guerre (et fit de la jeune castratrice une pionnière des mouvements féministes !). Tel quel, le film devient un hymne à l'amour fou, mais ritualisé à l'extrême, et ressemblant beaucoup moins à une chronique galante qu'à une espèce d'holocauste. Son succès public, assorti d'un parfum de scandale, incita Oshima à lui donner une suite libre, où le fantastique prend le relais de l'érotisme : *L'empire de la passion* (1978).

1976 Le juge et l'assassin
Bertrand Tavernier

Scén. : Jean Aurenche, Bertrand Tavernier, d'après un sujet de Jean Aurenche et Pierre Bost. **Réal.** : Bertrand Tavernier.
Im. : Pierre William Glenn (couleurs). **Mus.** : Philippe Sarde.
Lyrics : Jean-Roger Caussimon. **Prod.** : Lira Films.
Durée : 110 minutes. **Interpr.** : Philippe Noiret *(le juge Rousseau),* Michel Galabru *(Joseph Bouvier),* Isabelle Huppert *(Rose),* Jean-Claude Brialy *(le procureur),* Renée Faure *(la mère Rousseau),* Yves Robert, Jean-Roger Caussimon.

Transposant Crime et châtiment *en image d'Épinal, avec un zeste de Brecht et un refrain d'orgue de Barbarie, Bertrand Tavernier s'affirme surtout ici comme un excellent conteur d'« Histoire ».*

La campagne ardéchoise, en 1893. Un ancien sergent d'infanterie, Joseph Bouvier, a été traumatisé par une déception amoureuse. Esprit simple et exalté, nourri de slogans anarchistes, il va parcourir les villages en égorgeant et violant bergers et bergères, entre deux airs d'accordéon. Un juge de province le suit patiemment à la trace et, après un interrogatoire serré, parvient à le confondre. Bouvier sera exécuté, sans se départir de sa faconde, et aura les honneurs des gazettes. Par contagion, ou par dépit, le juge ira sodomiser honteusement sa petite amie…

Le bourgeois et le trimardeur

Cinéaste des coups de cœur, très marqué par les films américains de série B, mais aussi par l'« ancienne vague » française, Bertrand Tavernier (né en 1941) aime les imageries violentes, les scénarios solidement charpentés, les histoires d'hommes, où peut se glisser en filigrane une idéologie frondeuse, axée sur un gauchisme de bon aloi. Ce qui ne va pas sans un certain confusionnisme, que le temps sans doute dissipera.

Sa plus grande réussite à ce jour est probablement *Le juge et l'assassin.* Partant d'un fait divers criminel assez sordide (l'affaire Vacher), dont il a respecté la trame générale, en l'assaisonnant de vérités historiques à sa façon, Tavernier a réussi la prouesse — un peu comme Fritz Lang ou Joseph Losey dans leurs versions respectives de *M le maudit* — de brosser le tableau exact d'une époque. À travers les rapports ambigus, de classe et de comportement, qui se nouent entre un trimardeur émule de

Ravachol et un magistrat puritain se dessinent les contours d'une société étriquée, réactionnaire, complice de toutes les répressions passées et à venir (de la Commune à l'affaire Dreyfus), qui dévore tel Saturne ses propres enfants. Michel Galabru, dans l'unique rôle dramatique de sa carrière, s'égale aux grands «excentriques» de l'avant-guerre : Jules Berry, Robert Le Vigan, Saturnin Fabre. Une œuvre tonique, dont les maladresses n'entament pas la sympathique intégrité.

De *L'horloger de Saint-Paul* (1974) à *Laissez passer* (2002), Tavernier fait montre d'une pugnacité, d'une franchise d'accent et d'une absence totale de sophistication qui ne sont pas monnaie courante dans le cinéma français. Il y a du Pagnol chez ce Lyonnais, et du Renoir aussi, l'un et l'autre pouvant se reconnaître dans son *Coup de torchon* (1981) et son *Dimanche à la campagne* (1984).

Taxi Driver
Martin Scorsese

Scén. : Paul Schrader. **Réal.** : Martin Scorsese.
Im. : Michael Chapman (couleurs). **Mus.** : Bernard Herrmann.
Prod. : Michael et Julia Phillips. **Distr.** : Columbia.
Durée : 115 minutes. **Interpr.** : Robert De Niro *(Travis Bickle)*,
Cybill Shepherd *(Betsy)*, Jodie Foster *(Iris)*, Albert Brooks *(Tom)*,
Harvey Keitel *(«Sport»)*, Peter Boyle *(«Wizard»)*,
Leonard Harris, Harry Cohn, Martin Scorsese.

Manager attentionné des poids moyens de la vie, arpenteur de «rues sans issue», Martin Scorsese a apporté au nouveau cinéma américain un «joint» de lyrisme salutaire.

Durement marqué par la guerre du Viêt Nam, un ancien *marine*, Travis Bickle, s'est fait embaucher comme chauffeur de taxi à New York. Souffrant d'insomnie, il «fait la nuit» enfermé dans la cage jaune de son véhicule, sillonnant en somnambule des artères sans âme, baignées de néon et de vapeurs délétères, et peuplées de voyous, de

drogués et de couples douteux. Les rares contacts qu'il noue avec ses collègues ne peuvent le distraire de sa morne solitude. Un moment tenté par l'action politique, il échoue lamentablement. Il parviendra enfin à se réaliser en arrachant, au péril de sa vie, une prostituée de douze ans à ses souteneurs.

L'écume solitaire des nuits

Ce tableau d'une rare noirceur de la jungle urbaine contemporaine tire en partie sa force de ses conditions de tournage, entièrement en extérieurs, dans les bas quartiers de Manhattan, selon une technique proche du documentaire. Le grain «réaliste» de la photographie ajoute à l'impression d'authenticité, de même que certains dialogues à demi improvisés. Le pittoresque des lieux est estompé au profit d'une vision sans fard de la faune new-yorkaise, avec une prédilection pour les paumés et les déshérités de la vie. Paul Schrader, le scénariste (devenu par la suite réalisateur : *American Gigolo,* 1980), dit avoir voulu transposer dans le contexte américain *L'étranger,* de Camus. Il y a été puissamment aidé par l'interprète, Robert De Niro, qui campe un «*underground man*» (pour reprendre une expression de Pauline Kael) d'une parfaite neutralité expressive : l'être anonyme plongé dans le néant de la cité.

Mais le talent du réalisateur y contribue aussi pour une large part. Descendant d'immigrants siciliens, Martin Scorsese (né en 1942) était mieux placé que quiconque pour filmer cette odyssée du bitume, ayant lui-même été formé à la rude école de la rue. Son art de traquer l'insolite fait éclater la convention des genres ; il a su peindre à l'eau-forte la nuit américaine (la vraie), de *Mean Streets* (1973) à *Casino* (1995) et à *À tombeau ouvert* (1999), avec un détour par les coulisses de la boxe (*Raging Bull,* 1980).

1977

Le Crabe-Tambour

Pierre Schoendoerffer

Scén. : Jean-François Chauvel, Pierre Schoendoerffer, d'après le roman homonyme de ce dernier. **Réal.** : Pierre Schoendoerffer. **Im.** : Raoul Coutard (couleurs). **Mus.** : Philippe Sarde. **Prod.** : Bela, AMLF, Lira Films. **Durée** : 119 minutes. **Interpr.** : Jean Rochefort *(le commandant),* Claude Rich *(le médecin),* Jacques Dufilho *(le chef mécanicien),* Jacques Perrin *(le lieutenant de vaisseau Willsdorff,* dit *le Crabe-Tambour),* Odile Versois *(Madame),* Aurore Clément, Morgan Jones, Bernard Lajarrige, Hubert Laurent, Pierre Rousseau.

À contre-courant des tendances subversives du cinéma français s'inscrit cette œuvre empreinte de noblesse, de fond et de forme, comparable aux grands films de Walsh et de Ford.

L'escorteur d'escadre *Jauréguiberry* quitte Lorient pour servir de bâtiment d'assistance à une flottille de chalutiers en route pour Terre-Neuve. Les officiers de bord et maîtres d'équipage sont tous plus ou moins des «soldats perdus», qui ont la nostalgie des guerres coloniales, où s'est brisé leur patriotisme. Le commandant, pour sa part, est atteint d'un cancer incurable. Quelque chose rapproche ces hommes, un souvenir obsédant attaché à un personnage légendaire, mi-rebelle mi-poète, un chat noir toujours perché sur son épaule : le Crabe-Tambour. Les uns l'ont connu en Indochine, d'autres en Algérie… C'est peut-être leur conscience, ou leur Graal, ou l'image de leur mort…

L'adieu des centurions

Pierre Schoendoerffer (né en 1928) est un authentique «baroudeur», venu à la mise en scène par le canal du Service cinématographique des armées. Il a été engagé volontaire pour l'Indochine, fait prisonnier par le Viêt-minh, reporter au Laos, au Yémen et en

Algérie. Après avoir débuté comme réalisateur en 1956, il mènera une carrière parallèle de romancier et de cinéaste. Schoendoerffer a été de toutes les guerres perdues, soit comme acteur soit comme observateur. Son tempérament est resté marqué par cette période de fraternité combattante, bien que, précise-t-il, « ce n'est pas la condition militaire en soi qui m'intéresse, mais la condition humaine ».

L'œuvre qui l'a révélé, et qui fut saluée par la critique de droite comme de gauche, est une fiction documentée sur le conflit indochinois, d'une facture sobre et vigoureuse : *La 317ᵉ section* (1963).

On doit placer plus haut encore *Le Crabe-Tambour,* qui esquive tous les clichés du film de guerre au bénéfice d'une allégorie poignante, tournant autour des notions (anachroniques ?) d'honneur, de courage, de dépassement de soi, de sacrifice et de sérénité en face de la mort. Les ombres tutélaires de Vigny, d'Herman Melville et de Conrad planent sur ce long voyage immobile, imprégné d'une poésie altière, qui ne peut laisser indifférent le spectateur le plus rétif à l'idéologie guerrière, puisqu'aussi bien celle-ci n'est pas vraiment exaltée, ni récusée non plus : elle devient un simple motif de rêverie. Il faut ajouter de superbes images de mer, et une interprétation de tout premier ordre.

1978

Alexandrie pourquoi ?
Youssef Chahine

Iskandariah leh ? **Scén., réal.** : Youssef Chahine. **Im.** : Mohsen Nasr (couleurs).
Mus. : Farid El Zahiri. **Prod.** : Misr International Films. **Durée** : 133 minutes.
Interpr. : Mohsen Mohiedine *(Yehia)*, Mohsena Tewfik *(la mère)*,
Mahmoud El Meligui *(le père)*, Ahmed Mehrez (Adel), Gerry Sundquist *(Tom)*.

*Avec ses souvenirs de jeunesse et la mémoire d'un pays, l'Égypte, et d'un peuple, les Alexandrins, le cinéaste compose un mélodrame historique haut en couleur, à la manière du Fellini d'*Amarcord.

1942 : les troupes allemandes du maréchal Rommel sont aux portes d'Alexandrie. Des officiers égyptiens préparent l'enlèvement de Churchill pour le livrer à Rommel en échange de la garantie de l'indépendance de l'Égypte. Par « patriotisme », un jeune aristocrate assassine froidement des soldats britanniques, mais il tombera amoureux de l'un d'entre eux. Une riche famille juive, dont la fille est enceinte d'un ouvrier musulman, est contrainte à l'exil pour fuir les lois raciales du futur occupant allemand. Mais celui-ci, vaincu à El-Alamein par les forces alliées, n'entrera jamais à Alexandrie. Quant à Yehia, jeune étudiant issu d'une famille catholique et pauvre, il aura traversé cette période troublée avec une seule idée en tête, devenir acteur. Avec l'aide de ses parents et de ses amis, il pourra s'embarquer pour les États-Unis où il étudiera le cinéma et l'art dramatique.

« Je me souviens… »

Alexandrie pourquoi ? est le premier volet — *La mémoire* (1982) et *Alexandrie encore et toujours* (1990) sont les suivants — de la trilogie autobiographique de Youssef Chahine (né en 1926), le plus prestigieux des cinéastes égyptiens et, au-delà, du monde arabe. Ponctuant la continuité de son film d'images d'actualités (sur Hitler, le nazisme et les opérations militaires en Libye) et d'extraits des comédies musicales hollywoodiennes qui ont suscité la vocation du jeune Yehia (Youssef en réalité), Chahine évoque l'environnement culturel, social et politique de son adolescence. Multipliant personnages et intrigues parallèles au cœur d'une métropole ou cohabitent juifs, chrétiens, musulmans et les troupes de l'ancienne puissance coloniale, la Grande-Bretagne, le cinéaste prend clairement le parti de la tolérance religieuse. Lui-même d'éducation catholique, il dénonce avec vigueur l'antisémitisme d'une société où les sympathies pro-allemandes sont d'autant plus vives qu'existe un profond ressentiment à l'égard de l'occupant anglais. Ce faisant, il stigmatise l'opportunisme des profiteurs de guerre, ces riches commerçants convaincus que l'argent peut tout acheter, bonne conscience comme brevet de patriotisme. Avocat de la tolérance culturelle, raciale et religieuse, Chahine est encore celui de la tolérance à l'égard de l'homosexualité, sujet tabou dans les pays arabes et abordé de front dans *Alexandrie pourquoi ?* C'est assez dire que ce cinéaste, passionné, non conformiste et farouchement indépendant, ne doit sa liberté de parler, de témoigner et de tourner en Égypte, qu'à la reconnaissance de son immense talent partout dans le monde.

1978
Le mariage de Maria Braun
Rainer Werner Fassbinder

Die Ehe der Maria Braun. **Scén.** : Peter Martesheimer, Pia Froelich, d'après l'œuvre de Gerhard Zwerenz. **Dial., réal.** : Rainer Werner Fassbinder. **Im.** : Michael Ballhaus (couleurs). **Prod.** : Albatros Film, Trio Film, WDR. **Durée** : 120 minutes.
Interpr. : Hanna Schygulla *(Maria)*, Klaus Löwitsch *(Hermann)*, Ivan Desny *(Oswald)*, Gottfried John *(Willi)*, Gisela Uhlen *(la mère de Maria)*, Günter Lamprecht *(Wetzel)*, George Byrd *(Bill)*, E. Trissenaar, M. Ballhaus, R.W. Fassbinder.

Ce mélodrame puissant et sulfureux est caractéristique de la «troisième génération» du cinéma allemand, dont le «gourou» fut le prolifique Rainer Werner Fassbinder.

L'Allemagne en 1943. Hermann Braun épouse Maria, avant de rejoindre une unité combattante sur le front de l'Est. Restée seule avec sa mère et son grand-père dans un pays dévasté, son mari porté disparu, la jeune femme devient entraîneuse. Un soir qu'elle est couchée avec un amant, un Noir américain, Hermann rentre à l'improviste. Une bagarre éclate, qui s'achève dans le sang. Le mari est condamné à une lourde peine de prison. Maria devient l'assistante et la maîtresse d'un riche industriel, Oswald. À la mort de ce dernier, elle retrouve Hermann pour la seconde fois. Ils mourront tous deux dans l'explosion d'une conduite de gaz…

Allemagne, fille publique

Ce scénario rocambolesque cache une amère parabole sur le destin de l'Allemagne, vouée dans les années qui ont suivi la guerre à «faire la putain» pour survivre. Le prétendu «miracle économique» ne serait qu'une gigantesque duperie, la perte d'identité d'un pays qui a sacrifié son âme. Thèse contestable, développée ici avec une sorte de jubilation masochiste, et illustrée en images crues. Impériale et lascive, la belle Hanna Schygulla, l'interprète favorite du réalisateur, trône sur cette chienlit (elle campera peu après, sous sa direction, une Lili Marleen non moins haute en couleur). Maria Braun est une «anarchiste de l'amour», dont l'itinéraire chaotique recoupe assez fidèlement celui d'un auteur tour à tour irritant et captivant.

Rainer Werner Fassbinder (1946-1982) est, comme on l'a dit, un «polygraphe de la mise en scène». Journaliste, écrivain, acteur, scénariste, homme de théâtre, de cinéma et de télévision, animé d'une véritable rage créatrice, il fut très influencé par Godard et le «cinéma vérité», mais aussi par les mélodrames de Sirk et les films de guerre de Fuller. En treize ans, il a tourné une quarantaine de films ou de téléfilms, sans compter ceux qu'il a produits ou interprétés pour ses amis, Daniel Schmid et Ulli Lommel notamment. Homosexuel affiché, Fassbinder a été un peu le Jean Genet de l'Allemagne des années 1970, terminant d'ailleurs sa carrière par l'adaptation d'un roman de ce dernier (*Querelle,* 1982). Son but, en partie atteint, était de «réaliser une œuvre qui recomposera l'Allemagne dans sa globalité».

Voyage au bout de l'enfer
Michael Cimino

The Deer Hunter. **Scén.** : Deric Washburn, d'après une histoire de Michael Cimino, Deric Washburn, Louis Garfinkle et Quinn K. Redeker. **Réal.** : Michael Cimino. **Im.** : Vilmos Zsigmond (couleurs). **Mus.** : Stanley Myers. **Prod.** : Emi Films (Universal). **Durée** : 183 minutes. **Interpr.** : Robert De Niro *(Michael),* John Cazale *(Stan),* John Savage *(Steven),* Christopher Walken *(Nick),* Meryl Streep *(Linda),* George Dzundza *(John),* Chuck Aspegren *(Axel),* Shirley Stoler.

Mieux que la danse du feu d'un Coppola, c'est le plain-chant douloureux de Michael Cimino qui a su rendre compte avec force du traumatisme vietnamien et de ses séquelles.

À Clayton, petite cité minière de Pennsylvanie, trois ouvriers métallurgistes, Michael, Nick et Steven, mènent une existence paisible, entre le travail aux aciéries et la chasse au daim, en compagnie de leurs amis Stan et Axel. Steven s'apprête à épouser Angela, qui est enceinte. Mais l'Amérique est en guerre contre le Viêt Nam… Deux ans plus tard, nous retrouvons les trois hommes enfoncés jusqu'au cou dans le bourbier indochinois : prisonniers du Viêt-cong, ils sont contraints de jouer leur vie à la roulette russe. Ils parviennent cependant à s'évader, mais le prix à payer sera lourd. Steven sera amputé des deux jambes ; Nick échouera dans un bouge de Saigon, où il trouvera une mort lamentable ; témoin impuissant de cette déchéance, Michael rentrera au pays traumatisé à jamais.

Gangrène d'une nation

Nombreux sont les films américains qui s'efforcent d'analyser les tenants et les aboutissants des conflits, depuis les violents affrontements sur le terrain jusqu'au choc psychologique de la démobilisation : citons *J'ai vécu l'enfer de Corée* de Samuel Fuller,

Cote 465 d'Anthony Mann, *La gloire et la peur* de Lewis Milestone… À l'aube des années 1980, on a assisté à une résurgence du film de guerre, conçu comme une sorte d'exorcisme de la mauvaise conscience américaine : tel est le cas d'*Apocalypse Now,* du *Maître de guerre,* de *Platoon,* de *Full Metal Jacket* de Stanley Kubrick. Le meilleur ici côtoie le pire, la vérité humaine étant trop souvent sacrifiée à l'éclat tapageur du spectacle.

Michael Cimino (né en 1943) semble avoir trouvé un juste équilibre entre l'émotion et la cruauté, dans la fresque grandiose de son *Voyage au bout de l'enfer.* Loin de se complaire dans la description des horreurs de la guerre, il se borne à évoquer celles-ci, indirectement, au cours de brèves séquences, d'ailleurs très dures, précédées de splendides échappées bucoliques (le mariage, la chasse au daim) et clôturées par un hymne d'espoir bouleversant («God Bless America»). Il en résulte une sensation de grandeur épique, rarement éprouvée depuis Griffith. Le talent du cinéaste s'épanouira dans *La porte du paradis* (1981) et *L'année du dragon* (1985).

1979 Apocalypse Now
Francis Ford Coppola

Scén. : John Milius, Francis Ford Coppola,
librement inspiré du roman de Joseph Conrad *Heart of Darkness.*
Réal. : F. F. Coppola. **Im.** : Vittorio Storaro (couleurs).
Mus. : Carmine et F. F. Coppola. **Chansons** : The Doors,
The Rolling Stones. **Prod.** : F. F. Coppola. **Durée** : 153 minutes.
Interpr. : Martin Sheen *(capitaine Willard),* Marlon Brando
(colonel Kurtz), Dennis Hopper *(le reporter),* Robert Duvall
(lieutenant-colonel Kilgore), Frederick Forrest *(le chef).*

«Jupiter rend fous ceux qu'il veut perdre» : la fameuse sentence d'Euripide trouve son illustration dans cet étourdissant carnaval guerrier qui est aussi une descente «au cœur des ténèbres».

Willard, un jeune officier américain engagé dans le sanglant conflit du Viêt Nam, est chargé par ses supérieurs d'une tâche délicate : il devra liquider un colonel des bérets verts, atteint de mégalomanie et qui s'est retranché dans un temple, à la frontière du Cambodge, à la tête d'une troupe de montagnards à sa dévotion. Avant de parvenir au terme de sa mission, Willard, à bord d'un petit patrouilleur remontant le fleuve Nang, va côtoyer les horreurs de la guerre et assister à un déferlement de violence, orchestrée par des soldats perdus qu'électrise «l'odeur du napalm au petit matin». Le face à face final avec le sauvage Kurtz tournera à l'affrontement prométhéen.

Les fous de guerre

Comparé à la cantate funèbre en trois mouvements de *Voyage au bout de l'enfer,* qui le précède d'un an, le film de Francis Ford Coppola ressemble à un oratorio baroque, empli de rythmes tapageurs et de surcharge ornementale. En s'inspirant d'un récit de Joseph Conrad (le périple initiatique d'un marin dans la brousse africaine), mais aussi d'un poème de T.S. Eliot (*La terre vaine*) et d'une série d'essais ethnograhiques de James George Frazer *(Le rameau d'or),* le réalisateur déjà consacré du *Parrain* a brodé des variations personnelles sur la guerre au Viêt Nam, la névrose militariste et la quête de l'identité. Il s'est impliqué dans un tonitruant psychodrame, ne lésinant pas sur les effets spectaculaires (la ronde infernale des hélicoptères sur fond de «Chevauchée des walkyries», la parade des «go-go girls») et engloutissant des sommes énormes dans l'aventure (30 millions de dollars).

Le tournage fut à lui seul une périlleuse entreprise, où les éléments déchaînés se mirent de la partie. Le résultat tient à la fois des exploits des héros de *Mission impossible,* du trip psychédélique et du théâtre primitif. Coppola, toujours avide de gigantisme, doublera la mise avec *Cotton Club* (1984) et *Dracula* (1992).

L'envers de l'Apocalypse

Le tournage d'*Apocalypse Now* débuta le 1er mars 1976 aux Philippines. Il s'étala sur près de quatre mois, suivis de deux ans de montage. 50 000 mètres de pellicule furent impressionnés. Un record pour l'époque. Le *making of* du film : *Heart of Darkness : A Film Maker's Apocalypse,* réalisé à partir de documents réunis par Eleanor Coppola, l'épouse du metteur en scène, décrit l'espèce de folie hallucinatoire qui s'empara de ce dernier, à l'image de ses héros déboussolés. Inquiet sur le sens à donner à son œuvre, sujet à des crises d'hystérie, limogeant un acteur pour en engager un autre qu'il soumet à un régime d'enfer qui lui vaut un infarctus, affrontant le «monstre» Brando avec délectation, tournant trois fins différentes, Coppola s'épuise dans une entreprise ruineuse, qui sera heureusement sanctionnée par un triomphe commercial. Triomphe prolongé en 2001 avec une nouvelle version du film — élaborée par Coppola lui-même — sorti sous le titre *Apocalypse Now Redux* et où figurent plusieurs séquences, écartées dans le montage initial, d'une durée totale de 49 minutes.

1980 Elephant Man
David Lynch

Scén. : Christopher DeVore, Eric Bergren, David Lynch, d'après *The Elephant Man and Other Reminiscences* de sir Frederick Treves et *The Elephant Man : A Study in Human Dignity* de Ashley Montagu.
Réal. : David Lynch. **Im.** : Freddie Francis (N. et B.).
Mus. : John Morris. **Prod.** : Mel Brooks. **Durée** : 125 minutes.
Interpr. : John Hurt *(John Merrick, «l'homme-éléphant»)*, Anthony Hopkins *(Frederick Treves)*, Sir John Gielgud *(Carr Gomm)*, Anne Bancroft *(Mrs. Kendal)*, Freddie Jones *(Bytes)*.

Diamant noir du cinéma contemporain, ce film sans aucun précédent ni prolongement nous touche autant par sa dimension fantastique que par sa force de compassion.

Londres 1884. Un jeune chirurgien, Frederick Treves, est intrigué par l'attraction d'une baraque foraine : on y exhibe un phénomène, «l'homme-éléphant». Il rachète pour le London Hospital la pauvre créature : c'est un être humain hideusement défiguré, mais dont la sensibilité et le quotient intellectuel sont intacts. Le monstre devient la coque-luche du Tout-Londres – en même temps qu'un objet de curiosité malsaine exploité par certains. Une actrice en vogue, Mrs. Kendal, le prend sous sa coupe. Ell le fera ova-tionner au théâtre du Drury Lane, où elle joue une pantomime tirée de la fable du *Chat botté*. Il mourra une nuit, d'une crise d'étouffement.

L'homme descend du monstre

Ce fim de conception et de réalisation insolites paraît renouer avec la tradition du fans-tastique américain d'avant-guerre, genre *Freaks* ou *King Kong*. Il ne s'agit pourtant pas d'une fiction d'épouvante, mais de la véridique et navrante histoire d'un sujet britan-nique du siècle dernier, John Merrick, consignée dans de très sérieux ouvrages scien-tifiques. C'était un être contrefait et répugnant, atteint d'une maladie rare, la neurofibromatose aiguë, du plus disgracieux effet. Une adaptation théâtrale, très différente du film, l'avait déjà pris pour modèle. Même si l'on ne peut se défendre, çà et là, d'un certain malaise, il faut reconnaître que le film touche au plus profond de notre sensibilité, nous immunise contre toute velléité de voyeurisme.

Techniquement, *Elephant Man* se signale par un emploi original du noir et blanc, qui restitue à merveille l'atmosphère victorienne — et renforce le caractère tragique de l'apologue. Doit-on créditer de ces qualités rares le metteur en scène américain David Lynch (né en 1946)? Il a prouvé en tout cas, dès son premier film, le stupéfiant *Eraserhead* (1976), cauchemar expérimental né d'un croisement de *Frankenstein* et du *Chien andalou*, qu'il fallait compter avec sa poésie ténébreuse.

La suite de son œuvre — *Blue Velvet* (1986), *Sailor et Lula* (1990), *Lost Highway* (1996) et *Mulholland Drive* (2001) — s'orientera vers une exploration, sur le mode fantastique, des pulsions de violence autodestructrice d'un monde fasciné par sa propre image.

1981
Les aventuriers de l'Arche perdue
Steven Spielberg

Raiders of the Lost Ark. **Scén.** : Lawrence Kasdan, d'après une histoire de George Lucas et Philip Kaufman. **Réal.** : Steven Spielberg.
Im. : Douglas Slocombe (couleurs). **Effets spéciaux** : Industrial Light and Magic.
Mus. : John Williams. **Prod.** : Paramount. **Durée** : 116 minutes.
Interpr. : Harrison Ford *(Indiana Jones)*, Karen Allen *(Marion Ravenhood)*, Wolf Kahler *(Dietrich)*, Paul Freeman *(Belloq)*, John Rhys-Davies.

Il est facile d'ironiser sur ce «western archéologique mis en scène par le veau d'or» (Michel Perez). C'est pourtant l'occasion rêvée de tester la capacité du cinéma de divertissement.

Professeur d'archéologie doublé d'un aventurier intrépide, «Indy» Jones avait découvert dans un temple inca une idole en or massif, mais celle-ci lui a été volée par un rival européen sans scrupules, Belloq. Il s'est juré d'avoir sa revanche. L'occasion lui en est donnée par une mission spéciale en Égypte que lui confient les services secrets américains : aller procéder à l'exhumation de l'Arche d'alliance des Hébreux, enfouie depuis des millénaires. La Gestapo est déjà sur les lieux (l'action se passe pendant la guerre) et a confié la direction des fouilles à l'infâme Belloq. Indy, flanqué de son éternelle fiancée Marion, connaîtra d'épiques tribulations — sur terre, sur mer et dans les airs — avant d'entrer en possession du fabuleux trésor…

Du côté de chez Tarzan

Le scénario accumule à plaisir les plus folles péripéties, les corps à corps périlleux et les clous mirobolants. Une armada de créateurs d'effets spéciaux, de pyrotechniciens et de cascadeurs a été appelée en renfort pour recréer, en la multipliant par dix, l'atmosphère des romans populaires d'Edgar Rice Burroughs et de la bande dessinée. Indiana Jones, le héros mythique de cette délirante odyssée, est le descendant de Jim la Jungle, de Tarzan et de Richard le Téméraire. En mettant dans leur jeu les acquisitions de la technique moderne la plus sophistiquée (profusion des maquettes, des truquages optiques et des effets électroniques), les auteurs ont réussi à remettre le cinéma sur les rails de l'imaginaire et de la fantaisie, d'où il avait tendance à dériver. Le public en tout cas s'enthousiasma, au point de réclamer une suite : ce fut *Indiana Jones et le temple maudit* (1984), puis *Indiana Jones et la dernière croisade* (1989), le tout mitonné selon les mêmes recettes — sans compter une avalanche de sous-produits.

Metteur en scène de ce luxuriant *comic strip,* Steven Spielberg (né en 1947) n'en était pas à son coup d'essai. Il avait fait subir la même cure de rajeunissement au fantastique (*Duel,* 1971), au film catastrophe (*Les dents de la mer,* 1975) et à la science-fiction (*Rencontres du troisième type,* 1977 ; *E.T.,* 1982). Spielberg a su aussi aborder des sujets plus ambitieux, comme l'extermination des juifs par les nazis (*La liste de Schindler,* 1993) ou la guerre (*Il faut sauver le soldat Ryan,* 1998).

1981

Diva

Jean-Jacques Beineix

Scén. et Réal. : Jean-Jacques Beineix.
Im. : Philippe Rousselot (couleurs).
Mus. : Vladimir Cosma.
Prod. : Irène et Serge Silberman.
Durée : 115 minutes.
Interpr. : Frédéric Andrei *(Jules)*,
Richard Bohringer *(Gorodish)*,
Wilhelmina Wiggins Fernandez
(Cynthia), Thuy An Luu *(Alba)*.

« *Tu peux regarder, il n'y a plus de couteau, il y a plus de pain... y a plus de beurre... y a plus qu'un geste qui se répète... un mouvement... l'espace... le vide!* » *(extrait du dialogue).*

Jules, le facteur, a enregistré en cachette un concert de Cynthia Hawkins, la diva qu'il vénère au point de lui voler sa robe. Il se trouve également, sans le savoir, en possession d'une cassette qu'une femme a jetée dans la sacoche de sa Mobylette avant d'être assassinée. Jules échappe à ses poursuivants — des flics et des voyous sur la piste de la cassette — grâce à Gorodish et Alba qui l'hébergent. Entre deux courses éperdues, il aura trouvé le temps de se faire aimer de Cynthia qui lui pardonne d'avoir volé sa robe.

Des références et un culte

Tout le film est émaillé de bizarreries, à la limite de l'absurde, dans l'intrigue, les images et le dialogue et les critiques, dans leur majorité, saluèrent ce feu roulant de détails, de mots et de situations insolites en invoquant de prestigieux précédents : l'hyperréalisme et le surréalisme, Magritte, l'opéra lyrique, Verdi, l'art baroque, Raymond Chandler... Plus prosaïque, l'un d'eux résuma ainsi le sentiment quasi général : « Du culot, de l'audace, de l'anticonformisme, du tempérament, du talent ! » Jugement partagé par la profession cinématographique qui décerna quatre césars au film, celui de la première œuvre et ceux de la photo, de la musique et du son ; et entériné par le public qui lui réserva ce succès durable caractéristique des films dits « culte », ceux qui survivent à la mode qu'ils ont contribué à créer.

Plutôt qu'à une mode, *Diva* donna naissance à un courant du cinéma français des années 1980, illustré par Beineix (*37° 2 le matin*), mais aussi par Luc Besson (*Le grand Bleu*) et Léos Carax (*Les amants du Pont-Neuf*). Privilégiant, au risque de la gratuité, l'image, le décor, le détail sur l'intrigue et sa cohérence, s'attachant au pittoresque des personnages plutôt qu'à leur vraisemblance, les films de ces cinéastes furent parfois qualifiés de (néo-) baroques ; leur style, en effet, n'est pas sans évoquer cette forme d'expression qui, selon le *Petit Larousse*, « veut étonner, toucher les sens, éblouir... ». Mais ils plongent aussi des racines dans l'expressionnisme allemand de l'après-(première) guerre, voire dans le réalisme poétique des années 1930. Du premier, ils perpétuent le goût de l'artifice et de l'étrange, comme pour exorciser l'angoisse du quotidien ; le second leur a légué le sens de la poésie ainsi que la nostalgie des autrefois et des ailleurs.

1982
Blade Runner
Ridley Scott

Scén. : Hampton Fancher, David Peoples,
d'après un roman de Philip K. Dick. **Réal.** : Ridley Scott.
Im. : Jordan Cronenweth (couleurs). **Mus.** : Vangelis.
Prod. : Michael Deeley. **Durée :** 116 minutes.
Interpr. : Harrison Ford *(Deckard)*, Rutger Hauer *(Batty)*,
Sean Young *(Rachel)*, Daryl Hannah *(Pris)*.

« J'ai vu des vaisseaux en flammes sur le Baudrier d'Orion, des rayons cosmiques scintiller près de la Porte de Tannhäuser » (un répliquant, avant de mourir).

Au début du XXIe siècle, la génétique crée des êtres à l'apparence humaine appelés « répliquants ». Ils sont plus forts et plus agiles que leurs géniteurs et aussi intelligents qu'eux. Leur durée de vie est limitée à quelques années, à peine le temps d'acquérir un passé, des souvenirs et, peut-être, des sentiments. Ils sont utilisés comme auxiliaires dans l'exploration des autres planètes. Certains s'étant mutinés, tous ont été interdits sur Terre sous peine de mort. Pourtant, quatre d'entre eux rôdent dans Los Angeles. Deckard, détective de l'unité spéciale Blade Runner, est chargé de les identifier et de les tuer. Il accomplira sa mission tout en tombant amoureux de Rachel, répliquante d'une autre génération.

Kafka City

Au palmarès de Ridley Scott (né en 1939), *Les duellistes* (1976), *Alien* (1979), *Legend* (1985), *Thelma et Louise* (1991), *Gladiator* (2001) figurent comme d'incontestables réussites plastiques ; tous ont aussi connu le succès. Mais *Blade Runner*, son chef-d'œuvre, interroge sur la pertinence des appréciations réductrices — pur styliste, formaliste sans âme — formulées à l'encontre d'un cinéaste auquel on refuse le statut d'auteur, alors que nombre de ses films posent des questions fondamentales, sur le devenir de la science et de l'humanité, sur la relativité du bien et du mal.

Ridley Scott dépeint Los Angeles en 2019, à l'image d'une mégapole apocalyptique noyée dans le crachin et un épais brouillard. Néons et publicités trouent par intermittence une obscurité à l'abri de laquelle une fourmilière humaine s'affaire à la recherche d'un peu d'air, d'espace, de lumière. Dans cet univers chaotique, au bord de l'implosion, comment distinguer l'homme de son simulacre, le répliquant ? Le premier, s'imaginant maître et possesseur de la nature, a laissé la Terre s'enfoncer dans la misère, la pollution, la violence. En même temps, nouvelle aberration, il a créé des clones sans cœur ni âme, sans passé ni avenir, pour protéger les ruines de son monde. Le bien, selon les critères de la morale ordinaire, c'est Deckard, le Blade Runner, celui qui « court sur le fil du rasoir », sur la ligne de crête qui le sépare de Batty, le répliquant, le mal. Le regard bleu de celui-ci, bel ange blond qu'accompagne une colombe, a fait provision de merveilles dans les espaces intergalactiques. Batty croyait les retrouver sur Terre, là où on lui a prêté vie. Entre la mort et le Los Angeles de Deckard, il choisit la première, sourire aux lèvres, laissant à son bourreau un dernier espoir, l'amour de Rachel, la répliquante comme lui condamnée à mort.

1982
Meurtre dans un jardin anglais

Peter Greenaway

The Draughtman's Contract. **Scén., réal.** : Peter Greenaway.
Im. : Curtis Clark (couleurs). **Mus.** : Michael Nyman.
Prod. : British Film Institute, Channel Four (TV).
Durée : 108 minutes. **Interpr.** : Anthony Higgins *(Neville)*,
Janet Suzman *(Mrs Herbert)*, Anne-Louise Lambert *(Mrs Talman)*,
Hugh Fraser, Neil Cunningham.

Un puzzle fascinant et quelque peu macabre, échafaudé par un esthète qui jongle avec les formes cinématographiques, sans souci de l'intelligibilité du récit.

Un manoir luxueux, rendez-vous de l'aristocratie anglaise, à la fin du XVIIe siècle, va être le théâtre d'un étrange marché de dupes. La propriétaire, l'accorte Mrs. Herbert, délaissée par un mari impuissant, s'est attaché les services d'un peintre à la mode, chargé d'immortaliser, en douze dessins, les richesses architecturales et humaines de son patrimoine. Pour prix de son labeur, il bénéficiera de ses charmes. Le contrat est honoré, et au-delà, puisque l'artiste découvre ce qu'il ne fallait pas voir et en profite pour séduire en prime la fille de la maison, elle-même mariée à un rustre. Le but de la manœuvre était, semble-t-il, de procurer un héritier à la famille. Deux cadavres — celui du maître de céans et de son suppléant trop empressé — seront la tragique rançon de cette manipulation.

Trompe-l'œil

Écrivain, peintre, réalisateur de films expérimentaux à l'humour sophistiqué (l'un d'eux est une succession de 121 plans d'un même lieu, racontant quatre histoires différentes, un autre s'intéresse aux gens frappés par la foudre), féru d'entomologie et de concepts mathématiques, Peter Greenaway (né en 1942) est sans conteste le réalisateur le plus brillant — et le plus déconcertant — révélé en Grande-Bretagne dans les années 1980. Ce qu'il nous propose ici, c'est un jeu de miroirs à multiples facettes, qui peut se regarder, au choix, comme une *murder story* à la façon d'Agatha Christie (mais où l'énigme est laissée sans réponse), un pastiche de Thackeray, un conte borgésien, susceptible

d'une kyrielle d'interprétations, ou enfin une réflexion ironique sur la décadence de la société anglaise (le titre original à lui seul est à double ou triple sens). Un remake de *Noblesse oblige* filmé par un épigone d'Alain Resnais. Tout se résout en trompe-l'œil, masques, simulacre. Nous sommes pris, comme on l'a dit, «dans une sorte de piège optique : Greenaway fait semblant de nous offrir une exposition de dessins, mais c'est un leurre». Une profusion d'éclairages rares, de cadrages au cordeau, de costumes sans âge et de réminiscences du théâtre élisabéthain parachève la savante ordonnance de ce «jardin des métaphores».

Les films ultérieurs de cet auteur singulier, à l'élitisme fièrement revendiqué *(Drowning by Numbers, Le ventre de l'architecte, Prospero's Book, The Pillow Book)*, compliqueront à plaisir cet écheveau de cryptogrammes.

La nuit de San Lorenzo
Paolo et Vittorio Taviani

La notte di San Lorenzo. **Scén., dial.** : Paolo et Vittorio Taviani, Giuliani, Tonino Guerra. **Réal.** : Paolo et Vittorio Taviani. **Im.** : Franco di Giacomo (coleurs). **Mus.** : Nicola Piovani. **Prod.** : RAI, Ager Cinematografica. **Durée** : 106 minutes. **Interpr.** : Omero Antonutti *(Galvano)*, Margarita Lozano *(Concetta)*, Claudio Bigagli *(Corrado)*, Massimo Bonetti *(Nicola)*, Norma Martelli *(Ivana)*, Enrica Maria Modugno *(Mara)*, Sabina Vannucchi *(Rosanna)*.

Assumant pleinement l'héritage néo-réaliste, les frères Taviani réussissent ici la gageure d'exalter la douceur de vivre au milieu des horreurs de la guerre : c'est Paisà *revu par Ungaretti.*

Une fenêtre ouverte sur une paisible nuit d'été, zébrée d'étoiles filantes… Une femme évoque pour sa fillette le souvenir d'une autre nuit, d'angoisse celle-là, vécue le 10 juin 1944, dans un village de Toscane, alors qu'elle était elle-même âgée de huit ans. La guerre touchait à sa fin, mais les troupes allemandes, guidées par les fascistes, pratiquaient la politique de la terre brûlée, minant les maisons et traquant les partisans. Les habitants de San Miniato ont réussi à fuir dans la campagne. Ils seront témoins de sanglants affrontements au milieu des champs de blé. Quelques rescapés trouveront refuge à San Lorenzo, où ils passeront une dernière nuit en attendant l'arrivée des Alliés.

Du politique au poétique

Les auteurs de ce beau film en forme d'églogue champêtre, parsemé d'intermèdes épiques, ont toujours travaillé en étroite collaboration, dès leurs débuts au cinéma comme assistants de Joris Ivens : Vittorio (né en 1929) et Paolo (né en 1931) Taviani sont aussi inséparables que les frères Goncourt. Imbus d'idéologie marxiste, ayant — de leur propre aveu — «vécu pleinement et intensément l'impulsion utopiste de 1968», ils ont tourné jusqu'en 1976 une série de films où le discours politique, martelé avec une sincère conviction, tenait lieu de credo absolu.

Après *Allonsanfan* (1974), conscients de se trouver dans une impasse, ils s'orientent vers une formule moins didactique, plus sereine, sans rien renier de leurs idéaux mais en les enrobant dans une chape étanche de lyrisme. Ils trouveront ainsi leur point d'équilibre (et une audience populaire) dans les âpres chroniques siciliennes de *Padre Padrone* (1977) et de *Kaos* (1984).

La nuit de San Lorenzo va beaucoup plus loin que la simple évocation historique d'un épisode des derniers jours de la guerre en Italie, d'un Oradour-sur-Glane toscan. C'est aussi et surtout une poignante méditation sur le temps qui passe, l'absurdité des luttes fratricides, le puissant désir de paix que chacun porte en soi. Tout est vu à travers les yeux émerveillés d'une enfant, symbole de vie et d'espérance. Une subtile dramaturgie est mise en œuvre, à travers des ruptures de ton qui, ainsi que le note Freddy Buache, «renvoient aux tragédies grecques, à Shakespeare et à Brecht, ce dernier superbement exploité sans dogmatisme».

1984 Il était une fois en Amérique

Sergio Leone

Once Upon a Time in America. **Scén.** : Leonardo Benvenuti, Piero De Bernardi, Enrico Medioli, Franco Arcalli, Franco Ferrini, Sergio Leone, d'après le roman de Harry Grey *À main armée.* **Réal.** : Sergio Leone. **Im.** : Tonino Delli Colli (couleurs). **Mus.** : Ennio Morricone et extraits d'Irving Berlin, George Gershwin, Cole Porter, etc. **Prod.** : Arnon Milcham. **Durée** : 220 minutes. **Interpr.** : Robert De Niro *(«Noodles»)*, James Woods *(Max)*, Elizabeth McGovern *(Deborah)*, Treat Williams *(Jimmy O'Donnell)*, Tuesday Weld *(Carol)*, Burt Young *(Joe)*, Joe Pesci *(Frankie)*, L. Rapp *(Fat Moe)*.

Ce conte de fées épicé et cruel est une grandiose fabulation de l'Amérique d'hier, d'aujourd'hui, de toujours.

Les États-Unis, dans les «rugissantes» années 1920. Deux adolescents, Nathan Aaronson, dit Noodles, et son ami Max Kowansky se livrent à de fructueux petits trafics dans le ghetto juif new-yorkais, le Lower East Side, en compagnie de «Patsy» Goldberg, Philip «Cockeye» et du plus jeune, Dominic. Un jour, ce dernier est abattu au cours d'une rixe avec la bande à Bugsy. Il y a aussi la jolie Deborah, premier amour de Noodles, qu'il n'oubliera pas pendant les longues années qu'il va passer en prison. À sa sortie, il trouve le pays transformé : ses copains se sont enrichis grâce à la prohibition et lui assurent une existence douillette. Mais il y a un traître parmi eux... Il faudra du temps et des larmes à Noodles avant de découvrir que celui-ci n'est autre que Max, devenu le président d'un puissant syndicat. La saga du crime va-t-elle continuer ?

Les garnements du Nouveau Monde

Cette *gangster story,* dont la réalisation s'est étalée sur plusieurs années, ambitionne de brosser un vaste tableau de l'évolution de la société américaine, à travers les destins croisés d'une bande de «kids» devenus, au fil des ans, de puissants «caïds». C'est le dernier volet d'une trilogie commencée avec *Il était une fois dans l'Ouest,* 1968 (les clichés du western vus par le gros bout de la lorgnette) et *Il était une fois la révolution,* 1971 (fable picaresque sur la révolution mexicaine). En cours de route, les ambitions de l'auteur, l'Italien Sergio Leone (1929-1989), se sont élargies. D'abord simple fabricant de «westerns-spaghetti» (*Pour une poignée de dollars,* 1964, signé du pseudonyme de Bob Robertson), il a évolué vers une conception authentique de la romance naturaliste, d'où toute velléité de pastiche a à peu près disparu.

L'autobiographie d'un aigrefin qui sert de fil conducteur à cette chronique devient, nous dit Sergio Leone, le «symbole éloquent et cruel de cette Amérique magiquement suspendue entre le cinéma et l'histoire, entre la politique et la littérature, qui a conditionné et conditionne encore la vie intellectuelle, peut-être même le comportement quotidien, de plusieurs générations d'hommes, comme une sorte de mythe grec moderne et mirobolant».

Dans cette fresque monumentale aux noirceurs calculées, à la tendresse bardée de truculence, le cinéaste, à l'image de son héros, continue à jouer (en virtuose) aux cowboys et aux Indiens, «alors que le jeu autour de lui devient forcément sérieux, et que les lumières de l'Amérique, l'une après l'autre, sont éteintes par des doigts invisibles».

Brazil

Terry Gilliam

Scén. : Terry Gilliam, Tom Stoppard, Charles McKeown.
Réal. : Terry Gilliam. **Im.** : Roger Pratt (couleurs).
Mus. : Michael Kamen. **Prod.** : 20th Century Fox.
Durée : 142 minutes. **Interpr.** : Jonathan Pryce *(Sam)*,
Robert De Niro *(Tuttle)*, Kim Greist *(Jill)*.

«L'humour est une déclaration de dignité, une affirmation de la supériorité de l'homme sur ce qui lui arrive» (Romain Gary). Or le pire arrive dans ce film où l'humour est roi.

Quelque part au XXIe siècle : une cité de verre et de béton, de luxe et de misère. Policiers et fonctionnaires tentent d'y imposer l'ordre totalitaire. Mais le système a des ratés aux conséquences tragiques, tel l'assassinat de Buttle, l'innocent, à la place de Tuttle, le poseur de bombes. Épris de Jill la rebelle, Sam, un bureaucrate las de plier l'échine, partage malgré lui le combat de Tuttle. Arrêté, torturé, il succombera en rêvant au merveilleux «ailleurs» qu'évoque cette samba autrefois populaire, *Brazil*!

Autopsie comique

Délire superbement orchestré de visions tragi-comiques où s'estompe la frontière entre cauchemar et réalité, le film, au-delà des références livresques obligées, Kafka et Orwell, évoque les univers plastiques de Jérôme Bosch et Edvard Munch — il a, de l'un, le monstrueux foisonnement, de l'autre, l'inquiétant dépouillement — et le magma sonore dont Stravinsky a fait surgir *Le sacre du printemps*. C'est dire que l'auteur de ce film «à message», tournant le dos aux envolées littéraires ou théatrales, s'emploie à provoquer l'émotion, rire ou larmes, par les seuls moyens du cinéma : l'image, le son et le montage. Le cinéaste se livre à une autopsie, *in vivo*, de l'organisme social. Il ne laisse rien ignorer des réseaux sanguins, nerveux, digestifs, qui irriguent en écoutes, chaleur, froid, liquides, matières, ses souterrains et couloirs étroits, ses cellules de travail, de torture ou d'habitat. Sa caméra-scalpel y révèle une hideuse prolifération de métastases — misère, haine et mort — tandis que, sous un éclairage glauque, veines, viscères, artères, de plastique ou d'acier, apparaissent aux limites de la saturation, de l'occlusion, de la rupture et, soudain, explosent, se répandent telles les entrailles d'un corps mutilé.

Comme nombre de ses contemporains, Terry Gilliam ne croit plus possible de sauver un monde malade en changeant seulement l'idéologie qui le gouverne. En revanche, l'humour — qui règne en maître dans ses films avec les Monty Python, *Sacré Graal* (1974) et *La vie de Brian* (1979) — même désespéré comme ici, lui paraît le premier levier d'une radicale remise en question de l'ordre des choses. Le second, l'imaginaire — en liberté dans *Bandits, bandits* (1981) et dans *L'armée des douze singes* (1995) — donne à Sam le moyen d'échapper à l'enfer du quotidien et d'atteindre, sur les ailes du rêve, le pays enchanté où coexistent liberté, beauté et amour.

1985 La rose pourpre du Caire

Woody Allen

The Purple Rose of Cairo. **Scén., réal.** : Woody Allen. **Im.** : Gordon Willis (couleurs).
Mus. : Dick Hyman. **Prod.** : Orion Pictures. **Distr.** : Fox. **Durée** : 81 minutes.
Interpr. : Mia Farrow *(Cecilia)*, Jeff Daniels *(Tom Baxter/Gil Shepherd)*,
Danny Aiello *(Monk)*, Irving Metzman *(le directeur du cinéma)*, Ed Herrmann,
John Wood, Barbara Rush, Van Johnson *(les acteurs du film)*.

Le héros de cette fable surréaliste signée Woody Allen quitte l'écran pour venir jusqu'à nous : c'est une invitation, en fait, à remonter le temps pour tenter de retrouver une magie perdue.

Les années 1930 aux États-Unis. Une jeune serveuse de brasserie, Cecilia, a un mari chômeur et tire-au-flanc. Elle se console en passant ses soirées au cinéma, sa grande passion. Un jour qu'elle est venue revoir, pour la cinquième fois, le film du Jewel Palace, un incident extraordinaire se produit : l'un des personnages sort de l'écran et vient l'interpeller dans la salle, l'entraînant dans une aventure aux rebondissements imprévus. Affolés, les producteurs du film dépêchent sur les lieux l'acteur en chair et en os pour tenter de rattraper le fuyard, qui bloque tout le système. Il y parviendra, non sans avoir au passage séduit à son tour la pauvre Cecilia, qui ne sait plus à quel rêve se vouer…

L'art de crever l'écran

Ce film est le quatorzième réalisé par Allen Stewart Konigsberg, *alias* Woody Allen (né en 1935), et l'un des rares — avec *Intérieurs* (1978) — où il n'apparaisse pas en tant qu'acteur. La diversité des dons de cet homme-orchestre, son attachement à la tradition de l'humour juif, ses aphorismes dignes de Lichtenberg et de Lewis Carroll, sa solitude de penseur de fond sont célèbres. Il s'est imposé comme le meilleur auteur-acteur comique de sa génération : depuis Chaplin, le cinéma avait-il jamais été à pareille fête ? Dans *La rose pourpre du Caire*, Woody rend hommage à la comédie américaine des années 1930, et, au-delà, à la comédie humaine en général. Modestement, il dit s'être surtout attaché ici à décrire les « charmes de l'imaginaire en opposition à la douleur de vivre », thème récurrent de toute son œuvre.

On observera que ses films présentent souvent des antihéros, atteints (comme lui ?) d'inadaptation à la réalité, cultivée avec une délectation presque masochiste : ainsi en est-il d'*Annie Hall* (1977), minutieux compte rendu d'un échec sentimental, vaguement autobiographique ; de *Manhattan* (1979), dérive intra-muros d'un citadin frustré ; d'*Hannah et ses sœurs* (1986), quatuor pour couples désaccordés ; du noir et blanc expressionniste d'*Ombres et brouillard* (1991) ; ou des couples en délire de *Tout le monde dit I love you* (1997). Il faut accepter Woody Allen tel qu'il est, jonglant en virtuose avec sa difficulté d'être — et sa facilité incroyable à jouer la comédie.

1986 Mauvais sang

Léos Carax

Scén. : Léos Carax. **Im.** : Jean-Yves Escoffier (couleurs). **Prod.** : Les Films Plain-Chant.
Durée : 125 minutes. **Interpr.** : Denis Lavant *(Alex)*, Juliette Binoche *(Anna)*,
Michel Piccoli *(Marc)*, Hans Meyer *(Hans)*, Julie Delpy *(Lise)*.

Fulgurant poème d'amour et de mort, le film de Carax plonge au cœur de l'éphémère et y découvre l'éternité.

Deux gangsters sur le retour, Marc et Hans, préparent leur dernier « coup » : dérober dans un laboratoire, pour le compte d'un « client » américain, la formule d'un médicament contre une maladie sexuellement transmissible. Ils font appel à Alex, un ancien taulard. Celui-ci, qui ne veut pas entraîner dans cette aventure Lise, qu'il aime, quitte la jeune fille et va s'installer chez ses acolytes pour préparer le coup. Là, Alex tombe amoureux d'Anna, la maîtresse de Marc. Touchée par la force du sentiment d'Alex, Anna n'en refuse pas moins l'idée de trahir son amant. Surpris en dérobant le médicament, Alex tue un policier et réussit à s'échapper grâce à Lise. Blessé à mort par les commanditaires américains « doublés » par Marc et sa bande, il périra au pied de l'avion qui devait l'emmener au loin.

L'amour à toute vitesse

Ce scénario, celui d'un « polar », ne suggère absolument rien de la réalité, visuelle, d'un film qui se sert des codes et conventions d'un genre comme d'une coquille vide à remplir d'images insolites et poétiques qui disent et montrent tout autre chose qu'une banale histoire de gendarmes et de voleurs. Léos Carax (né en 1960) y démontre que ce qui importe en art n'est pas l'intrigue, le sujet ou le thème mais la façon de les filmer, de les écrire, de les peindre, c'est-à-dire le style, la forme que l'artiste leur donne. *Mauvais sang*, comme tant d'autres films, raconte une histoire d'amour et de mort, mais il le fait à sa manière, celle de Carax, celle d'un poète. Comment qualifier, en effet, le cinéaste qui imagine et ose ces images qui donnent à voir, à sentir, l'indicible des sentiments les plus intimes ? L'amour, c'est la rencontre, entre ciel et terre, de deux corps soudés l'un à l'autre dans le silence d'un vertigineux et interminable saut en parachute. C'est aussi, après la mort d'Alex, la course d'Anna sur le tarmac d'un aéroport, bras écartés, vibrante comme la carlingue d'un avion, prête à s'envoler vers l'espace infini de leur rencontre. C'est encore la lumineuse apparition, au détour d'une ruelle sordide, d'une mère au visage de madone, accompagnée de son bébé titubant, leurs pas dansant sur la mélodie poignante composée par Chaplin pour *Limelight* (*Les feux de la rampe*, 1952). La jeunesse, la douleur, l'espoir, le désarroi, l'énergie, la peur, c'est Alex courant sans fin, plié, tordu, désarticulé avant de se lancer, explosant de joie, vers l'infini d'un bonheur possible. Dérangeant, inclassable, *Mauvais sang* est une sorte d'OVNI dans le cinéma français dont Léos Carax — *Les amants du Pont-Neuf* (1991) et *Pola X* (1999) ont confirmé son talent visionnaire — est, après Jean Vigo, le nouveau Rimbaud.

1987

Les ailes du désir

Wim Wenders

Der Himmel über Berlin. **Scén.** : Wim Wenders, Peter Handke. **Réal.** : Wim Wenders.
Im. : Henri Alekan (N. et B. et couleurs). **Mus.** : Jurgen Knieper. **Prod.** : Argos Films (Paris),
Road Movies (Berlin). **Durée** : 130 minutes. **Interpr.** : Bruno Ganz *(Damiel)*, Otto Sander *(Cassiel)*,
Solveig Dommartin *(Marion)*, Curt Bois *(Homer)*, Peter Falk *(lui-même)*.
Dans *Si loin, si proche*, on retrouve les mêmes, plus Nastassia Kinski et… Mikhaïl Gorbatchev.

Une fable aux prolongements multiples, qui renoue avec l'âge d'or de l'expres-sionnisme, revisité par un témoin des mutations de la société contemporaine.

Englués dans un mal-être qui les taraude au plus profond d'eux-mêmes, les Berlinois (c'était avant la chute du mur) restent indifférents à la venue parmi eux d'un couple d'anges pourtant soucieux d'apporter un peu de réconfort à la misère ambiante. Ces

derniers sont-ils les messagers de la réunification d'un pays meurtri, qui n'en finit pas de panser les plaies du nazisme ? On pourrait le croire, lorsqu'un des anges, Damiel, tombe amoureux d'une trapéziste française, Marion, et forme le vœu de redevenir un mortel comme les autres. Un « compañero » à l'âme pure, le comédien Peter Falk, l'encouragera dans ce changement de règne.

La suite de l'aventure de ces pacifiques envahisseurs est contée dans *Si loin, si proche*, 1993 : le deuxième ange, Cassiel, a pris à son tour apparence humaine. Mais son effort d'insertion dans la société du profit tourne mal. Il en mourra, alors que son coéquipier mène avec Marion une vie bourgeoise sans histoires.

Berlin, l'éternité un jour ?

Après *Paris, Texas* (1984), son film américain qui clôturait un cycle sur le thème de l'errance *(Alice dans les villes, Au fil du temps, L'état des choses)*, l'Allemand Wim Wenders (né en 1945) retourne ici à son pays natal et en dresse un tableau assez désenchanté (terrains vagues, artères lugubres, bunkers constellés de graffitis, bibliothèque-nécropole), n'était le fragile espoir d'un renouveau incarné, si l'on peut dire, par deux messagers célestes porteurs d'une lumière différente — d'où le passage progressif du noir et blanc à la couleur, comme si la vie reprenait peu à peu, au sein d'un paysage mort. Faut-il voir là un écho de la propre démarche de Wenders, important dans le cinéma européen son expérience des rythmes d'Hollywood ?

L'intercession de l'acteur Peter Falk, promenant parmi ces ruines sa défroque d'inspecteur Columbo, pourrait accréditer cette idée. Mais le commentaire off, très littéraire, de Peter Handke nous entraîne plutôt du côté d'une interprétation orphique de ce livre d'images, qui semble devoir davantage au poète Rainer Maria Rilke, inspirateur non crédité des deux auteurs. N'est-ce pas de lui que vient la « promesse d'éternité » que l'œuvre se propose de transmettre ?

Les derniers films du réalisateur, qui forment comme une suite libre à celui-ci *(Si loin, si proche*, 1991 *; Jusqu'au bout du monde*, 1993*)*, dans une facture il est vrai plus conventionnelle, laissent la question irrésolue.

1988 Bird

Clint Eastwood

Scén. : Joel Oliansky. **Réal.** : Clint Eastwood.
Im. : Jack N. Green (couleurs).
Mus. : Charlie Parker, Lennie Niehaus.
Prod. : Malpaso, Warner Bros. **Durée** : 163 minutes.
Interpr. : Forest Whitaker *(Charlie Parker)*,
Diane Venora *(Chan)*.

Le meilleur film sur le jazz jamais tourné est aussi l'œuvre d'un auteur complet qui a su donner un second souffle à des genres hollywoodiens agonisants.

New York, 1955. Le saxophoniste noir Charlie Parker, surnommé «Bird», meurt d'une hémorragie à l'âge de trente-quatre ans. Il en paraît cinquante, tant ce roi du jazz a abusé de l'alcool et des stupéfiants. Son adolescence a été difficile : il jouait du pipeau à Kansas City et rêvait en écoutant l'orchestre de Count Basie. Sa science de l'improvisation lui vaut les encouragements de Dizzy Gillespie. Une danseuse, Chan Richardson, l'admire et devient sa compagne. Mais la police américaine le traque comme toxicomane. Sa gloire sera de courte durée, car le rock supplante le be-bop dans le cœur des foules.

Battements d'ailes dans la nuit

De tous les comédiens de sa génération qui ont été tentés par la mise en scène (Paul Newman, Robert Redford, Jack Nicholson), Clint Eastwood (né en 1930) est le seul à avoir maintenu un style personnel au long d'une série de films combinant classicisme et modernité, et nourris d'une certaine éthique humaniste. Son apport est sensible dans des genres très divers : westerns (*Pale Rider*, 1985 ; *Impitoyable*, 1992), policiers (*Un monde parfait*, 1993), drames psychologiques (*Sur la route de Madison*, 1995 ; *Minuit dans les jardins du Bien et du Mal*, 1997) et l'autobiographie déguisée d'*Honky Tonk Man* (1982).

Dans ce dernier film, Eastwood assouvit une autre de ses passions : la musique. On comprend alors qu'il ait tenu à honorer cette forme d'art qu'est le jazz. Pour célébrer l'apôtre du be-bop, Eastwood a eu l'audace de construire son film comme un morceau de jazz, avec une exposition mélodique très forte (la mort du Bird à trente-quatre ans), puis des décrochages rythmiques de durée variable, sous forme de flash-back et d'ellipses temporelles : un enfant jouant du pipeau à dos de mulet, la gloire précoce avec ses revers, la fuite dans les «paradis artificiels», les cures de désintoxication, l'amour de sa dernière compagne, l'apothéose du «Birdland», les tournées californiennes, le désespoir de se voir supplanté par de médiocres rockers… Le tout soutenu par des chorus, des solos et des envolées de cuivres composant un hymne crépusculaire d'une mélancolie étrange et pathétique. Les ravages de la drogue sur le grand oiseau migrateur sont évidemment pris en compte, mais avec pudeur, sans forcer la «note».

Des pans entiers de l'existence tumultueuse de Charlie Parker ont, certes, été occultés : il n'empêche que le maître de l'improvisation instantanée a trouvé en Clint Eastwood un ornithologue inspiré.

Femmes au bord de la crise de nerfs

Pedro Almodóvar

Mujeres al borde de un ataque de nervios.
Scén., réal. : Pedro Almodóvar.
Im. : José Luis Alcaine (couleurs).
Mus. : Bernardo Bonezzi.
Prod. : Agustín Almodóvar. **Durée** : 88 minutes.
Interpr. : Carmen Maura *(Pepa)*,
Antonio Banderas *(Carlos)*, Julieta Serrano *(Lucia)*,
Maria Barranco *(Candela)*, Rossy de Palma *(Marisa)*.

Exacerbation des sentiments, cocasserie des situations, provocations de tout poil : tel est le registre d'élection de l'enfant terrible du cinéma espagnol, par ailleurs féru de psychologie féminine et d'art kitsch.

Une maîtresse qui apprend tout à trac que son amant va la quitter pour une autre ; l'épouse légitime du susdit, qui purge sa déprime en clinique psychiatrique et ne songe qu'à en découdre ; la nouvelle conquête qui n'a pas envie de lâcher la bride au don juan en cavale ; le rejeton de ce dernier, bègue et peloteur ; une avocate féministe ; la compagne d'un terroriste chiite qui s'épanche à la cantonade ; une concierge témoin de Jéhovah ; un chauffeur de taxi punk ; un réparateur de téléphone beau garçon ; des flics complaisants ; et du gaspacho bourré de somnifère pour tout le monde… Telle est la ménagerie, un rien hystérique, qui compose cette histoire, avec, pour allonger la sauce, quelques volatiles égarés dans le «pigeonnier» de la meneuse de jeu, la turbulente Pepa Marcos, doubleuse de films de son métier.

Les piquées sauvages

Sur un point de départ vaguement emprunté à *La voix humaine,* de Jean Cocteau (les affres d'une femme abandonnée qui s'accroche à son téléphone), avec quelques réminiscences cinéphiliques à la clef (les retrouvailles du couple de *Johnny Guitare*), le remuant Pedro Almodóvar (né en 1949) dresse ici un tableau aux couleurs crues d'une microsociété en décomposition, empreint de misogynie et de dérision générale des rapports humains. On est entre la comédie de mœurs à l'américaine, genre *Femmes* de George Cukor, et la mythologie New Age, le tout baignant dans un décor futuriste et mené à un rythme d'enfer (climatisé). Un véritable *Capriccio espagnol*, avec d'ailleurs quelques mesures de Rimski-Korsakov.

Drôle, audacieux, subversif, parfait représentant d'une intelligentsia qui n'en finit pas de liquider les séquelles du franquisme, ainsi se présente d'abord le jeune chef de file de la «movida» madrilène, qui, avant de se lancer dans le cinéma, avait jeté sa gourme dans la bande dessinée porno et la chanson rock. Son goût du happening visuel s'affine dans ses derniers films, qui dénotent des velléités d'assagissement, au plan de la forme sinon des thèmes (*Talons aiguilles*, 1991 ; *La fleur de mon secret*, 1995 ; *Tout sur ma mère*, 1999 ; *Parle avec elle*, 2002). Il a éclipsé des confrères comme lui en rupture de ban : Bigas Luna (*Jambon, jambon,* 1992), Fernando Trueba (*Belle époque,* 1993) et le vétéran Victor Erice (*Le songe de la lumière,* 1992).

1989

La fille aux allumettes

Aki Kaurismäki

Tulitikkutehtaan tyttö. **Scén. et Réal.** : Aki Kaurismäki.
Im. : Timo Salminen (couleurs). **Prod.** : co-production finno-suédoise.
Durée : 70 minutes. **Interpr.** : Kati Outinen *(Iris)*,
Elina Salo *(la mère)*, Esko Nikkari *(le père)*, Vesa Vierikko *(Arne)*.

Ce déchirant cri de révolte est aussi un acte de foi en l'Homme.

Silencieuse et effacée, Iris est ouvrière à la fabrique d'allumettes. Pas vraiment laide mais, pire, sans attrait ni couleur, comme invisible. Chez elle, ses parents, des alcooliques, l'ignorent : elle leur sert de bonne. Parfois, dans un livre, avec une chanson, elle s'évade. Mais au bal, personne ne la fait danser. Sauf le soir où elle a porté la robe rouge achetée en cachette : un bellâtre, Arne, l'a invitée chez lui, l'a payée puis jetée, avec un « têtard » dans le ventre, qu'elle perd bien vite. Alors, elle a versé du poison dans le verre d'Arne, de ses parents. Aujourd'hui, deux policiers sont venus la cueillir à l'usine.

L'éclat d'une présence au monde

Avec une exemplaire rigueur, le cinéaste procède au nettoyage par le vide des images de son film, gommant le moindre détail, visuel et sonore, dont l'inutilité ou la redondance pollueraient, jusqu'à l'obscurcir, la signification, unique et forte, qu'il entend leur conférer. Au terme de cette chasse à tout ce qui gaspille l'attention, subsistent soixante-dix minutes de plans appréhendés frontalement et à distance par une caméra immobile qui les fixe, en instants chargés d'éternité. Des exemples : la fille, assise, un téléphone, muet, c'est la vaine attente d'un amour sans retour. La même, dos au mur sur lequel dansent les ombres de couples enlacés, c'est la représentation de la solitude affective. Sons et dialogues jouent le même rôle que l'image, en étroite symbiose, pour dire, sans parasites, l'indispensable. « Je suis enceinte », dit la fille ; « Ah ! bon », répond sa collègue. « Ça tue », informe la pharmacienne en vendant la mort-aux-rats à la fille qui constate : « Bien. »

La démarche artistique d'Aki Kaurismäki — l'auteur d'*Ariel* (1988), *La vie de Bohême* (1991), *Au loin s'en vont les nuages* (1996) dont la mise en scène minimaliste exalte la cruelle et pathétique ironie — évoque celle d'un chirurgien qui isole son champ opératoire en écartant les tissus alentours. Cette attitude quasi scientifique est illustrée au début du film par ce documentaire qui suit le processus de fabrication des allumettes, du billot de bois, écorcé, réduit en planches, jusqu'aux fétus mis en boîtes. De la même manière, du magma événementiel contemporain, dont radio et télévision débitent le chaos — guerres, révoltes, misères — le cinéaste extrait un fétu, une fille, Iris, et décrit les étapes de son aliénation : au travail, en famille, par les loisirs. Mais lorsqu'un jour Iris revêt une robe rouge et, ainsi qu'une allumette, brille d'un vif et bref éclat, c'est pour clamer haut et fier qu'elle existe en tant que femme et qu'elle a le pouvoir de se révolter.

Il fallait, pour incarner cette figure indomptable, une comédienne tout à la fois exceptionnelle et banale, une femme dont le physique soit transfiguré par sa force d'âme : Kaurismäki l'a trouvée avec Kati Outinen, interprète de tous ses films jusqu'à *L'homme sans passé* (2002) pour lequel elle a reçu le Prix d'interprétation féminine au festival de Cannes.

Le temps des gitans

Emir Kusturica

Dom za ve sanje. **Scén., réal.** : Emir Kusturica.
Im. : Vilko Filac (couleurs). **Mus.** : Goran Bregovic.
Prod. : Forum, Télévision de Sarajevo.
Durée : 135 minutes. **Interpr.** : Davor Dujmovic *(Perhan)*,
Bora Todorovic *(Ahmed)*, Elvira Sali *(Danira)*,
Ljubica Adzovic *(la grand-mère)*.

Par un des rares cinéastes de l'Est qui ont su insérer leur vision personnelle dans le drame d'une collectivité, une œuvre emblématique de tous les idéaux bafoués.

Perhan, fils bâtard d'un soldat slovène et d'une tzigane, vit dans un taudis de la banlieue de Skopje, en Macédoine, avec une grand-mère un peu sorcière, qui l'adore, sa sœur infirme et son oncle Merdzan, joueur et cavaleur invétéré. Son seul ami est un dindon apprivoisé. Dans la communauté des manouches, il n'a aucun avenir. Il part pour l'Italie, sur les conseils d'un truand, Ahmed Dzida, qui gagne sa vie en faisant du trafic d'enfants. Perhan rentrera au pays fortune faite. Mais ses rêves de bonheur se heurtent à la dure réalité : sa sœur, qu'il croyait en sécurité à l'hôpital, a été enlevée pour être prostituée et la jeune femme qu'il épouse meurt en couches. Ahmed et ses frères l'ont trompé sur toute la ligne. Il se vengera grâce à ses dons de télékinésie, avant d'être abattu sauvagement.

La diaspora des *romani*

Une savoureuse chronique familiale, *Papa est en voyage d'affaires* (1985), avait attiré l'attention sur le Bosniaque Emir Kusturica (on prononce Koustouritsa) et lui avait valu la consécration du festival de Cannes, confirmée dix ans plus tard avec une seconde Palme d'or pour la fresque cosmopolite d'*Underground*. Entre-temps, le sang avait coulé dans les rues de Sarajevo, contraignant le cinéaste (il y est né en 1955) à fuir vers des cieux plus cléments : le résultat sera un chef-d'œuvre d'évasion pure, tourné aux États-Unis avec des capitaux français, *Arizona Dream* (1992).

Mais il y avait eu aussi ce *Temps des gitans*, grandiose évocation de la diaspora des *romani*, où se télescopent avec bonheur revendication sociale et esprit d'enfance, tragédie et folklore, réalisme et féerie. Toute la détresse du monde y est convertie en idéalisme fervent. Comme l'écrit Jean A. Gili, « au-delà de la violence, du sordide, du boueux, *Le temps des gitans* adhère à un monde fantastique profondément vitaliste, tout à la fois vitaliste et désespéré, comme l'exprime bien une musique déchirante qui dit les délabrements du corps et de l'âme ». C'est la continuation, dans un registre plus grave et une forme plus élaborée, du film de son compatriote Aleksander Petrovic *J'ai même rencontré des tziganes heureux* (1967). Il faut espérer que Kusturica ne succombera pas à la tentation du formalisme, qui guette la plupart des grands émigrés slaves (Pavel Lounguine, Andreï Mikhalkov-Kontchalovski).

Le tombeau des lucioles

Isao Takahata

Hotaru no haka. **Scén. et réal.** : Isao Takahata. **Dessin des personnages** :Yoshifumi Kondo.
Mus. :Yoshio Mamiya. **Prod.** : Studio Ghibli. **Durée** : 85 minutes.

Bientôt, sans doute, le dessin animé, débarrassé des contraintes du réalisme, pourra-t-il aborder l'inabordable, comme la Shoah, que le cinéma d'acteurs ne peut que travestir. Celui-ci ouvre la voie.

Septembre 1945, dans une grande ville du Japon : le cadavre d'un adolescent, Seita, gît dans la rue. La foule passe son chemin. L'été précédent, les avions américains ont déversé des tonnes de bombes incendiaires sur Kobé où Seita habitait avec sa mère et Setsuko, sa petite sœur. La ville a été rasée ; maman est morte. Les enfants trouvent refuge chez une tante qui leur reproche bientôt d'être des bouches inutiles. Ils vont alors s'installer dans une sorte de bunker, au bord d'une rivière, où ils vivent, tant bien que mal, comme des robinsons qui s'émerveillent, la nuit, à observer le ballet des lucioles qui brillent comme des étoiles. Comment trouver à manger ? Seita vole ; il est pris, roué de coups. Setsuko a faim ; elle s'affaiblit, ne joue plus, ne rit plus, pauvre petit corps décharné qui, un jour, ne bougera plus. Seita incinère la petite sœur, met ses os dans une boîte à bonbons et s'en va à la ville pour mourir, à son tour, de misère et de faim.

Dessine-moi la guerre

Les auteurs de dessins animés, les cinéastes marionnettistes, tous ceux qui, avec du papier, de la pâte à modeler, des allumettes ou des ombres ont donné ses lettres de noblesse à l'animation, baptisée « 10e art » par certains, ont depuis toujours destiné leurs films, prioritairement, à un public enfantin. Cette tendance générale — même si, ici et là, d'authentiques créateurs ont utilisé les ressources de l'animation pour exprimer leur vision d'artiste — est contredite, depuis le début des années 1980, par le studio Ghibli, au Japon. On y produit des dessins animés de long métrage conçus aussi, sinon plutôt, pour un public adulte et qui traitent, avec la liberté d'un cinéma sans acteurs ni souci de réalisme, les sujets les plus divers.

Hayaho Miyazaki *(Porco Rosso, Mon voisin Totoro, Princesse Mononoke, Le voyage de Chihiro)* et Isao Takahata (né en 1935) en sont les chefs de file. « Je suis convaincu que l'animation est le meilleur moyen de montrer le réel », déclare ce dernier qui, à propos du *Tombeau des lucioles*, précise : «Il aurait été difficile, voire impossible, de faire jouer le rôle de la petite Setsuko par une enfant de quatre ans. Aucun comédien ne pourrait atteindre la précision et la pureté des Setsuko et Seita dessinés. Modifier à volonté l'expression des visages, gommer, recommencer à l'infini : jamais un acteur n'aurait la patience nécessaire.» Et le résultat, à l'écran, est bouleversant comme aucun film sur la guerre et la mort d'un enfant n'a jamais pu l'être.

1990 Bouge pas, meurs, ressuscite

Vitali Kanevski

Zamri oumi vos kresni. **Scén. et réal.** : Vitali Kanevski.
Im. : Vladimir Brvalikov (N. et B.). **Mus.** : Serguei Banevitch.
Prod. : Lenfilm. **Durée** : 105 minutes. **Interpr.** : Pavel Nazarov
(Valerka), Elena Popova *(sa mère)*, Dinara Droukarova *(Galia)*.

Des gosses livrés à eux-mêmes, une société de parias, la délinquance et la misère au quotidien… Un rescapé de l'enfer soviétique nous décrit en images poignantes ce «goulag des humbles».

En 1947, à Soutchan, cité minière de la Sibérie orientale, transformée en centre de détention pour prisonniers de guerre et de droit commun, le vol, l'espionnage, la promiscuité règnent. Perdu au milieu de cette chienlit, un garçonnet de douze ans, Valerka, vend du thé au marché, en compagnie de son amie Galia, une fillette délurée. Fuyant la colère maternelle, il se réfugie à Vladivostok, chez sa grand-mère. Galia l'y rejoint et le convainc de rentrer au pays. Elle sera tuée sous ses yeux par un agent de la voirie.

Les chemins de la vie

Ce tableau âpre, sans retouche, d'une enfance meurtrie, s'inscrit dans la tradition des grands «romans d'apprentissage» du XIXᵉ siècle, d'Hector Malo à Dickens, et de films tels que *L'enfance de Gorki* (Donskoï), *Les quatre cents coups* (Truffaut) ou *L'enfance d'Ivan* (Tarkovski) : comme ces illustres modèles, et avec plus d'évidence qu'aucun d'eux, il comporte une large part d'autobiographie. L'auteur, Vitali Kanevski (né en 1935), ne s'en est pas caché : «C'est l'histoire de ma vie, de mon pays, de ses habitant J'ai été ce petit garçon de Soutchan, et la fillette qui meurt à la fin a été mon premier amour… J'ai fait ce film avec l'urgence vitale d'un condamné à mort.» Si l'on ajoute que, victime du KGB, il a passé plusieurs années de sa vie en prison, on mesure le sens profond d'une œuvre dominée par la hantise de l'enfermement. Le titre à lui seul est lourd de sens. «Bouge pas, meurs, ressuscite» est à l'origine le leitmotiv d'une comptine populaire, mais le cinéaste le charge d'une singulière résonance, qu'il explicite en ces termes : «*Bouge pas* = il faut se concentrer, rester vigilant pour préserver ses souvenirs intacts. *Meurs* = le réalisateur n'existe plus, il disparaît derrière ses personnages. *Ressuscite* = le film terminé, les personnages revivent sur l'écran.»

La méthode de Kanevski est simple : «Ne jamais mentir, jamais. Et ne jamais embellir non plus.» Cette rigueur esthétique et morale lui a valu la consécration des festivals. Ce cinéaste d'une formidable vitalité affirme qu'il a encore beaucoup à dire. Il a déjà donné une suite cinématographique à ce premier opus, *Une vie indépendante* (1992). Puis, pour la télévision, il a réalisé *Nous, les enfants du XXᵉ siècle* (1993), sorte de reportage où l'on retrouve non pas Valerka mais son interprète, Pavel Nazarov, emprisonné, réellement, pour escroquerie.

Danse avec les loups

Kevin Costner

Dances With the Wolves. **Scén.** : Michael Blake.
Réal. : Kevin Costner. **Im.** : Dean Semler (couleurs).
Mus. : John Barry. **Prod.** : Kevin Costner.
Durée : 181 minutes (version longue : 223 minutes).
Interpr. : Kevin Costner *(John Dunbar)*, Mary McDonnel
(Christine), Graham Greene *(Oiseau Bondissant)*.

Cette fresque allie le souffle épique et la splendeur plastique des chefs-d'œuvre d'Anthony Mann et John Ford à la rigueur historique des plaidoyers antiracistes de Delmer Daves et Richard Brooks.

Le lieutenant nordiste John Dunbar, grièvement blessé lors d'une bataille pendant la guerre de Sécession, est muté, à sa demande, dans un avant-poste de l'Ouest sauvage. Il s'y retrouve seul en attendant l'arrivée de renforts. Ses journées se passent à parcourir la région puis à consigner, dans son journal, ses observations. Lui-même est l'objet d'une constance surveillance de la part de Sioux, avec lesquels il finit par entretenir des rapports de curiosité, puis d'amitié. Il sera adopté par la tribu et son chef, Oiseau Bondissant, lorsqu'il ramènera au camp, parmi les siens, Dressée Avec le Poing, blessée. En réalité, il s'agit d'une femme blanche, Christine, recueillie par les Sioux lorsqu'elle était enfant. Dès lors, Dunbar vit avec les Indiens, prend Christine pour épouse, protège les femmes et les enfants des guerriers lorsque ceux-ci combattent d'autres tribus. Mais, recherché pour trahison par la cavalerie américaine, il comprend qu'il représente un danger pour ses nouveaux amis et les quitte, la mort dans l'âme, en compagnie de Christine.

Le western des westerns

Menaçant, un loup s'approche du campement de fortune de Dunbar. Celui-ci, d'abord méfiant et sur le point de l'abattre, tente d'attirer le dangereux visiteur en lui tendant un morceau de lard. Au terme d'une interminable approche, l'animal happe la nourriture dans la main de l'homme. Puis, les yeux verts de la bête plongés dans le regard bleu de Dunbar, c'est la naissance d'un respect et d'une confiance réciproques. Dès lors, Dunbar n'est plus seul : Chaussettes — car le bout de ses pattes est blanc —, compagnon muet et fidèle, viendra tous les jours chercher sa pitance. Lorsque, bien plus tard, les soldats bleus auront retrouvé la trace de l'officier félon, ils commenceront par tuer son loup. Et la mort, poignante dans sa cruauté, de l'animal sauvage, préfigure et symbolise l'extermination du peuple indien par la civilisation des hommes blancs.

Kevin Costner (né en 1955) a conféré à cette saga de l'Ouest américain un souffle, une grandeur, une humanité, une beauté qui en font le dernier grand western épique du premier siècle du cinéma. Ce retour aux sources d'un genre défunt a les envolées lyriques, pathétiques et joyeuses tout à la fois, d'un requiem à la composition duquel Costner, cinéaste et interprète, semble avoir consacré tout ce qu'il possédait de talent, d'énergie et de passion. En effet, après cette première œuvre, il a réalisé (et interprété) *Postman* (1997), film d'anticipation ambitieux mais confus, qui connut un échec retentissant.

La belle noiseuse

Jacques Rivette

Scén. : Pascal Bonitzer, Christine Laurent, Jacques Rivette.
Réal. : Jacques Rivette. **Im.** : William Lubtchansky (couleurs).
Mus. : Igor Stravinsky. **Prod.** : Martine Marignac.
Durée : 240 minutes. **Interpr.** : Michel Piccoli *(Frenhofer)*,
Emmanuelle Béart *(Marianne)*, Jane Birkin *(Liz)*.

«L'art doit commencer son œuvre au point où la nature laisse la sienne» : cette règle d'or de l'alchimie s'applique à ce qui apparaît comme une méditation sur la création artistique.

Une gentilhommière dans le Midi de la France. Le peintre Edouard Frenhofer s'y est retiré, avec sa femme Liz. Depuis dix ans, Frenhofer a abandonné la peinture, laissant inachevé un tableau, *La belle noiseuse*, qui devait être le portrait de son épouse. Il décide de reprendre la toile, avec Marianne, une jeune visiteuse, pour modèle. Cinq journées de pose, dans un climat de fièvre et de tension, seront nécessaires à la concrétisation de ce projet.

L'artiste et son modèle

Jacques Rivette (né en 1928) est l'homme des défis : défi à la dramaturgie, à la durée, aux codes traditionnels de l'écran. Chaque film de cet ancien critique de cinéma se présente comme un jeu de piste, une énigme à déchiffrer, dont il n'est pas sûr que lui-même en détienne la solution. Et ce quel que soit le genre abordé : fiction romanesque (*Paris nous appartient*, 1961), happening en circuit fermé (*L'amour fou*, 1968), comédie (*Céline et Julie vont en bateau*, 1974, *Va savoir*, 2001), poème orphique (*Duelle*, 1976), tranche d'Histoire (*Jeanne la pucelle*, 1994) ou réflexion sur la création artistique comme *La belle noiseuse*.

L'intrigue, minimale, de ce dernier, se place sous le patronage du *Chef-d'œuvre inconnu* de Balzac, auteur de prédilection du cinéaste. Elle illustre bien le propos du vieux peintre à son épigone : «La beauté est une chose sévère et difficile qui ne se laisse point aisément atteindre, il faut attendre des heures, la presser et l'enlacer étroitement pour la forcer à se rendre… Ce n'est qu'après de longs combats qu'on peut la contraindre à se montrer sous son véritable aspect.» Ainsi procède le peintre Frenhofer, cloîtré dans son atelier pareil à une forteresse, pressant et tyrannisant sa Galatée, nue et soumise, jusqu'à saturation. Le spectateur, fasciné ou incrédule, assiste à ce dressage corporel qui entend symboliser l'ascèse créatrice.

Rivette envisage le travail d'un peintre comme le prolongement de son itinéraire de cinéaste : les fluctuations, les ébauches, les ratures, les surcharges dont il nous détaille inlassablement le processus nous renvoient en permanence à ses propres méthodes de tournage : la recherche présumée d'une forme pure sur la toile est symétrique de la sienne sur l'écran, l'atelier de ce peintre évoquant plutôt un studio de cinéma. Michel Piccoli, son acteur, l'a bien senti : «Consciemment ou non, le peintre de *La belle noiseuse*, c'est Rivette.»

1991

Épouses et concubines

Zhang Yimou

Raise the Red Lantern. **Scén.** : Ni Zhen. **Réal.** : Zhang Yi-Mou.
Im. : Zhao Fei (couleurs). **Mus.** : Zao Jiping. **Prod.** : co-production Taïwan / Chine.
Durée : 126 minutes. **Interpr.** : Gong Li *(Songlian)*, He Caifei *(Meishan)*,
Cao Quifen *(Zhuoyun)*, Jin Shuyuan *(Yun)*, Kong Lin *(Yan'er)*, Ma Jingwu *(Chen)*.

Lion d'argent au festival de Venise, ce film – et quelques autres – a ouvert au cinéma chinois la voie royale d'un art sans dogmatisme.

Instruite, mais pauvre, Songlian sera la quatrième épouse de Chen. À son arrivée au domaine, elle lie connaissance avec les autres femmes du maître : Meishan, ancienne chanteuse, qui l'accueille en rivale ; Zhuoyun, amicale et bavarde ; Yun, la plus âgée, qui l'engage à l'obéissance. D'abord rétive, Songlian voit l'avantage d'être la favorite de Chen. Pour le demeurer, elle simule une grossesse. Mais Yan'er, sa servante qu'elle rudoie, dénonce le subterfuge à Zhuoyun qui en informe Chen afin de regagner ses faveurs. Songlian, répudiée, se venge sur Yan'er, dont elle provoque la mort ; elle est aussi la cause de l'assassinat de Meishan dont elle a révélé la liaison avec le docteur Gao. Songlian perd la raison. Une cinquième épouse la remplace.

Le maître et ses esclaves

Chacune des quatre femmes de Chen habite un gynécée dont la porte ouvre sur une cour ; celle-ci, rectangle étroit qu'ourle la pente des toits, semble la métaphore visuelle du sexe de ces femmes. Dès que Chen a choisi celle qui aura le privilège de sa visite, la domesticité illumine le rectangle élu, le balisant de lanternes rouges. Ainsi «allumée», la femme est lavée, massée, parée ; au lit, érigé en théâtre dont la scène baigne dans un halo rouge, elle attend que le mâle, derrière le rideau de tulle, lui prête vie… À elles seules, les couleurs, la lumière, l'architecture racontent l'intrigue du film et en concrétisent la signification. Le rouge figure le désir, la puissance, le flux vital ; ainsi, la troisième épouse, délaissée, revêt une parure écarlate, rappel de sa disponibilité sexuelle. En revanche, la seconde, qui n'obtient les faveurs de Chen qu'au prix de complots, s'habille aux teintes automnales de l'entre-deux-âges. L'aînée des quatre, au crépuscule de son existence, n'apparaît plus qu'en bleu. Et lorsque la quatrième épouse, la favorite, croit possible

d'inverser à son profit l'exercice du pouvoir, son maître l'«éteint» en faisant couvrir les lanternes du noir tissu de la mort. Filmé à distance ou en silhouette, maître Chen n'a pas de visage. Il n'en incarne que mieux ce pouvoir absolu que Zhang Yi-Mou, bravant la censure, avait dénoncé dans son précédent film *Ju-Dou* (1990).

Dans *Qiu Ju, une femme chinoise* (1992), le cinéaste suit les démarches entreprises auprès des autorités par son héroïne pour venger l'honneur de son mari, et dans *Vivre* (1994), il dresse l'acte d'accusation de la «Révolution culturelle».

Van Gogh
Maurice Pialat

Scén., dial., réal. : Maurice Pialat. **Im.** : Emmanuel Machuel (couleurs).
Mus. : Léo Delibes, Arthur Honegger, Philippe Reverdy.
Prod. : Erato Films, Canal +, A 2. **Durée** : 158 minutes.
Interpr. : Jacques Dutronc *(Vincent Van Gogh)*,
Bernard Le Coq *(son frère, Théo)*, Gérard Séty *(le docteur Gachet)*,
Alexandra London *(sa fille, Marguerite)*, Elsa Zylberstein *(Cathy)*.

Une description à la fois chaleureuse et distanciée des derniers jours d'un peintre «maudit», dans un environnement bucolique qui contraste avec son drame intérieur.

Au sortir de son internement à l'asile de Saint-Rémy-de-Provence, Vincent Van Gogh a trouvé refuge à Auvers-sur-Oise, chez le docteur Gachet, un amateur d'art à qui l'a recommandé son frère Théo. Il a trente-sept ans et n'a pas vendu une seule de ses toiles. Mais il peint avec une rage froide tout ce qui tombe sous ses yeux : une leçon de musique, l'idiot du village, un vol de corbeaux dans un champ de blé. Il fréquente les prostituées, boit sec en compagnie des pochards, se dispute avec son frère, trop bourgeois à son gré, entraînant la fille de son hôte dans sa débauche. Gachet ne supporte bientôt plus ses foucades. Un jour de juillet 1890, dans un moment de déprime, Van Gogh se tire une balle dans le ventre. À un rapin de passage, sa maîtresse dira seulement du disparu : «C'était mon ami...»

Rigueur et dépouillement

Ancien élève des Arts décoratifs, peintre lui-même à ses heures (dans les plans rapprochés du film, c'est sa main qui double l'acteur), Maurice Pialat (né en 1925) songeait depuis longtemps à tourner une vie de Van Gogh — ce qu'avait fait avant lui, avec un luxe de moyens qu'il récuse, l'Américain Vincente Minnelli. Il réalise enfin son projet en adoptant la voie de la rigueur et du dépouillement, conformément au vœu de son modèle, qui se disait en quête de «quelque chose de bref, de synthétique, de simplifié et de concentré, consolant comme une musique» — conformément aussi à son propre enjeu de cinéaste, développé de *L'enfance nue* (1969) à *Sous le soleil de Satan* (1987). Ce Van Gogh-là n'a pas l'aura de la légende. On le voit à peine peindre : quelques raclures de couteau sur un fond bleu, la pose d'une pianiste maniérée ou d'un simple d'esprit. Esquivant le piège de l'hagiographie, Pialat opte pour le portrait en pied d'un homme à la dérive, d'une tête brûlée qui lui ressemble.

Sa méthode rejoint celle de Jacques Becker dans *Montparnasse 19*, s'attachant aux trébuchements d'un déraciné nommé Modigliani. Pour l'un et l'autre, la mort viendra comme un apaisement. De rares plages heureuses (une imitation hilarante de Toulouse-Lautrec par Van Gogh, une flânerie dans une guinguette des bords de l'Oise, un quadrille dans un beuglant) viennent égayer ce qui pourrait presque se réduire à un banal fait divers où, comme le disait d'un film de Renoir François Truffaut, «le soleil tient lieu de fatalité».

1992 Les nuits fauves

Cyril Collard

Scén. : Cyril Collard, Jacques Fieschi. **Réal.** : Cyril Collard. **Im.** : Manuel Téran (couleurs).
Mus. : C. Collard, René-Marc Bini. **Prod.** : Banfilm. **Durée** : 126 minutes.
Interpr. : Cyril Collard *(Jean)*, Romane Bohringer *(Laura)*.

Ambiance trouble, jeunesse névrosée, rimbaldisme à fleur de peau, avec le piment ténébreux du virus mortel qui rôde…

Jean, jeune réalisateur de films publicitaires, est séropositif. Bisexuel, il s'éprend d'une starlette, Laura, à laquelle il ne se résout à dévoiler son mal qu'après leur premier rapport amoureux. D'abord traumatisée, sa compagne décide d'assumer tous les risques, abandonnant son emploi et son foyer pour vivre auprès de son amant. Mais celui-ci a d'autres liaisons, dont la découverte bouleverse la jeune femme. Le couple va de crise en crise. Laura aura la consolation d'apprendre qu'elle n'est pas contaminée. Quant à Jean, il s'étourdira dans la fièvre de l'exaltation créatrice, refusant d'admettre qu'il ne lui reste que peu de temps à vivre.

La fureur de vivre

À l'origine de ce film, il y a une autobiographie, écrite par un garçon de trente ans, aux dons multiples (romancier, musicien, cinéaste), bisexuel et atteint du sida, qui misa ses dernières forces sur cette adaptation à l'écran. Auparavant, il avait publié le brûlant *Condamné amour*, travaillé comme assistant de Maurice Pialat, réalisé des courts métrages (*Alger la blanche*, 1986) et un téléfilm sur la faune des Minguettes, *Taggers* (1990). Le titre des *Nuits fauves* éclaire bien le projet de l'auteur, qui s'en est expliqué : «Il suggère l'opposition entre l'obscur, les ombres de la mort et la lumière solaire, éclatante… C'est aussi une référence au fauvisme en peinture, dont on retrouve dans le film les couleurs primaires vives.» L'œuvre est gorgée d'un sensualisme cru, débridé, évoquant aussi bien la rage de peindre d'un Rouault que l'urgence à filmer son ego torturé d'un Fassbinder. Certaines séquences, où l'héroïne — remarquablement incarnée par Romane Bohringe — défie son amant, atteignent un haut degré de paroxysme ; d'autres, qui soulignent à gros traits le sordide des situations, sont plus faibles.

Force est de constater que *Les nuits fauves*, qui a attiré près de deux millions de spectateurs, est devenu un film-culte et son auteur-interprète, décédé à trente-cinq ans, le martyr exemplaire d'un terrible fléau. Son impact sur les adolescents, que certains déplorent, tient au fait que loin de jouer les oiseaux de malheur, Collard débordait de vitalité. Il n'a pas filmé «la mort au travail» (à la manière d'Hervé Guibert) mais la fureur de vivre. De quoi enflammer, à ses risques et périls, toute une génération.

1993 Adieu ma concubine

Chen Kaige

Bawang bieji. **Scén.** : Lilian Lee, Lu Wai. **Réal.** : Chen Kaige. **Im.** : Gu Changwai (couleurs).
Mus. : Zhao Jiping. **Prod.** : Hsu Feng. Durée : 169 minutes. **Interpr.** : Leslie Cheung *(Dieyi Douzi)*,
Zang Fengyi *(Xiaolou)*, Gong Li *(Juxian)*, Ge You *(Yuan)*, Lei Han *(Xiao Si)*.

Sans affadir son propos, Chen Kaige a donné à son film la magnificence d'une superproduction hollywoodienne : une première pour le cinéma chinois.

Enfants, Douzi et Xiaolou se sont liés d'amitié à l'école de l'Opéra de Pékin. Ils ne se sont jamais quittés, jouant ensemble *Adieu ma concubine*. Dieyi — nom de théâtre de

Douzi — est homosexuel; il aime sans espoir Xiaolou qui a épousé Juxian. Désespéré, Dieyi se jette dans les bras d'un mécène, maître Yuan, et sombre dans la drogue. Mais, toujours, l'amitié et la scène réunissent Dieyi et Xiaolou, en dépit des aléas de l'Histoire. Le coup le plus dur leur viendra du jeune Xiao Si, qu'ils ont adopté et auquel ils ont enseigné leur art. À cause de lui et de la Révolution culturelle, ils s'entredéchireront en public…

« Du passé, faisons table rase… »

L'an 206 av. J.-C., Qin Shi Huangdi, fondateur de l'Empire chinois, est mort et deux dynasties, les Han et les Chou, combattent pour lui succéder. Xiang Yu, roi de Chou, averti de sa défaite par de funestes présages, ordonne à Yu Ji, sa concubine, de s'enfuir. Mais celle-ci refuse; elle danse une dernière fois pour son roi, lui dérobe son épée et se donne la mort. Tel est l'argument d'*Adieu ma concubine*, la pièce dont les représentations rythment le film, lui confèrent la solennité et les dominantes rouges et or d'un opéra enraciné dans une tradition millénaire, et lui fournissent le cadre idéal de l'espace scénique où mettre en rapport et en conflit les personnages, entre eux et avec le monde extérieur. Avec ses maquillages et ses costumes, sa gestuelle et ses acrobaties, ses psalmodies immuables, l'Opéra de Pékin, dont *Adieu ma concubine* est un classique, tente de figer pour l'éternité la culture et le temps, tandis qu'autour de lui l'Histoire façonne l'avenir. La coexistence problématique, au cœur des hommes comme des sociétés, de la tradition et du modernisme, est le motif central d'*Adieu ma concubine* (le film), qui confronte la permanence de la pièce et le destin de ses protagonistes aux soubresauts de l'Histoire, de 1924 à 1977, du rétablissement de la république à la Révolution culturelle, en passant par l'occupation japonaise et le douloureux enfantement du communisme.

Chen Kaige est né en 1952. Au cours de la Révolution culturelle, il fut contraint de dénoncer publiquement son père, cinéaste réputé, pour «déviationnisme». Il réalise son premier film, *Terre jaune*, en 1984. Suivront *La grande Parade* (1985), *Le roi des enfants* (1987), *La vie sur un fil* (1991) et *Adieu ma concubine*, Palme d'or à Cannes.

La leçon de piano
Jane Campion

The Piano. **Scén., réal.** : Jane Campion. **Im.** : Stuart Dryburg (couleurs).
Mus. : Michael Nyman. **Prod.** : Jan Chapman, CIBY 2000.
Durée : 120 minutes. **Interpr.** : Holly Hunter *(Ada)*, Harvey Keitel *(Baines)*,
Sam Neill *(Alistair)*, Anna Paquin *(Flora)*, Kerry Walker *(Tante Morag)*.

De toutes les réalisatrices qui ont touché à la caméra, Jane Campion est sans doute celle qui a suggéré avec le plus de force les pulsions secrètes du sexe.

Une jeune veuve, muette de naissance, Ada McGrath, passionnée de musique, débarque un jour avec sa fille Flora dans un coin perdu de Nouvelle-Zélande, en pleine jungle maorie, où elle doit se remarier avec un colon du cru. Elle a dû se résoudre à abandonner sur la plage le piano, intransportable. À l'insu de son nouvel époux, elle persuade un voisin, Baines, d'aller récupérer l'instrument qui lui est cher. Cet objet fétiche les réunit au point qu'ils deviennent amants, sous le regard de la fillette. Tenaillé par la jalousie, le mari se déchaîne et coupe un doigt de l'infidèle, avant d'abandonner à son sort le couple adultère. Ada et Baines prennent le large. Après avoir précipité par le fond le piano devenu un fardeau, au risque de se noyer elle-même, la jeune femme, auprès de l'homme qu'elle aime, apprendra à parler et à jouer, avec un doigt artificiel, sur un autre clavier.

Tempête sur un clavier

«Un film très romantique, tendance Brontë», ainsi Jane Campion définit-elle *La leçon de piano,* en précisant qu'elle a cherché à décrire un «retour à l'innocence de la passion». Cette jeune réalisatrice (née en 1955), originaire d'Australie mais ayant bénéficié ici d'importants capitaux français (le groupe Bouygues), avait évoqué dans son précédent film, *Un ange à ma table* (1990), la vie tragique de la romancière Janet Frame, enfermée pendant huit ans dans un hôpital psychiatrique. Les problèmes de la femme frustrée la préoccupent, comme le prouvent aussi son premier long métrage, l'excentrique *Sweetie,* métaphore de la dislocation d'une cellule familiale, et son dernier, *Holy Smoke* (1999).

Ici, nous assistons à l'épanouissement d'une personnalité, bridée par de douloureuses contraintes, physiques et morales. Une femme est née quand la leçon s'arrête : elle en a écrit la partition, note à note, son partenaire l'a jouée, touche à touche, en faisant vibrer l'arpège des sentiments. Avec en arrière-plan une nature sauvage et inviolée. Romantique, certes, mais avec une charge explosive de sensualité. Le film obtint la Palme d'or du festival de Cannes 1993, ex aequo avec un autre beau portrait de femme en quête de sa liberté, *Adieu ma concubine,* du Chinois Chen Kaige.

1993 Ma saison préférée

André Téchiné

Scén. : Pascal Bonitzer, André Téchiné. **Réal.** : André Téchiné.
Im. : Thierry Arbogast (couleurs). **Mus.** : Philippe Sarde.
Prod. : Alain Sarde. **Durée** : 125 minutes.
Interpr. : Catherine Deneuve *(Émilie)*,
Daniel Auteuil *(Antoine)*, Marthe Villalonga *(Marthe)*,
Chiara Mastroianni *(Anne)*, Jean-Pierre Bouvier *(Bruno)*.

« Mon enfant, ma sœur, songe à la douceur d'aller là-bas vivre ensemble…
Là tout n'est qu'ordre et beauté, luxe, calme et volupté » (Baudelaire).

Seule et cardiaque, Berthe se résigne à venir habiter chez sa fille Émilie et son gendre Bruno. Émilie invite son frère Antoine, qu'elle voit rarement, au réveillon de Noël. Le dîner dégénère en dispute, Bruno et Antoine s'affrontent violemment ; Berthe décide de retourner chez elle. Émilie quitte alors mari et enfants et loge chez Antoine qui lui prodigue son affection. À la suite d'une nouvelle attaque, Berthe est placée par ses enfants en maison de santé. Antoine, médecin, sait sa mère condamnée ; Émilie et lui se reprochent de n'avoir pas fait assez pour elle. Après l'enterrement de Berthe, la famille est à nouveau réunie. Cette fois, chacun semble avoir retrouvé sa juste place.

Les proies de l'amour

Fantasque et indépendant, Antoine aime sa sœur Émilie. Exclusif, cet amour ne suscite, en apparence, aucun équivoque : leurs rapports demeurent fraternels même si, à la voir, son regard irradie la tendresse. Et si parfois ils s'enlacent, comme après la mort de leur mère, c'est pour chercher dans l'étreinte de l'autre la force de ne pas céder au désespoir. La sage Émilie aime son jeune frère dont elle envie la franchise et la liberté. Mais elle craint que la chasteté ne soit qu'une étape de leur amour, la dernière avant l'inceste. Pour conjurer cette fatalité, elle se donne à un inconnu, croyant ainsi creuser un abîme entre elle et son frère. Celui-ci tente de se suicider, mais échoue.

L'amour, dans l'œuvre de Téchiné, malmène les vivants en surgissant où et quand bon lui semble, pour rapprocher des êtres que tout sépare ou briser les unions les plus solides. Mais rien n'est confortable, tout est précaire dans ce sentiment qui fond ainsi sur les corps et les cœurs, leur impose les ravages du doute, sur soi-même et sur l'autre, et transforme ses proies en cerbères d'une passion qu'ils rêvent éternelle. Or la mort, comme l'amour, chemine aux côtés des hommes. Elle s'empare de leur existence avec une brutalité fulgurante. Un accident (*Rendez-vous*, 1985), un meurtre (*Le lieu du crime*, 1986), un attentat (*Les innocents*, 1987), un viol, cet assassinat de la dignité (*J'embrasse pas*, 1991), un suicide (*Les voleurs*, 1996), défont en un éclair ce que la vie avait entrepris de construire. Et le cinéma de Téchiné témoigne de cette précarité, de cette tension entre le possible et l'impossible, l'amour et la haine, la vie et la mort. Le fil qui retient Berthe à la vie a craqué un jour de cueillette des cerises. La vieille dame s'est effondrée. À son réveil — la mort avait changé d'avis —, elle a contemplé, sur fond d'azur, un arbre agité par le vent ; que la vie est belle !

Et l'œuvre de Téchiné, angoissée jusqu'alors, semble parvenue avec ce film — dont la conclusion apaisée sera reprise dans *Les Roseaux sauvages* (1994) et *Alice et Martin* (1998) — à son bel été, saison préférée d'Antoine et Émilie qui, dans la disparition de leur mère, ont puisé des raisons de vivre, quoi qu'il en coûte.

1993 Val Abraham

Manoel de Oliveira

Vale Abraão. **Scén., réal.** : Manoel de Oliveira.
Im. : Mario Barroso (couleurs). **Mus.** : Beethoven,
Debussy, Fauré, Schumann, Strauss.
Prod. : Paulo Branco. **Durée** : 187 minutes.
Interpr. : Leonor Silveira *(Ema)*,
Luis Miguel Cintra *(Carlos)*, Diogo Doria *(Fernando)*,
José Pinto *(Caires)*, Filipe Cochofel *(Fortunato)*,
Isabel Ruth *(Rithina)*.

Comme Flaubert dans Madame Bovary, *dont ce film est une admirable adaptation déguisée, Manoel de Oliveira, cinéaste d'une rare exigence, s'est attaché à dépeindre ici «l'attirante fantasmagorie des réalités sentimentales».*

Ema est une adolescente à la sensibilité précoce, élevée par son père et ses tantes dans leur riche propriété de Romesal. La claudication dont elle est affligée ne l'empêche pas d'éveiller la convoitise des ouvriers du domaine. Sa seule amie est une servante muette, Rithina. Le docteur Carlos de Paiva, veuf, tombe amoureux d'elle et l'épouse, malgré la différence d'âge. Ils s'installent au Val Abraham, en bordure du Douro. Très courtisée, Ema tombe sous le charme d'un riche viticulteur, Fernando, et néglige son foyer. Mais, bientôt lasse d'un mari sans imagination et d'un amant affairiste, elle se console dans les bras du fils de son majordome, Fortunato, puis d'un violoniste prodige, Narcisso. Aucune de ces liaisons ne parviendra à étancher sa soif d'absolu. Un jour, parée comme pour de nouvelles noces, elle ira se noyer dans le fleuve. Peu de temps après, on trouvera son mari mort sur un banc.

Mystique Ema

Doyen des cinéastes européens en activité (il est né en 1908 et tourne depuis 1931), Manoel de Oliveira a abordé au cours de sa longue carrière des genres très divers : documentaire, réalisme social, opéra filmé, allégorie biblique. Ses films les plus personnels sont centrés sur le thème de la frustration : *Le passé et le présent* (1971), *Amour de perdition* (1978), *Francisca* (1981) et ce *Val Abraham* qui adapte, par le biais d'une réécriture confiée à une romancière portugaise d'aujourd'hui, *Madame Bovary* de Flaubert. Son héroïne, Ema, est victime comme son illustre ancêtre de l'hypocrisie de son milieu et de sa volonté farouche d'indépendance. Elle a, nous dit Oliveira, «une vision poétique du monde», qu'elle affirme avec une ironie hautaine, face à des partenaires masculins pontifiants ou bonasses. Refusant de se plier aux promiscuités de la vie en société, elle se pose en mystique de l'amour. Au terme d'un itinéraire librement consenti, elle s'immole dans un geste d'agonie joyeuse, qui sera son ultime défi ici-bas. L'insertion dans le contexte du Portugal actuel, la majesté du décor provincial, la grâce de l'interprète et surtout une surprenante modernité d'écriture (emploi systématique du hors-champ et du plan fixe, calqué sur le style «Code civil» de Stendhal), tout concourt à l'harmonie supérieure d'une œuvre sans faille.

1994

Au travers des oliviers

Abbas Kiarostami

Zir e daraktan e-zevton. **Scén., réal., prod.** : Abbas Kiarostami.
Im. : Hossein Djafarian, Farhad Saba (couleurs).
Durée : 103 minutes. **Interpr.** : Hossein Rezai *(Hossein)*,
Tahereh Ladania *(Tahereh)*, Mahamad Ali Keshavarz *(le réalisateur)*,
Zarifeh Shiva *(l'assistante)*.

Sous le regard pudique et tendre d'un cinéaste fraternel, l'art et la vie ne font qu'un.

Le village de Koker, au nord de Téhéran, a été dévasté par un tremblement de terre. Un an après le séisme, une équipe de cinéma vient y tourner un film, *Et la vie continue*. Le réalisateur et son assistante recherchent les deux acteurs qui incarneront le couple héros du film. La jeune fille, Tahereh, est découverte parmi les élèves de l'école. Un premier garçon est si impressionné par sa partenaire qu'il ne peut dire son texte. Un jeune maçon, Hossein, le remplace. Or celui-ci est amoureux de Tahereh dont la main lui a été refusée sous prétexte qu'il est pauvre. À chaque interruption du tournage, Hossein reprend sa cour auprès de Tahereh qui feint l'indifférence. Inlassablement, le garçon revient à la charge et, enfin, Tahereh lui laisse espérer une réponse favorable.

Douze minutes de cinéma pur

Le tournage est terminé, le matériel rangé dans le camion. Tahereh a pris son pot de fleurs puis est partie sans mot dire. Hossein la regarde, il ne sait que faire. Déjà, la fine silhouette blanche et mauve de la jeune fille a disparu. Le réalisateur, qui a tout fait pour les rapprocher, presse le maçon de la suivre. Hossein court sur les traces de sa bien-aimée. Commence alors une longue séquence, près de douze minutes, qui, achevée, apparaîtra comme une des plus émouvantes, des plus pures scènes d'amour jamais filmées au cinéma. Tahereh marche devant, filmée de profil, hiératique, muette. Hossein, derrière, lui parle sans fin, à cœur ouvert. Il abat ses dernières cartes, l'éloquence, la persuasion, la sincérité, l'amour. Mais rien n'y fait. La jeune fille gravit une colline, descend l'autre versant, entre sous le couvert d'un bouquet d'oliviers. La caméra, qui les suivait jusqu'alors en travelling, s'immobilise pour un plan fixe de trois minutes cadrant le petit bois, la plaine qui le borde et les deux silhouettes blanches qui s'amenuisent en traversant l'une derrière l'autre l'immensité où se joue leur destin. Les deux silhouettes se rejoignent enfin et, soudain, Hossein, courant à perdre haleine, revient sur ses pas tandis que retentissent, tel un hymne à la joie, les accents du *Concerto pour hautbois et cordes* de Cimarosa. Douze minutes de suspense, d'émotion, de cinéma pur, tel que ce film, qui ne montre que la vie et rien d'autre, en est gorgé.

Abbas Kiarostami (né en 1940) — chef de file d'un cinéma iranien particulièrement riche depuis le début des années 1990 (son *Goût de la cerise* a reçu la Palme d'or au festival de Cannes en 1998) — reprend ici à son compte l'interrogation formulée par Jean Renoir dans *Le carrosse d'or* (1952) : «Où est le théâtre [le cinéma], où est la vie ?» et y répond, comme si c'était une évidence : «Le cinéma est la vie.»

1994 Journal intime

Nanni Moretti

Caro diario. **Scén., réal., prod.** : Nanni Moretti. **Im.** : Giuseppe Lanci. **Mus.** : Nicola Piovani. **Durée** : 100 minutes. **Interpr.** : Nanni Moretti *(Nanni)*, Renato Carpentieri *(Gerardo)*, Antonio Neiwiller *(le maire de Stromboli)*.

Ces réflexions intimes s'adressent au plus grand nombre, dans un langage simple, pour témoigner, au-delà du particulier, d'un malaise général.

«Sur ma Vespa». Nanni aime à rouler, l'été, dans les rues désertes de Rome, d'un quartier à l'autre, interrogeant des passants. Sa plus grande joie, danser dans un bal populaire. Parfois, il s'arrête pour voir un film. Un jour, il se rend à Ostie, sur les lieux où Pasolini a été assassiné.

«Îles». Nanni est à la recherche d'un coin tranquille pour écrire. Il pense le trouver à Lipari, chez son ami Gerardo. Mais l'île, envahie par les estivants, est trop bruyante. Les autres îlots de l'archipel seront visités tour à tour en vain : Stromboli où les deux amis ne trouvent pas à se loger, Panarea où il n'y a que des snobs, Salina où les enfants ont réduit les adultes en esclavage, Alicudi où il n'y a même pas l'électricité…

«Les médecins». Nanni vient d'être opéré d'une tumeur cancéreuse au poumon. Auparavant il avait absorbé tant de médicaments, suivi tant de traitements, sans guérir du prurit qui lui pourrissait l'existence, qu'il n'a plus, désormais, qu'une confiance limitée dans la médecine.

Des petits riens qui en disent long

Citoyen et cinéaste, Nanni Moretti (né en 1953) se situe à la gauche de l'échiquier politique italien : «Je suis de gauche et ce qui m'intéresse, c'est d'ironiser sur la gauche, de la critiquer, de la stigmatiser.» Dans *Palombella rossa* (1989), il s'interroge sur le déclin du parti communiste italien et répondra à ses détracteurs : «Mon film traite de la difficulté d'être communiste mais aussi de la nécessité d'y être.» Après l'accession de Silvio Berlusconi au pouvoir, Moretti s'affirmera comme l'un des maîtres à penser d'une gauche en panne de projet. *Journal intime*, insolite et charmeur, grave et primesautier, est à l'image de son auteur qui y délivre, avec le sourire, un message dans le droit fil des idées qu'il défend depuis toujours : «Je ne veux plus hurler contre les autres. Je ne suis pas résigné ; j'ai peut-être seulement compris qu'ils sont comme ils décident d'être et non pas comme je désire qu'ils soient. » À fleuret moucheté et avec une bonne dose d'humour, il raille le lâche renoncement des ex-soixante-huitards, s'inquiète de la violence qui envahit les grands écrans, de la bêtise qui s'étale sur les petits ; il moque le conformisme, la pusillanimité, le grégarisme de ses concitoyens ; il désacralise le pouvoir des médecins qui, à l'instar des politiciens, savent discourir et promettre mais n'écoutent jamais ce qui leur est dit. Moretti, avec ses films simples et limpides, fait de la politique (*La messe est finie*, 1985 ; *Aprile*, 1998) et du cinéma (*La chambre du fils*, 2001, déchirant drame familial) autrement.

Pulp Fiction
Quentin Tarantino

Scén., réal. : Quentin Tarantino, en collaboration
avec Roger Avary. **Im.** : Andrzej Sekula (couleurs).
Dir. mus. : Karyn Rachtman. **Prod.** : Lawrence Bender,
Miramax International. **Durée** : 149 minutes.
Interpr. : John Travolta *(Vincent)*, Samuel L. Jackson *(Jules)*,
Bruce Willis *(Butch)*, Uma Thurman *(Mia)*, Harvey Keitel
(« The Wolf »), Maria de Medeiros *(Fabienne)*, Tim Roth,
Rosanna Arquette.

Entre la série noire et le pop art, entre la bande dessinée et un pot-pourri de références cinéphiliques, c'est l'équilibre — instable — où se tient Tarantino.

L'odyssée sanglante et burlesque de deux tueurs à la petite semaine, le play-boy Vincent Vega et le mystique noir végétarien Jules Winfield, dans la jungle de Los Angeles. Leurs partenaires ou victimes : un dangereux gangster, Marcellus Wallace ; Mia, sa capricieuse épouse, complètement défoncée ; Butch, un boxeur en cavale et sa petite amie française ; des prêteurs sur gages sadiques ; un caïd élégant et dévoué ; un dealer bon mari ; des tourtereaux ivres d'amour et de violence, qui se font la main en braquant un

coffee shop... C'est par ces derniers que l'aventure commence, c'est par eux qu'elle s'achève : le hold-up qu'ils projetaient est évité de justesse, mais dans l'intervalle, quelle hécatombe !

Pour une poignée de polars…

Un seul film a suffi pour propulser Quentin Tarantino (né en 1963) au firmament du nouveau cinéma américain : *Reservoir Dogs* (1992), histoire d'un casse manqué qui s'achève dans un bain de sang. Intoxiqué de cinéma (il a vu *La horde sauvage* à six ans), Tarantino y démarque avec jubilation les clichés du western et du film noir en les assaisonnant d'une dose massive de violence et en les tirant vers la dérision. *Pulp Fiction* s'inspire ouvertement des *pulp magazines* des années 1930, ces « polars » écrits à la diable, peuplés de privés cyniques, de gangsters arrogants et de créatures vénales. L'auteur réussit la gageure d'adapter ces vieux schémas à l'époque bien réelle des *serial killers* et des loubards de banlieue. Il y ajoute le subterfuge d'une construction à tiroirs, héritée de la fréquentation de Godard, dont il admire un film tel que *Bande à part,* à égalité avec les machineries bien huilées d'un Aldrich *(En quatrième vitesse)* ou d'un Melville *(Le cercle rouge).* Ces tours de passe-passe scénaristiques, greffés sur une intrigue et des personnages qui ne sont pas loin du Grand-Guignol, sont-ils suffisants pour faire de Tarantino un (petit) génie ? Si *Jackie Brown* (1998) témoigne d'un certain assagissement, de fond et de forme, l'avenir dira s'il est capable de passer au niveau supérieur, celui où ont accédé ses maîtres.

1994 Trois couleurs
Krzysztof Kieslowski

Scén. : Krzysztof Piesiewicz, Krzysztof Kieslowski. **Réal.** : K. Kieslowski.
Im. : Slawomir Idziak (I), Edward Klosinsky (II), Piotr Sobocinski (III).
Mus. : Zbigniew Preisner. **Prod.** : MK2/France 3 (France), CAB Productions
(Lausanne), Tor Prod. (Varsovie), Eurimages. **Durée** de chaque épisode : 100 minutes.
Interpr. : I) Juliette Binoche *(Julie)*, Benoît Roger *(Olivier)*, Charlotte Véry *(Lucille)*.
II) Julie Delpy *(Dominique)*, Zbigniew Zamachowski *(Karol Karol)*.
III) Irène Jacob *(Valentine)*, Jean-Louis Trintignant *(le juge)*. Chacune des vedettes
féminines apparaît fugitivement dans les épisodes où elles n'ont pas le premier rôle.

« Tout commencement/n'est qu'une suite/et le livre du destin/toujours ouvert au milieu » : *ces vers d'une compatriote fournissent-ils la clé des œuvres gigognes du grand cinéaste polonais disparu ?*

Bleu — Une femme décide de tirer un trait sur son passé après la mort dans un accident de voiture de son mari et de son enfant. Elle reprendra goût à la vie en se consacrant à ses semblables et en composant de la musique.

Blanc — Un coiffeur polonais venu se marier en France se fait éconduire par celle qu'il aime. Il regagne clandestinement Varsovie et y fait fortune, avec l'espoir de recoller un jour les morceaux d'une vie conjugale brisée.

Rouge — Un juge vivant en reclus espionne les conversations téléphoniques de ses voisins. Une étudiante va redonner un sens à sa vie, par sa seule présence affectueuse à ses côtés. Un naufrage, dont les protagonistes féminines de ces trois histoires sont les seules rescapées, clôt le dernier épisode.

Espoir, exil, passion

Pas plus que dans les dix épisodes du *Décalogue* (1988-1990), illustration libre et d'une grande beauté des Dix Commandements, le précédent cycle de films tourné en Pologne, son pays natal, par Krzysztof Kieslowski (1941-1996), ou dans les deux destins de femmes artificiellement juxtaposés de *La double vie de Véronique* (1991), on ne saurait établir de lien dramaturgique immédiat entre les différents volets du triptyque des *Trois couleurs,* en dehors du concept de base sur lequel il s'échafaude (Liberté, Égalité, Fraternité) — développés d'ailleurs de manière elliptique — et d'éléments chromatiques mis en avant dans les titres : bleu d'azur de l'espoir d'abord, blanc neigeux de l'exil ensuite, rouge feutré de la passion enfin. Il entre là un certain arbitraire, ou plutôt une part d'effusion poétique (que traduit bien la musique), exprimée ainsi par le cinéaste, dans un de ses derniers entretiens (à la revue *Positif*) : « C'est comme le *Boléro* de Ravel, dont les motifs s'enlacent et se développent en devenant de plus en plus riches. Il y a ainsi dans mes films des motifs qui se chevauchent et se répètent tout en se nourrissant l'un de l'autre. » Reste en définitive, comme il le dit encore, « le sentiment humain », « le Bien plus fort que le Mal ». La seule ligne de force irriguant l'ensemble de l'œuvre est l'amour, conçu comme une valeur spirituelle fondamentale constituant l'unité protectrice qui permet d'enrayer la dispersion des êtres et des choses.

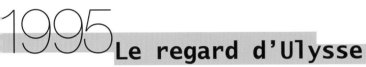

1995 Le regard d'Ulysse

Theo Angelopoulos

To vlemma tou Odyssea. **Scén.** : Theo Angelopoulos, Tonino Guerra, Petros Markaris, Giorgio Silvagni. **Réal.** : Theo Angelopoulos. **Im.** : Yorgos Arvanitis (couleurs). **Mus.** : Eleni Karaindrou. **Prod.** : Paradis Films / La Sept (Paris), Basic Cinematografica / Istituto Luce (Rome), Theo Angelopoulos (Athènes). **Durée** : 176 minutes. **Interpr.** : Harvey Keitel *(A.)*, Maia Morgenstern *(les femmes d'«Ulysse»)*, Erland Josephson *(le conservateur de la cinémathèque de Sarajevo)*, Yorgos Michalakopoulos *(Nikos)*.

« La première chose que l'homme a créée, c'est le voyage » (Georges Seféris).

A., cinéaste grec expatrié aux États-Unis, revient à Fiorina, sa ville natale, où l'on va projeter une de ses œuvres. Mais le but de son séjour est autre : retrouver trois bobines d'un documentaire tourné au début du siècle par les frères Manakis, pionniers de la cinématographie nationale. Il croit savoir que la pellicule est conservée à Belgrade. Il se met en route à travers l'Albanie et la Macédoine. Nouvel Ulysse, il croise au passage des vestiges de son passé : une femme qu'il a connue, une autre qui aurait pu être sa mère (elles ont le même visage). Ce ne sont là que les étapes d'une longue marche qui le mène finalement à la cinémathèque de Sarajevo, où ont été transférées les précieuses bobines. A. découvre en même temps l'état de délabrement du pays, la guerre qui fait rage et le jeu mortel des *snipers* à l'affût. Il parvient enfin à voir les images dont il rêve : son image se perd dans la blancheur de l'écran.

L'éternel voyage

Qui est ce A. dont l'histoire nous est contée, et quel sens doit-on donner à sa pérégrination ? A comme Angelopoulos, bien sûr, ou comme Apiculteur, ou bien encore comme Alexandre, le héros du *Voyage à Cythère,* allusions aux précédents films d'un cinéaste qui n'en finit pas de s'intérioriser, par le truchement de personnages prête-noms. A aussi comme *À la recherche du temps perdu* (motif récurrent de cette œuvre). Situant son propos à mi-chemin de la réalité et du fantasme, l'Athénien Theodoros (dit Theo) Angelopoulos (né en 1935) développe inlassablement le même thème : celui du voyage, qui semble n'avoir ni commencement ni fin. Voir notamment *Le voyage des comédiens* (1975), évocation de la Grèce de 1939 à 1952, à travers l'équipée d'une troupe de baladins, *Alexandre le Grand* (1980), ou, tirés de plus en plus vers l'abstraction, *Paysage dans le brouillard* (1988) et *Le pas suspendu de la cigogne* (1991). Le style est toujours le même : plans-séquences envoûtants, musique faisant office de chœur antique, structure morcelée du récit. Dans ce dernier opus, des intermèdes presque surréalistes viennent se superposer : passage d'un vaisseau fantôme, statue de Lénine échouée dans le port de Constanza, et, le plus étrange peut-être, ces Fileuses entrevues dans un vieux film de 1905. Qui commande ces images à la fois actuelles et d'un autre temps ? La réponse pourrait bien être celle que donne Ulysse, celui de l'*Odyssée,* au Cyclope, quand ce dernier l'interroge sur son identité : «Personne».

1995
Secrets et mensonges
Mike Leigh

Secrets and Lies. **Scén., réal.** : Mike Leigh. **Im.** : Dick Pope (couleurs).
Mus. : Andrew Dickson. **Prod.** : CIBY 2000, Thin Man. **Durée** : 142 minutes.
Interpr. : Brenda Blethyn *(Cynthia),* Marianne Jean-Baptiste *(Hortense),*
Claire Rushbrook *(Roxanne),* Timothy Spall *(Maurice),* Elizabeth Berrington *(Jane),*
Phyllis Logan *(Monica).*

« Quelle perception de nous-mêmes avons-nous ? Que sommes-nous les uns pour les autres ? Voilà les questions — simples — que posent mes films » (Mike Leigh).

Après le décès de sa mère adoptive, Hortense, une jeune femme noire de vingt-sept ans, vivant à Londres, part à la recherche de sa véritable génitrice. Celle-ci s'avère être une Blanche, Cynthia, ouvrière dans une *factory* et qui a eu d'un second lit deux enfants, Roxanne, employée à la voirie, et Maurice, photographe de mode. L'existence monotone de Cynthia va être bouleversée par l'arrivée de cette intruse. Le premier moment de stupeur passé, une complicité joyeuse s'instaure entre les deux femmes, mais le cercle de famille est nettement plus réticent. Peu à peu cependant la générosité et l'esprit de tolérance prévaudront sur le conformisme petit-bourgeois et les préjugés racistes.

Humour et vérité New Wave

Mike Leigh (né en 1943) fait partie, avec ses aînés Ken Loach, Stephen Frears et Mike Newell (respectivement signataires de *Raining Stones, The Snapper* et *Quatre mariages et un enterrement,* trois grands succès des années 1990), et ses cadets David Leland et Kenneth Branagh, d'une «nouvelle vague» de réalisateurs anglais qui a réussi à réanimer un organisme hibernant depuis des années sous influence hollywoodienne. Le Free Cinema avait naguère sonné l'alarme, mais ses adeptes étaient plus ou moins rentrés dans le rang (Ken Loach excepté). La thérapie est cette fois plus radicale : tournage en direct, selon des méthodes héritées de la télévision, sujets incrustés dans le quotidien, remise en question des tabous moraux et politiques, parole donnée aux laissés-pour-compte de l'*establishment.*

Mike Leigh est apparu comme le leader du mouvement : de *Bleak Moments* (1971) à *Secrets et mensonges,* en passant par *Meantime* (1984), *High Hopes* (1988) et *Naked* (1993), c'est la même révolution tranquille qu'il décrit, celle que déclenchent dans une *middle class* sclérosée un groupe de hippies, des chômeurs, des vieillards en détresse, un voyou philosophe ou, dans son dernier film, une femme de couleur en quête de respectabilité. Chaque fois il est question, nous dit le cinéaste, «d'amour et d'affection, d'aspirations profondes et de l'inexorabilité du temps qui passe», autrement dit, de l'essentiel. L'œuvre a remporté plusieurs prix (dont la Palme d'or) au festival de Cannes de 1996.

1996
Breaking the Waves
Lars von Trier

Scén. : Peter Asmussen, Lars von Trier. **Réal.** : Lars von Trier.
Im. : Robby Müller (couleurs). **Mus.** : Joachim Holbeck.
Prod. : Zentropa Entertainment APS, La Sept, Eurimages.
Durée : 158 minutes. **Interpr.** : Emily Watson *(Bess)*, Stellan Skarsgard *(Jan)*,
Katrin Cartlidge *(Dodo)*, Jean-Marc Barr, Udo Kier.

Une plongée dans le vif des sentiments amoureux, orchestrée par un réalisateur qui a osé porter les élans de la passion à leur point d'incandescence.

Une communauté insulaire sur la côte nord-ouest de l'Écosse, au début des années 1970. Un puritanisme très strict y fait la loi : il n'y a même pas de cloches au sommet de la petite église, et l'on voue à l'enfer les mécréants. Une jeune fille naïve, Bess McNeil, tombe amoureuse de Jan, un des employés de la plate-forme pétrolière ancrée au large de l'île. Ils se marient. Jan repart sur son lieu de travail, tandis que Bess compte les jours qui la séparent de son retour, persuadée que leur amour est béni, d'autant qu'elle est convaincue de communiquer avec Dieu. Mais Jan ne lui reviendra que paralysé à vie : il a été victime d'un grave accident sur le chantier. Cloué au lit, il incite Bess à se donner à d'autres hommes pour provoquer sa guérison. Écrasée de douleur, elle lui obéit. Le miracle aura lieu, mais Bess y laissera la vie. Le jour où son corps est jeté à la mer (car une sépulture décente lui a été refusée par les autorités religieuses), des cloches dans le ciel se mettent à sonner à toute volée…

Dieu reconnaîtra les siens

Tourné en extérieurs sur l'île de Skye, en Écosse, *Breaking the Waves* est le cinquième long métrage de Lars von Trier (né en 1956), cinéaste danois qui s'est fait connaître par *Element of Crime* (1984), film policier à tendance fantastique. Son style est très influencé par les maîtres de l'école scandinave : Dreyer, Bergman. Son film se réfère explicitement à *Ordet*, de Dreyer, récit d'une résurrection dont l'artisan était un simple d'esprit évoluant dans une communauté de bigots. Le réalisateur y ajoute des fulgurations baroques inédites, qui font éclater le carcan de la narration classique comme la foi de l'héroïne «brise les vagues» de l'intolérance. La technique est d'une virtuosité confondante : peu de champ-contrechamp, mais une trémulation fébrile de la caméra, qui fouette les visages et enserre le décor, d'une sauvage beauté (beau travail du chef opérateur Robby Müller). Les vestiges de réalisme social sont balayés par un souffle de

folie qui transforme ce qui pourrait être un sombre mélodrame en cantate déchirante pour une âme meurtrie, gage d'un haut degré de spiritualité. S'y conjuguent, comme l'écrit Françoise Audé, «le fugitif et le démesuré, l'ineffable et le sublime».

Depuis, von Trier a réalisé *Dancer in the dark*, tragédie musicale, chantée et dansée, sur les thèmes de l'amour maternel, de la culpabilité et de la peine de mort, qui obtint la Palme d'or au festival de Cannes 2000.

1996 Crash

David Cronenberg

Scén., réal. : David Cronenberg, d'après le roman de J. G. Ballard. **Im.** : Peter Suschitzky (couleurs). **Mus.** : Howard Shore. **Prod.** : Jeremy Thomas. **Durée** : 100 minutes. **Interpr.** : James Spader *(James Ballard)*, Deborah Unger *(Catherine Ballard)*, Holly Hunter *(Helen Remington)*, Elias Koteas *(Vaughan)*, Rosanna Arquette *(Gabrielle)*.

«Les médecins disent qu'il faut inspecter ses selles si on veut savoir ce qui se passe à l'intérieur de soi. Ce n'est donc pas quelque chose de si terrible!» (David Cronenberg).

Rescapés du même accident de la route, Helen Remington et James Ballard se retrouveront, plus tard, sur le siège avant d'une voiture : leur étreinte sera violente. Ils sentent que, désormais, extrême vitesse et tôles froissées serviront d'accélérateur à leur libido sans frein. Ils se lient à une bande de cascadeurs qui reconstituent les «crashes» célèbres, ceux où James Dean et Jayne Mansfield ont trouvé la mort. Le meneur, Vaughan, les entraîne dans ses jeux érotiques dans des voitures lancées les unes contre les autres et à l'intérieur desquelles les copulations vont bon train : James avec Gabrielle, une accidentée dont le corps, appareillé de métal, n'est qu'une immense plaie, Helen avec Gabrielle, Vaughan avec James. Catherine Ballard se joint à la bande pour retrouver l'orgasme dans les bras de son mari. James et Catherine se lancent dans une course-poursuite et, bientôt, c'est le crash. En sang, Catherine gît sur le bas-côté de la route. James la couvre de baisers, la caresse, l'étreint…

Fantasmes d'amour et de mort

Crash a la froideur métallique d'un spéculum qui viole l'intimité, d'un scalpel qui soulève, écarte, découpe des chairs vives puis laisse sur le corps plaies et cicatrices monstrueuses. Dans presque tous les films de David Cronenberg (né en 1943), la caméra se livre à ce type d'exploration *in vivo* : «C'est ce qui vient du corps qui est réel. Je n'arrive pas à concevoir qu'un cinéaste puisse trouver la matière de ses films autre part», affirme le réalisateur. Du corps et, tout autant, du sexe, bistouri de chair et de sang qui, lui aussi, ouvre et pénètre avant d'arracher râles et cris de plaisir semblables aux hurlements de douleur qui montent des amas de tôle et de membres brisés des accidents de la route. L'amour n'est pas une fête dans les films de Cronenberg (*Frissons*, 1974 ; *Rage*, 1976 ; *Faux-semblants*, 1988 ; *eXistenZ*, 1999). Et l'acte sexuel, son simulacre, n'y est pas autre chose qu'un assouvissement bestial qui passe par des médiations — voyeurisme, échangisme, sado-masochisme — et des perversions toujours plus sophistiquées, comme celles consistant à frotter son corps contre une carrosserie ou à faire l'amour par voiture interposée.

Cronenberg, visionnaire de l'horreur, cauchemarde ses films, et ces cauchemars à l'étrange beauté méritent qu'on y regarde à deux fois avant de céder à une réaction de rejet : ne serait-il pas le créateur génial d'une science-fiction cinématographique dont les *aliens* ne seraient autres que nous-mêmes ?

Hana-bi / Feux d'artifice

Takeshi Kitano

Hana-bi. **Scén., réal.** : Takeshi Kitano. **Im.** : Hideo Yamamoto (couleurs).
Mus. : Joe Hisaichi. **Prod.** : Office Kitano. **Durée** : 103 minutes.
Interpr. : Takeshi Kitano *(Nishi)*, Kayoko Kishimoto *(Miyuki)*, Ren Osugi *(Horibe)*.

«Pour moi, le rapport entre la douceur et la violence ressemble au mouvement d'un pendule. Plus un homme est tendre, plus il peut devenir cruel et brutal» (Takeshi Kitano).

L'inspecteur Nishi traverse une mauvaise passe. Miyuki, sa femme atteinte d'un cancer, est condamnée ; par sa faute, son collègue et ami Horibe a été gravement blessé au cours d'une fusillade et ne peut plus marcher. Rongé par un sentiment de culpabilité, Nishi quitte la police et son univers de violence. Sans argent pour faire soigner sa femme et pour aider Horibe, il emprunte à des yakuzas. Incapable de les rembourser, il braque une banque. Avec le butin, il s'acquitte de sa dette, offre du matériel de peintre amateur à Horibe et emmène Miyuki en voyage, le dernier sans doute. Il aura, en chemin, à se débarrasser des yakuzas qui le poursuivent pour exiger les intérêts de sa dette. Mais il sera rattrapé par ses anciens collègues lancés à ses trousses pour l'inculper du hold-up. Il leur demande un ultime sursis ; il veut dire au revoir à sa femme qui l'attend sur la plage. Il s'assoit près d'elle. La caméra se détourne vers la mer. On entend deux coups de feu…

Poésie élégiaque

Auteur complet de ses films — *Hana-bi* est le septième —, Takeshi Kitano (né en 1948) est, au tournant de ce siècle, le cinéaste japonais le plus justement réputé dans le reste du monde. *Sonatine* l'a révélé au festival de Cannes en 1993 et *Hana-bi* l'a consacré à la Mostra de Venise où il remporta le Lion d'or. Acteur dans la plupart de ses films, il promène avec une apparente nonchalance une silhouette ramassée et un visage imperturbable — traversé de tics depuis un grave accident de moto — dont le regard se cache souvent derrière des lunettes noires. Homme-orchestre qui doit sa popularité, au Japon, à ses apparitions comiques sur scène et à la télévision, Kitano est aussi romancier et peintre. Un grand nombre de ses dessins, naïfs, peuplés d'animaux fantastiques à tête de fleur, reviennent en leitmotiv dans *Hana-bi* et ponctuent les instants de calme, de mélancolie et de bonheur au couple Miyuki-Nishi. Peintures, accompagnement musical, images de montagnes enneigées, de bord de mer déserts, d'un temple perdu dans la forêt, tout concourt à doter ces plages de paix d'accents élégiaques d'autant plus poignants qu'ils sont volés au bruit et à la fureur d'un monde secoué périodiquement de spasmes de violence aveugle. *Hanabi,* sans trait d'union, signifie «feu d'artifice». *Hana* seul, précise Kitano, c'est la «fleur», allégorie de la vie; *bi,* c'est le «feu», la destruction. Le trait d'union les sépare et les oppose comme la vie s'oppose à la mort. Et sur l'écran, cette opposition vit, en images et en peintures créées par un cinéaste froid autant que généreux, lucide mais optimiste, artiste et homme tout à la fois.

1997
Mère et fils
Alexandre Sokourov

Mat'i svn. **Scén.** :Youri Arabov. **Réal.** : Alexandre Sokourov. **Im.** : Alexeï Fyodorov (couleurs). **Mus.** : Mikhaïl Glinka, Otmar Nussio, Giuseppe Verdi. **Prod.** : Zero Film. **Durée** : 73 minutes. **Interpr.** : Gudrun Geyer *(la mère),* Alexeï Ananishnov *(le fils).*

«Attends moi... Patiente un peu, ma douce... Patiente...» Dernières notes d'une symphonie pathétique de tableaux en mouvement dont l'amour et la mort sont les leitmotiv.

La mère est gravement malade. Elle est si faible que son fils doit la porter. Il la soigne avec amour, la nourrit au biberon. Il la promène longuement sur les chemins ensoleillés, l'assoit sur un banc, lui lit de vieilles cartes postales. Il lui parle du temps où il était enfant, de cette époque où elle ne le quittait pas des yeux tant elle l'aimait et avait peur de le perdre. Puis il la dépose sur son lit et s'en va seul, dans la forêt, pour cacher ses sanglots car il sait qu'elle va mourir. De temps à autre, des cris d'oiseaux rompent le silence. Un bateau glisse sur la mer. Un train passe dans le lointain, suivi d'une fumée blanche. Le fils rentre à la maison. Lorsque sa mère meurt, il se retrouve seul au monde.

Une pietà

Un fils tient dans ses bras sa mère agonisante : c'est une pietà, mais inversée. Comme celle-ci, poignante, chacune des images de cette œuvre hors du commun — qui exige du spectateur d'oublier ses habitudes et références cinématographiques — est composée comme un tableau «intensément élaborée», précise Alexandre Sokourov (né en 1951), «avec soin et précision, comme on taille une pierre précieuse, millimètre par millimètre, avec précaution et tendresse». De telles compositions picturales se succèdent au long du film, face à une caméra contemplative : «Je ne voulais pas un espace à trois dimensions mais seulement à deux, comme en peinture», explique le cinéaste qui, par ailleurs, se revendique l'héritier du peintre allemand Caspar David Friedrich (1774-1840). Utilisant des lentilles déformantes qui donnent à ses paysages — traités en couleurs automnales à dominantes jaune et brune — une courbure, une concavité qui en soulignent l'étrangeté, Sokourov, en effet, peint les arbres, les champs, la nature, à l'instar de Friedrich, comme autant de hiéroglyphes d'une présence divine.

Avec son rythme d'une lenteur extrême, ses dialogues réduits à quelques mots psalmodiés, sa bande son qui superpose bruits (cris d'oiseaux, souffle du vent, hurlement d'une locomotive) et des bouffées musicales qui décuplent la puissance émotionnelle des images, *Mère et fils,* célébration d'un lien fondamental entre deux êtres, l'amour, est une œuvre qui fascine, écrase, bouleverse, mais qui peut aussi apparaître, si l'on refuse d'y entrer, comme un monument d'ennui. Elle est le chef-d'œuvre d'un poète du cinéma russe qu'Andreï Tarkovski, de son vivant, tenait pour un maître du cinéma mondial.

Festen/Fête de famille

Thomas Vinterberg

Festen. **Scén.** : Mogens Rukov, T. Vinterberg. **Réal.** : Thomas Vinterberg.
Im. : Anthony Dod Mantle (couleurs). **Mus.** : Lars Bo Jensen.
Prod. : Nimbus Film. **Durée** : 105 minutes. **Interpr.** : Ulrich Thomsen *(Christian)*,
Thomas Bo Larsen *(Michael)*, Paprika Steen *(Helen)*, Henning Moritzen *(le père)*,
Birthe Neumann *(la mère)*.

Hypocrisie, puritanisme, perversions sexuelles, racisme sont, avec la bourgeoisie conservatrice, les cibles de ce jeu de massacre filmé comme un reportage sportif.

Helge Klingenfelt, patriarche d'une riche famille danoise, a soixante ans. Pour fêter cet anniversaire, qui coïncide avec celui de la mort, l'année précédente, de sa fille Linda, il a convié à son manoir sa famille, ses enfants et petits-enfants ainsi que des proches. Christian, son fils aîné, est un restaurateur réputé, à Paris ; son cadet, Michael, tient un modeste café et Helen, sa fille, est anthropologue. Helge règne en potentat sur ce petit monde qui le craint et semble le respecter. Or, en plein banquet, Christian prononce un discours à la mémoire de Linda et accuse son père de les avoir violés, sa sœur jumelle et lui, à plusieurs reprises lorsqu'ils étaient enfants. Il ajoute que sa mère était au courant et que Linda s'est suicidée pour échapper à ce honteux souvenir. Helge nie tout, défendu par Michael et les autres convives qui tentent en vain de chasser Christian, lequel bénéficie du soutien de la domesticité. À la fin du repas, Helen lit une lettre posthume de sa sœur qui confirme les accusations de Christian. Helge avoue enfin et part, abandonné de tous.

Un cinéma sans fard

Conçu dans le respect des principes et des règles du Dogme, manifeste rédigé en mars 1995 par les cinéastes danois Lars von Trier et Thomas Vinterberg (né en 1969), *Festen* a été tourné caméra vidéo à l'épaule, en décors et en lumière naturels. Ainsi l'image a le grain un peu grossier des films d'amateurs, ce qui encourage le cinéaste à privilégier les plans rapprochés au détriment des plans d'ensemble, beaucoup moins nets. Avec ce mode de tournage et ce matériel, *Festen*, comme *Les idiots* de Lars von Trier réalisé la même année, a toutes les apparences d'un reportage et se déroule sous les yeux du spectateur comme une tranche de vie surprise par une caméra indiscrète tenue par un cinéaste ignorant des développements de l'action, des motivations et des déplacements des protagonistes.

Bien sûr, ce n'est là qu'apparence : l'écriture du film — cent pages de scénario — a pris deux mois et demi ; Vinterberg a ensuite passé deux mois avec ses acteurs pour élaborer leurs personnages ; et le tournage, enfin, a duré aussi longtemps que celui d'un film hors Dogme. Mais le résultat, à l'écran, semble totalement improvisé. Réussite artistique exemplaire autant qu'originale — et, à ce titre, film clé du cinéma contemporain — *Festen* pointe toutefois les limites d'une certaine façon, celle du Dogme, de concevoir le septième art comme une sorte de théâtre (bien) filmé, aux intrigues ramassées dans l'espace et le temps et condamnées aux paroxysmes tragiques. D'ailleurs, Vinterberg n'envisage plus de s'y référer : «La fraîcheur aurait disparu et ne subsisterait que la redite.»

1998
Ghost Dog, la voie du samouraï

Jim Jarmusch

Ghost Dog, The Way of the Samurai.
Scén., réal. : Jim Jarmusch. **Im.** : Robby Müller (couleurs).
Mus. : RZA. **Prod.** : Plywood. **Durée** : 116 minutes.
Interpr. : Forest Withaker *(Ghost Dog),*
John Tormey *(Louie),* Isaac de Bankolé *(Raymond),*
Henry Silva *(Vargo).*

Comme son héros massif et mutique, le film avance vers son dénouement tragique avec une grâce, une légèreté et une poésie aux antipodes des conventions du «polar».

Ghost Dog vit sur un toit, au milieu d'un élevage de pigeons. Il pratique les arts martiaux, lit des ouvrages japonais et observe les préceptes des samouraïs, ses maîtres à penser. Ghost Dog attend les contrats (il est tueur à gages), qui lui viennent, via les pigeons, de Louie, un mafieux qui naguère lui a sauvé la vie et à qui il voue une éternelle reconnaissance. Le dernier contrat a mal tourné : le crime a eu un témoin. Dès lors, Ghost Dog est traqué par ses commanditaires. C'est la guerre. Ghost Dog extermine méthodiquement ses adversaires. Puis il fait face, désarmé, à Louie qu'il a épargné mais à qui la loi du milieu impose de venger ses complices. Il s'écroule, criblé de balles, sous les yeux de ses seuls amis, Raymond, un marchand de glaces français, et Pearline, une gamine qui lisait les mêmes livres que lui.

Le samouraï noir de Jersey City

Dès le générique, Jim Jarmusch (né en 1953) prend ses distances à l'égard du «film noir». Sa caméra suit les évolutions d'un pigeon, puis adopte le point de vue du volatile, contemplant la ville d'en haut, d'un œil qui confond terrains vagues, rues et immeubles lépreux. Puis, avec l'oiseau, l'appareil s'approche d'un toit où une sorte d'extraterrestre danse avec un sabre : Ghost Dog. Une partie du décor est planté, celui d'un «ailleurs» à l'écart du monde d'en bas. Jarmusch dépeint celui-ci avec humour : c'est la pègre de mafieux bedonnants et cacochymes, grisés par leur pouvoir criminel mais ne voyant pas que les dessins animés dont les abreuve la télévision caricaturent

leur mort prochaine. Une mort qui viendra de là-haut, de cet ange exterminateur, de ce «chien fantôme» aux allures de gros chat.

Or là n'est pas l'enjeu principal du film de Jarmusch, qui ne dépeint pas Ghost Dog comme un tueur mais comme un être humain d'essence presque divine. L'homme a une connivence intime avec les animaux : les pigeons se réfugient près de lui, un rouge-gorge se pose, amical, au bout de son fusil, un misérable chien perdu retient longuement son regard. Ghost Dog a surtout, avec ses semblables, des rapports qui s'établissent d'emblée au plus profond, d'âme à âme. Raymond et Ghost Dog ne parlent pas la même langue, mais se comprennent instinctivement, car leur amitié est fondée sur la confiance et le dévouement. Quant à la petite fille, elle partage avec lui la passion des livres et de ce qu'ils enseignent sur l'Homme et le monde.

Avec *Dead Man* (1995), Jarmusch avait donné une dimension métaphysique au western traditionnel. Son *Ghost Dog* est le premier polar zen.

La vie est belle
Roberto Benigni

La vita è bella. **Scén.** : Vincenzo Cerami, R. Benigni.
Réal. : Roberto Benigni. **Im.** : Tonino Delli Colli (couleurs).
Mus. : Nicola Piovani. **Prod.** : Mario et Vittorio Cecchi Gori.
Durée : 117 minutes. **Interpr.** : Roberto Benigni *(Guido)*,
Nicoletta Braschi *(Dora)*, Giorgio Cantarini *(Giosué)*,
Marisa Paredes *(la mère de Dora)*, Horst Buchholz *(docteur Lessing)*.

«Ce n'est pas ce qui est vrai qui est beau, c'est ce qui est beau qui est vrai» (John Keats).

Arezzo, Italie, 1939. Guido rêve d'ouvrir une librairie, mais il lui faut d'abord affronter les tracasseries de l'administration fasciste. En attendant, il fait le maître d'hôtel. Il courtise Dora, une jolie institutrice qu'un heureux hasard place sans cesse sur son chemin. Au cours d'un banquet, Guido enlève Dora au nez et à la barbe de son fiancé et l'épouse. Cinq ans plus tard, en 1944, le couple a eu un enfant, Giosué, et Guido sa librairie. Mais Guido est juif… Au camp où ils ont été déportés, Guido fait croire au petit qu'ils participent à un grand jeu dont le prix est un char d'assaut. Reste au père à donner le change à Giosué, tant et si bien que celui-ci, voyant un jour arriver un tank américain, croira l'avoir gagné. Mais il a perdu son père.

Un clown dans l'antre du Mal

Selon certains, victimes ou historiens de la Shoah, filmer des fables sur les camps d'extermination devrait être interdit. *Les cahiers du cinéma* sont de cet avis : « Le récit et la mémoire de la Shoah peuvent-ils passer par le rire ? » À quoi Benigni répond : « Quand on me dit que le comique ne peut rendre compte de l'horreur de la tragédie concentrationnaire, ça me blesse. Il y a toujours eu une sorte de racisme artistique envers les comiques, une volonté de censure : "Tu ne peux pas t'occuper de ça !" Mais moi, je ressens la nécessité d'en parler. » Jerry Lewis, en 1972, obéissait à la même nécessité en entreprenant *Le jour où le clown pleura* qu'il ne pourra terminer faute d'argent… Aux dernières images de ce film perdu, le clown en grande tenue (Lewis lui-même) accompagnait, en larmes, des petits déportés, pliés de rire, vers la chambre à gaz.

Comme Benigni, Chaplin, en son temps, se vit reprocher de se mêler de problèmes sociaux (*Les temps modernes*, 1936) ou politiques (*Le dictateur*, 1940). Mais le même reproche a également été adressé à Alain Resnais à propos de son rien moins que drôle *Hiroshima mon amour* (1958) : «Pourquoi pas "Auschwitz mon Loulou" ? », s'était insurgée Marguerite Yourcenar. Quant à *La liste de Schindler* (1993) de Spielberg, nombre de spécialistes de la Shoah l'avaient rejeté au prétexte d'une trahison de la vérité historique par la fiction hollywoodienne.

Quoi qu'il en soit, *La vie est belle*, outre les Césars, Oscars et autres prix glanés dans le monde, a été salué par d'innombrables associations, l'Amicale des anciens déportés d'Auschwitz, Mémoire 2000, SOS-Racisme, entre beaucoup d'autres. Le film a été accueilli triomphalement au festival de Jérusalem et applaudi partout ailleurs par des millions de spectateurs bouleversés. Alors, «négationniste», «révisionniste», «film-grimace» ou humain, drôle, poétique, terrible, vrai parce que beau ?

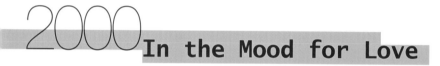

In the Mood for Love
Wong Kar Waï

Scén., réal., prod. : Wong Kar Waï. **Im.** : Christopher Doyle, Mark Li (couleurs). **Mus.** : Michael Galasso. **Durée** : 98 minutes. **Interpr.** : Maggie Cheung *(Madame Chen)*, Tony Leung *(Monsieur Chow)*.

Montrer sans dire, telle est la démarche subtile d'un film qui plonge au cœur d'un amour enfoui au plus intime du couple qui l'a vécu comme en rêve.

Hong Kong, 1962. Élégante et discrète, Mme Chen, secrétaire, vit pratiquement seule car son mari est souvent en voyage d'affaires. Elle occupe un petit meublé exigu voisin de celui où habite un journaliste, M. Chow. Celui-ci est aussi un solitaire, son épouse étant fréquemment retenue par des occupations extérieures. Mme Chen et M. Chow se croisent, se saluent d'un sourire ou d'un signe de tête, attirés l'un vers l'autre mais sur la réserve. Un soir, pourtant, ils se risquent à dîner ensemble et découvrent la réalité de ce que chacun soupçonnait : Mme Chow et M. Chen sont amants. Ils vont dès lors se rapprocher, partager solitude et infortune conjugale sans jamais, toutefois, franchir le pas de l'adultère. Pour tenter de mettre fin à cette relation platonique, M. Chow part travailler à Singapour. Quatre ans plus tard, mère d'un petit garçon, Mme Chen garde en son cœur, intact, le souvenir de M. Chow. Celui-ci, en reportage à Angkor, sacrifie à une ancienne coutume : il murmure son secret — son amour pour Mme Chen — dans une faille du mur d'un temple, puis bouche le trou avec une poignée de terre pour qu'il y demeure scellé à jamais.

Moments magiques

C'est dans une rue, sinistre sous une pluie persistante, que Mme Chen et M. Chow se sont trouvés, un soir, au seuil d'un fol espoir — l'amour — qu'un furtif serrement de mains a fait naître. La caméra garde ses distances, pudique : il ne s'agit pas de rompre le charme de cet instant d'éternité, arraché à la solitude et à la nuit, qu'un ralenti prolonge, exalte, qu'une valse entêtante vient rythmer, comme si Mme Chen et M. Chow voulaient danser à l'infini leur amour avant de le vivre. Or, ils ne le vivront jamais, se seront à peine effleurés avant de se séparer définitivement, évitant au sentiment profond qui les lie l'épreuve de la réalité et du temps.

De caressants mouvements de caméra, une lumière, des couleurs et des décors subtilement impressionnistes, des ellipses temporelles trahies par les tons et les motifs changeants des robes de Mme Chen impriment au film une élégance et un charme au diapason d'une intrigue et de personnages qui semblent naître, comme par magie, d'une mise en scène aux glissements soyeux.

Wong Kar Waï (né en 1958) a mis quinze mois pour terminer ce film, le remodelant sans cesse comme s'il éprouvait à le créer la même griserie que celle ressentie par le spectateur à le voir. « J'aurais pu continuer à faire ce film éternellement, a-t-il confessé. J'adore cette période (le début de la décennie 1960, à Hong Kong), j'adore cette atmosphère. » Celle-ci, dans le film, s'exprime musicalement par des « standards » latino-américains chantés par Nat King Cole dont le timbre chaud et les intonations caressantes sont pour beaucoup dans la séduction d'un film au confluent des cultures chinoise, latine et américaine. Un film qui dispense, en douceur, un bonheur intense et rare, purement cinématographique.

Le fabuleux destin d'Amélie Poulain

Jean-Pierre Jeunet

Scén. : Jean-Pierre Jeunet, Guillaume Laurant.
Réal. : J.-P. Jeunet. **Im.** : Bruno Delbonnel (couleurs).
Mus. : Yann Tiersen. **Prod.** : Claudie Ossard.
Durée : 120 minutes. **Interpr.** : Audrey Tautou *(Amélie Poulain)*,
Mathieu Kassovitz *(Nino)*, Rufus *(le père d'Amélie)*,
Jamel Debbouze *(Lucien)*, Isabelle Nanty *(Georgette)*,
Serge Merlin *(le peintre)*.

Clé, ce film l'est car son auteur a pu ouvrir la boîte aux rêves, pleine de clowns et de croque-mitaines, de princes et de fées, de rires et de comptines, de bonheurs oubliés enfin ressuscités.

Enfant, Amélie n'a pas connu la tendresse. Très tôt sa mère est morte, écrasée sous une touriste tombée d'une tour de Notre-Dame de Paris ; son père a reporté toute son affection sur un nain de jardin. Adulte, Amélie vit seule. Serveuse dans un bistro montmartrois, elle prend plaisir à des riens : craquer la croûte des crèmes brûlées, plonger sa main dans un sac de grains, faire des ricochets sur l'eau… La nuit du 30 août 1997, elle se découvre une vocation, le bonheur des gens, à leur insu : elle restitue à un quidam la boîte à trésors de son enfance, favorise une idylle amoureuse entre une hypocondriaque et un jaloux maladif, aide un peintre à mettre la dernière touche à sa énième copie du *Déjeuner des canotiers*, vole au secours d'un commis épicier martyrisé par son patron… Mais son bonheur à elle ? Elle le trouvera auprès d'un collectionneur de Photomatons ratés, au terme d'une longue partie de cache-cache à Montmartre et dans les gares parisiennes.

Champagne pour tout le monde !

C'est, selon Jean-Pierre Jeunet, « un film conçu pour rendre les gens heureux », du cinéma champagne qui plonge le consommateur dans une ivresse légère, une euphorie qui ressemble au bonheur. Déjà, avec *Delicatessen* (1991) et *La cité des enfants perdus* (1995) où il était associé, au scénario et à la réalisation, à Marc Caro, le cinéaste avait manifesté avec éclat son goût des situations et des personnages loufoques et ses deux films étaient apparus comme les équivalents cinématographiques des meilleurs dessins animés et bandes dessinées. L'un et l'autre lorgnaient aussi vers la science-fiction délirante d'un maître du genre, Terry Gilliam (*Bandits, bandits*, 1981 et *Brazil*, 1985). C'est d'ailleurs pour cela que Jean-Pierre Jeunet avait été convié à participer à la saga hollywoodienne d'*Alien* dont il réalisa le quatrième épisode, *Alien, la résurrection* en 1997.

Comme ses prédécesseurs, *Le fabuleux destin d'Amélie Poulain* déborde d'une invention telle qu'il semble que son auteur se soit fixé l'objectif de développer une idée par plan et, à la vitesse à laquelle ceux-ci se bousculent sur l'écran, le spectateur est littéralement bombardé d'images drolatiques, insolites et poétiques que doublent un commentaire, des dialogues et un accompagnement musical qui sont autant d'attractions de ce feu d'artifice d'intelligence qu'est le film en son entier. Certains ont reproché à Jeunet d'avoir mis son génie créatif au service d'une vision nostalgique, passéiste, idyllique et consensuelle du monde. Que leur répondre, sinon « Tant mieux » ?

2001 Mulholland Drive
David Lynch

Mulholland Dr. **Scén., réal., prod.** : David Lynch.
Im. : Peter Dening (couleurs).
Mus. : Angelo Badalamenti. **Durée** : 146 minutes.
Interpr. : Naomi Watts *(Betty / Diane)*,
Laura Elena Harring *(Rita / Camilla)*,
Justin Théroux *(Adam Kesher)*,
Ann Miller *(Coco / la mère d'Adam)*.

« Silencio », c'est le dernier mot d'une œuvre hypnotique et insondable qui suscite pourtant des interrogations sans fin auxquelles toutes les réponses paraissent pertinentes.

Une jeune femme brune échappe simultanément à un attentat et à un accident sur Mulholland drive, route déserte proche d'Hollywood. Choquée et amnésique, elle trouve refuge chez une jeune fille blonde, Betty, provinciale qui rêve de devenir une star. La brune dit s'appeler Rita ; avec l'aide de Betty, elle se met en quête de son identité et de son passé. Dans le même temps, Betty, après une audition, semble bien partie pour s'introduire dans le milieu du cinéma où un metteur en scène, Adam Kesher, l'a remarquée. Au cours de leurs recherches, les deux jeunes femmes se rendent chez une certaine Diane avec qui Rita aurait, avant l'accident, habité. Elles y découvrent un cadavre de femme en voie de décomposition. Bouleversées, Betty et Rita se pressent dans les bras l'une de l'autre ; elles sont amoureuses. Comme d'un cauchemar, Betty se réveille : elle est Diane, dans sa propre maison. Fatiguée, négligée, elle a tout raté. Comédienne de seconde zone, amoureuse folle d'une star, Camilla, qui n'est autre que Rita, fiancée de Kesher, Diane est droguée, se prostitue. Elle engage un tueur pour éliminer Camilla, puis se suicide…

L'énigme du petit cube bleu

Quiconque a vu ce film — surtout plusieurs fois, comme il nous y invite et comme le plaisir qu'il distille y encourage — jugera le résumé ci-dessus à tout le moins lacunaire voire partiellement, sinon totalement erroné. Il est proche de celui énoncé par Naomi Watts, l'interprète de Betty / Diane, dont la prestation, subtile, laisse supposer qu'elle a appréhendé en profondeur la complexité de son personnage. Or, la comédienne ajoute que, de son point de vue, la première partie du film est rêvée, la seconde réelle. Pourtant, le film est ainsi fait qu'on pourrait penser exactement le contraire ! Embarqué dans cette histoire, dès le prégénérique, par un kaléidoscope d'images de jeunes danseurs lancés dans un jitterbug endiablé et dont la signification ne sera donnée que deux heures plus tard, au détour d'un dialogue, le spectateur avance, les yeux rivés sur l'écran, comme en hypnose, avec la certitude que chacune des séquences va lui apporter les indices nécessaires à la compréhension du tout. Or, celle-ci se dérobe, renvoyée à la séquence suivante attendue avec impatience et reçue, à chaque fois, comme une révélation qui contredit ou obscurcit ce qui, pourtant, paraissait évident. La clé bleue dont Betty et Rita se demandent ce qu'elle peut bien ouvrir, devient bientôt pour le spectateur la clé du film. Et le petit cube bleu qu'elle ouvrira enfin ne révélera rien de moins qu'un abîme d'interrogations nouvelles et encore plus terrifiantes puisque son dernier détenteur, entrevu au fond d'une ruelle sordide, sera un monstre humain échappé de la préhistoire. Qui est ce monstre affreux, qui sont ces producteurs mafieux qui hurlent : « C'est la fille ! », sans qu'on sache vraiment de qui ils parlent ? Qui est ce tueur qu'on voit supprimer froidement trois personnes et un aspirateur ? Qui est ce cow-boy d'opérette qui donne des leçons de morale, la nuit, à un cinéaste mégalomane ? Qui sont Betty, Camilla, Diane, Rita ? Qui est mort, qui est vivant, qui est réel, qui est fantasme ?

Un délicieux vertige saisit le spectateur, conscient d'être manipulé et heureux de l'être. Une séquence encore plus mystérieuse, semble proposer sinon une explication, plutôt une direction de réflexion. Rita et Betty, mues par une force obscure, sont entrées dans une sorte de music-hall, presque vide, où se déroule un étrange spectacle. Sur scène il n'y a pas d'orchestre, mais on en entend un, très présent. Une chanteuse s'avance. Sa voix est magnifique ; paroles et musique déchirantes. Betty et Rita fondent en larmes. La femme s'écroule, on la traîne en coulisses. Mais elle chante toujours. Dans une loge, une spectatrice enturbannée, au port altier, contemple la scène, impassible. Toute la séquence est placée sous le double signe de l'illusion, qui gomme les frontières entre le vrai et le faux, le rêve et la réalité, et de la manipulation. Cette femme prononcera le tout dernier mot du film : « Silencio ! »

Et le spectateur, abasourdi par le film qu'il vient de voir, se tait, subjugué par l'injonction, à l'évidence chargée d'humour, de David Lynch (né en 1946), génial démiurge de ce pur objet cinématographique, glacé et torride, drôle et terrifiant, magique et cauchemardesque. Puis, l'hypnose dissipée, reviennent les questions sans réponse…

Orientations bibliographiques

Histoires générales

Georges Sadoul, *Histoire générale du cinéma* (des origines à 1929), Denoël, Paris, 1972.
Jean Mitry, *Histoire du cinéma* (des origines à 1950), J.-P. Delarge, Paris, 1868-1980.

Chronologies

Vincent Pinel, *Le siècle du cinéma*, Larousse, Paris, 2000.
Collectif, *Chronique du cinéma*, Éd. Chronique, Boulogne-Billancourt, 2002.

Histoires nationales

Allemagne. Bernard Eisenschitz, *Le cinéma allemand*, Nathan, Paris, 1999.
Amérique latine. P. A. Paranagua, *Le cinéma en Amérique latine*, L'Harmattan, Paris, 2000.
Afrique. Denise Brahimi, *Cinémas d'Afrique francophone et du Maghreb*, Nathan, Paris, 1997.
Belgique. Collectif, *Le cinéma belge*, Éd. Ludion, Gand, 1999.
Canada. Collectif, *Les cinémas du Canada*, Centre Georges-Pompidou, Paris, 1992.
Chine. Bérénice Reynaud, *Nouvelles Chines, nouveaux cinémas*,
Les Cahiers du cinéma, Paris, 1999.
Égypte. Wassef Magda, *Égypte : cent ans de cinéma*, Institut du monde arabe, Paris, 1995.
Europe du Nord et Scandinavie. Collectif, *Cinémas d'Europe du Nord : de Fritz Lang
à Lars von Trier*, Arte, Paris, 1998 ; collectif, *Le cinéma des pays nordiques*, Centre Georges-Pompidou,
Paris, 1990.
Espagne. Jean-Claude Seguin, *Histoire du cinéma espagnol*, Nathan, Paris, 1999.
États-Unis. Bertrand Tavernier, Jean-Pierre Coursodon, *Cinquante ans de cinéma américain*,
Omnibus, Paris, 1995.
France. Claude Beylie (sous la dir. de), *Une histoire du cinéma français*, Larousse, Paris, 2000.
Grande-Bretagne. Philippe Pilard, *Histoire du cinéma britannique*, Nathan, Paris, 1996.
Hongrie. Jean-Pierre Jeancolas, *Cinéma hongrois*, CNRS, Paris, 1989.
Inde. Yves Thoraval, *Les cinémas de l'Inde*, L'Harmattan, Paris, 1998.
Iran. Collectif, *Histoire du cinéma iranien*, Bibliothèque Publique d'Information, Paris, 1999.
Italie. Jean A. Gili, *Le cinéma italien*, La Martinière, Paris, 1996.
Japon. Tadao Sato, *Le cinéma japonais*, Centre Georges-Pompidou, Paris, 1997.
Pologne. Boleslaw Michalek, *Le cinéma polonais*, Centre Georges-Pompidou, Paris, 1992.
Suisse. Freddy Buache, *Trente ans de cinéma suisse*, Centre Georges-Pompidou, Paris, 1995.
Tchèque (République) et Slovaquie. Eva Zaoralova, *Le cinéma tchèque et slovaque*, Centre
Georges-Pompidou, Paris, 1996.
Russie. Jay Leyda, *Kino, Histoire du cinéma russe et soviétique*, L'âge d'homme, Lausanne, 1976 ;
Marcel Martin, *Le cinéma soviétique de Khrouchtchev à Gorbatchev*, Le Cerf, Paris, 1993.

Dictionnaires

Jean-Loup Passek (sous la dir. de), *Dictionnaire du cinéma*, Larousse, Paris, 2001.
Bernard Rapp, Jean-Claude Lamy, *Dictionnaire des films*, Larousse, Paris, 2001, 2002.
Jean Tulard, *Guide des Films*, Robert Laffont, Paris, 2002.
Jacques Lourcelles, *Dictionnaire du cinéma : les films*, Robert Laffont, Paris, 1999.
Collectif, *Le guide du cinéma chez soi*, Télérama, Paris, 2002.
Collectif, *Nos films de toujours*, Larousse, Paris, 2002.

Ouvrages généraux

Vincent Pinel, *Écoles, genres et mouvements au cinéma*, Larousse, Paris, 2002.
Michel Chion, *Le cinéma et ses métiers*, Bordas, Paris, 1990.
Vincent Pinel, *Vocabulaire technique du cinéma*, Nathan, Paris, 1996.
Collectif, *Les fiches de M. Cinéma*, Images et Loisirs, Mâcon, 1976-2002.
Jean-François Houben, *Dictionnaire de l'édition de cinéma*, Cinémaction / Corlet,
Condé-sur-Noireau, 2001.

Index alphabétique

Cet index regroupe les principaux noms de metteurs en scène, scénaristes, acteurs, techniciens et écrivains cités dans le présent ouvrage.

*Chaque nom est suivi de l'indication des pages où il figure. Un chiffre en **gras** renvoie à une biographie ou une analyse développées.*

A

Achard (Marcel) : 183
Agee (James) : 170
Aimée (Anouk) : 195, 219
Aldrich (Robert) : **169**, 290
Alekan (Henri) : 134
Allégret (Marc) : 68
Allen (Woody) : 120, **268-269**
Almodóvar (Pedro) : **273**
Altman (Robert) : 241, **244-245**
Anderson (Lindsay) : 190
Angelopoulos (Theodore) : **291-292**
Annabella : 53, 69
Annenkov (Georges) : 168
Antonioni (Michelangelo) : 131, 159, **187-188**, 208, 240
Arletty : 110, 126, 127
Artaud (Antonin) : 45, 46, 51, 53, 61
Astaire (Fred) : 151
Astruc (Alexandre) : 181, 239
Audran (Stéphane) : 222, 223
Aurenche (Jean) : 174, 175, 181, 252
Autant-Lara (Claude) : **174-175**

B

Badger (Clarence) : 50
Balcon (Michael) : 142, 143
Balin (Mireille) : 98
Bankhead (Tallulah) : 22
Bardèche (Maurice) : 39
Bardot (Brigitte) : 181
Barnet (Boris) : **80**
Barrault (Jean-Louis) : 126, 127
Bartosh (Berthold) : 61
Bass (Saül) : 198
Baur (Harry) : 36
Bazin (André) : 52, 185
Beatty (Warren) : 211, 212
Becker (Jacques) : **149-150**, 167
Beineix (Jean-Jacques) : **262**
Bellocchio (Marco) : 240
Belmondo (Jean-Paul) : 178, 180, 181
Benigni (Roberto) : **299-300**
Benny (Jack) : 118
Bérard (Christian) : 134, 135

Bergman (Ingmar) : **173-174**, **235-236**, 293
Bergman (Ingrid) : 119, 158
Berkeley (Busby) : 151
Bernard (Raymond) : 36
Bernhardt (Sarah) : 20
Berry (Jules) : 110, 111, 253
Bertolucci (Bernardo) : 159, **207**, 240
Besson (Luc) : 51, 262
Bideau (Jean-Luc) : 227
Blasetti (Alessandro) : **112**
Blier (Bertrand) : **242-243**
Bogarde (Dirk) : 202
Bogart (Humphrey) : 114, 115, 119, 120, 159, 160, 169
Boleslavski (Richard) : 36
Boorman (John) : **230-231**
Borges (Jorge Luis) : 117
Borzage (Frank) : **48-49**, 160, 163
Bost (Pierre) : 175, 181, 252
Bourvil : 174, 223
Branagh (Kenneth) : 292
Brando (Marlon) : 232, 233
Brasillach (Robert) : 39
Brecht (Bertolt) : 72
Bresson (Robert) : 51, **132**, 181, **184**, 211
Broca (Philippe de) : 181
Brook (Peter) : 72
Brooks (Louise) : 47, 57, 58
Brooks (Richard) : 169, **189**, 279
Browning (Tod) : 31, **74-75**
Bruckman (Clyde) : **42-43**
Buñuel (Luis) : 47, **58-59**, 61, 67, **196-197**, 206
Burnett (William R.) : 147

C

Cain (James) : 135
Calmettes (André) : **20**
Camerini (Mario) : 112
Campion (Jane) : **284**
Camus (Marcel) : 181
Capellani (Albert) : 36
Capra : 38, 77, **86**, 117, 130
Carax (Léos) : **269-270**
Carné (Marcel) : 53, **110-111**, **126-127**, 181, 194
Carol (Martine) : 167, 168
Carroll (Madeleine) : 90
Casarès (Maria) : 68, 132
Cassavetes (John) : **191-192**, 217, 240
Cassenti (Frank) : 239
Cayrol (Jean) : 183
Chabrol (Claude) : 180, 181, **222-223**
Chahine (Youssef) : **255-256**
Chandler (Raymond) : 115
Chaplin (Charles) : 22, **36-37**, 38, 47, **95**, 118, 142, 268, 269, 299

p. 12-13 : Archives Larbor • p. 17 et reprise en couverture : Photos12.com-Collection cinéma • p. 21 : Ph. Coll. Archives Larbor/DR • p. 23 : Coll. Archives Larbor • p. 28 : Coll. Archives Larbor • p. 30 : Coll. Archives Larbor/DR • p. 32 : Coll. Archives Larbor • p. 35 : Ph. Coll. Corbis- Kipa/DR • p. 37 : Coll. Archives Larbor • p. 41 : Coll. Archives Larbor • p. 42 : Coll. Archives Larbor/DR • p. 44 : Coll. Archives Larbor • p. 45 : Ph. Coll. Archives Larbor • p. 46 : Coll. Archives Larbor/DR • p. 50 : Coll. Archives Larbor/DR • p. 52 : Coll. Archives Larbor • p. 54 : Ph. Coll. Archives Larbor/DR • p. 55 : Coll. Archives Larbor/DR • p. 57 : Ph. Coll. Archives Larbor/DR • p. 59 : Ph. Coll. Archives Larbor/DR • p. 62-63 et reprise en couverture : Ph. Coll. Archives Larbor/DR • p. 67 : Prod DB © Vicomte de Noailles/DR • p. 69 : Photos12.com-Collection cinéma • p. 71 : Ph. Coll. Archives Larbor/DR • p. 73 : Coll. Archives Larbor/DR • p. 76 : Ph. Coll. Corbis-Kipa/DR • p. 78 -79 : Photos12.com-Collection cinéma • p. 81 : Photos12.com-Collection cinéma • p. 83 : Coll. Archives Larbor © Gaumont • p. 85 : Ph. Coll. Archives Larbor/DR • p. 89 : Prod DB © MGM/DR • p. 90 : Photos12.com-Collection cinéma • p. 95 : Coll. Archives Larbor/DR • p. 97 : Ph. Sam Lévin © Ministère de la Culture, Paris • p. 99 : Ph. R. Joffres / Coll. Archives Larbor • p. 100 : Coll. Archives Larbor/DR • p. 104 : Photos12.com-Collection cinéma • p. 106 : Montfort /Corbis- Kipa/DR • p. 107 : Ph. Coll. Archives Larbor/DR • p. 109 : Ph. Coll. Archives Larbor/DR • p. 111 : ph. Raymond Voinquel © Ministère de la Culture, Paris • p. 113 : Coll. Archives Larbor/DR • p. 114 : Coll. Archives Larbor/DR • p. 116 : Ph. Coll. Archives Larbor/DR • p. 118 : Coll. Archives Larbor/DR • p. 119 : © British Film Institute-Archives Larbor • p. 121 : Ph. R. Joffres / Coll. Archives Larbor • p. 123 : Ph. Raymond Voinquel © Ministère de la Culture, Paris • p. 125 : Photos12.com-Collection cinéma • p. 127 : Coll. Archives Larbor © Pathé Films • p. 128 -129 : Prod DB/DR • p. 133 : Ph. Coll. Archives Larbor/DR • p. 134 : Coll. Archives Larbor/DR • p. 136 : Prod DB © MGM/DR • p. 139 : Coll. Archives Larbor/DR • p. 141 : Coll. Archives Larbor/DR • p. 143 : Photos12.com-Collection cinéma • p. 144 : Ph. Coll. Archives Larbor/DR • p. 146 : Photos12.com-Collection cinéma • p. 148 : Ph. Coll. Archives Larbor/DR • p. 149 : ph. H. Thibault / Archives Larbor • p. 152 : Coll. Archives Larbor/DR • p. 156 : Ph. Coll. Kipa/DR • p. 157 : Photos12.com-Collection cinéma • p. 160 : Photos12.com-Collection cinéma • p. 162 : Photos12.com-Collection cinéma • p. 164 : Collection Vincent Pinel • p. 168 : Photos12.com-Collection cinéma • p. 170 : Coll. Archives Larbor/DR • p. 173 : Photos12.com-Collection cinéma • p. 174 : Ph. Jean-Louis Castelli / Coll. Archives Larbor © Gaumont • p. 178-179 : Ph. G. Pierre © Prod DB-Films Georges de Beauregard/DR • p. 183 : Ph. Sylvette Baudrot / Coll. Archives Larbor/DR • p. 185 : Ph. Archives Larbor © by Les Films du Carrosse • p. 186 : Ph. Cats / Corbis-Kipa/DR • p. 188 : Coll. Archives Larbor/DR • 190 : Ph. Coll. Archives Larbor/DR • p. 192 : Photos12.com-Collection cinéma • p. 196 : Photos12.com-Collection cinéma • p. 198 : Ph. © Rex Features • p. 199 : Coll. Archives Larbor/DR • p. 202 : Coll. Archives Larbor/DR • p. 206 : Ph. Coll. Archives Larbor/DR • p. 210 : Ph. Coll. Archives Larbor/DR • p. 212 : Photos12.com-Collection cinéma • p. 215 : Ph. Coll. National Film Archive • Archives Larbor © Turner entertainment Co Archive, all rights reserved/DR • p. 217 : Photos12.com-Collection Cinéma • p. 220 : Ph. Coll. Archives Larbor/DR • p. 223 : Photos12.com-Collection cinéma • p. 227 : Prod DB/DR • p. 229 : Photos12.com-Collection cinéma • p. 233 : Ph. Coll. Corbis-Kipa/Dr • p. 234 : Photos12.com-Collection cinéma • p. 236 : Ph. © Filmedis • Archives Larbor/DR • p. 241 : Photos12.com-Collection cinéma • p. 245 : Photos12.com-Collection cinéma • p. 246 : Photos12.com-Collection cinéma • p. 248-249 : Ph. Coll. Archives Larbor/DR • p. 251 : Ph. Coll. Archives Larbor/DR • p. 253 : Ph. © MO / Corbis-Kipa/DR • p. 256 : Ph. Coll. Corbis-Kipa/DR • p. 261 : Photos12.com-Collection cinéma • p. 264 : Ph. Coll. National Film Archive, Londres • Coll. Archives Larbor/DR • p. 268 : Photos12.com-Collection cinéma • p. 270 : Prod DB © Argos-Road Movies/DR • p. 276 : Photos12.com-Collection cinéma • p. 280 : Photos12.com-Collection cinéma • p. 284 : Photos12.com-Collection cinéma • p. 288 : Photos12.com-Collection cinéma • p. 289 : Photos12.com-Collection cinéma • p. 293 : Photos12.com-Collection cinéma • p. 295 : Prod DB/DR • p. 298 : Photos12.com-Collection cinéma/Bac Distribution • p. 303 Photos12.com-Collection cinéma.

Achevé d'imprimer en août 2002 sur les presses de Grafica Editoriale, Bologne (Italie).
n° de projet: 10089593